생각이 터지는

수학의 발견 중 1 해설서

차 례

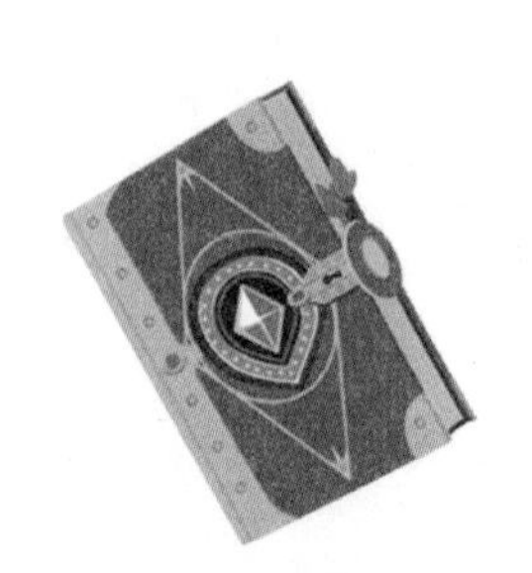

"학생 참여 중심의 수업을 맛본 뒤부터 절대로 교사가 일방적으로 주도하는 주입식·설명식 수업으로 돌아갈 수 없었습니다. 이 대안 수학 교과서가 없었다면 나는 엉성한 학습지라도 다시 만들어 수업했을 것입니다. 지금 수학 교과서는 최악입니다."

실험학교 교사가 들려준 말이 아직도 귀에 쟁쟁합니다.

저는 교직을 떠난 지 7년이 지났습니다. 교직에 있는 27년 동안 무려 20년 넘게 교사가 주도하는 설명식 수업을 하다가 깨달은 바가 있어 마지막 7년 동안은 학생 배움 중심 수업을 했습니다. 제가 근무하던 학교는 혁신학교도 아니었고, 심지어 고등학교 3학년 교실에서조차 모둠 활동을 했던 기억이 납니다.

2004년부터 많은 수업을 컨설팅했습니다. 영어, 사회, 체육 등 다른 교과 수업을 컨설팅할 때는 즐거웠습니다. 그런데 정작 제 전공인 수학 수업을 컨설팅할 때는 항상 마음이 무거웠습니다. 수학 교사들이 하는 교수법이나 수업 전문성에 의심이 들었기 때문입니다. 그러다 늦게나마 깨달았습니다. 수학 교과서가 행동주의 교육철학에 기반을 두고 쓰인 탓에 구성주의에 따른 수업은 진행할 수가 없겠다는 것이었습니다.

수학 교과서는 70년 동안 멈춰 있었습니다. 안타까운 현실을 타개하기 위해 지난 2년간 집필진과 실험학교 교사들이 밤낮으로 머리를 맞대고 씨름했습니다. 수업을 바꾸고 싶은 교사들을 위해 대안 수학 교과서를 만들었습니다. 수업에 사용할 과제를 만들고 수업 디자인을 하는 것이 쉬운 일은 아닐 것이라 짐작했지만 정말 어려운 일이었습니다. 이제 첫발을 디뎠기 때문에 100% 만족스러운 수준은 아니지만 자신감을 가질 수준은 된다는 확신이 듭니다.

물론 개념 설명을 교사에게 맡기지 않는 《수학의 발견》이 가진 교육철학에 동의하지 않는 교사도 있을 것입니다. 그런 분들은 이 책을 사용하기 쉽지 않을 것입니다. 왜냐하면 가르칠 내용과 지식이 한 눈에 보이지 않을 뿐만 아니라 어떻게 수업을 진행해야 할지 선뜻 떠오르지 않기 때문입니다.

《수학의 발견》과 《수학의 발견 해설서》는 학생 참여 중심의 수업을 하려는, 즉 구성주의 교육철학을 가진 분들에게 알맞습니다. 수학 개념을 만들어 가는 학습에서부터 스스로 발견하고 찾아가도록 과제를 구성했습니다. 《수학의 발견》은 아이들이 왁자지껄 떠들며 수업을 이끌어가는 교실, 터져 나오는 아이들의 생각을 뒤에서 살피고 수정해 줄 수 있는 선생님이 있는 수학 수업을 꿈꿉니다. 이 책으로 진정한 과정 중심 평가가 이루어지기를 기대합니다.

사교육걱정없는세상 수학사교육포럼 대표 최수일

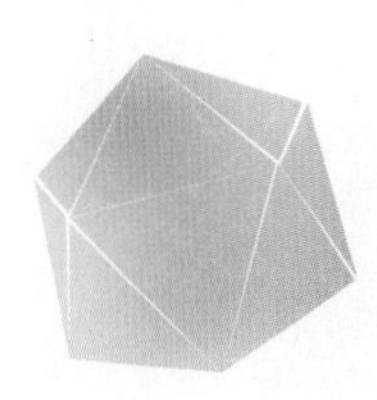

《수학의 발견 해설서》, 이렇게 활용하세요!

학생이 스스로 수학 개념을 찾아가도록 하기 위해서 《수학의 발견》은 개념을 탐구할 수 있는 질문들을 유기적으로 제공하고 학생 스스로 채울 수 있는 공간을 최대한 늘렸습니다. 대신 해설서는 자료들을 자세하게 제공하여 꼭 필요한 책으로 자리매김하고자 하였습니다. 《수학의 발견 해설서》는 기존 해설서가 제공하는 기본적인 정보 이외에 세 가지 특징을 가지고 있습니다.

탐구 활동의 과제 구성 의도를 자세하게 제공

탐구 활동 의도

- 수직선의 원점에서 같은 거리만큼 떨어져 있는 수들의 특징을 살펴봄으로써 절댓값의 개념을 이해하게 한다.
- 필요하다면 주어진 과제뿐만 아니라 더 많은 수를 제시하여, 학생들이 '수직선에서 수를 나타내는 점과 원점 사이의 거리'라는 절댓값의 의미를 충분히 익히도록 해야 한다.
- 절댓값의 개념은 개념 자체보다는 부호가 같은 두 수의 크기 비교 또는 유리수의 덧셈과 뺄셈의 과정을 일반화할 때 사용되는 정도로 다룰 수 있다.

해설서 60쪽

탐구 활동의 의도를 알면 수업 구상이 쉬워집니다.

실험학교의 학생 반응 자료 제공

다음 사진은 학생들이 절댓값의 의미를 생각하지 않고 구하는 방법에만 집중하여 답안을 적은 예시다.

(1) $\frac{7}{4}$ $|1\frac{3}{4}|$　(2) $-\frac{3}{2}=|\frac{3}{2}|$　(3) $+\frac{5}{2}=|2\frac{1}{2}|$　(4) $-\frac{5}{4}=|1\frac{1}{4}|$

(1) $\frac{7}{4}:|\frac{7}{4}|$　(2) $-\frac{3}{2}:|\frac{3}{2}|$　(3) $+\frac{5}{2}:|\frac{5}{2}|$　(4) $-\frac{5}{4}:|\frac{5}{4}|$

해설서 60쪽

1년 동안 실험에 참여한 학생들의 과제에 대한 반응 자료를 제공하여 학생들의 반응을 예측하며 모둠 활동을 구상할 수 있습니다.

학생 중심 수업 진행 노하우 제공

수업 노하우

- 점수의 총합을 정확하게 구하는 것도 중요하나, 이것에 초점을 두기 보다는 계산하는 방법이 다양함을 확인하는 것에 초점을 두고 지도해야 한다.
- 개인적으로 문제를 해결했다면, 반드시 모둠 활동이나 반 전체를 대상으로 한 발표를 통해 다양한 계산 방법을 공유하도록 한다. 그리고 다음과 같은 활동을 추가하여 의견을 나눌 수도 있다.
  - 다양한 계산 방법 사이의 공통점과 차이점을 찾아보기
  - 가장 편리하다고 생각하는 계산 방법을 선택하고, 이유 생각해 보기
- **탐구하기 2**를 마친 후에 수직선을 이용하거나 친구들과 논의한 덧셈의 방법으로 계산 방법을 되돌아 보는 시간을 갖는 것도 의미가 있다.

해설서 65쪽

학생 중심 수업을 진행하는 것은 쉽지 않습니다.
그래서 각 탐구 활동마다 수업 진행 노하우를 실었습니다.

《수학의 발견》 철학, 수학 학습원리

'수학'이라는 과목이 다섯 가지 영역으로 나눠져 있지만, 그 속에서 사용되는 수학 원리는 일관성을 유지하고 있습니다. 그래서 각 영역을 관통하는 연결성이 대단히 중요합니다. 생각이 터지는 수학 교과서 《수학의 발견》에는 기존 교과서에서는 볼 수 없었던 다섯 가지 〈수학 학습원리〉를 첫머리에 제시하고 있습니다.

수학 학습원리

끈기 있는 태도와 자신감 기르기

- 과제에 포함된 주어진 자료, 사실, 조건에 대해 주의를 기울인다.
- 문제를 적극적으로 해결했던 경험을 떠올리며, 또 다른 효율적인 방법이 없는지 계속 궁리한다.
- 스스로 과제를 해결해 가는 과정에서 자신감을 기른다.

관찰하는 습관을 통해 규칙성 찾아 표현하기

- 과제에 포함된 몇 가지 사실을 조사하여 규칙을 발견한다.
- 규칙을 발견한 뒤 이를 이용하여 결과를 예측해 본다.
- 비슷한 문제 상황에 적용할 수 있는지 판단해 보고 일반적인 규칙으로 표현한다.

수학적 추론을 통해 자신의 생각 설명하기

- 자신이 추론한 여러 가지 가설과 사례가 왜 맞는지 설명해 본다.
- 새로 탐구한 결과가 이미 알려진 사실에 어떻게 연결되는지 논리적으로 설명한다.
- 다른 사람의 주장이 맞는지 판단해 보고 만약 맞지 않는다면 하나 이상의 반례를 찾는다.

수학적 의사소통 능력 기르기

- 표, 수식, 그림, 그래프 등을 이용하여 주어진 조건을 분석하고 설명한다.
- 다른 사람에게 자신의 생각을 수학적 언어로 명확하게 설명한다.
- 다른 사람의 수학적 사고를 분석하고 평가해 본다.

여러 가지 수학 개념 연결하기

- 수학적 아이디어 혹은 개념 사이의 연결성을 인식하고 활용한다.
- 이미 알고 있는 개념에 새로운 개념을 연결하여 개념의 일관성을 키운다.
- 일상생활이나 다른 교과의 사례에서 수학을 인식하고 활용해 본다.

〈수학 학습원리〉가 왜 필요할까요?

아이들의 수학 공부 방법을 보면 많은 문제를 풀면서도 그 문제 해결에 필요한 개념 사이의 관계나 연결성을 되돌아보고 정리하는 면에서는 부족한 것을 느낍니다.

예를 들면, 분수의 사칙 계산을 공부하면서 덧셈은 덧셈대로 곱셈은 곱셈대로 서로 다른 공식을 적용하여 계산을 하지만 두 계산 사이에 어떤 관계가 있는지는 생각하지 않고 답을 구하는 방법에만 몰두하는 경향을 말합니다. 그렇게 되면 두 계산은 아무런 관계가 없이 별도의 공식과 개념으로만 남게 됩니다.

《수학의 발견》에서는 선생님이 아이들에게 〈수학 학습원리〉를 제시하고, 아이들이 그 원리들을 학습 중에 지속적으로 떠올릴 수 있도록 지도하기를 권장합니다. 그리고 '수학 학습원리 완성하기'를 통해 매 단원이 끝날 때마다 충분한 시간을 가지고 〈수학 학습원리〉를 되돌아볼 것을 추천합니다. 이 과정에서 아이들은 수학 개념의 연결성과 일관성을 느낄 수 있고, 이것이 수학 공부에 대한 내적인 동기 유발로 이어짐을 현장 실험 수업을 통해 경험했기 때문입니다.

연간 지도 계획

일반적으로 중학교 수학 교과는 34주를 기준으로 1학년과 2학년에서 각각 136시간, 3학년에서 102시간을 배정합니다. 하지만 《수학의 발견》의 연간 지도 계획은 자유학기제 또는 자유학년제 도입에 맞춰 수업을 융통성 있게 운영할 수 있도록 120시간으로 배정하였습니다. 이를 참고하여 수학 교과의 이수 시기와 학교가 정한 수업 시수에 맞도록 적절히 증감하여 지도하시기 바랍니다.

중 1 상

중단원	소단원	소주제	교과서 쪽수	시간 배당	학기별 누계
STAGE 1 자연수를 깨뜨려 보자	1 자연수의 다른 표현	/1/ 암호 속의 수	13~19	3	3
		/2/ 수의 다양한 표현	20~25	4	7
		탐구 되돌아보기	26~31	1	8
	2 생활 속에 쓰는 수	/1/ 나눔 속의 수	33~35	1	9
		/2/ 함께 만나는 수	36~39	2	11
		탐구 되돌아보기	40~43	1	12
	개념과 원리 연결하기 수학 학습원리 완성하기		44~47	1	13
STAGE 2 새로운 수의 세계로 빠져 보자	1 더 넓어진 수의 세상	/1/ 짝꿍이 되는 수	51~55	2	15
		/2/ 수의 크기 비교	56~57	3	18
		탐구 되돌아보기	58~60	1	19
	2 새로운 수로 할 수 있는 일	/1/ 합리적인 용돈 관리	61~70	3	22
		/2/ 정수구구단	71~79	3	25
		탐구 되돌아보기	80~83	1	26
	개념과 원리 연결하기 수학 학습원리 완성하기		84~87	1	27
STAGE 3 문자를 수처럼 계산해 보자	1 문자로 표현된 식의 세상	/1/ 문자의 사용	91~95	3	30
		/2/ 끼리끼리 모이는 문자	96~99	3	33
		/3/ 문자로 표현된 세상	100~103	3	36
		탐구 되돌아보기	104~111	1	37
	개념과 원리 연결하기 수학 학습원리 완성하기		112~115	1	38
STAGE 4 x를 구해 보자	1 모든 문제는 풀린다	/1/ 퀴즈쇼 도전하기	119~125	3	41
		/2/ 퀴즈쇼 우승자	126~132	3	44
		탐구 되돌아보기	133~137	1	45
	개념과 원리 연결하기 수학 학습원리 완성하기		138~141	1	46
STAGE 5 변화를 나타내 보자	1 변화를 나타내는 x와 y	/1/ 위치 설명하기	145~148	2	48
		/2/ 나는 사업가	149~157	4	52
		/3/ 사업 성공을 위한 선택	158~160	2	54
		탐구 되돌아보기	161~167	1	55
	개념과 원리 연결하기 수학 학습원리 완성하기		168~171	1	56
STAGE 6 서로 영향을 주고받는 세상을 살펴보자	1 변화하는 양 사이의 관계	/1/ 친환경 소비	175~177	1	57
		/2/ 규칙 속의 그림	178~182	3	60
		탐구 되돌아보기	183~189	1	61
	개념과 원리 연결하기 수학 학습원리 완성하기		190~193	1	62

중 1 하

중단원	소단원	소주제	교과서 쪽수	시간 배당	학기별 누계
STAGE 7 세상을 확대해 보자	1 내 주변에 숨어 있는 기본 도형	/1/ 확대한 사진 속 세상	13~15	1	1
		/2/ 옛길과 새 고속도로	16~20	2	3
		/3/ 마을의 약도	21~27	2	5
		/4/ 공간 속의 직선과 평면	28~31	2	7
		탐구 되돌아보기	32~37	1	8
	개념과 원리 연결하기 수학 학습원리 완성하기		38~41	1	9
STAGE 8 쌍둥이 삼각형을 찾아보자	1 합동인 삼각형	/1/ 합동인 삼각형	45~52	4	13
		/2/ 눈금 없는 자와 컴퍼스로 할 수 있는 일	53~56	2	15
		탐구 되돌아보기	57~63	1	16
	개념과 원리 연결하기 수학 학습원리 완성하기		64~67	1	17
STAGE 9 그림 속에서 약속을 찾아보자	1 딱딱한 도형	/1/ 모양 관찰	71~75	2	19
		/2/ 도형 속의 도형	76~81	5	24
		탐구 되돌아보기	82~85	1	25
	2 부드러운 도형	/1/ 원주율	87~90	1	26
		/2/ 원에서 찾을 수 있는 도형들	91~95	2	28
		탐구 되돌아보기	96~99	1	29
	개념과 원리 연결하기 수학 학습원리 완성하기		100~103	1	30
STAGE 10 튀어나온 물체를 찾아보자	1 우리 주변의 입체도형	/1/ 다각형으로 둘러싸인 도형	107~113	3	33
		/2/ 회전문이 만드는 도형	114~116	2	35
		탐구 되돌아보기	117~120	1	36
	2 겉넓이와 부피	/1/ 기둥과 뿔의 겉넓이	122~129	4	40
		/2/ 기둥과 뿔의 부피	130~133	2	42
		/3/ 구의 겉넓이와 부피	134~135	1	43
		탐구 되돌아보기	136~141	1	44
	개념과 원리 연결하기 수학 학습원리 완성하기		142~145	1	45
STAGE 11 세상을 한눈에 알아보자	1 한눈에 보이는 정보	/1/ 정리된 자료에서 정보 찾기	149~151	1	46
		/2/ 같은 자료, 다른 해석	152~153	1	47
		탐구 되돌아보기	154~156	1	48
	2 자료를 정리하는 방법 찾기	/1/ 순서대로 정리하기	158~161	2	50
		/2/ 그림으로 변신한 자료	162~165	2	52
		/3/ 어떻게 비교할까?	166~169	2	54
	3 실생활 자료의 정리와 해석	/1/ 소프트웨어의 이용	171~179	1	55
		/2/ 통계 프로젝트	180~183	2	57
	개념과 원리 연결하기 수학 학습원리 완성하기		184~187	1	58

학생 참여 중심의 수학 수업

학생이 자기 주도적으로 개념을 구성해 나가며 진정한 배움이 일어나는 수학 수업에서는 나름의 수업 문화를 만들어야 합니다. 바로 경청, 공유, 실수를 통한 배움을 중요하게 생각하는 것입니다.
첫째로 아이디어를 바탕으로 문제 해결 방법에 대해 자유롭게 토론하기 위해서는 당연히 경청할 수 있는 태도를 지녀야 합니다. 다른 사람의 아이디어와 해결 방법을 존중하는 과정에서 모두가 배울 수 있을 뿐 아니라 바람직한 사회적 상호작용의 기초도 마련할 수 있기 때문입니다.
둘째로 스스로 찾은 해결 방법을 다른 학생들과 공유해 나가는 문화를 조성해야 합니다. 서로 아이디어를 공유하고 자신에게 좋은 정보를 받아들이는 것에 자율성과 책임이 함께 있기 때문에 이를 강조해야 합니다.
마지막으로 학습 과정에서 일어나는 실수를 부정적으로 생각하지 않도록 해야 합니다. 실수를 통해 배운 내용을 다시 확인하고 그것을 수정하기 위해 서로 돕는 과정에서 학습이 진전됨을 아이들이 경험으로 알 수 있을 것입니다.

《수학의 발견》과 《수학의 발견 해설서》는 학생이 참여할 수밖에 없는 과제, 그리고 그 과제로 수업을 할 때 나타나는 다양한 양상, 그리고 그러한 학생들의 반응을 조율하며 수학 개념을 탐구할 수 있도록 하는 안내를 하고 있습니다. 과제를 처음부터 모둠별로 하라고 제시하는 것은 아닙니다. 학생의 개별 활동과 모둠 활동, 전체 공유 활동을 교사가 다음과 같이 조율해 갈 필요가 있습니다. 이것에 대한 구체적인 안내는 〈수업 노하우〉에 실었습니다.

교과서 과제

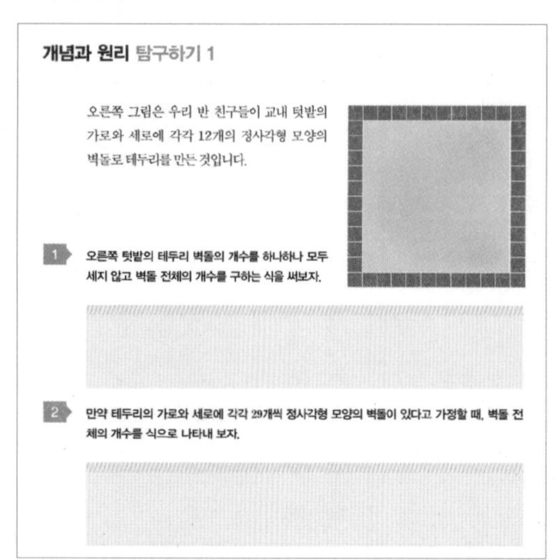
개념과 원리 탐구하기 1

오른쪽 그림은 우리 반 친구들이 교내 텃밭의 가로와 세로에 각각 12개의 정사각형 모양의 벽돌로 테두리를 만든 것입니다.

1 오른쪽 텃밭의 테두리 벽돌의 개수를 하나하나 모두 세지 않고 벽돌 전체의 개수를 구하는 식을 써보자.

2 만약 테두리의 가로와 세로에 각각 29개씩 정사각형 모양의 벽돌이 있다고 가정할 때, 벽돌 전체의 개수를 식으로 나타내 보자.

학생 참여 수업의 진행

수업 진행	학생 활동	교사의 역할
수업 전		예상하기
1번 과제	개별 활동	점검하기
2번 과제	개별 활동	점검하기
3번 과제	모둠 활동	선정하기 계열짓기
마무리	전체 공유 활동	연결하기

STAGE 1

자연수를 깨뜨려 보자
– 소인수분해

이 단원의 핵심 지도 방향

이 단원은 초등학교에서부터 당연하게 수라고 배운 '자연수'의 여러 가지 성질을 탐구합니다. 약수 개념을 확장하여 소수 개념으로 발전시킵니다. 그렇다면 소수 개념은 왜 중요할까요? 모든 자연수는 소수들만의 곱으로 표현할 수 있기 때문이죠. 소수만 있으면 소수끼리 곱해서 모든 자연수를 다 만들어낼 수 있습니다.
그리고 '소인수분해'라는 도구를 이용하면 초등학교에서 배운 최대공약수와 최소공배수 구하는 방법을 이해하게 되고, 우리가 왜 그렇게 구했었는지를 논리적으로 설명해 낼 수 있습니다.

1 자연수의 다른 표현

단원 지도 계획

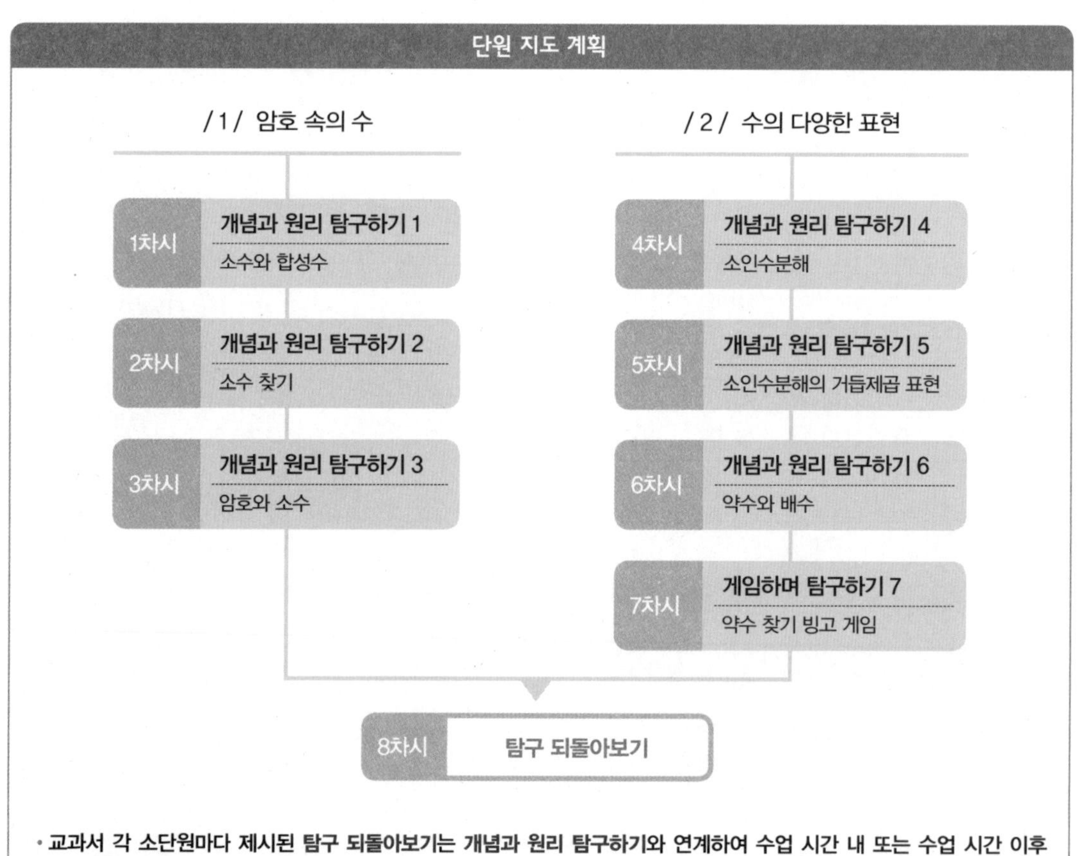

• 교과서 각 소단원마다 제시된 탐구 되돌아보기는 개념과 원리 탐구하기와 연계하여 수업 시간 내 또는 수업 시간 이후 복습으로 활용할 수 있습니다.

/1/ 암호 속의 수

학습목표

1 자연수의 약수의 특징을 관찰하고 이를 이용하여 소수와 합성수를 구분할 수 있다.
2 소수를 찾아내는 것을 발명하고, 이를 에라토스테네스의 체와 비교하여 자기 주도적 발명의 기쁨을 맛볼 수 있다. 수학사를 통해 소수의 중요성을 이해할 수 있다.
3 암호의 원리 등 실생활 문제의 해결에 소수가 사용되는 것을 체험할 수 있다.

2015 개정 교육과정 성취기준

소인수분해의 뜻을 알고, 자연수를 소인수분해할 수 있다.

핵심발문

우리가 찾은 수가 주어진 수의 모든 약수라고 어떻게 말할 수 있을까?

개념과 원리 탐구하기 1 _ 소수와 합성수

교과서(상) 13쪽

탐구 활동 의도

- 직사각형의 넓이는 가로의 길이와 세로의 길이의 곱으로, 두 수의 곱의 쌍으로 나타낼 수 있다. 따라서 어떤 수의 약수를 찾을 때, '어떤 수를 나누어떨어지게 하는 수'라는 정의로 찾기보다 곱셈식을 이용하면 소인수분해의 개념과 연결지을 때 도움이 된다.
- 직사각형의 넓이가 소수인 경우는 직사각형이 단 한 가지로만 그려지기 때문에 소수의 정의와 연결시킬 수 있는 질문이다.
- 약수를 모두 구하는 것이 목표가 아니라, 약수를 '모두 구한 것인지'를 판단할 수 있도록 하자.
  초등학교에서는 논리적으로 설명할 수 없었던 과정이지만 중학교에서는 이를 설명할 수 있도록 한다. 이 탐구 활동에서도 약수를 모두 찾은 것인지 판단하는 탐구를 하면 좋겠다.
- 직사각형의 넓이가 1인 경우, [2]의 답이 애매해지므로 직사각형의 넓이가 1인 경우를 구하는 것은 제외하였다.

예상 답안

[1] • 직사각형의 넓이가 2인 경우

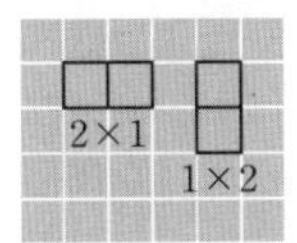

• 직사각형의 넓이가 3인 경우

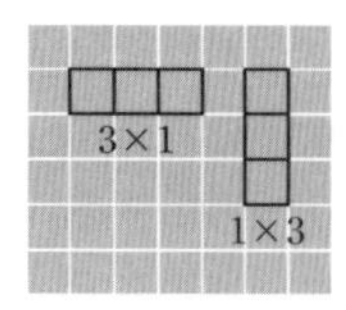

• 직사각형의 넓이가 4인 경우

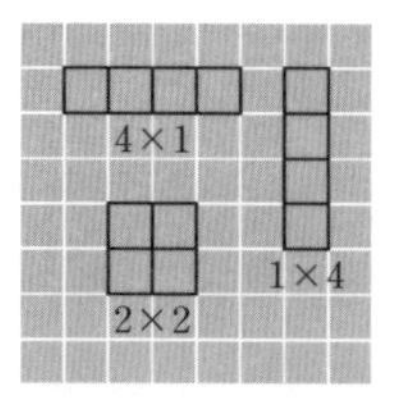

• 직사각형의 넓이가 5인 경우

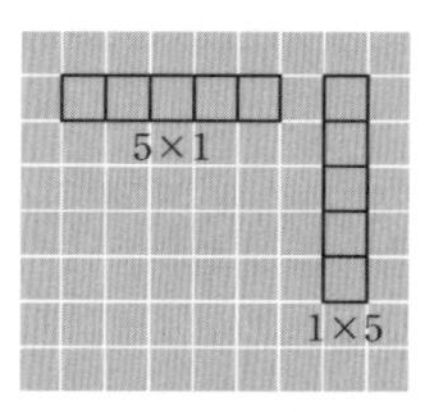

• 직사각형의 넓이가 6인 경우

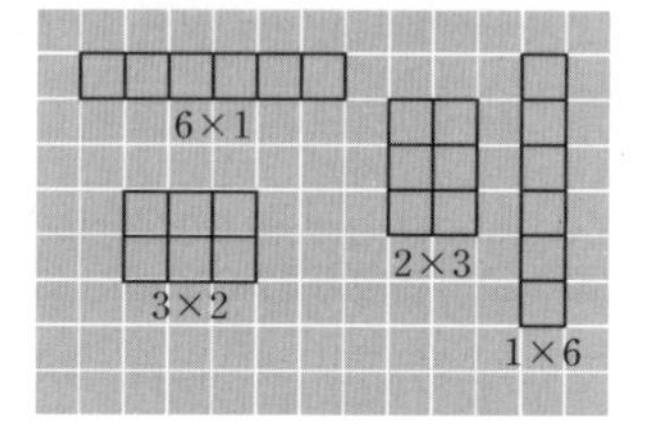

• 직사각형의 넓이가 7인 경우

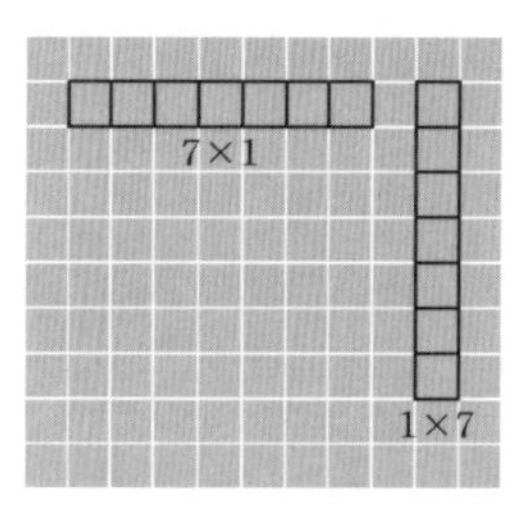

• 직사각형의 넓이가 8인 경우

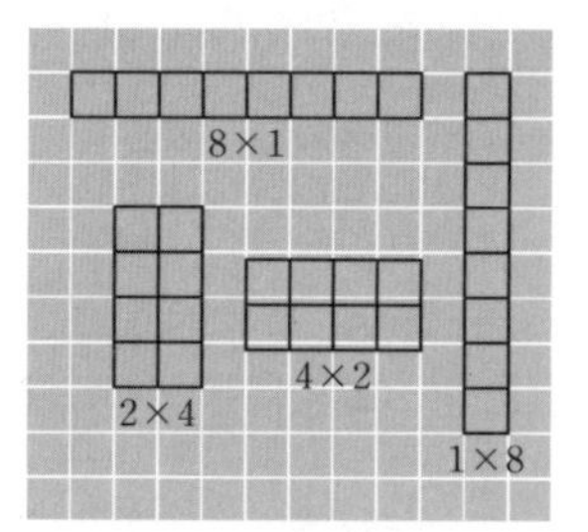

• 직사각형의 넓이가 9인 경우

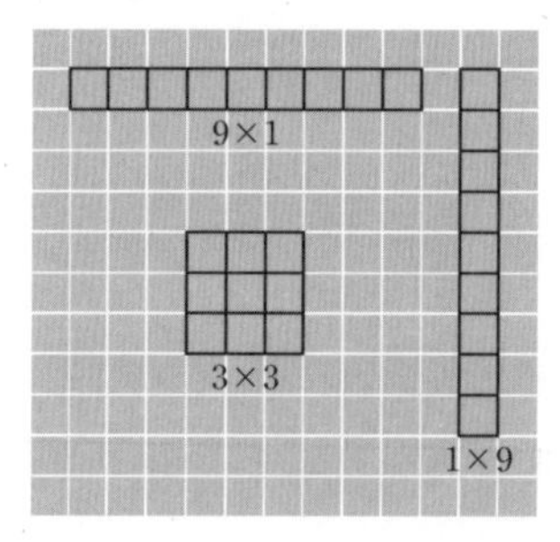

• 직사각형의 넓이가 10인 경우

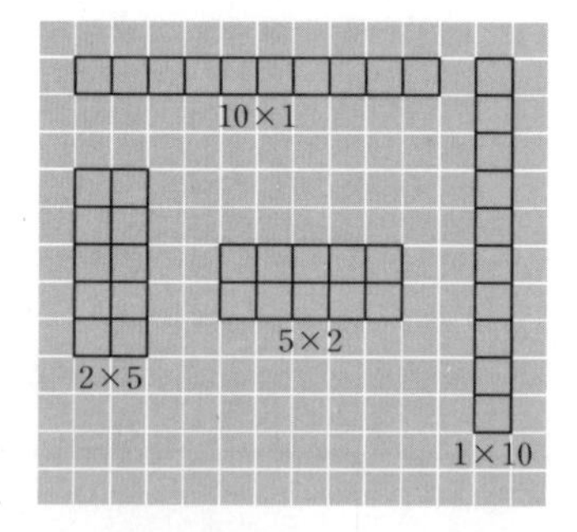

주의

직사각형을 그릴 때 오른쪽 그림과 같이 한 가지만 찾는 경우에는 2에 대한 예상 답변이 다양하게 나오기 어렵기 때문에 그릴 수 있는 모든 경우를 전부 찾도록 유도한다.

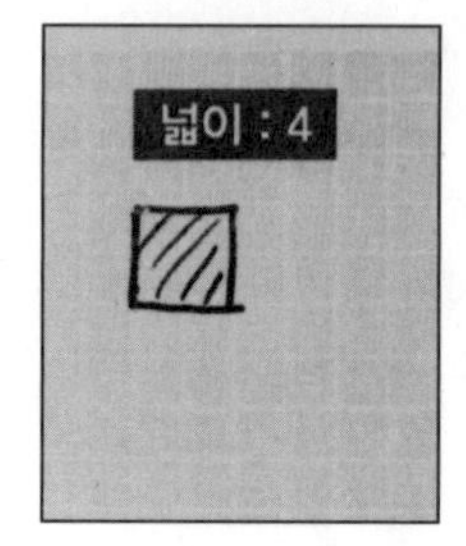

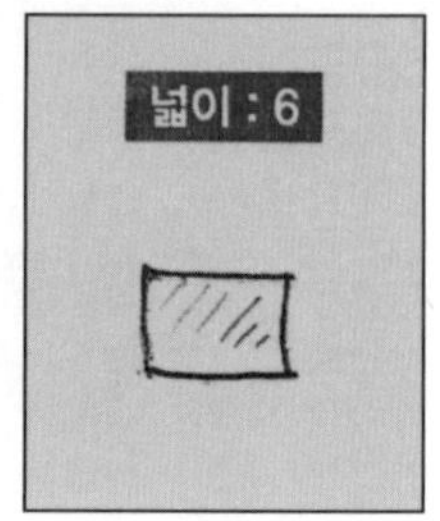

2 (1)

직사각형의 넓이	가능한 가로의 길이와 세로의 길이
2	1, 2
3	1, 3
4	1, 2, 4
5	1, 5
6	1, 2, 3, 6
7	1, 7
8	1, 2, 4, 8
9	1, 3, 9
10	1, 2, 5, 10

(2) **내가 발견한 성질**

- 직사각형의 넓이가 짝수일 때는 가로 또는 세로의 길이에 2가 있다.
- 약수가 2개인 수는 2, 3, 5, 7이다.
- 약수가 3개인 수는 4, 9이다.
- 약수가 4개인 수는 6, 8, 10이다.

모둠에서 발견한 성질

- 직사각형의 가로의 길이와 세로의 길이는 주어진 넓이의 약수이다.
- 직사각형의 넓이는 가로의 길이와 세로의 길이의 배수이다.
- 약수의 개수에 따라 수를 분류할 수 있다.

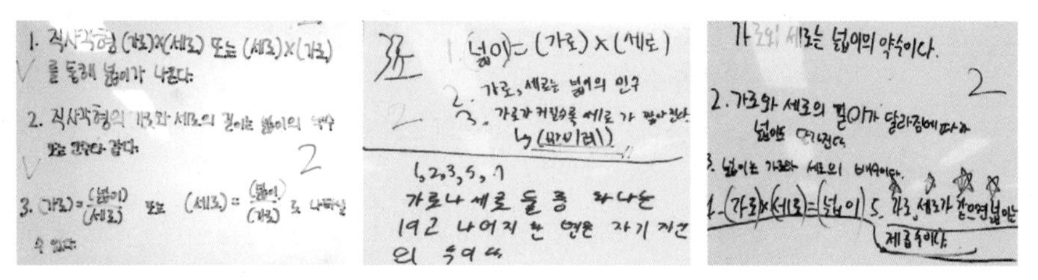

3 (1) 소수 : 2, 3, 5, 7　합성수 : 4, 6, 8, 9, 10

직사각형의 모양이 하나뿐인 수는 약수가 1과 그 자신뿐이므로 소수이다. 직사각형의 모양이 2개 이상인 수는 약수가 1과 자기 자신 이외에도 있으므로 합성수이다. 이때 합동인 직사각형은 같은 것으로 본다.

(2) 소수 : 2, 3, 5, 7, 11, 13, 17, 19

합성수 : 4, 6, 8, 9, 10, 12, 14, 15, 16, 18, 20

참고 소수는 약수가 1과 자기 자신뿐이므로 약수가 2개이며, 합성수는 1과 자기 자신 이외의 약수가 존재하므로 약수가 3개 이상이다.

수업 노하우

- 수의 특징을 파악하기 위해 곱셈식으로 표현하는 것은 이 단원에서 학생들이 문제를 해결하는 데 사용하게 될 중요한 방법 중 하나이다. 곱셈식에서 약수를 찾는 것은 초등학교에서 조금 학습하였으므로 중학교에서는 이를 탐구할 수 있도록 안내한다.
- 1을 풀 때, 학생들에게 다음과 같이 발문할 수 있다.

> 각 경우 이외에 다른 답이 있나요? 이것이 전부라는 것을 어떻게 알 수 있나요?

참고

- 나누어떨어지는 약수의 개념과 곱으로 나타내는 직사각형의 넓이를 연결한 것은 나눗셈을 통해서 가능하다.
- 자연수 a를 자연수 b로 나눈 몫을 q, 나머지를 r라 하면 $a=bq+r$인 관계가 성립한다. 여기서 $r=0$일 때 a는 b로 나누어떨어진다고 한다. 즉, $a=bq$이다. 따라서 a가 b로 나누어떨어지면 자연수 a는 두 자연수의 곱으로 나타내어진다.
  이를 정리하면 a가 b로 나누어떨어지므로 b는 a의 약수가 되는데, 이때 a는 약수의 곱으로 나타낼 수 있다. 즉, 이 약수는 넓이가 a인 직사각형의 가로 또는 세로의 길이로 나타난다.

개념과 원리 탐구하기 2 _ 소수 찾기

교과서(상) 16쪽

탐구 활동 의도

- 에라토스테네스의 방법으로 소수를 찾는 일이 수학사적으로 중요한 문제였음을 알게 한다.
  자연수에서 소수를 찾는 일반적인 방법은 아직 존재하지 않는다. 수학자들은 소수를 쉽게 찾을 수 있는지 알아내려 했지만 성공하지 못했다. 다만 어떤 수가 수학적인 정리(*theorem*)들을 이용하여 소수인지 아닌지 판정할 수는 있다. 에라토스테네스의 체는 자연수에서 소수를 찾는 가장 고전적이고 일반적인 방법이다. 이런 맥락에서 학습자가 스스로 소수를 찾는 방법을 발명하는 경험을 하게 한다.
- 2를 제외한 2의 배수는 소수가 아님을 알게 하고, 이들을 지워나가는 과정을 통해 남아있는 것들이 소수가 됨을 이해할 수 있다.
- 100 이하의 소수, 특히 2, 3, 5, 7, 11 등의 소수를 직접 눈으로 보며 소수에 익숙해지는 과정이 될 수도 있다.
- 이 수업 이후 에라토스테네스는 어떤 방법을 사용했는지 조사하는 과제를 낼 수도 있다.

예상 답안

1

- 소수는 2뿐이다. 왜냐하면 2를 제외한 2의 배수는 모두 2를 약수로 가지므로 소수가 아니기 때문이다.
- 약수로 2를 가지고 있으면 소수가 아니다.

1	2	3	4	5	6	7	8	9	10
11	12	13	14	15	16	17	18	19	20
21	22	23	24	25	26	27	28	29	30
31	32	33	34	35	36	37	38	39	40
41	42	43	44	45	46	47	48	49	50
51	52	53	54	55	56	57	58	59	60
61	62	63	64	65	66	67	68	69	70
71	72	73	74	75	76	77	78	79	80
81	82	83	84	85	86	87	88	89	90
91	92	93	94	95	96	97	98	99	100

2 (1) 1부터 100까지의 소수는 다음과 같다.

2, 3, 5, 7, 11, 13, 17, 19, 23, 29, 31, 37, 41, 43, 47, 53, 59, 61, 67, 71, 73, 79, 83, 89, 97

아래 지우는 부분은 각 수의 배수 별로 다른 색을 사용하면 풀이 과정이 눈에 잘 보여서 이해하는 데 도움이 된다.

1	2	3	4	5	6	7	8	9	10
11	12	13	14	15	16	17	18	19	20
21	22	23	24	25	26	27	28	29	30
31	32	33	34	35	36	37	38	39	40
41	42	43	44	45	46	47	48	49	50
51	52	53	54	55	56	57	58	59	60
61	62	63	64	65	66	67	68	69	70
71	72	73	74	75	76	77	78	79	80
81	82	83	84	85	86	87	88	89	90
91	92	93	94	95	96	97	98	99	100

1	2	3	4	5	6	7	8	9	10
11	12	13	14	15	16	17	18	19	20
21	22	23	24	25	26	27	28	29	30
31	32	33	34	35	36	37	38	39	40
41	42	43	44	45	46	47	48	49	50
51	52	53	54	55	56	57	58	59	60
61	62	63	64	65	66	67	68	69	70
71	72	73	74	75	76	77	78	79	80
81	82	83	84	85	86	87	88	89	90
91	92	93	94	95	96	97	98	99	100

(2)
- 3의 배수는 3만 소수이고, 나머지는 소수가 아니다. 6, 12, 18, …은 2의 배수로 이미 지워져 있다.
- 4의 배수들은 모두 2의 배수이기 때문에 이와 같은 작업을 하지 않아도 된다.
- 5의 배수 중에서는 5만 소수이기 때문에 나머지는 지운다. 10, 20, 30, …, 90은 2의 배수를 지울 때 이미 지워졌고, 15, 45, 75는 3의 배수를 지울 때 이미 지워졌기 때문에 25, 35, 55, 65, 85, 95만 추가로 더 지운다.
- 6의 배수는 2의 배수이므로 이미 지워져 있다.
- 7의 배수 중에서 7은 소수이고, 14, 21, 28, 35, 42, 56, 63, 70, 84, 98은 2의 배수, 3의 배수, 5의 배수를 지울 때 이미 지워졌기 때문에 49, 77, 91만 추가로 더 지운다.
- 8의 배수는 모두 2의 배수이고, 9의 배수는 모두 3의 배수이며, 10의 배수 또한 모두 2의 배수이므로 이 작업을 하지 않아도 된다.
- 11의 배수는 11보다 작은 숫자들의 배수를 지울 때 이미 모두 지워졌다. $11 \times 9 = 99$이기 때문에 100까지의 수 중에서 가장 큰 11의 배수는 99이지만, 99는 이미 3의 배수에서 지워진 수이다.

따라서 1부터 100까지의 자연수 중에서 소수를 찾는 방법을 정리하면 다음과 같다.

① 1은 소수가 아니므로 지운다.

② 소수 2는 남기고, 2의 배수를 모두 지운다.

③ 소수 3은 남기고, 3의 배수를 모두 지운다.

④ 소수 5는 남기고, 5의 배수를 모두 지운다.

⑤ 소수 7은 남기고, 7의 배수를 모두 지운다.

참고 효율적으로 소수를 찾기 위해서는 소수를 하나씩 찾는 것이 아니라, '소수가 아닌 수를 한꺼번에 많이 지운다.'는 아이디어가 필요하다. $11 \times$ (11보다 작은 수)는 이미 앞에서 11보다 작은 수들의 배수를 지울 때 없어졌기 때문에 100 이하의 수 중 추가로 지울 11의 배수가 없다는 사실을 발견하는 것이 중요하다. 11의 배수 중 앞에서 지우지 않은 배수의 시작은 $11 \times 11 = 121$이고 121은 주어진 표에 없으므로 11의 배수는 이미 다 지워졌다는 사실을 이해할 수 있도록 한다.

수업 노하우

- [1]은 '2만 남기고 2의 배수를 모두 지워라.'라는 기존의 에라토스테네스의 체의 알고리즘을 바로 알려주지 않는다. 오히려 물음을 '2의 배수 중 소수를 모두 찾아라.'로 수정했다. 왜 2의 배수 중에서 2가 소수인지, 즉 2만 남기고 2의 배수를 지우라는 알고리즘을 이해하도록 하는 질문으로 바꿈으로써 수학자들이 발명한 방법을 학생들 스스로 경험하도록 과제를 제시했다. 따라서 개별적으로 학생들이 혼자 생각할 시간을 주고, 모둠에서 의견을 듣는 과정을 거치도록 한다.
- 2의 배수를 지운 후 또 3, 5 등의 배수를 지우도록 하면 보다 수월하게 소수를 찾을 수 있다. 하지만 2의 배수를 지우는 과정만으로 소수를 찾는 과정을 발명할 수 있다면 그 성취감이 더욱 클 것이다.
  따라서 수업에서 2의 배수를 지우는 과정만으로 더 이상의 진전이 없을 때는 3의 배수, 5의 배수를 지우는 작업을 추가로 지시할 수 있다.
- 학생들이 소수를 찾을 때 다 찾지 못했거나 혹은 틀린 것이 있더라도 [1]을 해결하는 과정에서는 정답을 알려주지 않는 것이 필요하다. [2] (2) 모둠활동을 통해 소수를 찾는 알고리즘을 만들고 난 후, 그 알고리즘에 의해 [2] (1)의 결과를 돌아보며 오류를 찾아낼 수 있도록 안내할 수 있다.

- [2] (2)에서는 소수를 찾는 알고리즘을 발명하게 하는 것이 목표이다. [2] (1)에서 소수를 찾았다면 어떻게 해야 효율적으로 소수를 찾을 수 있는지 생각할 수 있도록 안내한다.
- 4의 배수, 6의 배수, 8의 배수, 9의 배수, 10의 배수 등은 지울 필요가 없는데, 학생들이 이런 생각을 하고 있는지 살펴보고, 표현할 수 있도록 안내한다.
- 학생들이 만든 알고리즘을 발표하고 검증하는 과정에서 다음과 같은 발문을 할 수도 있다.

> 제일 마지막에 지운 수는 무엇일까요? 그렇게 생각한 이유는 무엇일까요?

- 다음 그림은 2, 3, 5의 배수만 지워서 소수를 구한 학생의 발표 내용이다.

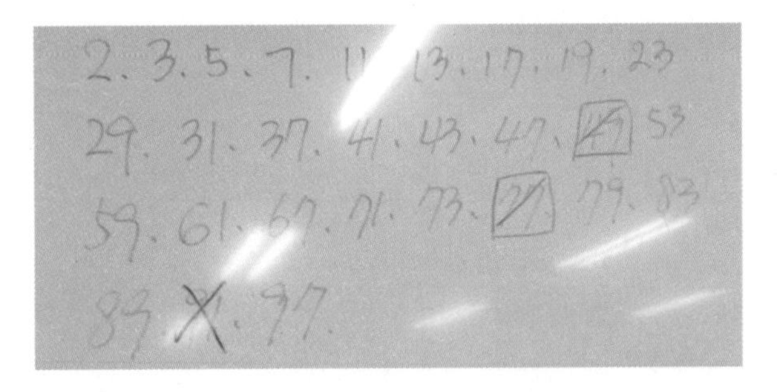

위와 같이 쓴 학생에게 다른 학생들은 "49, 77, 91은 소수가 아닌데?"라는 이의를 제기했다. 여기서는 '소수다, 아니다'라는 것보다 이것들이 어떤 알고리즘에서 걸러지지 않은 것인지 연결하는 것이 더 중요하다. 즉, 위의 세 수가 7의 배수라는 것, 그리고 7을 제외한 7의 배수를 지우지 않은 과정을 종합적으로 논의할 수 있도록 발표 과정을 진행한다. 학생이 발표를 했을 때, 정답 여부를 판단하기보다 학생들의 다소 단편적인 발표들을 이 과제의 학습목표와 어떻게 연결지을 것인지 고려할 필요가 있다.

- 학생들은 의외로 100 이하의 자연수에서 소수를 찾을 때, 7을 제외한 7의 배수까지 지우면 된다는 알고리즘을 만들어 내지 못한다. 아래와 같은 경우 11, 13의 배수를 지우는 과정이 의미가 있는지, 혹은 언제까지 어떤 수의 배수를 지워나갈 것인지에 대한 알고리즘을 수정할 수 있도록 **탐구 되돌아보기 2**와 **3**을 통해 논의를 진행한다.

2를 제외한 모든 100 이하의
짝수들은 지운다.
3의 배수 중 소수는 3밖에
없으니 3의 배수는 모두 지운다.
5의 배수 중에는 5밖에 없으니
5를 제외한 모든 수도
지운다.
7, 11, 13의 배수들도 같은
방법으로 한다.

우선 짝수가 있는 줄은 2를 제외하고
모두 지운다.
이런 방법으로 3, 4, 5, ⋯
자연수를 n으로 나눈 수 중에서 n을 제외한
수를 다 지우면 지워지지 않고 남는
것이 소수이다. (1은 따로 제외)

개념과 원리 탐구하기 3 _ 암호와 소수

교과서(상) 18쪽

탐구 활동 의도

- 4차 산업혁명을 말하는 오늘날 소수는 정보를 보호하는 암호에 사용되고 있다. 현대 암호 이론에서 암호는 소수를 이용한 공개 열쇠 방식으로 만들어져 있다. 공개 열쇠 방식은 암호를 만드는 방식으로 만드는 방법은 공개되지만 그 암호를 원래의 문장으로 돌려놓는 방법은 알아내기가 거의 불가능한 방식이다. 이런 방식을 사용하는 이유는 큰 정수를 두 소수의 곱으로 분해하는 것이 매우 어렵기 때문이다. 이 과제는 소수의 의의를 직관적으로 체험하게 한다.
- 소수와 정보화 사회를 연결시켜서 수학이 현대 사회에서 어떻게 유용한지 실감하게 한다.
- [1]에서는 두 소수를 곱하는 것이 쉽다는 것을 직관적으로 경험하게 하는 활동이다.
- [2]에서 899는 소수가 아닌 수인데 곱해서 899가 되는 두 소수를 찾아내기가 쉽지 않음을 발견하게 한다.

예상 답안

1 $73\times97=7081$(계산기 이용)

2 29, 31(이 문제는 답을 구하기 어려우므로, 꼭 답을 구하지 않아도 됨)

3 2의 활동이 더 어렵다. 두 소수를 곱하는 것은 계산이 복잡할 뿐이지 어려운 활동은 아니지만 어떤 수를 두 소수의 곱으로 분해하는 과정은 정해진 풀이 방법이 없기 때문에 쉽지 않다.

4 답은 다양할 수 있다.

- 끝이 없다. 소수들은 짝수 간격이라 이런 간격으로 수들이 계속 제시되므로 끝이 없이 계속 이어질 것이다.

  2, 3, 5, 7, 11, 13, 17, 19, 23, 29, 31, ⋯
- 끝이 있다. 위에서 나열된 수의 공통점은 소수이다. 그런데 소수는 약수가 1과 자기 자신뿐인데, 수가 커지면 커질수록 그 수를 나눌 수 있는 수가 있을 것이다. 따라서 소수는 끝이 있을 것 같다.

끝이 없을 것 같다.
간격은 멀어지지만 계속 존재할 것이다.

참고

- 4에서 답을 구하고 설명하기보다는 호기심을 자극한다. 실제로 소수의 개수는 무한하다. 500까지의 자연수 중 소수의 출현 빈도 또한 크게 줄지는 않는다.
- 자연수와 관련하여 역사적으로는 논란의 대상이 되고 오랫동안 미해결인 문제가 있는데 하나는 쌍둥이 소수(twin primes) ─ 두 수의 차가 2인 소수의 쌍, 즉 (소수, 소수+2) ─ 가 무한히 많이 존재한다는 것이고, 또하나는 골드바흐의 추측으로 2를 제외한 모든 짝수는 두 소수의 합으로 나타낼 수 있다는 것이다. 3과 5, 11과 13 같은 쌍둥이 소수는 무한히 존재하는지 등에 대해 여러 가지 추측을 해 볼 수 있다.

수업 노하우

- [1]에서 두 소수를 곱하는 것은 어렵지 않다. [2]에서 899가 소수인지 판단하는 것은 생각보다 쉽지 않으며, 합성수라고 알려주어도 어떤 두 소수를 곱한 것인지 찾는 것은 더 어려운 일임을 느껴 보도록 하는 문제이다. 이 두 소수를 찾지 못해도 괜찮다. 그러나 쉽게 찾기 위한 하나의 방안은 899를 900으로 어림하고, 900은 30^2이므로 30의 전후에 있는 두 소수를 곱해 보는 방법을 사용할 수 있다.
  즉, 30의 근방에 있는 소수 29와 31을 찾을 수도 있다.
- 899 외에도 $1073=29\times37$, $2047=23\times89$, $7081=73\times97$, $759859=773\times983$ 등의 수를 사용할 수 있다.

/2/ 수의 다양한 표현

학습목표

1 자연수를 곱으로 표현하는 활동을 통해 어떤 수의 약수를 찾는 과정을 소인수분해로 연결할 수 있다.
2 주어진 수를 소인수분해할 수 있다.
3 소인수분해를 약수와 배수의 뜻과 연결할 수 있다.

2015 개정 교육과정 성취기준

소인수분해의 뜻을 알고, 자연수를 소인수분해할 수 있다.

핵심발문

가장 긴 곱셈기차를 찾아보자. 그것이 가장 길다고 어떻게 주장할 수 있을까?

개념과 원리 탐구하기 4 _ 소인수분해

교과서(상) 20쪽

탐구 활동 의도

- 곱셈식을 이용하여 어떤 수의 약수를 찾는 과정과 연결된다. 360의 여러 가지 곱셈기차(곱셈식)를 찾아보며, 이를 이용하여 점점 더 긴 표현을 찾도록 한다. 처음에는 게임판에서 곱셈기차를 찾아 곱셈식으로 나타낸다.
- 2 부터는 그림에서 찾지 못했더라도 어떻게 하면 가장 긴 곱셈기차를 만들 수 있을지 자신이 찾은 것을 토대로 생각해 보며 소인수분해의 개념에 접근해 나가도록 진행한다.
- 어떤 수를 두 수의 곱으로 표현하고 다시 반복해서 그 수를 소수들만의 곱으로 나타내는 연습을 통해 자연스럽게 소인수분해에 익숙해지도록 할 수 있다.
- 가장 긴 곱셈기차가 되려면 360을 소수의 곱으로 표현해야 함을 이해할 수 있다.
- 이 과제를 통해 소수가 자연수를 곱으로 표현하는 가장 기초가 되는 수이며, 모든 자연수가 소수들의 곱으로 표현 가능함을 이해할 수 있다. 그리고 곱해진 순서를 생각하지 않는다면 이 방법은 오직 한 가지뿐임을 안내한다.

예상 답안

1

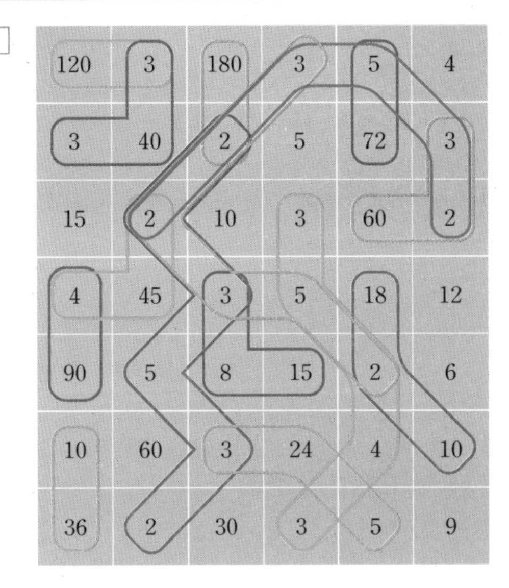

2 180×2에서 $180=18\times10$이므로 $180\times2=18\times10\times2$와 같이 나타낼 수 있다. 즉, 180을 두 수의 곱으로 분해하면 된다. 그런데 2는 소수이므로 더 이상 다른 두 수의 곱으로 분해할 수가 없다.
4×90과 같이 두 수가 모두 소수가 아닌 경우는 $2\times2\times90$ 또는 $4\times5\times18$과 같이 두 수 중 아무거나 어느 하나를 분해하면 된다.

3 (1) $2\times2\times2\times3\times3\times5$에서 각 수를 곱하는 순서를 바꾼 것들이 답이 될 수 있다. 모두 소수의 곱셈으로 이루어져 있다. 소수는 1과 자기 자신의 곱으로만 쪼개지므로 이 배열이 가장 길다고 확신할 수 있다.
또한 곱셈의 교환법칙에 의해 곱하는 순서를 바꾸어도 결과는 같으므로, 곱하는 순서를 생각하지 않는다면 가장 긴 곱셈기차는 1개뿐이라는 것을 알 수도 있다.
다음과 같은 약수 연결을 만들 수도 있는데, 1은 소수가 아니므로 답이라 할 수는 없다.
$1\times2\times2\times2\times3\times3\times5$
$1\times1\times2\times2\times2\times3\times3\times5$
⋮

(2) (1)에서 구한 가장 긴 곱셈기차는 소수들만의 곱으로 이루어져 있다. 소인수분해는 자연수를 소인수들만의 곱으로 나타내는 것을 뜻하므로, 이 곱셈기차를 소인수분해라고 할 수 있다.

1을 제외한 모든 수는 모두 소수의 곱으로 가능
모든 수는 소수의 곱으로 연결되니까 약수가
더이상 소수로 나눌수 없는 상태인 소수의
곱으로 나타낼수 있어야 한다.

수업 노하우

1

표를 크게 인쇄하여 칠판에 붙이고 수업을 진행할 수 있다.

- 학생들이 곱셈기차들을 개별적으로 찾은 후, 모둠 활동을 통해 자기가 찾은 것 외에 다른 것들이 있는지 확인하도록 할 수 있다. 모둠에서 찾은 여러 가지 약수 연결을 2개의 곱, 3개의 곱 등으로 분류하여 칠판에 적도록 하여 3의 과제를 풀 때 사용한다.

> 또 이외에 더 있나요?

- 곱해서 360이 되는 약수 연결을 모두 찾는 것이 중요한 것이 아니라, 학생들이 곱셈식으로 표현하는 과정과 소인수분해를 연결할 수 있도록 하는 것이 목표이다. 곱해서 360이 되는 약수 연결을 모두 찾는 것에 시간을 많이 할애하는 것보다 2와 3에 시간을 더 할애할 수 있도록 계획한다.
- 거듭제곱을 아는 학생들은 거듭제곱으로 표현해도 되는지 물을 수도 있다. 이 문제에서는 가장 긴 연결을 찾아야 하므로 거듭제곱으로 표현하지 않도록 안내한다.
- 활동을 마치고 다음과 같은 발문을 할 수 있다. 학생들이 가장 긴 것을 꼭 퍼즐판에서 찾지 못해도 괜찮다. 이후의 과제에서 가장 긴 곱셈기차를 만들어 보고, 다시 퍼즐판으로 돌아와서 찾아보도록 할 수도 있으므로 가장 긴 곱셈기차가 무엇이라고 미리 답을 주지 않도록 주의한다.

> 자신의 곱셈기차가 가장 길다고 생각하는 사람 나와서 표시해 볼까요?

- 학생들이 가장 긴 곱셈기차를 찾았더라도 다음과 같이 발문하며 2로 넘어갈 수 있다. 여기서 교사나 학생들이 결론을 내리지 않고 다음 과제를 풀면서 해결할 수 있는 여지를 남긴다.

> 정말 이 곱셈기차가 가장 긴가요? 이 표에서는 더 이상 찾을 수가 없나요?

2

- 문제를 해결하는 과정에서 학생들이 찾은 두 수의 곱을 이용하여 세 수의 곱으로 표현해 보자고 제인할 수 있다.

> 이 중에서 어떤 것을 골라서 세 수의 곱으로 바꾸어 볼까요?
> 왜 그렇게 생각하나요?

- 1에서 학생들이 찾은 두 수의 곱, 세 수의 곱을 보며 어떻게 하면 세 수의 곱이 될 수 있는지 발문할 수 있다. 짧은 곱셈기차를 긴 곱셈기차로 만들려면 '어떤 수를 곱으로 분해한다.'는 아이디어를 알아낼 수 있도록 진행한다. 이를 응용하여 360이 아닌 수이지만 다음과 같은 발문을 할 수도 있다.

> $7\times5\times4\times3\times2$를 $7\times5\times\ 2\times2\times3\times2$로 어떻게 바꿀 수 있을까요?

3

(1) • 가장 긴 곱셈기차가 더 길어질 수 있다고 하는 경우도 있었다. 다음과 같이 1을 곱해서 이용할 수 있다는 학생 답안이다.

$2\times2\times2\times3\times3\times5$ ➡ $1\times2\times2\times2\times3\times3\times5$ ➡ $1\times1\times2\times2\times2\times3\times3\times5$

이것은 **탐구하기 6**의 3번에서 다룰 내용이므로 생각해 볼 수 있는 여지를 남기기 위해 특별히 답을 말하지 않고 고민할 여지만을 남겨 둔다.

• 어떤 자연수를 소수의 곱으로 분해할 수 있음을 이해하는 것도 필요하지만, 소수가 자연수의 곱으로 표

현하는 가장 기초가 되는 수임을 이해하는 과정이 필요하다.

- 곱셈의 교환법칙에 의해 곱하는 순서를 바꾸어도 결과는 같으므로, 곱하는 순서를 생각하지 않는다면 가장 긴 곱셈기차는 1개뿐임을 말할 수 있다.

> 어떤 수의 소인수분해는 몇 가지일까요?

(2) • 지금까지의 활동과 소인수분해 개념을 연결하는 과제로 소인수분해라는 개념을 자신의 말로 내면화하는 활동이다.

- 가장 긴 곱셈기차에 1을 무한히 곱하면 가장 길어진다는 의견과 연결지을 수 있다. 다음과 같이 발문할 수 있다.

> 가장 긴 곱셈기차를 만들었을 때, 이 기차가 가장 길다고 할 수 있는 이유가 무엇일까요?

개념과 원리 탐구하기 5 _ 소인수분해의 거듭제곱 표현

교과서(상) 22쪽

탐구 활동 의도

- [1]에서 23과 47과 같이 소수인 경우를 주어 소인수와 소인수분해의 뜻을 확실히 되돌아볼 수 있도록 하였다.
- [2]에서는 소인수분해를 표현하는 데 필요한 거듭제곱을 정의하였다. 초등학교에서 최대공약수와 최소공배수를 구할 때 이미 어떤 수를 곱셈식으로 분해하는 활동을 했었기 때문에 이 활동을 소인수분해하는 것과 연결지을 수 있도록 안내하고, 보다 간편한 방법으로 분해하는 방법을 만들어 가도록 한다. 보통은 작은 수를 다루지만 소인수분해를 배우는 목적에 부합하도록 1000, 924 등 큰 수를 다루었다. 특히 1000의 경우에는 여러 가지 방법으로 소인수분해할 수 있는 수이다.
- [3]에서 1이 소수가 아닌 이유를 소인수분해의 일의성(一意性) – 모든 자연수는 곱으로 나타내는 소인수들의 순서를 무시한다면 한 가지 방법으로 소인수분해 된다. – 과 연결하여 생각해 보도록 한다. 소인수분해의 일의성은 1이 소수가 아니어야 가능함을 이해하고, 소수의 뜻을 다시 점검할 수 있도록 하는 것이 목표이다.

예상 답안

[1] 23과 47은 소수이므로 소인수가 자기 자신이다.

(1) $4=2\times2=2^2$ (4) $72=2\times2\times2\times3\times3=2^3\times3^2$

23과 47의 경우 소인수에 1을 포함하면 다음과 같이 스스로 고칠 수 있도록 다시 질문한다.

> 소인수분해를 1×23, 1×47과 같이 표현한 친구가 있나요? 소인수분해의 정의에 비추어 판단해 보세요.

2 (1) ① $1000=2^3\times5^3$ ② $924=2^2\times3\times7\times11$

(2) 여러 가지 방법이 가능하다.

(i) 소수로 계속 나누는 방법

① 2) 1000
2) 500
2) 250
5) 125
5) 25
5

② 2) 924
2) 462
3) 231
7) 77
11

소수로 나누어떨어지지 않을 때까지 계속 나눈다.

(ii) 나뭇가지처럼 나누는 방법

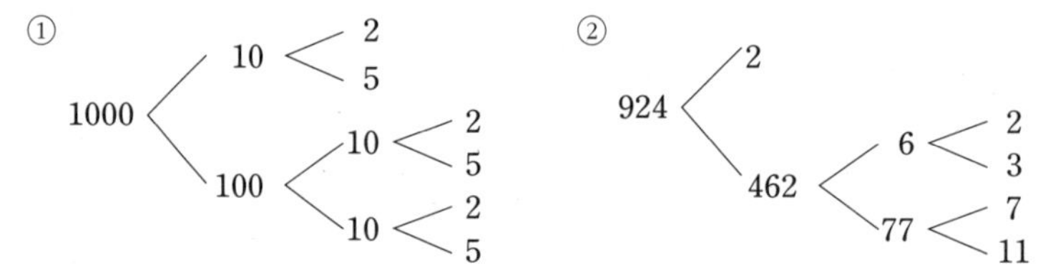

각 수의 약수로 계속 나누어 가지치기를 한다.

3 (1) 나는 세영이의 주장이 옳다고 생각한다. 왜냐하면 소인수분해는 소수들의 곱으로 나타내는 것이기 때문이다. 1은 소수가 아닌데 1을 이용한 도훈이의 경우는 소인수분해했다고 생각하지 않는다.

(2) **내가 추측한 이유**

- 소인수분해는 한 가지 모양으로만 나타난다고 하는데, 1을 소수로 정하면 소인수분해가 한 가지 모양으로 나오지 않는다.
- 만약 1을 소수로 취급하면 $1^2\times2\times3\times7$이나 $1^4\times2\times3\times7$과 같이 42에 대한 소인수분해 결과가 한 가지로 정해지지 않는다.

모둠에서 추측한 이유

- 예를 통해서 알 수 있듯이 1을 소수에서 제외하면 자연수를 소인수분해한 결과가 소인수들의 순서를 생각하지 않으면 오직 한 가지뿐이다. 모든 자연수의 소인수의 개수와 그것이 곱해지는 횟수는 오직 그 자연수만 가지는 고유의 특징이다.
- 42의 소인수는 2, 3, 7 뿐이며 2, 3, 7 모두 각각 한 번만 곱해진다. 다른 어떤 숫자도 이런 배열의 곱으로 나타낼 수 없다. 만약 1을 소수로 취급한다면 42는 무수히 많은 곱셈 표현으로 나타낼 수 있으므로 소인수분해의 의미가 퇴색할 것이다.

다음은 한 학생이 1을 소수에서 제외한 이유로 소인수분해의 방법이 무한개로 나온다고 한 것이다.

모든 자연수는 1을 약수로 가진다. 1은 몇 제곱을 해도 1이므로 자연수를 소인수분해하는 방법이 무한해진다.

수업 노하우

- 어떤 자연수를 소수의 곱셈으로 나타내기 위해 초등학교에서 사용한 나눗셈 방법, 수형도, 가장 긴 곱셈기차를 찾는 방법 등 여러 가지 방법을 사용하였다. 그 과정을 학생들이 정리해 볼 수 있도록 안내한다. 기존 교과서에는 소인수분해를 하는 방법을 알려주고 그대로 해 보라고 하지만, 실제 학생들은 지금까지 어떤 수를 곱셈으로 분해하는 다양한 방법을 사용해 왔으므로 새로운 것이 아니라 지금까지 해온 여러 활동이 '소인수분해'가 될 수 있음을 인지하도록 한다. 새로운 개념이라기보다 자연스럽게 해 왔던 활동을 수학적으로 명확하게 정의했을 뿐이고, 이를 새로운 개념으로 가르치지 않도록 유의한다.
- 문제마다 여러 가지 방법으로 모두 구할 필요는 없다. 자신이 편한 방법을 사용할 수 있도록 하되, 각각의 방법이 결국은 서로 같은 방법임을 생각해 볼 수 있도록 연결하는 것이 교사의 중요한 역할 중 하나다.

수업 연구

기존의 교과서에서는 '1은 소수도 합성수도 아니다.'라고 일방적으로 주입하고 있다. 이것은 소인수분해의 일의성을 학생들에게 설명하기 어렵기 때문이다. 그래서 소수의 정의에 '1보다 큰 자연수 중 …'이라는 단서가 들어가 있다. 수학에서 정의라는 것은 의심의 여지가 없이 받아들여야만 하는 대상인가? 아니면 '왜 그렇게 정의할 수밖에 없었는가?'를 고민하게 하는 학습이 필요한가?

이런 논란을 떠나서 학습 결과를 보면 고민의 필요함을 느낄 수 있다. 소수를 배우는 중학교 1학년 1학기에는 '1보다 큰 자연수 중 …'이라고 소수의 정의를 말하던 학생들이 그 이후 시간이 흐른 후에 소수의 정의를 말할 때, 이 단서를 빠뜨리고 '1과 자기 자신만을 약수로 갖는 수'라고 대답하는 학생들이 대부분이다. 이 탐구 활동의 [2]에서도 23이나 47과 같은 소수를 소인수분해할 때 1을 사용하여 1×23이나 1×47로 표현하는 것은 1에 대한 자기 주도적인 이해가 충분하지 않다는 점, 그리고 곱으로 나타내야 한다는 강박감 때문일 것이다.

그 원인의 상당수는 학생들이 1을 왜 소수에서 제외해야 하는가를 고민해 본 적이 없기 때문이다. 일방적으로 주입되는 개념은 이해할 수 없기 때문에 장기 기억이 되기 어렵다. 그래서 시간이 지나면 암기하고 있던 기억이 점점 사라지고 도태되는 현상을 면할 수 없다.

따라서 1의 소수 여부에 대해 수학적으로 완벽한 설명은 불가능할지라도 중학생 정도의 사고로 생각해 볼 수 있는 질문과 논란을 벌이는 것이 소수와 소인수분해에 대한 이해를 더욱 깊게 할 수 있도록 도움을 줄 수 있다.

 개념과 원리 탐구하기 6 _ 약수와 배수

교과서(상) 24쪽

탐구 활동 의도

- 소인수분해를 이용하면 직접 나누거나, 곱하지 않고 어떤 수의 약수와 배수를 쉽게 판단할 수 있다. 그러므로 소인수분해한 결과를 다시 곱하여 약수와 배수 관계를 판단하는 것이 더 복잡하고 어려운 일이라는 것을 이해시킬 목적으로 과제를 만들었다. 소인수분해한 결과를 다시 곱하여 약수와 배수 관계를 판단하지 않도록 지도한다.
- 소인수분해를 이용하여 약수와 배수를 판단할 수 있음을 이해하고, 이후 최대공약수와 최소공배수를 구하는 과정에 적용해 볼 수 있도록 하기 위함이다.

예상 답안

[1] (1) 약수이다. 왜냐하면 2×3은 504를 소인수분해한 $2^3\times3^2\times7$의 소인수들의 곱으로만 구성되어 있고 그 지수가 2^3, 3^2을 넘지 않기 때문이다.

(2) 약수이다. 왜냐하면 $2^2\times3^2\times7$은 504를 소인수분해한 $2^3\times3^2\times7$의 소인수들의 곱으로만 구성되어 있고 그 지수가 2^3, 3^2을 넘지 않기 때문이다.

(3) 약수가 아니다. 왜냐하면 504를 소인수분해한 $2^3\times3^2\times7$의 소인수들에 없는 5가 사용되었기 때문이다.

- 직접 나누거나 곱하는 경우가 있다. 이 경우 무조건 틀렸다고 하기보다는 다른 방법이 있는지 다른 친구들의 풀이를 통해 배울 수 있도록 안내한다.
- 학생들은 '포함', '들어있다', '겹친다' 등의 표현으로 설명한다. 학생들이 여러 가지 설명 방법을 들으면서 이해할 수 있도록 안내한다.

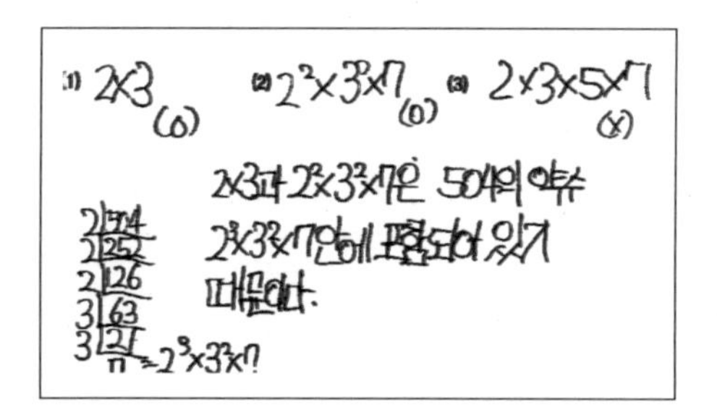

- 그 수의 소인수만 포함되어 있고 지수가 그 소인수들의 지수를 넘지 않으면 왜 약수가 되는지 발문할 수도 있다.
- 다음은 한 학생이 곱셈식을 이용하여 약수의 뜻을 설명한 것이다.

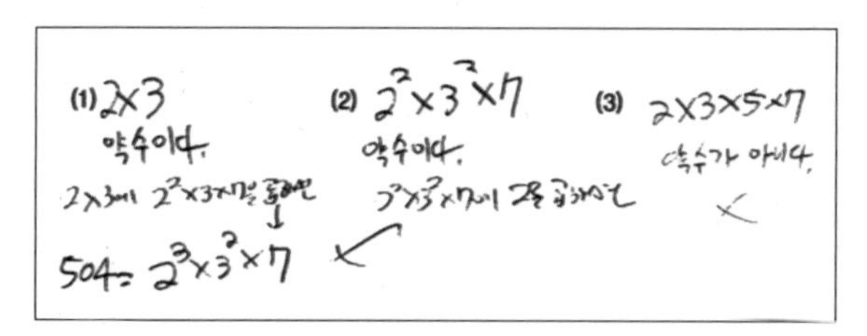

2 (1) 배수이다. 왜냐하면 $2^2\times3\times5^2\times7^2$은 $2^2\times3\times5^2\times7$에 7을 곱한 수이기 때문에 $2^2\times3\times5^2\times7$의 배수이다.

(2) 배수가 아니다. 왜냐하면 $2^4\times5^3\times7^2$은 $2^2\times3\times5^2\times7$에 있는 소인수 3이 없다.

(3) 배수가 아니다. 왜냐하면 $2^2\times3^2\times5^2$은 $2^2\times3\times5^2\times7$에 있는 소인수 7이 없다.

수업 노하우

- 소인수분해를 이용하면 직접 나누거나 곱하지 않고도 어떤 수의 약수와 배수를 쉽게 판단할 수 있다. 예를 들어 다음과 같이 설명할 수 있다.
  - 2×3과 $2^2\times3^2\times7$은 $504=2^3\times3^2\times7$ 안에 포함되어 있기 때문이다. (들어있기 때문이다, 겹치기 때문이다.)
  - 2×3은 $2^3\times3^2\times7$을 나눈다. 실제로 나누어 보지 않아도 소인수들의 곱해진 개수를 비교하여 나눌 수 있음을 파악할 수 있다.
- 배수의 경우도 약수의 경우와 비슷하게 진행할 수 있다. 다음과 같이 발문할 수도 있다.

$2^2\times3\times5^2\times7$에 어떤 수를 곱하여 다음과 같은 수들을 만들 수 있을까요?

게임하며 탐구하기 7 _ 약수 찾기 빙고 게임

교과서(상) 25쪽

탐구 활동 의도

- 게임을 통해 약수를 구하는 과정을 연습하게 한다. 게임 과제는 주어진 수의 약수를 구하는 것을 반복을 통해 연습하는 것이 목표이다.
- 소인수분해를 이용하여 약수를 구하면 어떤 장점이 있는지 알게 한다. 소인수가 2개인 경우에는 표나 수형도를 이용할 수 있음을 발견하도록 한다. 다만 표는 약수를 빠짐없이 구하기 위한 하나의 방법임을 이해하고, 약수를 구할 때 항상 표를 이용하는 것을 강요할 필요는 없다.

예상 답안

1 약수 찾기 빙고 게임을 할 때, 정해주는 수의 배열의 한 예이다. (이와 달리 모임에서 만들 수 있다.)

36 ➡ 220 ➡ 252 ➡ 630 ➡ 462 ➡ 660 ➡ 1260 ➡ 376 ➡ 840 ➡ 69300

2
- 게임 시작 전에 주어진 빙고판에서 약수를 빨리 찾을 수 있는 전략을 세워 볼 수 있다. 친구들끼리 구역을 나누어 맡고, 자기 구역의 수들을 미리 소인수분해해 놓자고 약속할 수도 있다.
- 학생들은 빙고판을 사등분하여 자기 구역을 정했다. 또 빙고판의 숫자들을 미리 소인수분해해 두기도 했다.

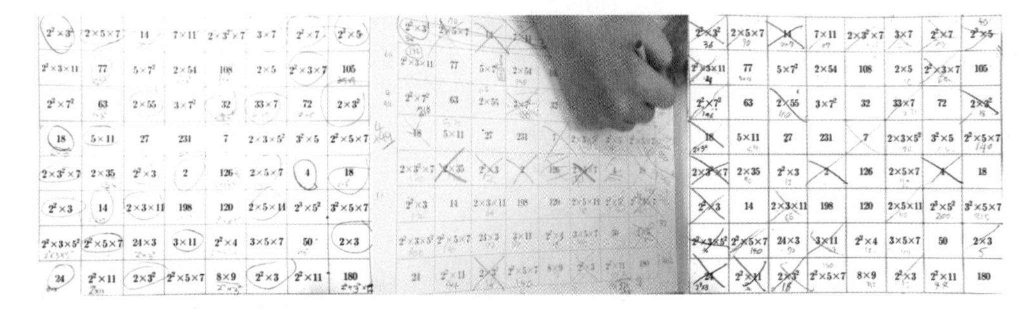

수업 노하우

- 게임을 시작하기 전 다음과 같이 규칙을 안내하고 한두 개의 수로 연습할 수 있다.

7×2	$3^2\times5$	(8)
($2^2\times6$)	11	$2\times3\times5$
13	($2\times2\times3$)	3×7

게임 규칙

1 불러주는 숫자를 확인한다.

2 제한 시간 내 주어진 수의 약수를 모두 찾아 ○로 표시한다.

3 '24'를 가지고 해 보자!

- 8×8 빙고판은 3~4명의 친구들이 하나의 빙고판에서 협업하기 위해 만든 것으로, 혼자서 하기에는 칸이 많을 수 있다. (B4 이상의 용지를 사용하면 함께 하기에 좋다.)
- 게임 시작 전에 모둠원들이 주어진 빙고판에서 교사가 제시하는 수의 약수를 빨리 찾을 수 있는 전략을 세우도록 안내한다.

탐구 되돌아보기 예상 답안

교과서(상) 26~31쪽

1 개념과 원리 탐구하기 1, 2

- 24와 72는 소수가 아니지만, 3은 소수이다.
- 24는 소수가 아니므로 $72=24\times3$은 소인수분해가 아니다.
- 72는 24의 배수이고, 24는 72의 약수이다.

2 개념과 원리 탐구하기 2

(1) • 2를 제외하고 2의 배수를 모두 지울 때 4는 물론 4의 배수도 모두 지워지므로 4의 배수를 지우는 일을 할 필요는 없다.

- 차례대로 2, 3, 4, 5, 6, 7, 8, 9, 10, 11, 12, …와 같은 순서대로 다 지울 필요가 없다. 2의 배수를 지울 때, 4의 배수, 6의 배수, 8의 배수, 12의 배수 등이 다 지워지므로 4, 6의 배수 등은 지울 필요가 없다.
- 결국 앞에서 지워지지 않은 수들의 배수를 찾아가며 지우면 되고 1에서 100까지의 자연수 중에서 2, 3, 5, 7의 배수까지 지우면 남는 수들을 나눌 수 있는 자연수는 없다. 11의 배수까지 찾지 않아도 된다. 즉, 이 방법은 어떤 수의 배수까지 확인해야 하는지를 말해주지는 못했다.

(2) 2의 배수 중 소수는 2뿐이기 때문이다. 2를 제외한 2의 배수는 모두 2를 약수로 갖기 때문에 소수가 아니다.

(3) 남은 수 중 처음 수는 아직 그보다 작은 수의 배수가 아니므로 지워지지 않은 것이다. 그러므로 그 처음 수는 자기 자신보다 작은 수를 약수로 갖지 않는다. 즉, 1과 자기 자신 이외의 약수가 없으므로 소수이다. 그러므로 남겨야 한다.

3 개념과 원리 탐구하기 2

(1) 101부터 200까지 사이의 소수는 다음과 같다.

> 101, 103, 107, 109, 113, 127, 131, 137, 139, 149, 151, 157, 163, 167, 173, 179, 181, 191, 193, 197, 199

찾는 방법은 여러 가지가 있으나 에리토스테네스의 방법을 적용하면 다음과 같이 찾을 수 있다.

① 2의 배수를 모두 지운다.
② 3의 배수를 모두 지운다.
③ 5의 배수를 모두 지운다.
④ 7의 배수를 모두 지운다.
⑤ 11의 배수를 모두 지운다.
⑥ 13의 배수를 모두 지운다.

참고

이 문제에서 제일 마지막으로 지운 수는 무엇인가요?
에라토스테네스의 체로 소수를 찾을 수는 있지만 소수를 순차적으로 확인해야 하는 번거로움은 있다. 따라서 에라토스테네스의 체로 소수를 찾을 때에는 어떤 수의 배수까지 확인해야 하는 것을 알면 편하다. 자연수 n이 소수인지 확인하려면 $\sqrt{n}$ 이하의 소수로만 나누어 보면 된다.
$\sqrt{200}=14.1\cdots$이므로 14 이하의 소수인 13의 배수까지만 확인하면 된다. 왜냐하면 200까지의 자연수가 13보다 큰 소수 p로 나누어떨어진다면 $pq\le200$을 만족하는 자연수 q는 13 이하의 수이므로 pq는 이미 지워진 수에 불과하기 때문이다.
예를 들어 119는 17의 배수지만 $17\times7=119$이므로 7의 배수를 지울 때 이미 지워진다.

(2) 169
따라서 $1^2=1$로 소수가 아니고 2 이상의 자연수에 대하여 169는 13^2이므로 2, 3, 5, 7, 11의 배수들을 지울 때 지워지지 않고 13의 배수를 지울 때 지워진다. 169의 다음으로 지워지는 13의 배수는 13×17인데 이 수는 221이므로 200을 넘는다.

4 개념과 원리 탐구하기 1

소수이면서 어떤 자연수의 제곱이 되는 수는 없다. 어떤 자연수의 제곱은 그 자연수로 나누어떨어지므로 그 자연수를 약수로 갖는다. 그러므로 자연수의 제곱은 소수가 아니다.

5 개념과 원리 탐구하기 1, 3

민정이의 생각은 옳지 않다. 두 소수를 곱해서 나온 수는 그 두 수를 약수로 갖는다. 즉, 23과 29를 곱해서 나온 수는 23과 29를 약수로 갖는다. 왜냐하면 곱해서 나온 수는 곱한 수들로 나누어떨어지기 때문이다. 따라서 소수는 약수가 1과 자기 자신 뿐이므로 23과 29의 곱은 소수가 아니다.

수업 연구

학생들 중에는 23과 29가 모두 소수이고 그 곱 667이 작은 수가 아니기 때문에 소수가 아니라는 판단을 쉽게 하지를 못하는 경우가 종종 있다.
그래서 (소수)×(소수)=(소수)라는 추론을 내놓기도 하는데 이런 학생들에게 반대로 의견을 나누면서 토론으로 유도할 수 있다. 설득하는 의견으로는 가장 작은 두 소수인 2와 3을 이용하여 그 곱 6이 소수가 아님을 이용할 수 있다.

6 개념과 원리 탐구하기 4, 5

(1) $10=2\times5$

(2) $100=2^2\times5^2$

(3) $1000=2^3\times5^3$

(4) $350000=2^4\times5^5\times7$

[공통점]

- 10, 100, 1000의 소인수는 모두 2와 5 뿐이다.
- 각 수에서 0의 개수는 2와 5의 지수 중 작은 수와 같다.
- 350000을 소인수분해할 때 35×10000이라 생각하여 $35\times2^4\times5^4$에서 바로 시작할 수 있다. 어렵게 다 나누지 않고 35만 소인수분해하여 $2^4\times5^5\times7$이라고 구할 수도 있다.

7 개념과 원리 탐구하기 5

- 이 친구는 소인수의 뜻을 약수와 헷갈리는 것 같다. 소인수를 아래와 같이 구했는데 소인수는 약수 중 소수인 수임을 알려주자.

수정 전		수정 제안
(1) 1, 2, 4	⇨	(1) 2
(2) 1, 23		(2) 23
(3) 1, 47		(3) 47

- 72의 약수 중 3, 24가 빠져있다. 따라서 72의 약수 중 소수인 수는 2와 3이므로 72의 소인수는 2와 3임을 알려주자.
- 소인수분해에 대해서도 답을 제대로 하지 못했다. 주어진 수를 소수들만의 곱으로 분해하도록 조언해 주면 좋겠다.

8 개념과 원리 탐구하기 6

어떤 자연수 a가 다른 자연수 b의 배수가 되려면 $a=bq$인 자연수 q가 존재해야 한다.
그러므로 $2^2\times3\times5^2\times7$의 배수는 여기에 다른 자연수를 곱해야 하므로 각 소인수의 지수가 같거나 커져야 한다. 이 친구는 지수를 '제곱 숫자'라고 말하고 있고 '작아지지만 않으면 된다'는 것은 같거나 커지는 것을 의미한다고 이해하면 이 친구의 설명은 인정할 수 있다.

9 개념과 원리 탐구하기 6

(1) 432의 약수는 다음과 같다.

1, 2, 3, 4, 6, 8, 9, 12, 16, 18, 24, 27, 36, 48, 54, 72, 108, 144, 216, 432

그러나 이렇게 하나씩 구하는 경우에는 약수를 모두 구하지 못할 수 있다. 이 문제는 432의 약수를 모두 찾는 것이 생각보다 쉽지 않다는 것을 느끼고, 어떻게 하면 효율적으로 모두 찾을 수 있을지를 생각해 보는 문제이다.

432의 약수는 2^4의 약수와 3^3의 약수를 각각 곱하면 된다. 예를 들어 다음과 같이 구할 수 있다.

×	1	2	2^2	2^3	2^4
1	1	2	2^2	2^3	2^4
3	3	3×2	3×2^2	3×2^3	3×2^4
3^2	3^2	$3^2\times2$	$3^2\times2^2$	$3^2\times2^3$	$3^2\times2^4$
3^3	3^3	$3^3\times2$	$3^3\times2^2$	$3^3\times2^3$	$3^3\times2^4$

소인수분해를 이용하여 약수를 구하면 약수의 개수가 많은 수나 큰 수의 경우에도 빠뜨리지 않고 모두 구할 수 있다. 이때 표는 방법적인 것이지, 꼭 표를 이용해야 하는 것은 아니다.

(2) $360=2^3\times3^2\times5$에서 360의 소인수가 3개이기 때문에 표를 사용하는 것이 불편하다고 생각되면 다음과 같이 가지치기를 생각할 수 있다. 가지치기의 방법은 나무 모양이므로 수형도라고도 한다.

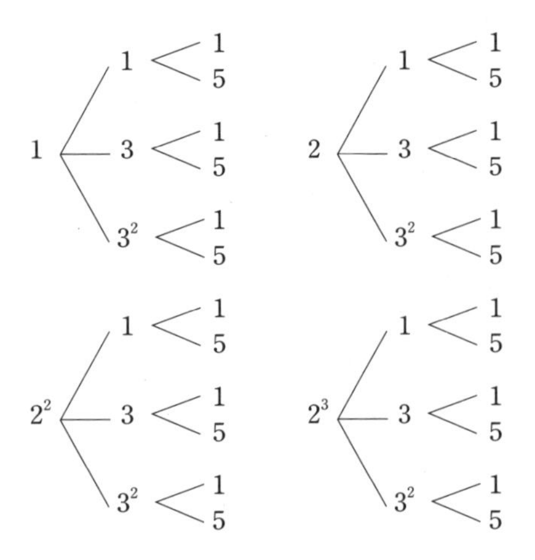

표를 이용한다면 칸을 한 칸 더 늘려서 다음과 같이 만들 수도 있다.

×	1			
	1	2	2^2	2^3
1	1	2	2^2	2^3
3	3	3×2	3×2^2	3×2^3
3^2	3^2	$3^2\times2$	$3^2\times2^2$	$3^2\times2^3$

×	5			
	1	2	2^2	2^3
1	5	2×5	$2^2\times5$	$2^3\times5$
3	3×5	$3\times2\times5$	$3\times2^2\times5$	$3\times2^3\times5$
3^2	$3^2\times5$	$3^2\times2\times5$	$3^2\times2^2\times5$	$3^2\times2^3\times5$

10 내가 만드는 수학 이야기

제목 : 64 이야기

64는 곱셈구구에서 8×8이므로 거듭제곱을 이용하면 $64=8^2$으로 표현할 수 있다. 이때 8을 밑이라 하고 2를 지수라 한다.

또 $8=2\times2\times2$이므로 $64=2\times2\times2\times2\times2\times2=2^6$으로 나타내어진다. 2가 소수이므로 이것은 64를 소인수분해하는 것이 되며, 64의 소인수는 2뿐이다.

그리고 1, 2, 2^2, …, 2^6은 64의 약수이고 반대로 64는 이들의 배수이다.

학생 답안 1

제목

오늘은 학교에서 친척 소개 선물을 만들었다. 나는 친척인 약수, 배수, 소수, 소인수와 친척들과 하는 놀이인 소인수분해를 소개했다. 우선 약수들은 1, 2, 4, 8, 16, 32, 64가 있다. 약수들은 모두 나보다 어리다. 배수는 64인 나와 128인 오빠, 192인 언니, 256의 삼촌 그리고 끝없이 많은 형제와 이모, 삼촌이 있다. 또 약수중에는 특이한 동생이 있는데 2라는 아이다. 얘는 외동이다. 하지만 2 외에는 모두 외동이 아니다. 그리고 얘는 소인수라고도 한대. 아, 물론 1도 외동이긴 하지만 얘는 소인수라고 부르지 않는다.
친척들이 없는 51과 53은 자기소개 선물을 만들었다. 내가 소개한 소인수분해라는 놀이는 우리 중 소인수인 2가 이곳저곳 돌아다니며 분해되고 가끔 5나 7처럼 또 다른 수가 되기도 하는 것이다. 친척들이랑 만나면 빨리 소인수분해 놀이를 하고 싶다.

학생 답안 2

제목

어떤 자연수의 약수를 모두 구할 때, 소인수분해를 이용하면 편리한 경우가 있다. 64의 약수를 모두 구해보자. 64는 소인수분해하면 2^6으로 소인수가 2 하나이므로 2의 지수가 0부터 자신과 같은 6이 될 때까지의 그 7개 값만 약수가 된다. 즉, 64를 소인수분해하면 $64=2^6$이므로 64의 약수는 1, 2, 4, 8, 16, 32, 64이다. 따라서 64의 약수는 2^6의 약수의 곱으로 이루어져 있음을 알 수 있다. 이어서 약수는 어떤 수를 나누었을 때 나누어 떨어지게 하는 수라고 하였으면 배수는 어떤 수를 1배, 2배, 3배, … 한 수를 어떤 수의 배수라고 한다. 그래서 64를 몇 배한 수들인 64, 128, 192, 256, 320, …을 64의 배가 되는 수라 해서 64의 배수라고 하며 어떤 수의 배수는 무수히 많다.

학생 답안 3

제목

64 가족의 모양은 1, 2, 4, 8, 16, 32, 64로 모두 64의 약수 모양이에요.
이 64 가족의 부모님과 할머니 할아버지 들은 128, 192, 256, 320… 등으로 64의 배수 모양이지요.
족보를 보며 시초로 쭈욱~ 올라가면 64 가족의 시초는 6번을 거듭제곱한 2^6이었어요.
2^6의 밑은 2, 지수는 6으로 2에다가 1~6까지의 수를 곱하면 모두 64의 약수였답니다.

2 생활 속에서 쓰는 수

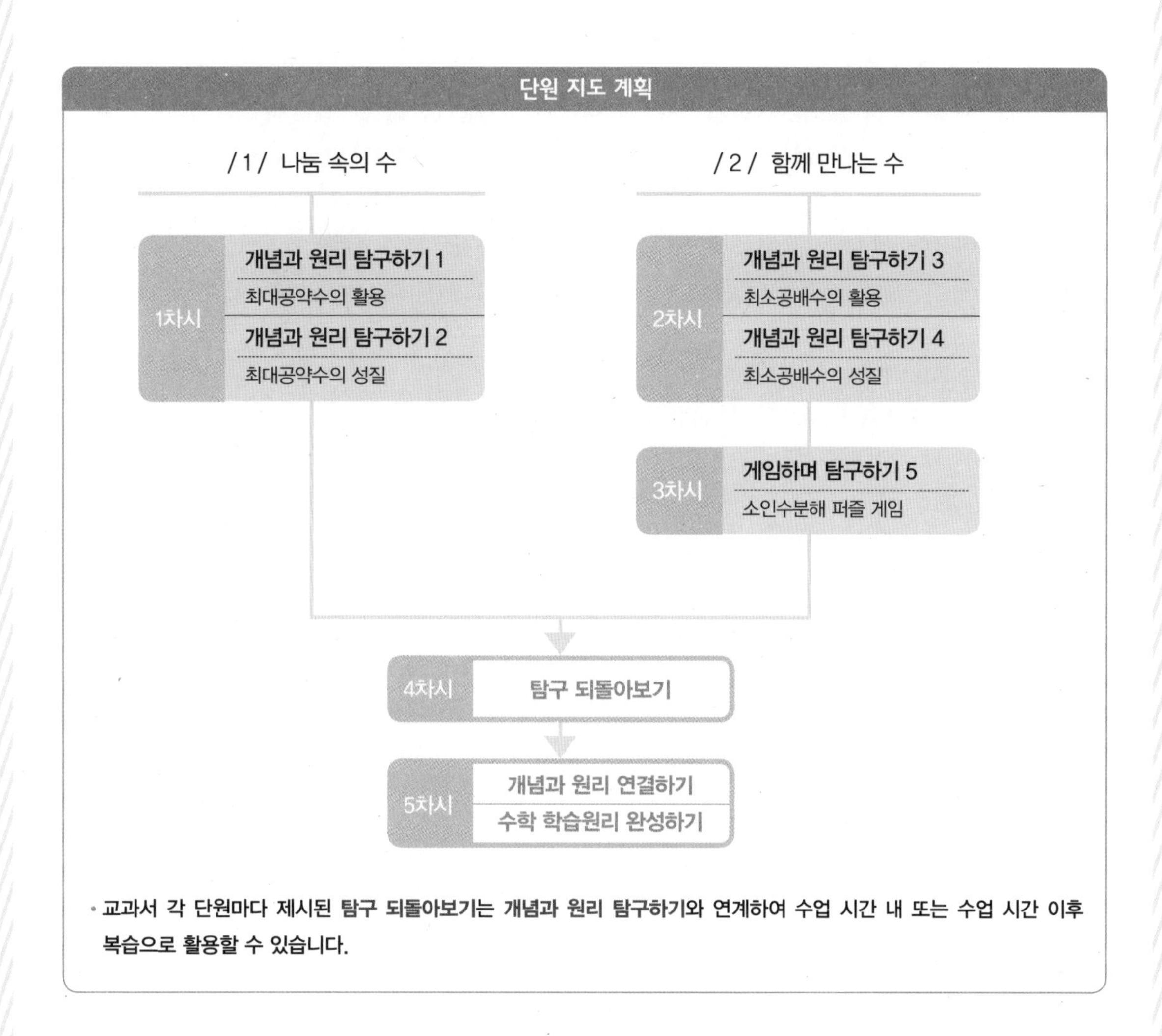

• 교과서 각 단원마다 제시된 탐구 되돌아보기는 개념과 원리 탐구하기와 연계하여 수업 시간 내 또는 수업 시간 이후 복습으로 활용할 수 있습니다.

/1/ 나눔 속의 수

학습목표

1 최대공약수와 최소공배수를 활용하여 실생활에서 수리적인 관계를 찾아내는 능력을 기른다.

2 소인수분해를 이용하여 공약수 구하는 방법의 원리를 논리적으로 설명할 수 있다.

3 소인수분해와 연결하여 최대공약수 구하는 방법을 논리적으로 설명할 수 있다.

4 공약수와 최대공약수의 관계를 소인수분해와 연결하여 논리적으로 설명할 수 있다.

5 소인수분해와 연결하여 최대공약수가 1뿐인 특수한 두 자연수의 관계를 논리적으로 설명할 수 있다.

2015 개정 교육과정 성취기준

최대공약수와 최소공배수의 성질을 이해하고, 이를 구할 수 있다.

핵심발문

실생활 상황의 어떤 조건에서 최대공약수라는 개념을 적용할 수 있을까?

개념과 원리 탐구하기 1 _ 최대공약수의 활용

교과서(상) 33쪽

탐구 활동 의도

- 이 과제는 '나눔'이란 주제로 실생활 상황에서 공약수와 최대공약수를 활용하는 것이다. 공약수와 최대공약수라는 용어는 모르더라도 연탄, 쌀, 김치를 각 가정에 똑같이 나누어 주는 활동을 하게 할 수 있다.
- 학생들이 직관적으로 문제를 해결했다면, 이후 모둠활동 등을 통해 그 활동의 이면에 공약수의 개념이 사용된다는 것을 이해하게 한다.

예상 답안

1 (1)
- 한 가정마다 연탄 200장, 쌀 3포대씩 총 8가정에 배달할 수 있다.
- 한 가정마다 연탄 400장, 쌀 6포대씩 총 4가정에 배달할 수 있다.
- 한 가정마다 연탄 800장, 쌀 12포대씩 총 2가정에 배달할 수 있다.
- 한 가정에 연탄 1600장, 쌀 24포대를 모두 배달할 수 있다.

(2)
- 한 가정마다 연탄 200장, 쌀 3포대, 김치 15포기씩 총 8가정에 배달할 수 있다.
- 한 가정마다 연탄 400장, 쌀 6포대, 김치 30포기씩 총 4가정에 배달할 수 있다.
- 한 가정마다 연탄 800장, 쌀 12포대, 김치 60포기씩 총 2가정에 배달할 수 있다.
- 한 가정에 연탄 1600장, 쌀 24포대, 김치 120포기를 모두 배달할 수 있다.

수업 노하우

- 학생들이 공식처럼 '나누면 최대공약수' 등의 기술만 외우는 경우가 많으므로 아는 것을 되돌아 볼 수 있도록 가능한 모든 경우를 찾도록 하였다. 1600과 24의 최대공약수만 구하는 학생에게는 가능한 방법을 모두 찾아보도록 안내한다.
- (1)에서 논의를 충분히 하면 (2)에서 연탄, 쌀, 김치의 세 종류를 똑같은 양으로 나누는 것으로 쉽게 적용할 수 있다.
- 최대공약수의 성질, 즉 공약수는 최대공약수의 약수라는 것을 이용하여 문제를 해결하는 학생이 있다면 이를 이용하여 **탐구하기 2**와 연결시킬 수 있다.

개념과 원리 탐구하기 2 _ 최대공약수의 성질

교과서(상) 34쪽

탐구 활동 의도

- 공약수를 구하는 방법을 배우는 것보다는 소인수분해를 사용하여 그 방법의 원리를 설명하게 하는 것이 목적이다. 소인수분해를 이용하여 공약수를 찾고, 공약수가 아닌 것의 이유를 소인수분해를 이용하여 설명해 보도록 한다.
- 초등학교에서 이미 '공약수는 최대공약수의 약수이다.'임을 직관적으로 배웠고, 여기서는 소인수분해를 이용하여 설명할 수 있도록 한다. 이때 중요한 것은 초등학교 때 배운 내용을 소인수분해와 연결하여 설명하도록 하는 것이다.
- 소인수분해를 이용하면 나누어 보지 않고도 서로소임을 알 수 있다는 것을 이해하도록 한다.

예상 답안

1

(1) 공약수가 아니다. $36=2^2\times3^2$이므로 $2^2\times5$는 36의 약수가 아니다.

(2) 공약수가 아니다. $60=2^2\times3\times5$이므로 2×3^2은 60의 약수가 아니다.

(3) 공약수이다. $2^2\times3$은 $36=2^2\times3^2$과 $60=2^2\times3\times5$를 모두 나눌 수 있다.

다음은 소인수분해를 통해 공약수를 찾은 두 학생의 풀이이다. '두 수 모두 속해 있는 수'를 찾거나 '두 수를 모두 나눌 수 있는 수'를 찾았다. 이와 같이 소인수분해와 연결하여 약수를 판별하는 것에 이어, 공약수도 판별할 수 있다.

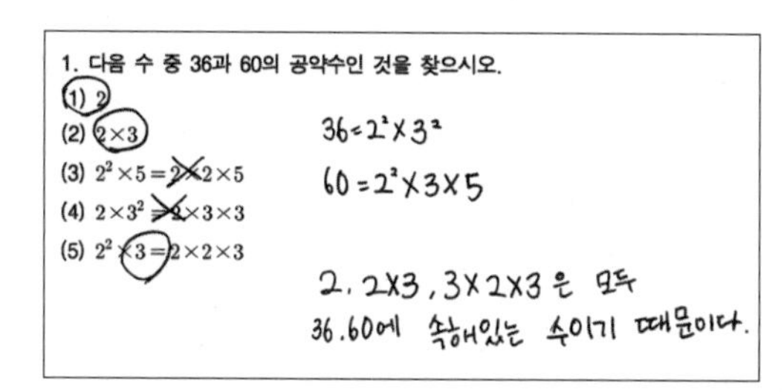

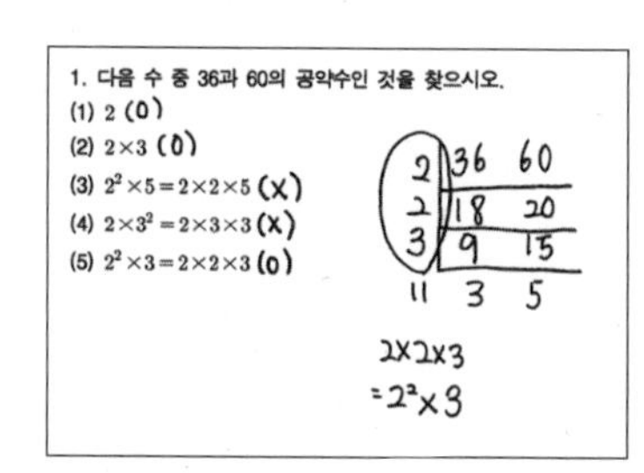

2 (1) $60=2^2\times3\times5$이고 최대공약수 $12=2^2\times3$이므로 구하는 수는 $2^2\times3$의 배수 중 5를 소인수로 갖지 않아야 한다.

두 자리 자연수 중 $2^2\times3$의 배수는

$$2^2\times3\times1,\ 2^2\times3\times2,\ \cdots,\ 2^2\times3\times5,\ \cdots,\ 2^2\times3\times8$$

과 같이 8개가 있지만 $2^2\times3\times5$는 제외하므로 7개가 있다. 곱셈하여 나열하면 구하는 수는 12, 24, 36, 48, 72, 84, 96이다.

(2) 주장 : 옳다.

소인수분해를 생각하면 두 수의 공약수는 두 수에 공통인 소인수들의 곱이고 최대공약수는 두 수에 공통인 소인수를 모두 곱한 것이다. 따라서 두 수의 최대공약수는 두 수의 공약수의 배수이다. 또한 공약수는 최대공약수의 약수이다.

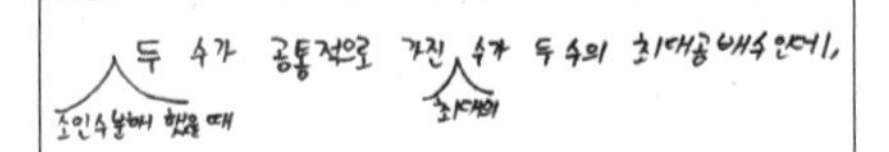

최대공배수가 가진 소인수들은 이미 두수가 공통적으로 가진 수이므로 두 수 사이의 최대공약수의 약수는 두 수의 공배수이다.

최대공약수를 구해야 하는 수를 소인수분해한 후 두 결과 모두에 있는 가장 큰 소수들의 곱이 최대공약수인데 이때 공약수는 모두 최대공약수의 약수이다.

3 (1) 서로소이다.

11은 소수, $14=2\times7$이므로 두 수의 최대공약수는 1이다. 그러므로 11과 14는 서로소이다.

(2) 2^4, 3^2의 최대공약수는 1이므로 서로소이다.

(3) 서로소가 아니다.

공통인 소인수가 없는 것처럼 보이지만 22, 52, 32가 소수가 아니므로 소인수분해를 한 후에 비교한다. $22=2\times11$, $52=2^2\times13$, $32=2^5$이므로 두 수를 소인수분해하면 다음과 같다.

$$2^3\times3\times11\times13,\ \ 2^6\times5$$

따라서 최대공약수는 2^3이므로 이 두 수는 서로소가 아니다.

(4) 서로소가 아니다.

$2^4\times3^3$, $2^2\times3^2\times5$의 최대공약수는 $2^2\times3^2$이므로 이 두 수는 서로소가 아니다.

수업 노하우

- 1 에서 공약수가 아닌 이유를 분명하게 말하게 하여 공약수가 되는 기준을 분명히 하도록 한다.
- 2 (2)에서 몇 가지 간단한 예시를 통하여 최대공약수의 성질을 직관적으로 이해시킬 수 있다.
- 3 에서 소인수분해를 이용하면 나누어 보지 않고도 서로소임을 발견할 수 있다는 것을 안내한다.

수업 연구

학생에 따라서는 소인수분해를 이용하지 않고 곱의 결과를 계산해서 공약수 여부를 따지는 경우도 있을 것이다. 판단이 잘못된 경우가 아니라면 다양성 측면에서 인정을 해주는 것이 좋다. 소인수분해를 직접 강조하는 것보다 다양한 풀이를 공유하는 과정에서 보다 효율적인 방법을 학생들 스스로 찾아가도록 유도하는 것이 교사의 역할이다.

/2/ 함께 만나는 수

학습목표

1 최대공약수와 최소공배수를 활용하여 실생활에서 수리적인 관계를 찾아내는 능력을 기른다.
2 소인수분해를 이용하여 공배수 구하는 방법의 원리를 논리적으로 설명할 수 있다.
3 소인수분해와 연결하여 최소공배수 구하는 방법을 논리적으로 설명할 수 있다.
4 소인수분해와 연결하여 공배수와 최소공배수의 관계를 논리적으로 설명할 수 있다.

2015 개정 교육과정 성취기준

최대공약수와 최소공배수의 성질을 이해하고, 이를 구할 수 있다.

핵심발문

실생활 상황의 어떤 조건에서 최소공배수라는 개념을 적용할 수 있을까?

개념과 원리 탐구하기 3 _ 최소공배수의 활용

교과서(상) 36쪽

탐구 활동 의도

- 이 과제는 '매미의 생애주기'라는 과학 탐구 상황에 공배수와 최소공배수를 활용하도록 한 것이다. 공배수와 최소공배수라는 개념이 아니더라도 맥락을 통해 매미의 생애주기를 구하도록 할 수 있다.
- 학생들이 직관적으로 문제를 해결했다면, 이후 모둠활동 등을 통해 그 활동의 이면에 공배수의 개념이 사용되는 것을 이해하게 한다.
- 초등학교에서 두 수가 서로소인 경우와 그렇지 않은 경우 다른 방법으로 최소공배수를 구하도록 배웠다. 여기서는 서로소를 이용하여 두 경우를 동시에 설명할 수 있도록 한다.
- 앞에서 배운 소수, 서로소, 최소공배수의 개념을 잘 연결하여 더 분명하게 이해할 수 있도록 하는 것이 목표이다.

예상 답안

1 (1) 두 매미 각각의 생애 주기를 곱한 시기에 두 매미가 동시에 나타나는 것은 사실이다. 하지만 처음으로 동시에 나타나는 시기는 아닐 수 있다. 예를 들어 주기가 6년, 12년인 매미는 72년 후에 같이 나타나기는 하지만 처음으로 같이 나타나는 시기는 12년 후이다. 지금 상황은 13과 17이 서로소이기 때문에 221년이 되기 전에는 동시에 다시 나타나지 않는다고 말할 수 있다.

아니오. 서로소가 아닌 두 수에는 1을 제외한 또다른 공약수가
존재하기 때문에 두 수를 곱한것은 최소 공배수가
아닐수도 있다.

ⓧ 8년과 12년은 같은 경우에는 소수로 나누어 구한다.

네. 13과 17은 서로소, 즉 공통으로 가지는 약수가 1 밖에 없으므로
서로 곱해주어야 한다.

(2) ① 35년　　② 24년　　③ 22년

각 경우에 동시에 나타나는 데 걸리는 최소 기간은 두 수의 최소공배수이다.

2 여러 종류의 매미가 동시에 나타나 개체수가 많아지면 먹이부족 현상으로 종족을 유지하는데 어려움이 있다. 그런데 매미의 생애 주기가 소수이면 여러 종류의 매미가 동시에 나타나는 해의 주기가 길어진다. 왜냐하면 각각의 생애 주기에 대한 최소공배수의 값이 커지기 때문이다. 따라서 매미끼리의 먹이 경쟁을 피하게 되어 생존에 유리할 것이다.

매미의 생애 주기가 소수이면 천적과의 경쟁에서도 유리하다. 천적의 생애 주기와도 겹치는 경우가 적기 때문이다. 거꾸로 추측해 보면 진화 과정에서 생애 주기가 소수인 매미들만이 살아남았기 때문에 현재 매미의 생애 주기는 소수가 된 것으로 추측할 수 있다.

수업 노하우

- 1 (1)에서 논의를 충분히 하면 (2)의 해결이 수월할 것이다.
- 1 (1)에서 같다고 생각하는 경우와 그렇지 않다고 생각하는 두 가지 경우가 있을 수 있다. 각 경우의 이야기를 듣고 모둠에 다시 논의를 하여 결론을 내리도록 안내할 수 있다. 한번에 모두 설명을 듣고 이해하도록 하기보다는 의견이 나누어질 경우 대표적인 의견을 선정하여 한두 의견을 듣고, 모둠에서 어떤 의견이 옳은지 혹은 자기 모둠의 의견을 수정할 것은 없는지 재논의를 하도록 하는 것이 효과적이다.

수업 연구

학생들의 수학 학습법을 보면 공식을 잘게 나누어 암기하려는 경향을 볼 수 있다. 그러나 이런 경우에는 공식의 연결성이 유지되기보다는 오히려 관련성이 떨어지게 되고 여러 경우가 분리되어 나누어지면 암기할 것이 많아지고 관련성이 떨어져서 갈수록 기억하기가 어려워진다.

최소공배수를 구하는 방법을 무작정 다음 세 가지 경우로 구분하여 학습하는 경향이 있다.

(1) 두 수가 서로소인 경우는 서로 곱한다.

(2) 최대공약수가 1인 아닌 경우는 나눗셈을 이용한다.

(3) 한 수가 다른 수의 배수인 경우는 큰 수가 최소공배수이다.

여기서는 이와 같이 구분하기보다 소인수분해를 이용하여 한 가지 방법으로 해결할 수 있도록 연결한다. 소인수분해를 이용하면 세 가지 방법으로 나누어 암기할 필요가 없음을 이해할 것이다.

개념과 원리 탐구하기 4 _ 최소공배수의 성질

교과서(상) 37쪽

탐구 활동 의도

- 최소공배수를 구하는 방법을 배우는 것보다는 소인수분해를 이용하여 최소공배수를 구하는 방법을 설명하게 하는 것이 목적이다. 초등학교 때 구한 방법의 원리를 설명할 수 있도록 유도해야 한다.
- 1 의 (1)과 (2)는 같은 문제이다.
  초등학교에서 이미 '두 수의 공배수는 두 수의 최소공배수의 배수이다.'임을 직관적으로 배웠고, 여기서는 소인수분해를 이용하여 설명할 수 있도록 한다. 그래서 비교적 큰 수를 제시하여 소인수분해의 필요성을 이해하도록 하였다.

예상 답안

1 (1) $2^3\times3^2\times5\times7$

두 수의 공배수 중에서 최소인 공배수를 구할 수 있다.
오른쪽은 소인수를 하나씩 비교하여 두 수의 공배수를 여러 가지 구한 예이다.

(1) $2^2\times3^2\times5$, $2^3\times3^2\times5\times7$

$-2^3\times3^2\times5\times7$

$-2^3\times3^3\times5\times7$

$-2^3\times3^2\times5^2\times7$

$-2^3\times3^2\times5\times7^2$

(2) 2520

아래와 같이 소인수분해를 이용하고 (1)과 같이 구할 수 있다. 또는 초등학교 때 배운 방법을 이용하여 구할 수 있다. (수업 연구 참고)

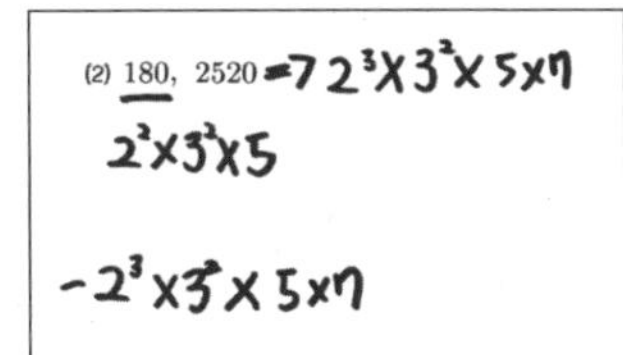

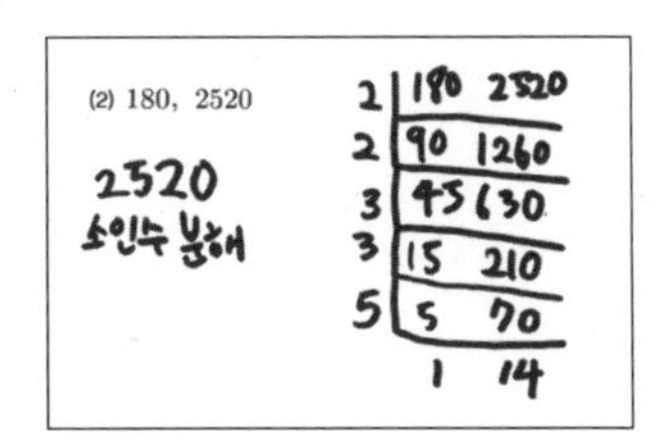

2 공배수는 최소공배수의 배수이다. 최소공배수도 두 자연수의 배수이고 공배수는 최소공배수에 어떤 자연수를 곱한 것이기 때문이다.

소인수분해한 값을 나열하고 각 소인수마다 지수가 큰것을 써서 곱한다.
공배수는 최소공배수인 배수이다. 최소공배수도 두 자연수의 배수이고 공배수는 최소공배수에 어떤 자연수를 곱한 것이기 때문이다.

답은 다양할 수 있다. [1] (1)에서 소인수분해를 이용하여 최소공배수를 구할 때, 두 수의 공배수 중에서 최소인 것으로 찾았다. (1)의 설명을 참고한다.

[3] $2^2 \times 3^2 \times 5 \times 7$

세 수의 경우에도 최소공배수를 구할 때 어느 두 수에 공통인 2와 3^2은 중복되지 않도록 하고, 공통이 아닌 소인수 2, 5, 7은 모두 곱하면 다음과 같이 계산된다.

$2 \times 3^2 \times 2 \times 5 \times 7 = 2^2 \times 3^2 \times 5 \times 7$

수업 노하우

- [1]에서 공배수 중 가장 작은 것이 최소공배수이므로 두 수의 소인수의 곱을 모두 포함하는 것 중에 가장 작은 것이 되어야 한다. 따라서 공통인 소인수는 중복되지 않도록 곱하고 공통이 아닌 소인수를 모두 곱할 수 있다. 이와 같은 이유를 잘 설명할 수 있도록 한다. 공통이 아닌 소인수를 모두 곱하는 이유는 배수이기 때문이다. 그러나 최소이기 때문에 공통인 것은 중복되지 않도록 곱해야 한다.
- [1] (1)에서 소인수분해된 수를 다시 곱해서 큰 수로 나타낸 다음 초등학교에서 배운 나누는 공식을 이용하는 학생은 이 수들이 (2)와 같음을 인지하면서 의아한 반응을 보일 것이다. 그런 경우 소인수분해의 필요성을 설명하여 설득할 수 있다. 이런 의도로 일부러 (1)과 (2)를 같은 수로 제시하였다.
- [2]에서 몇 가지 간단한 예시를 통하여 최소공배수의 성질을 직관적으로 이해시킬 수 있다.

수업 연구

최소공배수를 구하는 방법은 이미 초등학교에서 여러 가지 방법을 모두 배웠다. 여기서는 아래와 같은 방법들을 소인수분해와 연결하여 설명할 수 있다.

(1) 자연수의 배수를 일일이 나열하여 공통인 배수 중 가장 작은 것을 찾는 방법(정의)

(2) 두 수를 동시에 나눌 수 있는 수를 찾아서 곱하고 남은 나머지 수도 모두 곱하는 방법(공식)

(3) 가장 작은 수들의 곱으로 나타내어(소인수분해) 공통인 소인수는 중복되지 않도록 곱하고 공통이 아닌 소인수는 모두 곱하는 방법(공식)

결국 (3)에서 가장 작은 수들의 곱으로 나타내는 것이 소인수분해라는 것을 연결하도록 하면 매우 크거나 복잡한 수들에 대해서도 소인수분해의 방법으로 최소공배수를 찾는 것이 보다 효율적임을 설득할 수 있다.

게임하며 탐구하기 5 _ 소인수분해 퍼즐 게임

교과서(상) 38쪽

탐구 활동 의도

- 최소공배수, 최대공약수를 구하는 방법을 퍼즐을 통해 연습하는 활동이다.
- 퍼즐을 맞추기 위한 퀴즈 풀기 활동을 통해 단순 연산을 흥미 있게 연습할 수 있다.

예상 답안

1

1 44	**2** 2, 3, 5, 7	**3** 77
4 6	**5** 1, 5, 7, 11, 13, 17, 19	**6** 36
7 300	**8** 45	**9** 1, 2, 3, 4, 6, 8, 12, 24
10 15	**11** 60	**12** 9

풀이

1 22의 배수는 22, 44, 66, …이고 4의 배수는 4, 8, 12, 16, 20, 24, 28, 32, 36, 40, 44, 48, …이므로 22와 4의 최소공배수는 44이다.

3 11의 배수는 11, 22, 33, 44, 55, 66, 77, …이고 7의 배수는 7, 14, 21, 28, …, 77, …이므로 11과 7의 최소공배수는 77이다.

4 2×3^2과 $2^2\times3$의 최대공약수는 $2\times3=6$이다.

5 $6=2\times3$이고 20 이하의 자연수 중

2의 배수 : 2, 4, 6, 8, 10, 12, 14, 16, 18, 20

3의 배수 : 3, 6, 9, 12, 15, 18

이므로 6과 서로소인 수는 1, 5, 7, 11, 13, 17, 19이다.

6 72의 약수 : 1, 2, 3, 4, 6, 8, 9, 12, 18, 24, 36, 72

36의 약수 : 1, 2, 3, 4, 6, 9, 12, 18, 36

이므로 최대공약수는 36이다.

7 $2^2\times3$과 $2\times3\times5^2$의 최소공배수는 $2^2\times3\times5^2=300$이다.

8 $3^2\times5\times7$과 $2^2\times3^3\times5$의 최대공약수는 $3^2\times5=45$이다.

9 $2^4\times3$과 $2^3\times3^2$의 최대공약수는 $2^3\times3=24$이므로 구하는 공약수는 최대공약수 24의 약수이다.

즉, 1, 2, 3, 4, 6, 8, 12, 24

10 $15=3\times5$, $30=2\times3\times5$, $60=2^2\times3\times5$이므로 15, 30, 60의 최대공약수는 $3\times5=15$이다.

11 $12=2^2\times3$, $20=2^2\times5$, $30=2\times3\times5$이므로 12, 20, 30의 최소공배수는 $2^2\times3\times5=60$이다.

12 5^9이므로 지수는 9이다.

500	58	34	14	23	100	28	200	20	22
1	6	90	55	45	50	500	36	18	32
45	300	26	9	2	24	300	5	17	100
70	15	66	300	19	6	3	77	36	1
80	2	17	4	12	36	77	60	45	12
75	37	18	5	300	60	44	13	8	4
100	55	16	44	55	7	15	11	5	16
21	35	500	3	10	61	200	25	19	20
66	29	11	60	170	14	29	1	2	38
29	31	30	100	26	100	600	18	27	33

A : 나는 낙타입니다.

수업 노하우

- 문제가 12개라서 일부 문제를 틀리게 되면 낙타 모양이 나오지 않으므로 틀리지 않도록 주의시킨다.
- 색칠한 그림은 맞았지만 꼭 낙타라고 고집할 필요는 없다. 다양한 이름에 대하여 나름 타당한 것이면 인정해 주도록 한다.

탐구 되돌아보기 예상 답안

교과서(상) 40~43쪽

1 개념과 원리 탐구하기 1

연탄은 1600장, 쌀은 24포대이므로 1600과 24의 공약수가 나누어 줄 수 있는 가정의 수이다.

$1600=2^6\times5^2$, $24=2^3\times3$이므로 공약수는 $1, 2, 2^2, 2^3$이므로 총 네 가지 경우만 나온다.

1600과 24의 최대공약수는 8이고, 최대공약수의 성질을 이용하면 두 수의 공약수는 두 수의 최대공약수의 약수이므로 1, 2, 4, 8의 네 가지라고 답할 수도 있다.

2 개념과 원리 탐구하기 1

답은 다양할 수 있다.

- 과자 24개, 사탕 30개의 최대공약수 6을 구하여 6개의 간식주머니에 나누어 담았다.
- 나누어 담을 수 있는 경우는 공약수인 1, 2, 3, 6개의 간식주머니에 담는 4가지 경우가 있다. 그런데 공약수를 2, 3, 6의 세 가지에만 ○표시를 했다. 사실 공약수가 1인 경우는 나누지 않고 하나의 주머니에 다 담는 것이므로 제외했을 수도 있겠다.
- 결론적으로 이 학생은 간식주머니가 최대인 경우만 제시했다. 가능한 간식주머니 개수는 또 있다.
- 약수를 구해서 공통인 약수에도 표시를 했는데, 24와 30을 소인수분해하여 최대공약수를 또 구했다. 최대공약수를 두 번 구한 이유가 궁금하다.

3 개념과 원리 탐구하기 2

답은 다양할 수 있다.

이 친구는 최대공약수, 공약수의 용어를 혼동하고 있는 것 같다. 의미는 이해가 된다. 단어를 고쳐 보면 다음과 같다.

- 소인수분해했을 때 두 수가 공통으로 가진 최대의 수는 두 수의 '최대공약수'이다.
- 최대공약수의 약수들은 이미 두 수가 공통으로 가진 최대의 수의 약수이므로 두 수의 '공약수'가 된다.

4 개념과 원리 탐구하기 4

두 수가 소인수분해가 되어 있는데 다시 소인수들을 곱해서 나누어 최소공배수를 구했다. 소인수분해가 되어 있을 경우 소인수들을 다시 곱할 필요가 없고, 두 수의 소인수들의 곱을 비교하여 바로 최소공배수를 구하는 것이 효율적이다.

5 개념과 원리 탐구하기 3

(1) 각 상황에서 예시로 든 수에서는 세 사람의 주장이 틀리지는 않는다. 그런데 세 사람의 주장은 모두 일반적이지 않다. 은서의 방법을 철수와 준희에게 주어진 수에 적용하면 최소공배수가 나오지 않는다.
마찬가지로 철수와 준희의 방법도 다른 두 사람에게 주어진 수에 적용하여 최소공배수를 구할 수 없다.
즉, 세 사람의 주장은 모두 틀렸다.

(2) 세 친구들에게 다음 문제를 주고, 자기의 방법으로 최소공배수를 구하면 틀렸다는 것을 말해 준다.

- 은서에게
  2와 8의 최소공배수는 8인데 두 수를 곱하면 16이 된다.
- 철수에게
  3과 5의 최소공배수는 15인데 둘 중 큰 수는 5가 된다.
- 준희에게
  5와 8의 최소공배수는 40인데 두 수의 곱을 2로 나누면 20이 된다.

⇨ 두 수의 최소공배수는 두 수의 공배수 중 가장 작은 수임을 설명한다.

6 개념과 원리 탐구하기 4

2와 $2^2\times3^3\times5$, $2^2\times3\times5$와 3^3

주어진 수를 최소공배수로 가지는 두 자연수를 구하는 것은 쉽지 않다. 주의할 점은 두 수에는 최소공배수에 없는 소인수가 나타나면 안 된다는 점과 최소공배수의 각 소인수의 지수 이하의 지수로 구성되어야 한다는 점이다. 그리고 최소공배수의 각 소인수는 두 수 중 적어도 어느 하나에는 포함되어 있어야 한다는 점이다.
두 수를 찾은 후 반드시 역으로 최소공배수를 구하여 주어진 수가 나오는지를 확인해야 한다.

7 내가 만드는 수학 이야기

제목 : 초등에서 벗어나다.

나는 이와 비슷한 두 수의 최소공배수를 구하라는 문제를 처음 접했을 때는 초등학교 때 외웠던 공식이 생각났다. 공통으로 나누는 수로 두 수를 더 이상 나눠지지 않을 때까지 나눗셈을 한 다음 남은 수를 ㄴ자로 모두 곱하는 방법이다. 두 수가 너무 커서 계산하기가 힘들었고 시간도 오래 걸렸다. 그런데 내 짝은 1분도 걸리지 않고 담박에 최소공배수를 구하고 나를 기다리고 있었다. 친구의 풀이는 소인수분해 된 지금의 상태를 곱하지 않고 소인수와 지수만 가지고 최소공배수를 구했던 것이다. 얼굴이 화끈거렸다. 내가 중딩 맞나?

소인수분해를 이용하여 주어진 두 자연수의 최소공배수를 구하면 $2^2 \times 3^4 \times 5^2 \times 7 \times 11$이 나온다. 이 수가 얼마인지는 몰라도 두 수의 배수임은 틀림이 없다.

그리고 주어진 두 자연수에는 공통인 소인수가 있으므로 서로소는 아니다.

최대공약수를 구한다면 나는 다시 위와 같은 초딩의 방법을 사용하지 않을 것이다. 소인수분해를 중학교에서 배우는 의미를 이제야 깨달은 것 같다.

학생 답안

제목

예로 2와 3의 최대공약수는 1인데 이와 같이 최대공약수가 1인 두 자연수를 서로소라고 한다. 위 식에서 왼쪽 식은 2772가 소인수분해가 되어있는 것이고, 오른쪽 식은 4050이 소인수분해가 되어있는 것이다. 그래서 이 두 식을 보고 소인수분해를 이용하여 최대공약수를 구할 수 있다. 첫번째, 각 수를 소인수분해한다. 두번째, 공통인 소인수를 모두 곱한다. 이때 소인수의 지수가 같으면 그대로 곱하고 지수가 다르면 작은 것을 택하여 곱한다. 이와 같이 두 자연수의 최대공약수는 그 수들을 각각 소인수분해한 후 두 수에 공통으로 있는 소인수를 모두 곱하여 구한다. 따라서 위 두 식으로 2772와 4050의 최대공약수가 18이라는 것을 알 수 있다. 또 두 개 이상의 자연수의 공통인 배수가 공배수이고, 공배수 중에서 가장 작은 수가 최소공배수이다. 그 예로 2와 3의 공배수는 6, 12, 18, ⋯이고, 최소공배수는 6이다. 그리고 $2^2 \times 3^2 \times 7 \times 11$, $2 \times 3^4 \times 5^2$ 이 두 식은 자연수의 소인수분해로 최소공배수도 구할 수 있다. 첫번째, 각 수를 소인수분해하고 두번째, 공통인 소인수와 공통이 아닌 소인수를 모두 곱한다. 그리고 이때 소인수의 지수가 같으면 그대로 곱하고 지수가 다르면 큰 것을 택하여 곱한다. 이와 같이 두 자연수의 최소공배수는 그 수들을 각각 소인수분해한 후 두 수에 공통으로 있는 소인수와 어느 한 쪽에만 있는 소인수를 모두 곱하여 구한다. 따라서 위 두 식으로 2772와 4050의 최소공배수가 623700이라는 것 또한 알 수 있다.

개념과 원리 연결하기 예상 답안

교과서(상) 44~45쪽

1

나의 첫 생각

최대공배수나 최소공약수는 별 쓸모가 없나보다.

다른 친구들의 생각

공배수 중 가장 작은 수는 구할 수도 있고 여러 가지 용도로 활용되는데, 최대공배수는 한없이 커져서 구할 수도 없고 별 쓸모가 없다.

정리된 나의 생각

최대공배수는 한없이 커지기 때문에 구할 수가 없고, 최소공약수는 항상 1이므로 별 특성이 없다.

학생 답안 1

나의 첫 생각

최대 공배수 : 배수는 2배, 3배 ⋯ 끝 없이 증가한다.
또한 최대는 그 중 가장 큰 것을 뜻한다.
즉, ① 끝 없이 증가하는 배수에서는 가장 작은 수는 구할 수 있으나 가장 큰 수는 구할 수 없다.
최소 공약수 ① 약수에서는 1과 그 수 자신은 꼭 약수로 포함되기 때문에 최소 공약수는 어떤 수이든 1이다. 또 ② 모든 자연수는 1로 나누

다른 친구들의 생각

최대 공배수는 끝 없이 이어나가기 때문에
수가 정해져 있지 않아 최대 공배수를 알 수 없다.
최소 공약수는 무조건 1이다
라고 친구들이 생각하고 있다는 것을 알게 되었다.

정리된 나의 생각

최대 공배수가 없는 이유 : 2배, 3배 ⋯ 등 끝 없이 증가하는 것을 배수라고 한다.
또한

학생 답안 2

나의 첫 생각

약수는 자신을 딱 나누어 떨어지게 만들 수 있는 수인데, 1은 모든 수를 딱 나누어 떨어지게 만들 수 있으므로 최소 공약수는 무조건 1이기 때문에 최소 공약수라는 용어가 필요없다.
배수는 자신의 2배, 3배, 4배⋯ 등 계속 반복하는 것 이므로 무한대로 이어져 최대공배수는 구할 수 없기 때문에 필요가 없다

다른 친구들의 생각

공배수는 끝없이 나와 구할 수 없음
공약수는 무조건 1이라서 무의미.

2 (1)

[소수의 뜻] 1보다 큰 자연수 중 1과 자기 자신만을 약수로 가지는 수

[소수의 조건 1] 1보다 큰 자연수라는 조건은 왜 필요할까? 1은 성격상 소수라고 분류할 수 있는데 왜 수학자들은 1을 소수에서 제외한 것일까? 1 **탐구하기 6**에서 학습한 것을 정리하면 1을 소수로 포함시키면 소인수분해가 한 가지가 아니라 사람에 따라서 다양하게 나와서 복잡하기 때문인 것으로 이해하였다.

[소수의 조건 2] 왜 1과 자기 자신만을 약수로 가지는 수를 특별히 분류했는가? 이것은 다른 수로 나누어떨어지지 않는 신기한 특성을 가졌기 때문에 분류할 가치가 있다고 본다. 반대로 합성수는 모두 소수의 곱으로 나타낼 수 있으니 소수와 다르지 않은가?

[소수의 성질 1] 소수는 약수가 2개이다. 왜냐하면 소수는 1과 자기 자신만을 약수로 가지기 때문이다.

[소수의 성질 2] 합성수는 약수가 3개 이상이다. 왜냐하면 합성수는 1과 자기 자신 이외의 약수를 더 가지기 때문이다.

[소수의 성질 3] 약수가 딱 3개인 수는 소수의 제곱수이다. 그런데 이것은 설명이 어렵다.

학생 답안

소수: 자연수에서 약수를 1과 그 수 자신만을 가지는 수.
소수의 성질: (1을 제외한) 어떤 자연수로 나누었을 때 나누어 떨어지지 않는다.
소수 중 2는 유일한 짝수이며, 소수이다.
1은 소수도 합성수도 아니다
자연수는 1과 소수나 합성수로 이루어져있다.

(소수의 법칙:
자연수 중 소수 구하는 법
1과 자연수의 배수는 지운다.
지우지 않은 수는 소수이다.)

(2)

각 개념의 뜻과 소수의 연결성

- 약수: 어떤 수를 나누어떨어지게 하는 수를 약수라 한다. 예를 들면, 1, 2, 3, 6으로 6을 나누면 나누어 떨어지므로 1, 2, 3, 6은 6의 약수다.
- 나누어떨어진다.: 어떤 자연수를 다른 자연수로 나누었을 때 나머지가 0인 경우를 나누어떨어진다고 한다. 6을 3으로 나누면 나머지가 0이므로 6은 3으로 나누어떨어진다.
- 곱셈: 12는 3이나 4로 나누어떨어진다. $12 \div 3 = 4$, $12 \div 4 = 3$이다. 그러므로 곱셈으로 고치면 $3 \times 4 = 12$가 된다. 소수는 1을 제외한 다른 두 수의 곱으로 나타낼 수는 없다. 1을 제외한 두 수의 곱으로 나타낼 수 있는 수는 소수가 아니다.

학생 답안

각 개념의 뜻과 소수의 연결성

소수 < 1보다 작은 수 / 자연수 중에서 1과 그 수 자신만을 약수로 가지는 수

자연수 중에서 1과 그 수 자신만을 약수로 가지는 수 → 소수

자연수 중에서 1과 그 수 자신 이외에도 약수를 가지는 수 → 합성수

수학 학습원리 완성하기 예상 답안

교과서(상) 46~47쪽

학생 답안 1

내가 선택한 탐구 과제

탐구하기 5번

나의 깨달음

곱셈기차를 찾을 때 처음에는 머리로 계산하면서 360이 되는 두 수나 세 수는 금방 찾았다. 그러다가 표에 있는 숫자들을 보니 360의 약수들을 다 적어 놓으면 빨리 찾을 수 있을 것 같았다. 초등학생 때 배운 방법으로 360의 약수를 적어 놓고 풀다가 너무 많은 경우가 나와서 가장 긴 것을 찾으려면 전략이 필요하다고 생각이 들었다. 가장 긴 곱셈기차는 많은 숫자들이 곱해져야 하고 그러려면 360을 계속 쪼개서 길게 만들어야 한다는 것을 알았다. 가장 길다고 확신하려면 소수들로만 곱하면 된다. 소수는 더 이상 쪼갤 수 없기 때문이다. 360을 소인수분해 하니 $2^3 \times 3^2 \times 5$ 이었다. 가장 긴 곱셈기차를 찾기 위해서 2를 세번 곱하고 3을 두 번 곱하고 5를 한번 곱한 기차를 찾으면 되고 곱하는 순서는 상관없다

수학 학습원리

1. 끈기 있는 태도 기르기

5. 여러 가지 수학 개념 연결하기

STAGE 2

새로운 수의 세계로 빠져 보자
– 정수와 유리수

이 단원의 핵심 지도 방향

이 단원에서 중요한 것은 '음수'인데 이는 초등학교에서 배우지 않은 새로운 개념입니다. 그래서 '음수'를 0을 기준으로 '양수'와 대비되는 수로 이해하고 체화하는 데 시간을 주어야 합니다. 그리고 새로 등장한 음수의 사칙연산을 어떻게 하면 좋을지 그 원리를 발견할 수 있도록 안내하는 것이 이 단원의 핵심입니다. 기존에 알고 있던 연산 법칙을 확장하여 음수의 덧셈을 하고, 음수의 덧셈을 이용하여 음수의 뺄셈을 하고, 음수의 곱셈과 나눗셈을 할 수 있도록 지도합니다.

• 기호 $\leq$와 $\geq$는 2학년 '부등식'에서 다룰 것입니다.

1 더 넓어진 수의 세상

단원 지도 계획

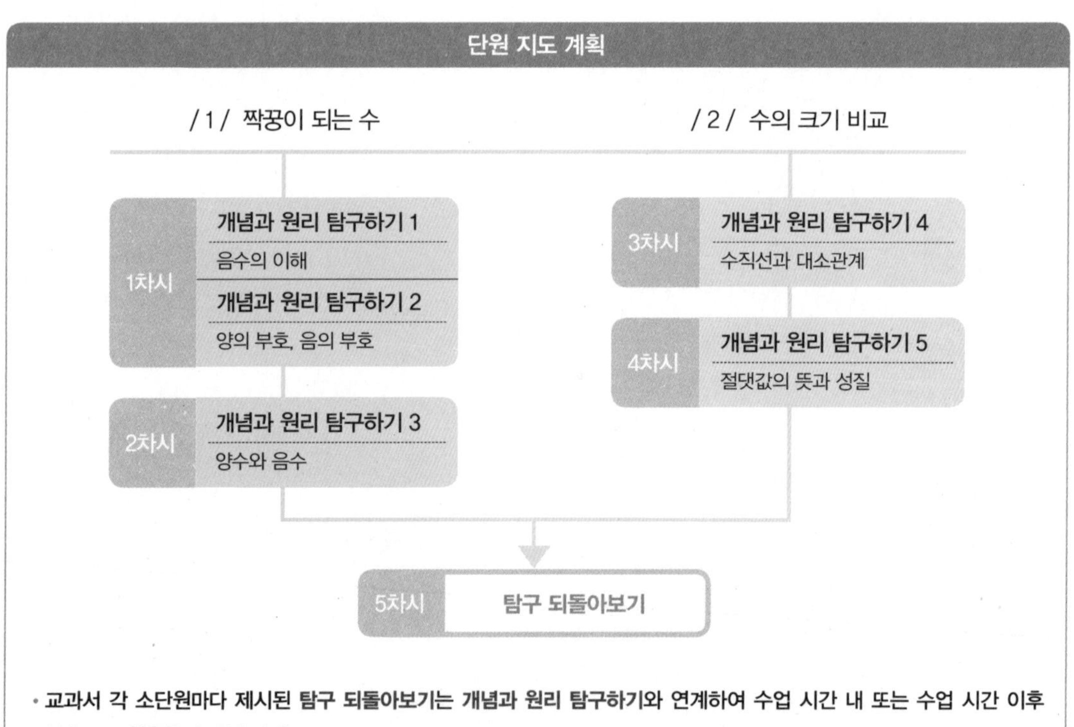

• 교과서 각 소단원마다 제시된 탐구 되돌아보기는 개념과 원리 탐구하기와 연계하여 수업 시간 내 또는 수업 시간 이후 복습으로 활용할 수 있습니다.

/1/ 짝꿍이 되는 수

학습목표

1 생활 속에서 서로 반대되는 성질을 찾아보고, 양의 부호, 음의 부호로 표현할 수 있다. 양수와 음수의 의미를 실생활에서 발견할 수 있다.
2 정수와 유리수의 뜻을 이해하고 실생활에서 이 개념이 사용되고 있는 상황을 찾아 이러한 개념의 필요성과 유용성을 체험한다.
3 수직선에 대해 이해하고, 양수를 수직선에 나타내는 방법을 확장하며 정수와 유리수를 수직선 위에 나타내는 방법을 발견할 수 있다.
4 양수와 음수를 수직선 위에 나타내고 이를 이용하여 유리수의 대소 관계를 비교하는 원칙을 발견할 수 있다.
5 수의 대소 관계와 절댓값 사이의 관계를 연결할 수 있다.

2015 개정 교육과정 성취기준

양수와 음수, 정수와 유리수의 개념을 이해한다.
정수와 유리수의 대소 관계를 판단할 수 있다.

핵심발문

양의 부호(+)와 음의 부호(−)의 의미는 무엇인가?
수의 대소를 비교할 수 있는 원칙은 무엇일까?

 개념과 원리 탐구하기 1 _ 음수의 이해

교과서(상) 51쪽

탐구 활동 의도

- 학생들은 음수라는 것을 처음 배운다. 음수를 단순히 '−'를 붙인 수로 암기하는 것이 아니라 양수에 대비되는 수라는 성질을 여러 가지 맥락을 통해 이해하고, 체화할 수 있어야 한다.
- 부호가 일상에서 사용되는 예시로 시차를 계산하는 과정을 통해 서로 대비되는 성질을 가진 현상을 표현하는 수단으로서 부호가 사용됨을 알게 한다.
- 타교과인 사회 교과의 내용을 수업 자료로 활용하여 수학 교과 역량에 해당하는 창의·융합의 교육 소재로 삼았다.

예상 답안

1

카이로	싱가포르	서울	리우데자네이루
14시(또는 오후 2시)	20시(또는 오후 8시)	21시(또는 오후 9시)	9시(또는 오전 9시)

- 카이로의 시각은 낮 12시보다 2시간이 빨라지므로 14시 (또는 오후 2시)다.
- 싱가포르의 시각은 낮 12시보다 8시간이 빨라지므로 20시 (또는 오후 8시)다.
- 서울의 시각은 낮 12시보다 9시간이 빨라지므로 21시 (또는 오후 9시)다.
- 리우데자네이루의 시각은 낮 12시보다 3시간이 늦어지므로 9시 (또는 오전 9시)다.

2 나의 발견

- 시각의 증가와 감소를 나타낸다.

모둠의 발견

- 기준이 되는 지점보다 빠른 시각을 나타낼 때에는 + 부호를 사용하고, 늦은 시각을 나타낼 때에는 − 부호를 사용한다. 본초자오선이 있는 영국 런던은 우리나라의 서울을 기준으로 −9이므로 9시간이 늦다. 주의할 점은 우리나라를 기준으로 할 때, 미국 뉴욕은 +10으로 나타나는데 날짜 변경선을 지났으므로 시각은 서울보다 10시간 빠르지만 날짜는 하루가 늦다는 점이다.

수업 노하우

- 음수를 단순히 음의 부호 '−'를 붙인 수로 가볍게 이해할 경우, 이후 음수의 덧셈과 뺄셈 등에서 빼기 부호와 혼동하여 계산부터 어려움을 겪는다.
- 51쪽에서 처음으로 부호가 있는 수가 나올 때 어떻게 읽을 것인지에 대해 학생들에게 특별한 제약을 줄 필요는 없으나 교사의 경우 읽는 방법에 대해 유의해야 한다. '더하기 모양의 기호', '빼기 모양의 기호'로 읽다가 54쪽에서 '양의 부호', '음의 부호'라는 용어를 배운 이후부터는 읽는 방법을 바꾸어 읽는다. '플러스', '마이너스'라는 용어는 사용하지 않는다.
- 학교에서는 중 1 사회과에서 이 부분의 학습이 이루어질 수도 있고, 중 2에서 이루어질 수도 있으니 사회과와 협력하여 수업을 진행하는 것이 필요하다.
- 학생들은 1시간씩 빨라지고 느려진다는 설명을 이해하는 데에 어려움을 겪을 수 있다. 또는 이해를 하더라도 이를 시각 계산과 연관을 짓는 과정에서는 오류를 범할 수도 있으므로, 1시간 빠르다는 것의 의미를 정확하게 설명해 주고 탐구활동을 시작하게 할 수 있다.
- 1시간이 빨라진다는 것은 해가 1시간 빨리 뜨는 것이라고 설명할 수 있으며, 구체적인 예로 1시간 빠른 시계를 생각하게 하여 실제 시간과 잘못된 시간을 구해 보게 할 수도 있다.
- 본초자오선을 기준으로 15° 이동할 때마다 1시간의 차이가 생기는 이유는 360°를 24(하루는 24시간)로 나누었을 때의 몫이 15°이기 때문이라는 설명을 요구할 수 있다.
- 우리나라는 중국 베이징(동경 120°)과 일본 도쿄(동경 135°) 사이에 끼어 있어 둘 중 어느 하나를 택할 수밖에 없다. 지도에서 서울은 동경 127°에 위치하고 있지만 서울이 우리나라의 중앙에서 서쪽으로 약간 치우쳐 있고, 우리나라는 전체적으로 124° ~132° 사이에 있어 그 중앙은 128°이기 때문에 120°보다 135°에 가깝다고 볼 수 있다. 본문의 지도에서 서울의 위치만 가지고 선을 그으면 +8과 +9 사이에 애매하게 위치하지만 실제 사용하는 표준시가 135°임을 감안하여 지도하도록 한다.

개념과 원리 탐구하기 2 _ 양의 부호, 음의 부호

교과서(상) 53쪽

탐구 활동 의도

- 실생활에서 쉽게 접하는 일기예보를 통해 양의 부호와 음의 부호의 의미와 필요성을 알게 한다.
- **탐구하기 2**는 소수에 부호를 붙이는 상황을 소개한 것으로 자연수에 부호를 붙이는 상황을 소개한 **탐구하기 1**의 확장으로 볼 수 있다.
- [2]는 소수를 +, − 부호를 붙인 분수로 나타내어 보는 문제다. 이 문제를 해결하면서 소수처럼 분수에도 +, − 부호를 붙일 수 있음을 알게 한다.

예상 답안

[1]
- +부호는 영상의 기온을 나타내기 위해 사용되었고, −부호는 영하의 기온을 나타내기 위해 사용되었다.
- 0°C를 기준으로 0°C보다 높은 기온에는 수 앞에 '+'를, 낮은 기온에는 '−'를 붙여 나타내며, '+' 부호는 생략할 수도 있다.

[2]
- 〈표 1〉: 기온을 나타내는 수를 각각 분수로 나타내면 $-\frac{2}{1}$, $\frac{4}{1}$이다.
- 〈표 2〉: 기온을 나타내는 수를 각각 분수로 나타내면 $-\frac{22}{10}$ $\left(\text{또는 } -\frac{11}{5}\right)$, $\frac{41}{10}$이다.
- 다음과 같이 무조건 분모를 1로 하는 분수로 답하는 경우도 나올 것이다.

요일	일	월요일	화요일	수요일	목요일	금요일	토요일
최저기온	$\frac{-3.4}{1}$	$\frac{-5.2}{1}$	$\frac{-7.2}{1}$	$\frac{-0.2}{1}$	$\frac{-2.2}{1}$	$\frac{-5.8}{1}$	$\frac{-3.8}{1}$
최고기온	$\frac{5.7}{1}$	$\frac{5.4}{1}$	$\frac{4.4}{1}$	$\frac{3.9}{1}$	$\frac{4.1}{1}$	$\frac{2.4}{1}$	$\frac{5.4}{1}$

수업 노하우

- [1]은 양의 부호와 음의 부호의 의미를 묻는 질문이다. 이 질문을 해결한 후, 양의 부호 +와 음의 부호 −는 각각 덧셈과 뺄셈의 기호 +, −와 모양은 같지만 그 의미가 다르다는 것을 이해하고 구분하여 사용할 수 있도록 한다.
- 보통 부호가 붙은 수를 읽을 때 플러스나 마이너스라는 단어를 사용하기도 하는데, 이는 잘못된 것이다. 플러스는 더하기를, 마이너스는 빼기를 의미하므로 부호를 읽을 때에는 양과 음이라는 단어를 사용하도록 지도한다. 예를 들어, '−3'은 '음의 3', '+5'는 '양의 5'로 읽어야 한다.
- 소수를 분수로 나타내는 과정에서 정수를 분수로 나타내는 과정과 혼동하여 분모를 무조건 1로 놓는 학생이 있을 수도 있다(위 예상 답안 참고). 이때에는 초등학교에서 배운 대로 분모가 10, 100, 1000 등인 분수로 바꾸어 보도록 안내한다.
- 정수도 소수처럼 분수로 나타낼 수 있으므로 유리수이지만, 학생들은 정수와 유리수를 전혀 다른 종류의 수라고 생각할 수 있다. 따라서 [2]를 해결하면서 자연수와 소수가 모두 분수로 나타낼 수 있음을 먼저 충분히 이해하게 한 후, 다음 탐구활동에서 분수에 양의 부호나 음의 부호를 붙인 수를 유리수로 정의해준다.

참고

- 유리수의 수학적 정의는 '$\frac{a}{b}$(a, b는 정수, $b \neq 0$)의 꼴로 나타내어지는 수'이다. 하지만 아직 정수의 나눗셈을 배우기 전이므로 여기에서는 유리수를 '분자, 분모가 모두 자연수인 분수에 양의 부호 +나 음의 부호 −를 붙인 수'로 정의한다. 이후에 정수와 유리수의 사칙계산을 모두 배우고 나면 유리수의 수학적 정의를 다시 언급하여 정확한 개념을 이해하도록 지도한다.
- 분수와 소수는 수의 표현 방법일 뿐 수의 체계에 있는 분류는 아니다. 따라서 '유리수는 분수다.'라는 말보다는 '유리수는 분자와 분모가 모두 정수인 분수로 표현할 수 있다.'라고 하는 것이 옳은 표현이다.

개념과 원리 탐구하기 3 _ 양수와 음수

교과서(상) 54쪽

탐구 활동 의도

- 양수와 음수의 뜻, 정수와 유리수의 뜻을 이해하고, 이를 사용한 실생활의 예를 학생들이 직접 찾아보게 하는 활동이다.
- 학생들은 자신들이 찾아본 각각의 예에 대해서 부호의 의미를 생각해 봄으로써 부호를 사용하는 경우의 공통점을 찾을 수 있다.

예상 답안

1

예	+ 부호의 뜻	− 부호의 뜻	부호가 바뀌는 기준
해발과 해저	해수면보다 높음	해수면보다 낮음	해수면
수입과 지출	들어온 돈	나간(사용한) 돈	0원

2

(1) • 에베레스트 산의 높이 해발 8848 m를 +8848 m로 나타내면 태평양의 마리아나 해구의 깊이 해저 11034 m는 −11034 m로 나타낼 수 있다.

• B.C. 100년을 −100이라고 하면 A.D. 2018년은 +2018이라고 나타낼 수 있다.

• 입금 30000원을 +30000이라고 하면 출금 10000은 −10000으로 나타낼 수 있다.

• 2억(원) 적자를 −2억(원)이라고 하면, 5억(원) 흑자는 +5억(원)으로 나타낼 수 있다.

(2) • 한강대교 수위가 기존보다 0.3 m 상승한 것을 +0.3으로 나타내면, 기존보다 0.5 m 하강한 것은 −0.5로 나타낼 수 있다.

• 체중 2.2 kg 감량을 −2.2로 나타내면, 3.5 kg 증가는 +3.5로 나타낼 수 있다.

3

(1) $-\frac{4}{2}=-2$이므로 음의 정수다. 음의 정수를 분수로 나타낸 것이다.

(2) 3.14는 양의 유리수이고 소수로 표현한 것이다.

이를 분수로 표현하면 $3.14=\frac{314}{100}=\frac{157}{50}$이다.

(3) $+\frac{5}{3}$는 양의 유리수이고 분수로 표현한 것이다.

(4) 0은 양수도 음수도 아니지만 유리수다.

참고

해발과 해저, 수입과 지출 이외에도 증가와 감소, 지상과 지하, 이익과 손해, 많고 적음, 위와 아래 등 다양한 답변이 나올 수 있다. 하지만 모둠별로 논의를 하거나 각자의 답을 발표하는 과정에서 학생들은 부호를 사용하는 모든 경우는 서로 반대되는 성질을 갖는 경우임을 알아야 한다. 또한 반대되는 성질을 구분하는 기준이 반드시 있어야 함도 알아야 한다.

수업 노하우

- 학생들이 생각하는 예는 다양할 수 있지만, 부호를 사용하여 나타내는 수량의 경우에는 반드시 부호를 결정하는 기준이 있어야 한다는 공통점이 있다. 그리고 그 기준은 각각의 예에 따라 다양하게 표현될 수는 있지만 대부분 '0'의 의미를 포함하고 있을 것이다. 그러므로 활동을 정리할 때, 이처럼 서로 반대되는 수량에 기준을 정하여 + 부호나 − 부호를 붙이는 것과 같이 0을 기준으로 하여 0보다 큰 수에는 + 부호를 0보다 작은 수에는 − 부호를 붙여 양수와 음수를 나타낸다고 안내해 준다.
- 그동안 학생들이 접한 0은 여러 가지 의미를 갖는다. 온도계의 0 ℃처럼 영상과 영하를 구분하는 기준이 되기도 하고, 교통카드의 잔액 0원에서 아무것도 없음을 나타내는 경우도 있다. 또 1027이나 0.5처럼 빈자리를 채우는 수로 사용되기도 한다. 별도의 시간을 주고 0의 다양한 의미와 사용을 생각해 보게 하고, 부호를 사용하는 수량에 대해서 사용하는 0의 특별한 의미를 발견하게 하는 것은 중요한 활동이 될 것이다.
- 탐구활동에 든 예시 이외의 상황을 찾아내도록 격려하고, 여러 학생의 발표를 통해 의견을 공유하면서 의외로 많은 상황에서 양의 정수와 음의 정수의 표현을 사용하고 있음을 느끼도록 수업을 진행한다.
- 일상에서 정수가 아닌 유리수로 표현하는 경우가 흔하지 않지만 학급 전체의 의견을 모으면 다양한 사용처를 발견할 수 있을 것이다.

/2/ 수의 크기 비교

 개념과 원리 탐구하기 4 _ 수직선과 대소 관계

교과서(상) 56쪽

탐구 활동 의도

- 학생들은 이 활동을 통해 수직선이라는 용어와 의미를 처음 배운다. 하지만 이미 초등학교에서 분수와 소수를 학습하면서 양수를 수직선에 나타내는 활동을 경험한 상태다.
- 수직선을 이용하여 음수를 수직선에 나타내는 방법을 찾아내고, 수의 대소를 비교하는 데에 수직선이 매우 유용한 도구임을 확인할 수 있다.
- 이 탐구활동의 목표는 수직선 관찰을 통해 학생들 스스로 수의 대소를 비교하는 원칙을 만드는 데에 있다.

예상 답안

+3은 원점으로부터 오른쪽으로 3칸 이동한 지점에 점을 찍었다. −3은 +3과 반대되는 의미를 가지므로 반대 방향인 원점으로부터 왼쪽으로 3칸 되는 지점에 점을 찍었다.

2

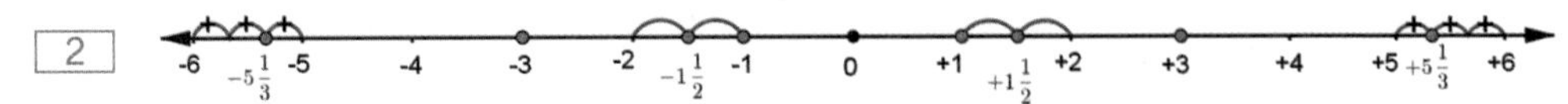

$+1$은 원점으로부터 오른쪽으로 한 칸, $+3$은 오른쪽으로 세 칸 되는 지점에 점을 찍었다. $+1\frac{1}{2}$는 $+1$과 $+2$ 사이의 중간이므로 $+1$과 $+2$ 사이의 $\frac{1}{2}$ 되는 지점에 점을 찍었다. $+5\frac{1}{3}$은 $+5$와 $+6$ 사이를 3등분한 점 중 $+5$에 가까운 지점에 점을 찍었다. -1, $-1\frac{1}{2}$, -3, $-5\frac{1}{3}$은 원점을 중심으로 $+1$, $+1\frac{1}{2}$, $+3$, $+5\frac{1}{3}$과 대칭이 되는 지점에 점을 찍었다. 그래서 -1은 원점으로부터 왼쪽으로 한 칸, -3은 왼쪽으로 세 칸 되는 지점에 점을 찍었다. 또한, $-1\frac{1}{2}$는 -1과 -2 사이의 $\frac{1}{2}$ 되는 지점에 점을 찍었고, $-5\frac{1}{3}$은 -5와 -6 사이를 3등분한 점 중 -5에 가까운 지점에 점을 찍었다.

3

- 0을 기준으로 왼쪽에는 음수, 오른쪽에는 양수가 있으므로 '(음수)$<0<$(양수)'인 관계가 성립한다.
- 수직선에서 오른쪽에 있는 점에 대응하는 수가 왼쪽에 대응하는 점에 대응하는 수보다 크다.

수업 노하우

- 초등에서 다룬 분수의 의미를 되새기며 $+1\frac{1}{2}$, $+5\frac{1}{3}$에 대응하는 점을 찍을 수 있도록 안내한다.
- 참고로, 양수끼리의 대소 비교나 음수끼리의 대소 비교는 다음 장에서 절댓값을 배운 후에 다시 한번 절댓값이라는 용어를 사용하여 정리해 보게 하는 것도 좋다.

참고

분수, 즉 유리수에 대응하는 점을 수직선에 찍는 것은 초등 3학년에서 배운 분수의 개념과 연결할 수 있다. 분수 $\frac{3}{4}$은 3을 4로 나눈 몫이라고 볼 수도 있지만 기본적으로는 단위분수인 $\frac{1}{4}$이 3개 있는 것으로 보는 것이 타당하다. 즉 $\frac{3}{4}=\frac{1}{4}\times 3$이다. 이때 단위분수 $\frac{1}{4}$은 1을 똑같이 4개로 쪼갠 것 중 하나를 의미하므로 $\frac{3}{4}$은 1을 똑같이 4개로 쪼갠 것 중 세 개를 의미한다. 그러므로 $+\frac{3}{4}$은 0과 1 사이를 똑같이 4등분한 점 중 0에서부터 세 번째 점에 해당한다.

개념과 원리 탐구하기 5 _ 절댓값의 뜻과 성질

교과서(상) 57쪽

탐구 활동 의도

- 수직선의 원점에서 같은 거리만큼 떨어져 있는 수들의 특징을 살펴봄으로써 절댓값의 개념을 이해하게 한다.
- 필요하다면 주어진 과제뿐만 아니라 더 많은 수를 제시하여, 학생들이 '수직선에서 수를 나타내는 점과 원점 사이의 거리'라는 절댓값의 의미를 충분히 익히도록 해야 한다.
- 절댓값의 개념은 개념 자체보다는 부호가 같은 두 수의 크기 비교 또는 유리수의 덧셈과 뺄셈의 과정을 일반화할 때 사용되는 정도로 다룰 수 있다.

예상 답안

1 원점으로부터 거리가 같은 수들은 $+1$과 -1, $+2$와 -2, $+3$과 -3 등 여러 가지가 있다. 이 수들은 서로 부호는 다르지만 부호를 제외한 수는 서로 같다.

2 (1) $\frac{7}{4}$ (2) $\frac{3}{2}$ (3) $\frac{5}{2}$ (4) $\frac{5}{4}$

다음 사진은 학생들이 절댓값의 의미를 생각하지 않고 구하는 방법에만 집중하여 답안을 적은 예시다.

(1) $\frac{7}{4}$ $|1\frac{3}{4}|$ (2) $-\frac{3}{2}=|\frac{3}{2}|$ (3) $+\frac{5}{2}=|2\frac{1}{2}|$ (4) $-\frac{5}{4}=|1\frac{1}{4}|$

(1) $\frac{7}{4}:|\frac{7}{4}|$ (2) $-\frac{3}{2}:|\frac{3}{2}|$ (3) $+\frac{5}{2}:|\frac{5}{2}|$ (4) $-\frac{5}{4}:|\frac{5}{4}|$

3

(1)	$\frac{5}{3}, -\frac{5}{3}$	수직선 위에서 원점으로부터 거리가 $\frac{5}{3}$인 점을 나타내는 수다.
(2)	$5, -5$	수직선 위에서 원점으로부터 거리가 5인 점을 나타내는 수다.
(3)	0	수직선 위에서 원점으로부터 거리가 0이라는 것은 원점을 의미한다.
(4)	없다	절댓값은 수직선 위에서 원점으로부터의 거리를 의미하므로 항상 0보다 크거나 같아야 한다. 따라서 절댓값이 음수인 수는 존재하지 않는다.

다음은 잘못된 절댓값 기호 사용의 예다.

(1) $\frac{7}{4}$ $|-\frac{7}{4}|$, $|+\frac{7}{4}|$
절댓값을
+, −를 빼면 되기에 +, −를 붙여준다.

4
- 두 양수에서는 절댓값이 큰 수가 크다.
- 두 음수에서는 절댓값이 큰 수가 작다.

수업 노하우

- 2에서 절댓값을 구할 때, 학생들로 하여금 먼저 수직선에 수를 나타낸 후에 답을 구하도록 안내하면 절댓값의 의미를 정확하게 기억하는 데에 도움이 될 것이다.
- 2를 해결하면서 학생들이 절댓값의 의미 대신 절댓값을 구하는 방법에만 집중하지 않도록 주의를 주어야 한다. 따라서 문제 해결을 마친 후에는 학생들이 절댓값을 어떤 수에서 부호를 떼어 낸 수로만 기억하지 않아야 함을 강조할 필요가 있다. 이러한 잘못된 기억은 문자에 대한 절댓값을 생각할 때 오류를 범하게 한다(위 예상 답안의 사진 참고).
- 3 (4)는 답이 없는 문제다. 하지만 1과 2의 활동에서 절댓값의 의미와 정확한 기호 사용을 습득하지 못한 학생들은 아무런 고민 없이 -7과 $+7$이라는 답을 적을 것이다. -7의 절댓값을 구하는 문제로 착각

하여 7이라고 답할 수도 있다. 그러므로 [2]까지의 활동을 마친 후에 학생들에게 절댓값의 기호를 잘못 사용한 것에 대해 수정할 수 있는 시간을 주어야 한다(위 예상답안 참고). 또한 수직선에서의 절댓값의 의미를 다시 한 번 강조하고 학생들 스스로 그 의미를 말할 수 있는지 확인하는 과정이 필요하다.

- 문제를 정확하게 이해하지 못하면 [3]을 해결하는 과정에서 상당히 많은 오류를 범하게 된다. 예를 들어, $\frac{5}{3}$, $+5$, 0, -7의 절댓값을 구하기도 하고, (1), (2)에 대해서는 양수나 음수인 경우 한 가지만을 답으로 적기도 한다. 그러므로 많은 학생들이 오류를 범한다면 다음과 같은 발문으로 절댓값의 의미를 되새긴 다음에 문제를 해결하도록 지도한다. 또는 (1), (4)에 해당하는 수를 직접 수직선에 나타내어 본 다음 답을 적어 보라고 안내할 수도 있다.

'절댓값이 □인 수'는 무엇을 의미하나요?

수업 연구

정답이 없는 문제나 질문의 조건이 불충분한 문제는 어떤 교육적 효과가 있을까?

지필고사에서는 이런 문제를 출제하는 것 자체가 틀린 문제를 출제한 것과 같은 부정적인 반응을 불러올 수 있지만, 교과서에서나 수업 상황에서는 교육적 효과가 클 수 있다. 학생들은 항상 정답이 반드시 존재한다거나 정답이 유일한 문제만을 해결하는 관성에 젖어 있어서 정답이 없는 문제가 존재할 수 있다는 것을 상상조차 하지 않으려 한다. 그러므로 정답이 없는 엉뚱한 질문에 대해서 전혀 대비가 되어 있지 않으며, 어떻게든 답을 찾아 쓰려고 한다.

그런데 정답이 없는 문제를 몇 번 접하다 보면 학생들의 생각에 어떤 변화가 일어날까를 상상해 보자. 학생들은 답을 구하기 이전에 문제 자체가 잘못이 있는지부터 파악하고 점검하려 들 것이다. 이것은 엄청난 반성적 사고를 일으킨다. 그래서 문제가 성립한다는 것을 확인하는 과정에서 아주 정확하고 깊은 수학적 사고를 하게 된다.

탐구 되돌아보기 예상 답안

교과서(상) 58~59쪽

1 개념과 원리 탐구하기 1

두 가지 계산 방법이 가능하다.

- 먼저 한국 시각에 이동 시간을 더한 다음 시차를 감안하여 현지 시각으로 바꾸면
  $(13+11)-7=17$(시)
- 먼저 현지 시각으로 바꾸고 이동 시간을 더하면
  $(13-7)+11=17$(시)

참고

서머타임 정책을 시행하는 나라는 3월 중순과 11월 초순 사이에 1시간을 앞당긴다. 이집트는 우리나라와 마찬가지로 서머타임을 시행하지 않고 있어 시차가 항상 7시간이다. 만약 서머타임 정책을 시행하는 경우는 계산 결과에 1시간을 더한 것이 현지 시각이 된다.

2 개념과 원리 탐구하기 2, 3

- 기온을 나타내는 경우뿐만 아니라 '이익과 손해', '증가와 감소' 등과 같이 서로 반대되는 성질을 갖는 양을 각각 수로 나타낼 때, 부호 +, −를 사용한다.
- 수에서도 0을 기준으로 0보다 큰 수에는 +부호를, 0보다 작은 수에는 −부호를 붙여서 나타낸다.

3 개념과 원리 탐구하기 4, 5

내가 찾은 방법

- (음수)<0<(양수)
- (음수)<(양수)
- 두 수가 모두 양수이면 원점에서 먼 수가 크다.
- 두 수가 모두 음수이면 원점에서 가까운 수가 크다.

모둠에서 찾은 방법

- 두 수를 수직선에 나타냈을 때, 오른쪽에 있는 수가 왼쪽에 있는 수보다 크다. ➡ 이 법칙만으로 다른 의견들은 모든 설명이 가능하다.

4 내가 만드는 수학 이야기

제목 : 수직선 위에 나타낸 내 인생

내 인생을 수직선 위에 나타내면 다음과 같다.

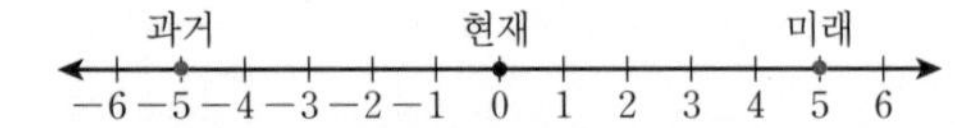

현재는 수직선 위의 원점 O에 대응하는 0으로, 과거는 수직선 위에 음수로, 미래는 수직선 위에 양수로 나타난다. 나의 5년 전, 그러니까 초등학교 2학년은 수직선에서는 −5로 음의 정수에 위치한다. 나의 5년 후, 그러니까 고등학교 3학년은 수직선에서는 +5로 양의 정수에 위치한다. 6개월 전 그러니까 수직선으로는 유리수 −0.5에 해당하는 점은 아직 초딩 시절이었고, 6개월 후 그러니까 수직선으로는 유리수 +0.5에 해당하는 점은 올 가을이다.

학생 답안

제목 헷갈리는 용어들

나는 용어가 너무 헷갈린다.
양의 유리수(음의 유리수)나 양수(음수)가
같은 말이라면 왜 따로 부르는 걸까?
정수도 마찬가지다.
양의 정수나 자연수가 같은 말인지도
헷갈린다.
같다면 왜 자연수라고 배운 걸까.
그냥 양의 정수라고 하지.
아마 음의 정수 때문에 자연수에 새로운 이름
하나 추가한 걸로 생각하겠다.

2 새로운 수로 할 수 있는 일

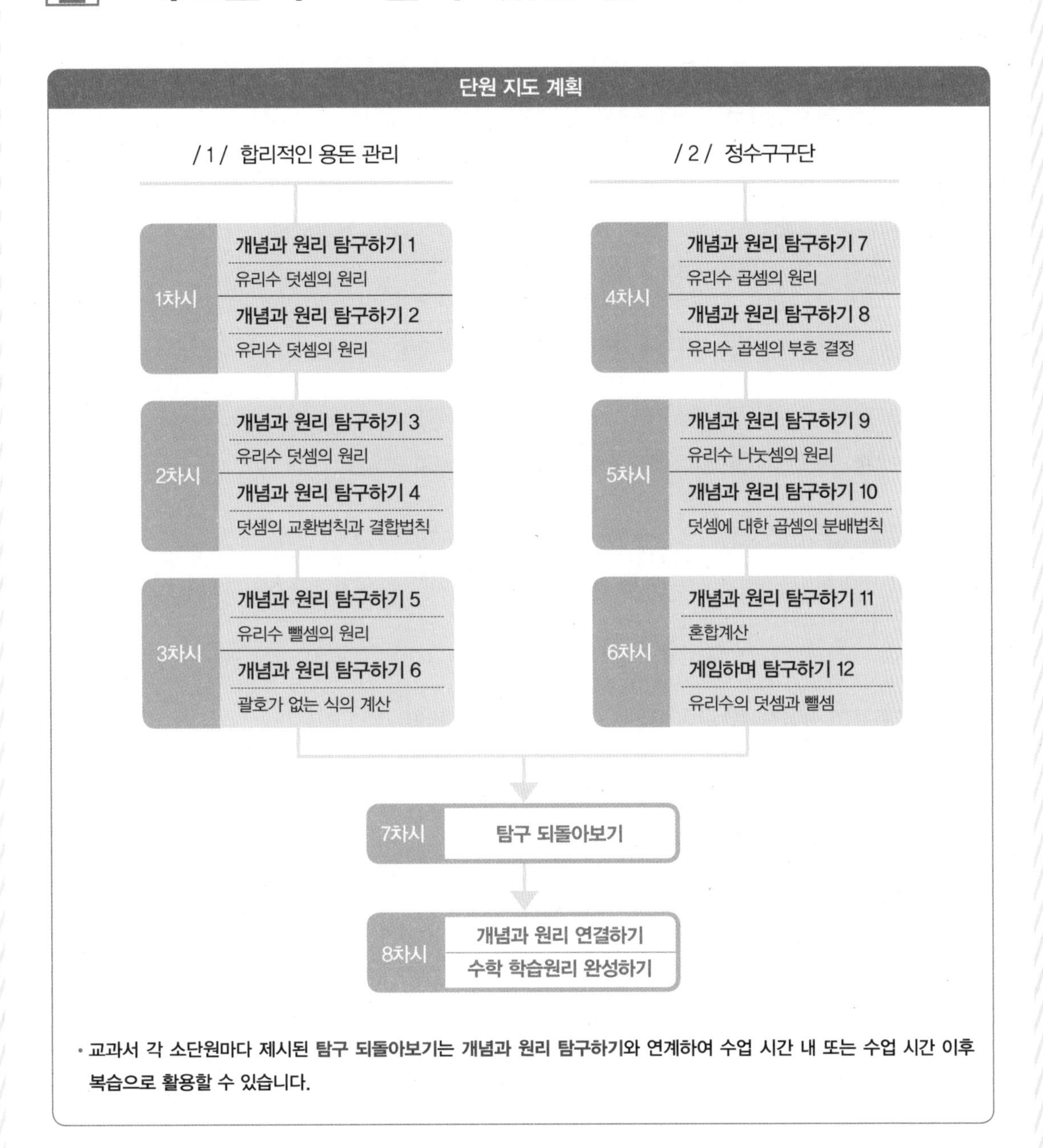

• 교과서 각 소단원마다 제시된 탐구 되돌아보기는 개념과 원리 탐구하기와 연계하여 수업 시간 내 또는 수업 시간 이후 복습으로 활용할 수 있습니다.

/1/ 합리적인 용돈 관리

학습목표

1 다양한 맥락 속에서 양수와 음수의 덧셈 방법을 추측할 수 있다.
2 수직선을 이용하여 유리수의 덧셈의 원리를 발견할 수 있다.
3 수의 덧셈에서 계산 순서의 변화에 따른 결과를 비교해 보고, 덧셈에 대한 계산 법칙을 발견할 수 있다.
4 덧셈의 교환법칙과 결합법칙을 사용함으로써 여러 수의 계산이 편리해짐을 이해한다.
5 다양한 맥락 속에서 유리수의 뺄셈 방법을 추측할 수 있다.
6 수직선을 이용하여 유리수의 뺄셈의 원리를 발견할 수 있다.
7 수의 덧셈과 뺄셈의 관계를 발견하고, 이를 계산에 이용할 수 있다.

2015 개정 교육과정 성취기준

정수와 유리수의 사칙계산의 원리를 이해하고, 그 계산을 할 수 있다.

핵심발문

두 수의 덧셈과 뺄셈을 하는 원리는 무엇일까?

개념과 원리 탐구하기 1 _ 유리수 덧셈의 원리

교과서(상) 61쪽

탐구 활동 의도

- 정수의 덧셈을 본격적으로 학습하기 전이지만, 실생활에서 경험할 수 있는 상황을 제시하여 자연스럽게 정수의 덧셈을 해보는 활동이다.
- 정수의 덧셈의 원리를 발견하는 것이 목표가 아니므로 직관적으로 문제를 해결하게 한다.
- 똑같은 상황에 대해 총합을 구하는 방법이 다양함을 이해하게 한다.

예상 답안

1

던진 횟수	1	2	3	4	5	6	7	8	9	10	11
결과	뒷면	뒷면	앞면	앞면	앞면	뒷면	앞면	뒷면	앞면	뒷면	뒷면
획득 점수	-1	-1	$+1$	$+1$	$+1$	-1	$+1$	-1	$+1$	-1	-1

2 최종 점수는 -1점이다. 학생들이 최종 점수를 구한 방법은 다음 여러 가지 중 하나일 것이다.

① $0\times5+(-1)=-1$

- (-1)과 $(+1)$은 각각 1점을 잃은 것과 1점을 얻은 것이므로, (-1)과 $(+1)$을 더하면 0점이 된다. 따라서 (-1)과 $(+1)$을 하나의 쌍으로 묶으면 총 5쌍이 만들어지고 (-1)이 남게 되므로 동규의 최종 점수는 -1점이다.
- 학생 풀이 예시

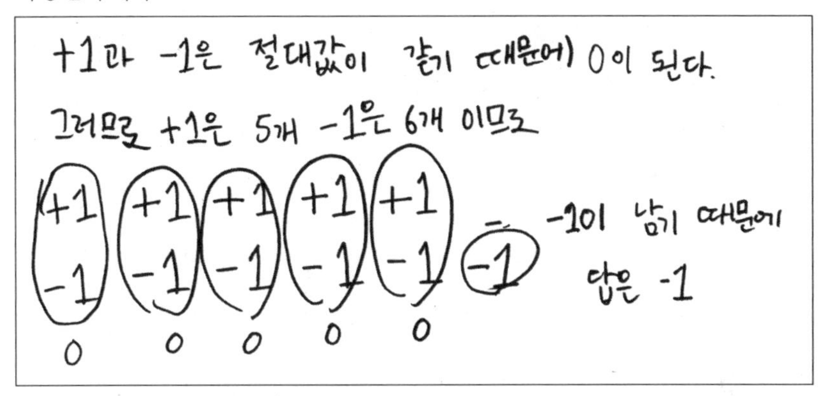

② $(+5)+(-6)=-1$

- 동규가 획득한 $(+1)$점은 총 5개이고 (-1)점은 6개로, 점수를 잃은 경우가 한 번 더 많으므로 두 수를 더하면 -1이 된다.
- 학생 풀이 예시

$(+5)+(-6)=-1$

③ $(-1)+(-1)+(+1)+(+1)+(+1)+(-1)+(+1)+(-1)+(+1)+(-1)+(-1)$

- 1회부터 11회까지 획득한 점수를 차례대로 더하여 계산한다.
- 학생 풀이 예시

$(-1)+(-1)+(+1)+(+1)+(+1)+(-1)+(+1)+(-1)+$
$(+1)+(-1)+(-1)=-1$

수업 노하우

- 점수의 총합을 정확하게 구하는 것도 중요하나, 이것에 초점을 두기 보다는 계산하는 방법이 다양함을 확인하는 것에 초점을 두고 지도해야 한다.
- 개인적으로 문제를 해결했다면, 반드시 모둠 활동이나 반 전체를 대상으로 한 발표를 통해 다양한 계산 방법을 공유하도록 한다. 그리고 다음과 같은 활동을 추가하여 의견을 나눌 수도 있다.
  - 다양한 계산 방법 사이의 공통점과 차이점을 찾아보기
  - 가장 편리하다고 생각하는 계산 방법을 선택하고, 이유 생각해 보기
- **탐구하기 2**를 마친 후에 수직선을 이용하거나 친구들과 논의한 덧셈의 방법으로 계산 방법을 되돌아 보는 시간을 갖는 것도 의미가 있다.

개념과 원리 탐구하기 2 _ 유리수 덧셈의 원리

교과서(상) 62쪽

탐구 활동 의도

- 주어진 게임에서 동전과 주사위의 역할을 이해하여 유리수의 덧셈의 원리를 발견해 보도록 하는 활동이다. 문제를 해결하기 전에 둘씩 짝을 지어 직접 게임을 해 보게 하면 동전과 주사위의 역할을 이해하는 데에 도움이 될 것이다.

예상 답안

1 B의 현재 위치에서 갈 수 있는 끝은 왼쪽뿐이다. 왜냐하면 오른쪽은 8칸을 움직여야 하는데 주사위의 눈의 수는 최대 6까지 밖에 없기 때문이다. B에서 왼쪽으로 4칸을 가면 끝이 나오므로 B는 -4, -5, 또는 -6 중 어느 한 가지가 나오면 이길 수 있다.

2 각각의 위치에서 해당하는 위치로 움직이는 방향과 칸의 수를 생각하면 다음과 같다.

	A	B
ㄱ	-3	$+1$
ㄴ	-1	$+3$
ㄷ	$+1$	$+5$
ㄹ	$+3$	불가능

3
- 동전은 말이 움직이는 방향을 결정한다.
- 주사위는 말이 움직이는 칸의 수를 결정한다.

수업 노하우

- 학생들이 직접 게임을 할 경우에는 다음과 같이 표를 주어 동전과 주사위를 던질 때마다 그 결과를 적게 하고, 게임을 마친 후에 한두 명의 결과를 학급 전체가 함께 살펴보면서 동전과 주사위의 역할을 생각해 보게 할 수도 있다.
- 다음과 같은 조건을 걸어 학생들의 적극적인 게임 참여를 유도할 수 있다.
  - 가장 적은(또는 가장 많은) 횟수의 이동으로 게임에서 이기기
  - 같은 부호의 이동만으로 게임에서 이기기
  - 짝수 칸(또는 홀수 칸)의 이동만으로 게임에서 이기기

개념과 원리 탐구하기 3 _ 유리수 덧셈의 원리

교과서(상) 64쪽

탐구 활동 의도

- 수직선을 이용하여 두 수의 덧셈의 원리를 학생들 스스로 발견하게 하는 활동이다.
- 학생들은 초등학교에서 양수만을 다루었으므로, 덧셈의 결과는 항상 더하는 수보다 크다고 생각하기 쉽다. 그래서 음수의 덧셈을 배우면서 혼란스러워 하고, 특히 부호가 다른 두 수를 더하는 것을 이해하는 데에 어려움을 겪는다. 따라서 학생들에게 익숙한 자연수의 덧셈을 예시로 제시하고, 이 예시에서 수직선을 어떻게 이용했는지 추론하고, 여기서 확장하여 문제를 해결해 보도록 안내한다.
- 수직선 위에 나타낸 덧셈을 통해 '더하기 기호 $+$'의 의미를 생각하게 하고, 수직선에 나타난 움직임의 방향을 관찰하여 덧셈의 원리를 발견하게 한다.

예상 답안

1 (1) $(-3)+(-2)=-5$

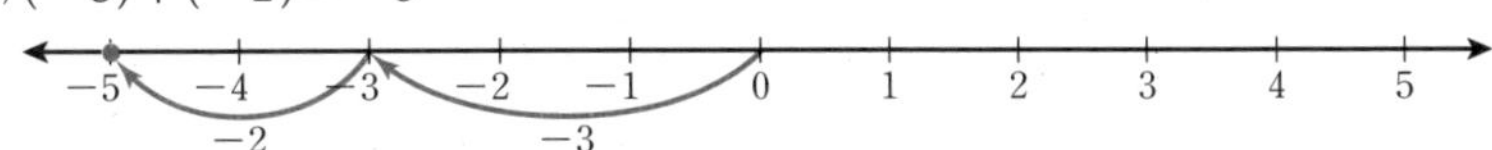

(2) $(+3)+(-4)=-1$

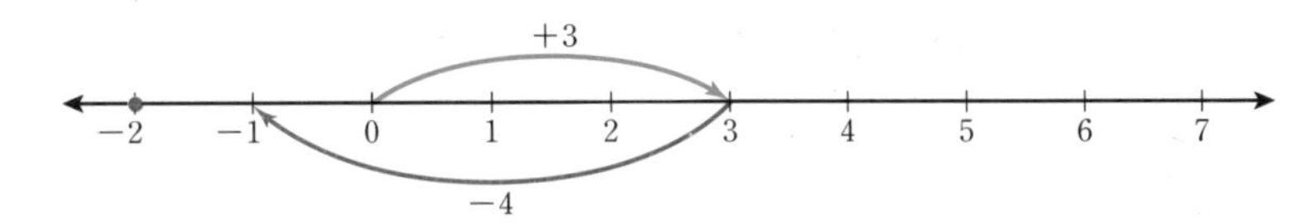

(3) $(-5)+(+2)=-3$

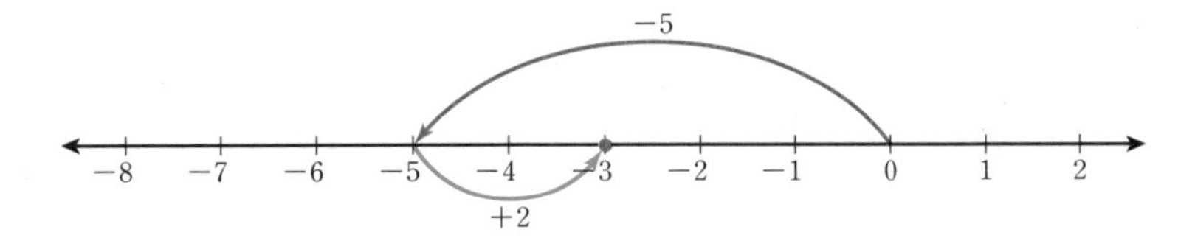

참고 다음과 같이 주어진 덧셈 식의 처음 수를 시작점으로 하여 더하는 수만큼의 이동을 나타내는 학생이 있을 수도 있다.

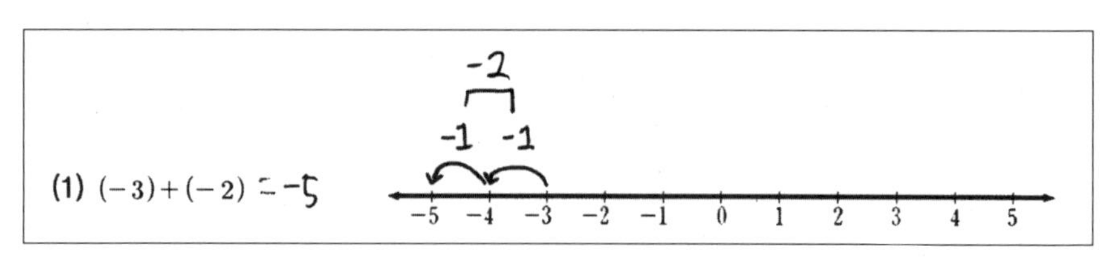

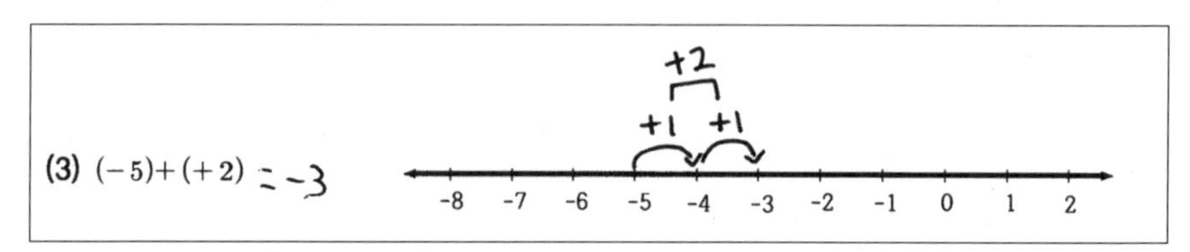

2 (1) • 처음 수를 나타내는 점에서 더하는 수의 절댓값만큼 부호의 방향으로 움직이게 한다.

- 더하는 수의 부호의 방향에 따라, 즉 부호가 + 인 경우에는 오른쪽으로, 부호가 − 인 경우에는 왼쪽으로 그 수의 절댓값만큼 움직인다.
- 더하는 수의 부호의 방향대로 이동한다.
- 두 수를 더하는 식에서 앞에 있는 수를 시작점으로 하여 이어서 가라는 의미다.

(2) **내가 찾은 방법**

- 뒤에 더해지는 수는 앞에 있는 수에서 출발한다.
- 양수를 더할 때는 오른쪽, 음수를 더할 때는 왼쪽으로 이동한다.

모둠에서 찾은 방법

- 부호가 같은 두 수를 더하는 경우에는 두 수의 절댓값의 합에 공통인 부호를 붙인다.
- 부호가 다른 두 수를 더하는 경우에는 두 수의 절댓값의 차에 절댓값이 큰 수의 부호를 붙인다.

수업 노하우

- 학생들은 정수의 덧셈을 처음 경험하는 것이다. 예시를 참고하더라도 수직선 위에 두 수의 덧셈을 나타내는 것을 많이 어려워할 것이다. 예시를 함께 살펴보면서 교사가 $(+2)+(+3)$을 어떻게 수직선 위에 나타낸 것인지 설명해줄 수도 있다.
  (교사 설명의 예) $+3$은 0보다 3만큼 큰 수이므로, 이 수를 수직선 위에 나타내면 원점에서 오른쪽으로 3만큼 떨어져 있다. 따라서 $(+2)+(+3)$은 0이 아닌 $+2$를 출발점으로 하여 3만큼 오른쪽으로 움직이라는 의미다.
- 부호가 같은 두 정수의 덧셈의 경우에는 2번의 움직임이 모두 같은 방향이다. 즉, 두 양의 정수를 더하는 경우에는 오른쪽으로 2번 움직이고, 두 음의 정수를 더하는 경우에는 왼쪽으로 2번 움직인다. 결과적으로 움직인 방향은 두 수의 부호와 같고, 움직인 거리는 더하는 두 수의 절댓값의 합과 같다.
- 부호가 다른 두 정수의 덧셈의 경우에는 2번의 움직임의 방향이 서로 반대다. 즉, 이동하는 방향이 바뀌기 때문에 결과적으로는 많이 움직인 쪽의 방향의 부호가 더한 값의 부호가 된다. 그리고 움직인 거리는 더하는 두 수의 절댓값의 차와 같다.
- 모둠이나 학급 전체가 함께 1의 결과에 대해 충분히 살펴볼 수 있는 시간을 마련한 후에 2를 해결하게 한다. 1의 결과에 대해서는 움직이는 방향, 더하는 두 수의 부호, 더하는 수의 크기 등에 초점을 두고 살펴보도록 안내하거나, 움직임이 비슷한 것끼리 분류해 보게 한 다음 알아낼 수 있는 사실이 무엇인지를 발표하게 할 수 있다.

• 이후 활동에서 학생들은 뺄셈을 덧셈으로 바꾸어 계산하는 원리를 발견하게 되는데, 원활하게 활동이 진행되기 위해서는 수직선에서 더하기를 표현하는 방법을 학생들이 스스로 발견해야 한다.

참고 수직선 모델은 두 정수의 덧셈을 지도할 때 자주 사용하는 모델이다. 그러나 수직선 모델을 어려워하는 학생들에게는 다음과 같은 셈돌 모델을 사용하여 덧셈의 원리를 지도할 수도 있다.
셈돌 모델에서는 두 묶음의 셈돌을 합치는 것을 덧셈으로 생각하며, ⊕모양의 셈돌과 ⊖모양의 셈돌을 같은 개수만큼 짝지어 없앨 수 있다고 약속하면, 다음과 같이 두 수의 덧셈이 어떤 원리로 계산되는지 이해할 수 있다.

(⊕⊕⊕)+(⊕⊕)=(⊕⊕⊕⊕⊕) ➡ $(+3)+(+2)=+5$
(⊖⊖⊖)+(⊖⊖⊖⊖)=(⊖⊖⊖⊖⊖⊖⊖) ➡ $(-3)+(-4)=-7$
(⊕⊕⊕⊕)+(⊖⊖⊖)=(⊕) ➡ $(+4)+(-3)=+1$
(⊖⊖⊖⊖)+(⊕⊕⊕)=(⊖) ➡ $(-4)+(+3)=-1$

개념과 원리 탐구하기 4 _ 덧셈의 교환법칙과 결합법칙

교과서(상) 65쪽

탐구 활동 의도

- **탐구하기 1, 2, 3**을 해결하면서 얻은 수학적 아이디어와 발견한 원리를 동시에 적용해 볼 수 있는 활동이다.
- 학생들은 용돈의 총 액수를 구하기 위해 여러 가지 방법을 생각해 볼 것이며, 이때 **탐구하기 1**에서 얻은 수학적 아이디어를 활용하게 된다. 그러나 **탐구하기 1**처럼 계산해야 하는 덧셈이 절댓값이 같고 부호가 다른 두 수로만 이루어진 덧셈이 아니므로, 더해서 0이 되는 경우를 찾는 대신 다양한 형태의 덧셈을 해야 한다.
- 수직선을 이용하여 유리수의 덧셈을 해보지 않더라도, 학생들은 문제를 해결하면서 자연스럽게 **탐구하기 3**에서 찾은 덧셈의 원리가 정수의 덧셈뿐만 아니라 유리수의 덧셈에도 적용됨을 확인할 수 있다.

예상 답안

1

(단위: 천 원)

날짜	수입	지출	잔액
4월 2일	$+4$		$+4$
4월 5일		-3.6	$(+4)+(-3.6)=+0.4$
4월 9일	$+8.6$		$(+0.4)+(+8.6)=+9$
4월 11일		-4.8	$(+9)+(-4.8)=+4.2$
4월 12일		-3.2	$(+4.2)+(-3.2)=+1$
4월 13일	$+5$		$(+1)+(+5)=+6$
총 합계	$+17.6$	-11.6	

2 • 각 날짜별로 이전 잔액에 수입액 또는 지출액을 더하면 해당하는 날짜의 잔액을 구할 수 있다.

따라서 이런 방법으로 마지막 4월 13일의 잔액을 구하면, 그 액수가 4월 13일에 윤혜가 갖고 있는 돈의 총 액수가 된다. 즉, 식 $(+4)+(-3.6)+(+8.6)+(-4.8)+(-3.2)+(+5)$를 앞에서부터 차례대로 계산한다.

- 수입액의 합계와 지출액의 합계를 더하면 된다. 즉, $(+17.6)+(-11.6)$을 계산하면 된다.
- 4월 13일에 윤혜가 갖고 있는 돈의 총 액수는 모든 수입액과 모든 지출액을 더하면 되므로, 식으로 표현하면 $(+4)+(-3.6)+(+8.6)+(-4.8)+(-3.2)+(+5)$라고 할 수 있다.
  그런데 $(-3.6)+(+8.6)=+5$, $(-4.8)+(-3.2)=-8$로 덧셈의 결과가 정수가 되므로
  $(+4)+(-3.6)+(+8.6)+(-4.8)+(-3.2)+(+5)$
  $=(+4)+(+5)+(-8)+(+5)$
  $=+6$
  으로 간단히 구할 수 있다.

3 학생들의 풀이를 다음과 같이 정리할 수 있다.

(1) $+4+(-3.6)+(+8.6)+(-4.8)+(-3.2)+(+5)$

$=(+4)+(+8.6)+(+5)+(-3.6)+(-4.8)+(-3.2)$ ← 교환법칙

$=\{(+4)+(+8.6)+(+5)\}+\{(-3.6)+(-4.8)+(-3.2)\}$ ← 결합법칙

$=(+17.6)+(-11.6)$

$=+6$

(2) 학생마다 편리하다고 생각되는 계산 방법이 다를 수 있다.

- 같은 부호끼리 계산하는 것이 편리하므로 수입과 지출을 따로 계산한 후에 두 값을 더하는 것이 편리하다.
- 소수보다는 정수의 덧셈을 하는 것이 편리하므로 정수와 소수를 구분하여 계산한 후에 두 값을 더하는 것이 편리하다.

수업 노하우

- 학생들은 초등학교에서 계산의 편리성을 위해 자연스럽게 덧셈의 순서를 바꾸어 계산했다. 2를 해결하면서 얻은 다양한 방법을 서로 비교해 보게 하고 다음과 같은 발문을 하자.

> 덧셈을 하는 과정에서 더하는 순서가 많이 바뀌었는데, 이러한 계산 과정에 오류는 없을까요?

- 학생들이 3을 통해 덧셈의 교환법칙과 결합법칙의 의미를 알게 되고, 자신의 계산 과정이나 친구들의 계산 과정에서 그 계산 법칙을 발견하는데 도움이 될 것이다.

> 덧셈에서 계산 순서가 바뀌어도 결과는 항상 그대로일까요?

- **탐구하기 4**를 통해 알게 된 덧셈의 계산법칙은 자연수, 정수뿐만 아니라 유리수에까지도 그대로 적용하여 사용할 수 있음을 강조해준다.

개념과 원리 탐구하기 5 _ 유리수 뺄셈의 원리

교과서(상) 67쪽

탐구 활동 의도

- 음수를 포함한 뺄셈의 원리를 기온과 같은 실생활, 수직선 등의 상황에서 발견할 수 있도록 한다.
- 수직선 위에 나타낸 뺄셈식을 살펴보고, 주어진 뺄셈식과 같은 형태로 나타날 수 있는 덧셈식이 무엇인지 고민해 보게 하는 활동이다. 이러한 고민은 결과적으로 모든 뺄셈을 덧셈으로 바꾸어 계산할 수 있다는 사실을 이끌어낸다.
- 수직선 위에 나타낸 뺄셈을 통해 '빼기 기호 $-$'의 의미를 생각하게 하고, 수직선에 나타난 움직임의 방향을 관찰하여 뺄셈과 덧셈의 관계를 파악하게 한다.

예상 답안

1 다음은 예다.

(1) 서울 : $(+11)-(+2)=+9$

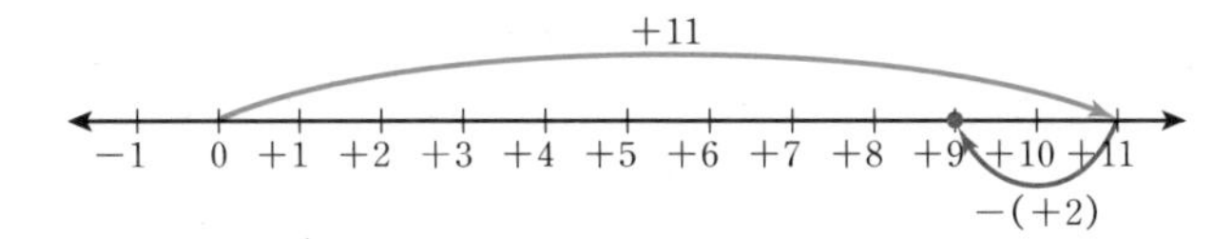

(2) 런던 : $(-1)-(+3)=-4$

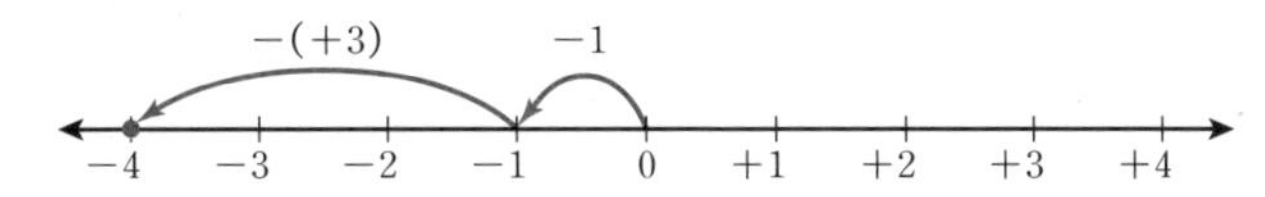

(3) 모스크바 : $(+9)-(-2)=+11$

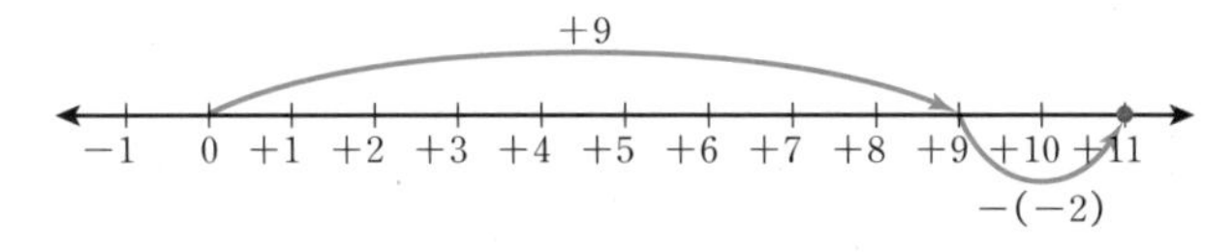

(4) 남극 : $(-39)-(-43)=+4$

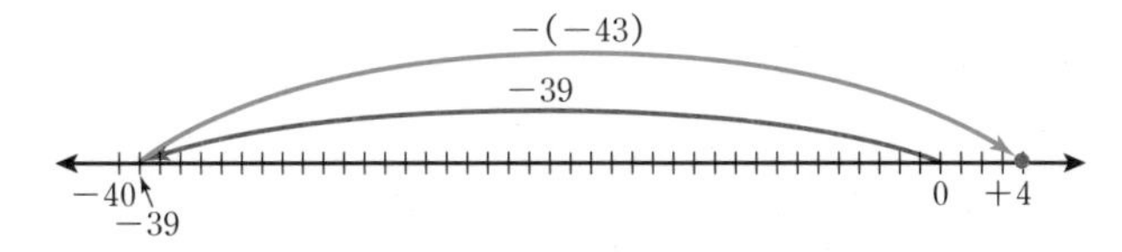

2 (1) • 재현이는 -3과 $+2$의 뺄셈을 두 수를 나타내는 두 점 사이의 거리로 보았다. 두 점 사이의 거리는 5이므로 주어진 식의 계산 결과도 5다.

• 수현이의 방법은 다음과 같다.

① (-3)만큼 간다.

② $(+2)$는 오른쪽으로 2만큼 이동하는 것인데 뺄셈이므로 $-(+2)$는 방향을 바꾸어야 한다. 즉, 왼쪽으로 2만큼 이동한다.

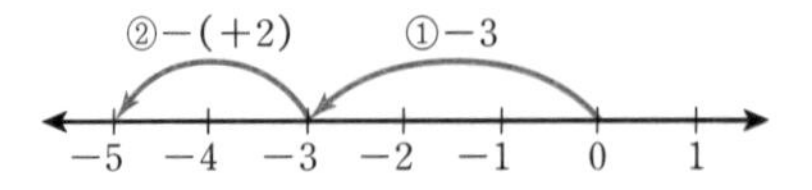

- 여기서 재현이의 방법은 두 점 사이의 거리이므로 계산의 결과가 항상 양수로 나온다.
- 뺄셈은 빼는 수의 방향을 바꾸어 더하는 것으로 수현이의 방법이 옳다.

(2) • '더하기 기호 +'는 더하는 수의 부호의 방향에 따라, 즉 부호가 +인 경우에는 오른쪽으로, 부호가 −인 경우에는 왼쪽으로 그 수의 절댓값만큼 움직이게 한다. 이에 비해 '빼기 부호 −'는 빼는 수의 부호의 방향과 반대로 그 수의 절댓값만큼 움직이게 한다. 따라서 뺄셈을 덧셈으로 바꾸게 되면 빼는 수의 부호를 반대로 바꾸어야 한다.

(3) **내가 찾은 방법**

빼셈은 빼는 수의 부호와 반대 방향으로 화살표 방향을 바꾸어서 표시한다.

모둠에서 찾은 방법

정수와 유리수의 뺄셈은 빼는 수의 부호를 바꾸어 더한다. 덧셈으로 바꾸면 덧셈의 규칙을 적용할 수 있다.

(4)

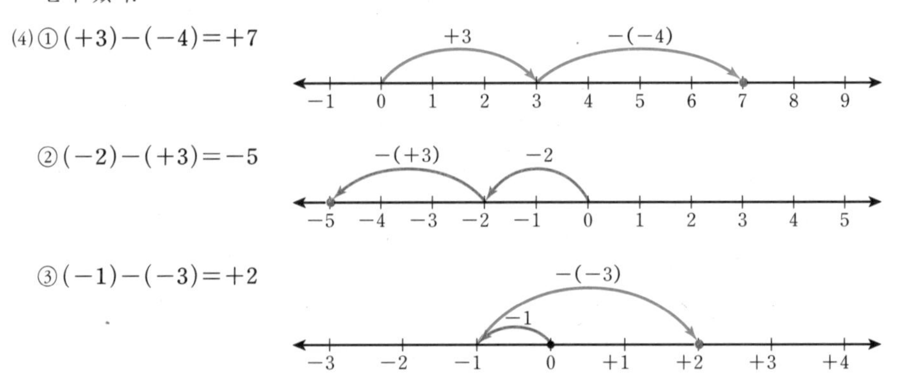

3

기호		의미
(1) +	양의 부호	0을 기준으로 할 때 0보다 큰 수를 의미한다.
	더하기 기호	수직선 위에서 '더하기 기호 +'는 더하는 수의 부호의 방향에 따라, 즉 부호가 +인 경우에는 오른쪽으로, 부호가 −인 경우에는 왼쪽으로 그 수의 절댓값만큼 움직이라는 의미다.
(2) −	음의 부호	0을 기준으로 할 때 0보다 작은 수를 의미한다.
	빼기 기호	수직선 위에서 '빼기 부호 −'는 빼는 수의 부호의 방향과 반대로 그 수의 절댓값만큼 움직이라는 의미다.

수업 노하우

- 보다 정확한 원리는 2에서 다루므로 1은 가볍게 해 보는 수준에서 학생들이 자유롭게 해 볼 수 있도록 지도한다.
- 1과 2를 해결하는 과정에서 교사가 정답을 가르쳐 주지 말자. 혼란스러운 과정에서 2(3)에서 충분한 논의를 하게 하여 음수를 포함한 수 체계에서의 뺄셈의 원리를 발견하게 한다.
- 이미 덧셈을 수직선 위에 나타내는 활동을 해 보았으므로 1의 주어진 뺄셈을 수직선 위에 나타내는 문제는 대부분의 학생들이 쉽게 해결할 것이다. 그러나 혹시 수직선 위에 나타내는 데에 어려움을 겪는 학생이

있다면 뺄셈의 결과가 +3이 되기 위해서는 빼는 수 +2가 어떻게 움직여야 할지 생각해 보라는 힌트를 제공할 수 있다.

- [1] (2)의 문제 해결에 앞서, 또는 문제 해결을 마친 후에 앞에서 다루었던 더하기 기호 +의 역할을 되짚어 보는 것이 필요하다. 이는 [1] (2)의 해결에도 도움이 될 것이다.
- [3] (2) '빼기 기호 −'가 빼는 수의 부호와 반대 방향으로 움직이게 하는 역할을 한다는 것을 정확하게 이해하지 못하면, 빼기 기호와 더하기 기호 사이의 연관성을 찾기 어려우며 더 나아가 뺄셈을 덧셈으로 바꾸는 과정을 받아들이지 못한다. 따라서 '빼기 기호 −'의 역할에 대해, 그리고 '더하기 기호 +'와의 비교를 논의하는 데에 충분한 시간을 제공해야 한다.

참고

앞서 소개한 셈돌 모델을 사용하여 뺄셈의 원리를 지도할 수도 있다.

셈돌을 덜어내는 것을 뺄셈으로 생각하고 덜어내야 할 셈돌의 개수가 모자라는 경우에는 ⊕모양의 셈돌과 ⊖모양의 셈돌을 같은 개수만큼 짝지어 추가할 수 있다고 약속하면, 다음과 같이 두 수의 뺄셈이 어떤 원리로 계산되는지 이해할 수 있다.

(⊕⊕)−(⊕⊕⊕)=(⊕⊕)+(⊖⊖⊖⊕⊕⊕)−(⊕⊕⊕)

=(⊕⊕)+(⊖⊖⊖)

➡ $(+2)-(+3)=(+2)+(-3)$

(⊕⊕)−(⊖⊖⊖⊖)=(⊕⊕)+(⊕⊕⊕⊕⊖⊖⊖⊖)−(⊖⊖⊖⊖)

=(⊕⊕)+(⊕⊕⊕⊕)

➡ $(+2)-(-4)=(+2)+(+4)$

수업 연구

유리수의 덧셈과 뺄셈을 설명하는 과정은 여러 가지 모델이 있지만 여기서는 수직선 모델을 사용했다. 모델은 일관성 유지가 관건이다.

수직선 모델에서 양의 부호, 음의 부호는 방향을 나타낸다. 즉 양수는 오른쪽 방향으로, 음수는 왼쪽 방향으로 움직인다.

이때 덧셈, 뺄셈의 연산 기호는 각각 방향 유지와 방향 전환을 의미한다. 즉 덧셈은 더해지는 수의 방향을 그대로 유지하지만, 뺄셈은 빼는 수의 방향을 반대로 전환하는 것으로 정리할 수 있다.

 개념과 원리 탐구하기 6 _ 괄호가 없는 식의 계산

교과서(상) 70쪽

탐구 활동 의도

- 초등학교 때는 자연수뿐만 아니라 분수나 소수를 더하거나 뺄 때에도 괄호를 사용하지 않았다. 그러나 부호가 있는 수들을 계산할 때에는 양과 음의 부호와 더하기와 빼기 기호를 구별하기 위해 계속 괄호를 사용해야만 했다. 초등학교 때처럼 식을 간단하게 나타내기 위해 괄호를 생략할 수 있는 방법을 알아보고, 괄호가 생략된 식이 주어졌을 때 괄호를 되살려 계산하는 방법도 알아본다.

예상 답안

1 (1) • 양의 부호 +는 언제든지 생략할 수 있다.
• 음의 부호 −는 생략할 수 없다.
• 수의 덧셈과 뺄셈에서 양수는 양의 부호 +와 괄호를 함께 생략할 수 있다.
• 양의 부호 +는 생략할 수 있지만 더하는 기호 +는 생략할 수 없다.

(2) ① $-5-6=(-5)-(+6)=(-5)+(-6)=-(5+6)=-11$

② $2-6=(+2)-(+6)=(+2)+(-6)=-(6-2)=-4$

2 더하기와 빼기 같은 연산 기호는 생략할 수 없으므로 성수의 의견이 맞다고 생각한다.
$-3-2$의 식에서 2 앞의 '−'는 음의 부호가 아닌 빼기 기호이므로 2는 양의 2다. 한편 결과만 볼 때는 '더하기 기호'를 생략하는 것처럼 보일 수도 있다.

수업 노하우

• 1에서 규칙을 만드는 과정에서 학생들은 왜 주어진 [보기]에 음수를 빼는 경우가 없는지를 궁금해 할 수도 있다. 이때에는 학급 전체가 이 문제에 대해 함께 논의해 보게 하는 것도 좋다. 음수를 빼는 경우의 예를 들어 보게 하면, 이 식이 양수를 더하는 경우와 같아 [보기]의 (1)이나 (2)와 같은 상황이 됨을 학생들 스스로 알게 될 것이다.
• 덧셈의 계산 법칙을 사용함으로써 계산이 좀 더 편리해짐을 다시 한 번 확인하는 기회가 될 수 있다.
• 뺄셈을 덧셈으로 바꾸어 '양의 부호 수'를 생략하는 과정은 이후 마치 '더하기 기호 +'를 생략하는 것처럼 보이기도 한다. 뺄셈 과정 뿐만 아니라 문자와 식에서 항을 구할 때, 예를 들어 $2a-3b-7$에서 항을 $2a$, $-3b$, -7이라고 할 때 더하기 기호가 생략되어 있는 것처럼 보인다. 기계적으로 더하기가 생략된 것이 아니라 뺄셈을 덧셈으로 바꾼 후, 양의 부호가 생략된 것임을 추측하게 한다.

/2/ 정수구구단

학습목표

1 다양한 맥락 속에서 유리수의 곱셈 법칙을 먼저 추측해 보고, 곱셈의 원리를 발견할 수 있다.
2 유리수의 역수의 뜻을 알고, 나눗셈을 역수를 이용하여 계산할 수 있다.
3 곱셈의 교환법칙, 결합법칙, 그리고 덧셈에 대한 곱셈의 분배법칙을 추측하고, 정당화할 수 있다.

2015 개정 교육과정 성취기준

정수와 유리수의 사칙계산의 원리를 이해하고, 그 계산을 할 수 있다.

핵심발문

두 수의 곱에서 부호는 어떻게 결정될까?

개념과 원리 탐구하기 7 _ 유리수 곱셈의 원리

교과서(상) 71쪽

탐구 활동 의도

- [1]은 곱셈이 반복적인 덧셈을 간단하게 표현하는 수단임을 이용하여 (음의 정수)×(양의 정수)의 결과를 추론하는 활동이다.
- [2]는 [1]의 결과와 초등학교 때 학습한 자연수의 곱셈을 이용하여 곱하는 수의 변화에 따른 곱의 결과의 변화를 살펴보고 규칙을 발견한다. 즉, 양수에 곱하는 수가 1씩 작아짐에 따라 계산 결과가 어떻게 변하는지 규칙을 발견하고, 곱하는 수가 음수일 경우에 적용하여 두 수의 곱셈을 이해하도록 하려는 것이다. 또한 음수에 대해서도 같은 방법으로 접근하여 음수와 양수의 곱셈뿐만 아니라 음수와 음수의 곱셈 방법도 추론한다.
- [3]은 주어진 상황에서 음의 유리수의 곱셈의 결과를 추론하는 활동이다.

예상 답안

[1] -9, -3×3은 -3을 3번 더한 것과 같다. 즉, $-3\times3=(-3)+(-3)+(-3)=-9$다.

2 (1)

		⋮		
3	×	3	=	9
3	×	2	=	6
3	×	1	=	3
3	×	0	=	0
3	×	(−1)	=	(−3)
3	×	(−2)	=	(−6)
3	×	(−3)	=	(−9)
		⋮		

		⋮		
−3	×	3	=	−9
−3	×	2	=	−6
−3	×	1	=	−3
−3	×	0	=	0
−3	×	(−1)	=	(3)
−3	×	(−2)	=	(6)
−3	×	(−3)	=	(9)
		⋮		

(2)

	부호	이유
①	음수	2 (1)의 왼쪽 연산표를 살펴보면 양수 3에 곱하는 수가 1씩 작아짐에 따라 곱셈의 결과가 3씩 작아짐을 알 수 있다. $3\times0=0$ 다음에 오는 결과를 예측하면 (양수)×(음수)이고, 그 결과는 0보다 작아지므로 음수가 된다.
②	음수	(음수)×(양수)는 (음수)를 (양수) 횟수만큼 더한 것과 같으므로 그 결과의 부호는 음수이다.
③	양수	2 (1)의 오른쪽 연산표를 살펴보면 음수 −3에 곱하는 수가 1씩 작아짐에 따라 곱셈의 결과가 3씩 커짐을 알 수 있다. 그런데 (2)에서 (음수)×(양수)는 (음수)이었고 (음수)×0=0이므로 곱하는 수가 0보다 작은 음수이면 그 결과는 양수가 된다.

3. (1) $(-4.7)\times(+10)=-47$
이므로 −47 m 지점을 지나간다.

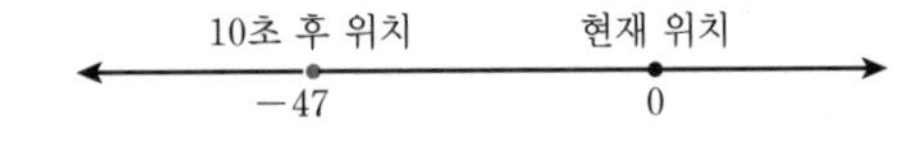

민규는 +50 → −50으로 이동하므로 위치가 시간에 따라 감소한다. 즉, 1초당 −4.7씩 이동한다고 보고 10초 뒤면 −4.7씩 10초 뒤이므로 곱했다.

(2) $(-6.5)\times(-5)=+32.5$
이므로 +32.5 m 지점을 지나간다.

지연이도 1초당 −6.5씩 이동하고 5초 전이므로 −5라고 표현했다.

참고

2 (1)에 제시된 곱셈의 원리를 추측하는 방법은 프로이덴탈이 음수를 형식적인 관점으로 지도하기 위해 제시한 귀납적 외삽법이다. 이 방법은 자연수에서 시작하여 정수까지 수를 자연스럽게 유추할 수 있도록 도우며, (음수)×(음수)=(양수)가 됨을 귀납적으로 보여 준다.
(음수)×(양수)의 결과도 곱셈의 원리 대신 귀납적 외삽법을 이용하여 다음과 같이 설명할 수 있다. 참고로 이때에는 곱하는 수가 아닌 곱해지는 수를 변화시킨 것이다.

$(+2)\times(+3)=+6$) −3
$(+1)\times(+3)=+3$) −3
$0\times(+3)=0$) −3
$(-1)\times(+3)=\square$) −3
$(-2)\times(+3)=\square$

수업 노하우

- [2] (1)의 연산표에서 알 수 있듯이 정수와 0의 곱, 더 나아가 유리수와 0의 곱은 항상 0임을 확인할 수 있도록 안내한다.
- 곱셈의 교환법칙을 배우기 전이므로 정수로 확장된 연산표를 살펴보면서
  (음의 정수)×(양의 정수)=(양의 정수)×(음의 정수)
  임을 설명하거나 강조하지 않고, 학생들이 발견하는 결과 만큼만 다룬다.
- [2] (2)에서 양수와 음수 사이의 곱의 결과에 대해 부호에 초점을 두고 질문을 하고 있으므로, 학생들은 부호에만 집중하여 정수의 곱셈을 이해할 수 있다.

개념과 원리 탐구하기 8 _ 유리수의 곱셈의 부호 결정

교과서(상) 73쪽

탐구 활동 의도

- [1]에서 양수와 음수가 섞여 있으므로 곱셈의 계산법칙 이외에도 부호를 결정하는 방법의 효율성도 생각해 보게 한다. 즉 음수는 곱할 때마다 부호가 바뀌므로 음수를 몇 번 곱하는지에 따라 부호가 바뀜을 발견할 수 있다.

예상 답안

[1] (1) $\frac{1}{3}\times3=1$과 같이 곱해서 1이 나오면 계산이 간편해지므로 곱셈의 교환법칙과 곱셈의 결합법칙을 이용하면 다음과 같다.

$$(+2)\times\left(+\frac{1}{3}\right)\times(-1)\times(-3)=(+2)\times(-1)\times\left(+\frac{1}{3}\right)\times(-3)$$
$$=(-2)\times(-1)=+2$$

$(-3)\times\left(+\frac{1}{3}\right)\times(-1)\times(+2)$
$=\{(-3)\times(-1)\}\times\{\left(+\frac{1}{3}\right)\times(+2)\}$
$=(+3)\times\left(+\frac{2}{3}\right)=+2$

$(-3)\times\left(+\frac{1}{3}\right)\times(-1)\times(+2)$
$=(-3)\times(-1)\times(+2)\times\left(+\frac{1}{3}\right)$
+3
+6
$6\times\frac{1}{3}=\frac{6}{3}=2$

$(-3)\times\left(+\frac{1}{3}\right)\times(-1)\times(+2)$
$-3\times\left(+\frac{1}{3}\right)=-1$
$-1\times(+2)=-2$
$(-1)\times(-2)=+2$

(2) $\frac{1}{2}\times2=1$이므로 곱셈의 교환법칙과 곱셈의 결합법칙을 이용하면 다음과 같다.

$$\left(-\frac{1}{2}\right)^5\times(+2)^5$$
$$=\left(-\frac{1}{2}\right)\times\left(-\frac{1}{2}\right)\times\left(-\frac{1}{2}\right)\times\left(-\frac{1}{2}\right)\times\left(-\frac{1}{2}\right)\times(+2)\times(+2)\times(+2)\times(+2)\times(+2)$$
$$=\left(-\frac{1}{2}\right)\times(+2)\times\left(-\frac{1}{2}\right)\times(+2)\times\left(-\frac{1}{2}\right)\times(+2)\times\left(-\frac{1}{2}\right)\times(+2)\times\left(-\frac{1}{2}\right)\times(+2)$$
$$=(-1)\times(-1)\times(-1)\times(-1)\times(-1)=-1$$

수업 노하우

- 덧셈과 마찬가지로 세 수 이상의 곱셈에서도 교환법칙을 사용하여 계산하면 편리할 때가 있다.
- 학생들은 세 개 이상의 수의 곱셈에서 곱의 부호는 음수가 짝수 개일 때에는 +, 음수가 홀수 개일 때에는 −로 결정됨을 알게 된다. 이때 곱의 부호는 양수의 개수와는 상관이 없다는 사실도 학생들 스스로 발견하게 하도록 안내하거나 다음과 같이 발문하여 양수의 개수와 곱의 부호의 관계에 대해 말할 수 있게 한다.

> 양수를 거듭제곱할 때는 어떤 규칙이 있을까?

- 여러 개의 수를 곱할 때에는 음수의 개수로 곱의 부호가 결정되므로, 먼저 곱해진 음수의 개수에 따라 부호를 결정하고 절댓값의 곱을 계산하면 편리하게 계산할 수 있음을 발견할 수 있다.
- 학생들은 아직 문자를 사용한 식을 배우지 않았으므로, 학생들에게 곱셈의 교환법칙과 결합법칙을 설명할 때에는 문자를 사용한 교사의 일방적인 설명은 지양해야 한다. 교사가 직접 예를 들어 설명하는 것보다 학생들의 답안을 이용하여 자신들이 발견해 내도록 할 것을 권한다.
- (2)보다는 (1)의 풀이에서 다양성을 확인할 수 있다. 풀이를 마친 후에 모둠별이나 학급 전체가 다양한 풀이를 공유하고, 어떤 방법을 적용한 것인지 함께 논의해 보는 것도 좋을 것이다.

개념과 원리 탐구하기 9 _ 유리수 나눗셈의 원리

교과서(상) 74쪽

탐구 활동 의도

- 자연수에서의 곱셈과 나눗셈의 관계를 활용하여 정수의 나눗셈 방법을 알게 한다.
- 초등학교에서 배운 분수의 곱셈과 앞에서 배운 유리수의 곱셈을 이용하여 유리수의 나눗셈을 역수와 연결지어 추론해 보는 활동이다.

예상 답안

1 (1) ① $10\div2=5$ 또는 $10\div5=2$

② $(-10)\div(-2)=5$ 또는 $(-10)\div5=-2$

③ $10\div(-2)=-5$ 또는 $(+10)\div(-5)=-2$

④ $(-10)\div2=-5$ 또는 $(-10)\div(-5)=2$

(2) 정수의 나눗셈에서 (양수)÷(양수)는 자연수의 나눗셈이므로 양수이며

(음수)÷(양수)=(음수), (양수)÷(음수)=(음수), (음수)÷(음수)=(양수)

다. 따라서 두 수의 나눗셈의 부호는 곱셈과 같은 방법으로 결정된다.

[2] 이와 같이 두 수의 나눗셈은 나누는 수의 역수를 곱한 곱셈과 결과가 같다. 2의 역수는 $\frac{1}{2}$이므로 8 나누기 2는 8 곱하기 $\frac{1}{2}$과 같다. $\frac{2}{5}$의 역수는 $\frac{5}{2}$이므로 3 나누기 $\frac{2}{5}$는 3 곱하기 $\frac{5}{2}$와 같다.

주의 0에는 어떤 수를 곱해도 1이 될 수 없으므로 0의 역수는 생각하지 않음에 유의한다. 그러므로 어떤 수를 0으로 나눌 수 없다.

[3] (1) $+(8\div2)=+4$ 또는 $(-8)\div(-2)=(-8)\times\left(-\frac{1}{2}\right)=+4$

(2) $3\times\left(-\frac{5}{2}\right)=-\left(3\times\frac{5}{2}\right)=-\frac{15}{2}$

수업 노하우

- 초등학교에서 역수라는 용어를 사용하지는 않았지만, 분수의 나눗셈은 나누는 수의 분자와 분모를 서로 바꾼 곱셈으로 해결됨을 배웠다. 이에 익숙해진 학생들은 역수의 정확한 의미를 이해하기보다는 역수를 단순히 분자와 분모를 서로 바꾼 수로만 기억할 수도 있다. 그리고 이때 분자와 분모의 위치가 바뀌는 것처럼 부호도 반대로 바뀐다고 착각하기도 한다. 따라서 역수는 '분자와 분모가 뒤바뀐 수'가 아니라 '곱이 1이 되는 수'임을 정확히 이해하도록 한다.
- 아직 유리수의 나눗셈을 배우기 전이므로, 역수를 구할 때 다음과 같이 나눗셈을 이용하는 학생이 있다면 초등학교에서 배운 분수의 곱셈과 앞에서 배운 유리수의 곱셈을 이용하라고 안내해 준다.

$\frac{4}{3}\times\square=1$
$=1\div\frac{4}{3}=\frac{3}{4}$

$-\frac{2}{7}\times\square=1$
$1\div-\frac{2}{7}=\frac{7}{2}$

$11\times\square=1$
$1\div11=\frac{1}{11}$

$-2\times\square=1$
$1\div-2=-\frac{1}{2}$

참고 [3]에서 유리수의 나눗셈을 다루고 난 후에는 유리수를 '분자, 분모가 모두 자연수인 분수에 양의 부호 +나 음의 부호 −를 붙인 수'뿐만 아니라 '두 정수 $a, b(b\neq0)$에 대하여 $\frac{a}{b}$와 같이 나타낼 수 있는 수'로 정의할 수도 있다. 즉, 유리수는 분모가 0이 아닐 때, 두 정수의 비로 나타낼 수 있는 수를 의미한다.

유리수를 두 정수 a와 $b(b\neq0)$의 비 $\frac{a}{b}$로 나타낼 수 있는 수라는 의미에서 보면, $\frac{+1}{+2}$과 $\frac{-1}{-2}$은 양의 유리수 $+\frac{1}{2}$과 같고, $\frac{-1}{+2}$과 $\frac{+1}{-2}$은 음의 유리수 $-\frac{1}{2}$과 같다. 그런데 초등학교에서 분수 $\frac{a}{b}$는 분자 a를 분모 b로 나눈 몫과 같다고 배웠으므로, 정수를 분수의 분자와 분모에 사용하기 위해서는 음수를 포함한 두 수의 나눗셈이 먼저 지도되어야 하는 것이다. 따라서 분모와 분자가 모두 정수인 분수로 나타낼 수 있는 수로서의 유리수 개념은 두 수의 나눗셈을 학습한 후에 다루어야 한다.

개념과 원리 탐구하기 10 _ 덧셈에 대한 곱셈의 분배법칙

교과서(상) 75쪽

탐구 활동 의도

- 음식값을 계산하는 과정에서 덧셈에 대한 곱셈의 분배법칙을 이해한다.
- 주어진 상황을 분석함으로써 덧셈에 대한 곱셈의 분배법칙을 발견하는 활동이다.
- 2 는 덧셈에 대한 곱셈의 분배법칙을 이용하면 편리하게 계산할 수 있음을 발견하는 활동이다.

예상 답안

1 (1) 방법은 두 가지가 있다.

[방법 1] $3200\times2+3800\times2=6400+7600=14000$(원)

[방법 2] $(3200+3800)\times2=7000\times2=14000$(원)

(2) [방법 1] 나누어진 두 직사각형의 넓이를 각각 구하여 더하는 경우

$$6\times\frac{2}{3}+6\times\frac{5}{2}=4+15=19$$

[방법 2] 두 직사각형을 하나의 큰 직사각형으로 생각하여 넓이를 구하는 경우

$$6\times\left(\frac{2}{3}+\frac{5}{2}\right)=6\times\left(\frac{4}{6}+\frac{15}{6}\right)=6\times\frac{19}{6}=19$$

(3) 항상 그런 것은 아니지만 지금 상황에서는 두 가지 방법 중 [방법 1]이 더 편리하다. 왜냐하면 [방법 2]는 통분을 해야 하므로 계산이 복잡해져서 시간이 더 오래 걸리기 때문이다.

2 답은 다양할 수 있다.

- $12\times\left\{\frac{3}{4}+\left(-\frac{5}{6}\right)\right\}=12\times\frac{3}{4}+12\times\left(-\frac{5}{6}\right)=9+(-10)=-1$
- $\left\{\frac{3}{4}-(-8)\right\}\times12=9+96=105$
- $12+(-8)\times\frac{3}{4}=12-6=6$

수업 노하우

- 1 은 분배법칙에 초점이 맞추어져 있는 것에 비해 2 는 답이 다양할 수 있다.
- 분배법칙은 정확하게 '덧셈에 대한 곱셈의 분배법칙'이라고 한다. 이 용어를 정확하게 이해하고 받아들이지 못하면, 다음과 같이 곱셈에 대한 덧셈의 분배법칙도 성립한다고 착각하는 학생이 생길 수 있다.
  $6+(3\times4)=(6+3)\times(6+4)$
- 분배법칙의 사용과 관련하여 학생들에게 나타나는 또 다른 오류는 결합법칙과 분배법칙을 혼동하여 사용하는 경우다.
  $5\times(4\times3)=(5\times4)\times(5\times3)$, $5\times(4+3)=5\times4+3$
  결합법칙은 연산이 같은 종류일 때 사용되고, 분배법칙은 연산이 다른 종류일 때 사용됨을 강조하여 지도함으로써 이러한 오류가 생기지 않도록 해야 한다. 학생들이 직접 잘못된 사용의 예에서 오류를 찾게 하는 것도 의미가 있을 것이다.
- 다음은 분배법칙을 잘못 확장시키는 오류를 범한 학생의 풀이다.

(+57)×(+99)
=(+50)×(+90)+(+7)×(+9)
=4500+63
=4563

• 2 는 가장 큰 정수 또는 가장 작은 정수를 만들게 해 볼 수 있다.

 개념과 원리 탐구하기 11 _ 혼합계산

교과서(상) 77쪽

탐구 활동 의도

- 1 은 각 학생의 계산 과정을 비교하고 잘못된 점을 찾아보면서 혼합계산 순서에 대한 원칙을 생각해 보게 하는 활동이다.
- 혼합계산에 대한 오류 찾기는 초등과정에서 배운 혼합계산 규칙을 복습하는 과정으로도 볼 수 있다.
- 2 는 거듭제곱이 있는 경우의 혼합계산에 대해 계산의 순서를 정해 보는 활동이다. 초등학교에서 다룬 혼합계산에 거듭제곱이라는 새로운 계산이 추가되었다. 거듭제곱의 계산 순서에 초점을 두고 논의해 본다. 또한 자연수의 혼합 계산에서 유리수의 혼합 계산으로 대상이 확장되었다.

예상 답안

1 (1) 나눗셈을 덧셈보다 먼저 계산해야 하므로 현우의 계산은 옳지 않다.

$5+(-6)\div 2=5+(-6)\times\frac{1}{2}=5+(-3)=2$

| 참 고 | 초등학교에서 자연수의 혼합 계산은 괄호, 곱셈과 나눗셈, 덧셈과 뺄셈 순으로 계산한다고 배웠다.

(2) 곱셈을 덧셈, 뺄셈보다 먼저 해야 하므로 지수의 계산은 옳지 않다.

$5\times(-6)-2\times(-3)=(-30)-(-6)=(-30)+(+6)=-24$

(3) 거듭제곱은 뺄셈보다 먼저 해야 하므로 상화의 계산은 옳지 않다.

$\left(-\frac{1}{2}\right)^3\times(+4)-5^2=\left(-\frac{1}{8}\right)\times(+4)-25=-\frac{1}{2}-25=-\frac{51}{2}$

참고 계산 순서는 알고 있으나 계산식을 쓸 때 '등호 ='의 의미를 무시한 채 써 나가는 경우가 있다. 초등학교부터 계산식 전체를 쓰지 않고 부분 계산하는 습관을 가진 학생들이 많이 하는 실수다. 다음은 이러한 잘못된 습관을 풀이에서 보여준 학생의 예다. 이런 경우에는 '등호 ='의 의미를 생각하게 하고 계산식 전체를 쓰는 것이 왜 중요한지 지도할 필요가 있다.

5−(−6)×2+(−3)
=(−6)×2=−12
=5−(−12)
=+17−3
=+14

2 ① 거듭제곱 → ② 괄호 → ③ 곱셈, 나눗셈 (앞에서부터 차례대로) → ④ 덧셈, 뺄셈 (앞에서부터 차례대로)

수업 노하우

- 사실 유리수의 혼합계산에서 계산 순서를 일반화시키는 것은 무리가 있을 수 있다. 하지만 먼저 계산해야 하는 것과 나중에 계산해야 하는 것을 어느 정도 구별하고 그 이유를 안다면 계산 과정에서 발생할 수 있는 실수를 줄일 수 있고, 조금 더 간편하게 계산을 할 수 있다.
- 학생들은 초등학교에서 사칙계산이 섞여있는 복잡한 계산을 할 때, 괄호, 곱셈과 나눗셈, 덧셈과 뺄셈 순으로 계산하는 것을 경험하였다. 그러므로 이 단원에서 고민해 볼 수 있는 것은 대상이 유리수로 확장된 것과, '거듭제곱의 계산 순서가 어디일까?'하는 것이다. 거듭제곱은 곱의 계산이므로 곱셈의 순서에 추가되어야 한다고 생각할 수도 있고, 곱셈보다 먼저 계산하는 것이 편리하다고 생각할 수도 있다. 따라서 거듭제곱의 계산 순서에 대해 충분히 토론할 수 있도록 지도한다.

수업 연구

혼합 계산의 연산 순서에 대해서는 교육과정이나 교과서에서 명백하게 이유를 밝히고 있지는 않지만 기호가 생긴 과정을 생각하게 하면 나름의 이유를 가르칠 수 있다. 그리고 맹목적으로 따르라고 시키는 것보다 나름의 이해를 시키는 것이 학생들의 학습을 보다 원활하게 촉진할 수 있다.

(1) 왜 곱셈이 덧셈보다 먼저일까?

이것은 곱셈의 개념을 통해서 추측 가능하다.

예를 들어 $2+3\times4$에서 본래 3×4는 $3+3+3+3$을 간단히 한 것이므로

$2+3\times4=2+3+3+3+3=14$

가 되는 것이 타당하다. 그런데 덧셈을 먼저 하면 $2+3\times4=5\times4=20$으로 이 값이 나오지 않기 때문에 곱셈을 먼저 해야 한다.

(2) 왜 거듭제곱이 곱셈보다 먼저일까?

이것은 거듭제곱의 개념을 통해서 추측 가능하다.

예를 들어 5×2^3에서 $2^3=2\times2\times2$이므로

$5\times2^3=5\times2\times2\times2=40$

이 되는 것이 타당하다. 그런데 곱셈을 먼저 하면 $5\times2^3=10^3=1000$으로 엉뚱한 값이 나온다.

게임하며 탐구하기 12 _ 유리수의 덧셈과 뺄셈

교과서(상) 78쪽

탐구 활동 의도

- 유리수의 덧셈과 뺄셈을 연습하는 것이 목표인 활동이다.
- 시간의 제약이 있으므로, 식을 만드는 데에 사용할 수 있는 수의 개수와 만들어야 하는 상대편 땅의 수의 개수를 확인하고 적절한 전략을 세우는 것이 필요하다.

예상 답안

1 다음은 제시된 수로 땅의 수를 만든 몇 가지 예시다.

- $-\frac{7}{10}=\frac{4}{5}-\frac{3}{2}$
- $\frac{3}{10}=\frac{4}{5}+\left(-\frac{1}{2}\right)$
- $-16=-6-6-3-1$
- $8=5+3$
- $-\frac{5}{6}=-\frac{1}{2}-\frac{1}{3}$
- $-\frac{1}{6}=-\frac{1}{2}+\frac{1}{3}$
- $\frac{1}{5}=(+1)-\left(+\frac{4}{5}\right)$
- $6=5+1$
- $-9=-6-3$
- $-\frac{1}{5}=\left(+\frac{4}{5}\right)-(+1)$
- $4=3+1$
- $\frac{23}{3}=5+3-\frac{1}{3}$
- $-\frac{19}{2}=-6-5+\frac{3}{2}$
- $-14=-6-5-3$

탐구 되돌아보기 예상 답안

교과서(상) 80~83쪽

1 개념과 원리 탐구하기 2

(1) 답은 다양할 수 있다.

A와 B의 두 말이 같은 칸에 놓이려면 A와 B가 던진 주사위에서 각각 $+1$과 -4, $+2$와 -3, $+3$과 -2, $+4$와 -1, -1과 -6 등과 같이 정수들이 짝지어 나오면 된다.

(2)
- 현재의 위치를 보면 A가 B보다 왼쪽으로 5칸 떨어져 있으므로 A와 B가 던진 주사위에서 나온 두 정수의 차이가 5로 일정하다.
- A가 던진 주사위에서 나온 정수보다 B가 던진 주사위에서 나온 정수가 항상 작다.

수업 연구

A, B가 던진 주사위에서 나온 수를 수직선 위에 나타내면 그 차이가 항상 5가 되는 것을 직관적으로 확인할 수 있다. 이런 순간을 그냥 넘길 수 있지만 교사는 유리수의 사칙계산 중 뺄셈의 규칙을 추측할 수 있는 기회로 연결할 고리를 만드는 데까지 수업을 진행할 수 있다.

$(+1)-(-4)=+5$, $(+2)-(-3)=+5$,
$(+3)-(-2)=+5$, $(+4)-(-1)=+5$,
$(-1)-(-6)=+5$

2 개념과 원리 탐구하기 3

(1) 옳지 않은 설명이다.

유리수의 덧셈은 더하는 두 수의 부호가 같을 때에는 단순히 두 수를 더하는 것이 아니라 두 수의 절댓값을 더하고 공통인 부호를 붙여주어야 한다.

$(+2)+(+3)=+(2+3)$,
$(-2)+(-3)=-(2+3)$

또한 두수의 부호가 다를 때에는 두 수를 그냥 빼는 것이 아니라 두 수의 절댓값의 차에 절댓값이 큰 수의 부호를 붙여주어야 한다.

$(+2)+(-3)=-(3-2)$,
$(-2)+(+3)=+(3-2)$

(2) 옳은 설명이라고 볼 수 있다.

수직선으로 두 수의 덧셈을 설명한 그림이고, 수직선에 덧셈을 표현할 때 움직이는 방향을 부호가 같은 경우와 다른 경우 둘로 구분하여 나타낸 것이다.

- 더하는 두 수의 부호가 $-$로 같은 경우
  $(-3)+(-2)$

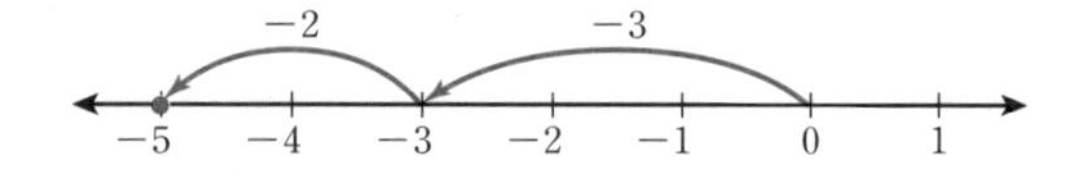

- 더하는 두 수의 부호가 서로 다른 경우
  $(+3)+(-4)$

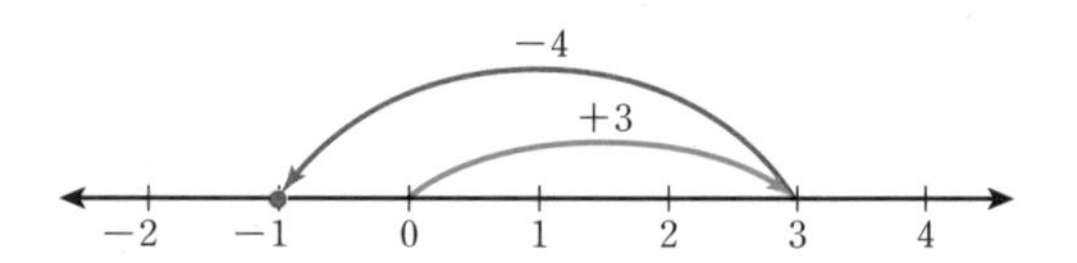

3 개념과 원리 탐구하기 5, 6

- 뺄셈은 빼는 수의 부호를 바꾼 덧셈으로 바꿀 수 있다.
- 양수를 빼는 것은 그 수와 절댓값이 같은 음수를 더하는 것과 같다.
- 음수를 빼는 것은 그 수와 절댓값이 같은 양수를 더하는 것과 같다.

4 개념과 원리 탐구하기 4

(1) $(+17)+(-43)+(-17)$
$=(+17)+(-17)+(-43)$ (교환법칙)
$=\{(+17)+(-17)\}+(-43)$ (결합법칙)
$=0+(-43)=-43$

(2) $(-2.4)+(+1.9)+(+2.5)$
$=(+1.9)+(-2.4)+(+2.5)$ (교환법칙)
$=(+1.9)+\{(-2.4)+(+2.5)\}$ (결합법칙)
$=(+1.9)+(+0.1)=+2$

5 개념과 원리 탐구하기 4

먼저 덧셈의 교환법칙을 이용하여 계산하는 순서를 바꾸었다. 그리고 양수끼리, 음수끼리 나누어 더한 후 더한 두 값을 다시 더하여 계산하였다.

6 개념과 원리 탐구하기 10, 11

진호	$2\times3\div\frac{1}{2}-\frac{3}{2}=\frac{21}{2}$	➡ 라
해인	$-1\div2\times\left(-\frac{1}{4}\right)-\frac{3}{2}=-\frac{11}{8}$	➡ 다
승혜	$1\div2\times3+7=\frac{17}{2}$	➡ 나
민섭	$-3\times\left(-\frac{1}{4}\right)\div\frac{1}{2}+7=\frac{17}{2}$	➡ 가

따라서 $\frac{21}{2}$이 나온 진호가 1등이고, $-\frac{11}{8}$이 나온 해인이가 간식을 산다.

7 개념과 원리 탐구하기 9

- $1\div0$의 몫을 a라고 가정하면 $a\times0=1$을 만족해야 한다. 그런데 0을 곱했을 때 1이 나오도록 만들 수 있는 수는 존재하지 않으므로 0으로 나눌 수 없다.

참고

$1\div0=0$, $0\div0=0$, $0\div0=1$과 같이 0이 포함된 나눗셈에서 많은 학생들이 잘못된 개념을 가지고 있다.
0이 아닌 수 a에 대하여 $0\div a=0$이지만, $a\div0\neq0$, $0\div0\neq0$, $0\div0\neq1$이다. 그 이유는 나눗셈이 곱셈의 역연산임을 이용하여 다음과 같이 지도할 수 있다.
(1) $0\div a=\square$에서 $\square\times a=0$이므로 □ 안에 알맞은 수는 0이다.
(2) $a\div0=\square$에서 $\square\times0=a$이므로 □ 안에 알맞은 수는 없다.
(3) $0\div0=\square$에서 $\square\times0=0$이므로 □ 안에 알맞은 수는 무수히 많다.

8 내가 만드는 수학 이야기

제목 : 평생 쓴다는 사칙계산을 정복하자.
가끔씩 부모님은 푸념하듯이 수학에 대해서 내뱉으신다.
"수학을 12년이나 걸려서 배웠건만 일상에서 사용하는 것은 기껏 사칙계산뿐이야!"
나는 이런 부정적인 말에서도 긍정을 찾아낸다.
"그래! 사칙계산은 반드시 정복해야 해!"
그런데 이번 단원에서 보니 계산만 시키는 대로 하는 것이 좋은게 아니라 계산법칙을 잘 써서 효과적으로 하는 것이 더욱 중요함을 느꼈다. 덧셈의 교환법칙, 덧셈의 결합법칙, 곱셈의 교환법칙, 곱셈의 결합법칙, 이렇게 네 가지에다가 덧셈에 대한 곱셈의 분배법칙까지 다섯 가지 계산법칙을 잘 사용할 줄 아는 중학생이 되어야겠다고 결심했다.

개념과 원리 연결하기 예상 답안

교과서(상) 84~85쪽

1

나의 첫 생각

$(-1)-(-3)=-1+3=2$
$(-2)-(-8)=-2+8=6$
따라서 (음수)−(음수)=(양수)이다.

다른 친구들의 생각

$(-3)-(-5)=-3+5=2$이지만
$(-3)-(-2)=-3+2=-1$이므로 결과가 음수가 나온다. 따라서 항상 양수라고 할 수 없다.

정리된 나의 생각

음수가 나온 여러 가지 식들을 모아 보니 공통된 특징이 있었다. 앞의 수가 더 작으면 항상 음수가 나온다.
(큰 수)−(작은 수)=+, (작은 수)−(큰 수)=−

2 (1)

[음수의 뜻] 0보다 작은 수로 양수에 음의 부호 −를 붙인 수이다.
[음수의 성질과 법칙]

- 수직선에서 0을 기준으로 왼쪽에 있다.
- 음수는 절댓값이 작을수록 큰 수이다.
- 음수끼리 곱하면 양수가 된다.

(2)

각 개념의 뜻과 음수의 연결성

- 자연수의 계산은 몇 개 몇 개 개수로 계산했는데, 음수는 개수로 계산할 수 없음을 깨달았다.
- 음수의 계산을 할 때 수직선을 많이 이용했는데, 초등학교에서 배운 수직선을 음의 방향으로도 확장할 수 있다는 것을 알게 되었다.
- 자연수의 덧셈과 뺄셈, 곱셈과 나눗셈은 모두 유리수의 계산 방법으로 설명할 수 있다.

수학 학습원리 완성하기 예상 답안

교과서(상) 86~87쪽

학생 답안 1

내가 선택한 탐구 과제

끈기 있는 태도 기르기

나의 깨달음

<나는 지금까지 -2 같은 것은 '마이너스 2'라고 읽었었다. 그런데, 이때까지 배웠던 정수와 유리수에서 -2를 '음의 2'라고 읽어야 한다고 배웠다. 원래 '-'이라는 뜻은 빼기 이다. 그래서 -2를 '마이너스 2'라고 읽거나 '빼기2'라고 읽는다는 것이 같아서 -2는 '음의 2'라고 읽는다. 마찬가지로 +2도 '플러스 2'라고 읽지 말고 '양의 2'라고 읽어야 된다는 것을 알게 되었다.>

수학 학습원리

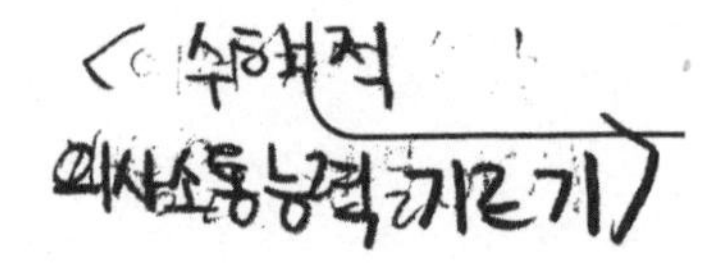

학생 답안 2

내가 선택한 탐구 과제

끈기 있는 태도 기르기

나의 깨달음

나는 양수와 음수에서 무조건 양의 부호가 붙으면 양수이고 음의 부호가 있으면 음의 부호인 줄 알았습니다. 하지만 이제 아니라 0을 기준으로 오른쪽에 있으면 양수 왼쪽에 있으면 음수라는 것을 알 수 있었습니다.
이것을 인해 수학에서 정확한 뜻을 찾는 것이 중요하다 알게 되었습니다.

수학 학습원리

수학적 추론

STAGE 3

문자를 수처럼 계산해 보자

– 문자와 식

이 단원의 핵심 지도 방향

이 단원은 학생들이 '문자'를 처음 접하는 단원입니다. 따라서 1차시에는 학생들이 주어진 상황을 보다 간결하게 표현하는 방법을 발명해 보도록 하는 활동에 중점을 두어 주십시오. 상황 속에 숨겨진 규칙을 표현할 때, 초등학교에서 배운 공식을 표현할 때 등 초등학교에서 해 왔던 활동을 문자로 나타내어 보고, 문자의 의미가 무엇인지 충분히 논의할 시간을 주는 것이 필요합니다. 문자식을 계산하는 방법보다 문자의 의미를 이해하는 것에 중점을 두면 좋겠습니다.

1 문자로 표현된 식의 세상

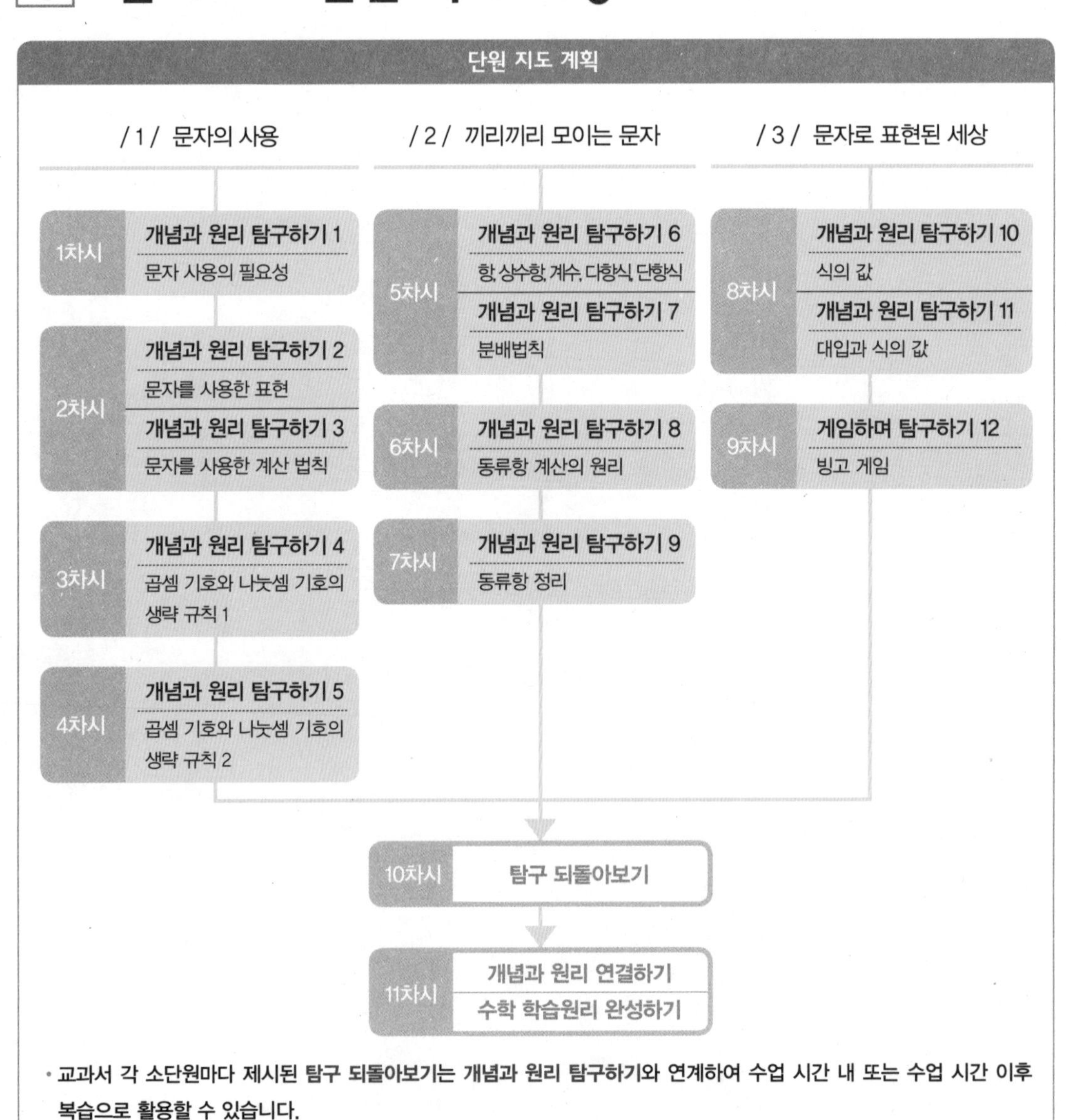

• 교과서 각 소단원마다 제시된 탐구 되돌아보기는 개념과 원리 탐구하기와 연계하여 수업 시간 내 또는 수업 시간 이후 복습으로 활용할 수 있습니다.

/1/ 문자의 사용

학습목표

1 다양한 상황에서 문자의 필요성을 발견하고, 기호화하는 과정에서 문자 사용의 의미와 편리함을 느낄 수 있다.
2 문자와 수, 문자와 일상 언어의 공통점과 차이점을 찾아봄으로써 문자의 특징을 이해한다.
3 곱셈과 나눗셈 기호를 생략하여 간단히 표현하는 과정에서 식과 기호의 편의성을 이해한다.
4 주어진 상황을 문자를 사용한 식으로 표현함으로써 문자 사용의 편리함을 이해한다.

2015 개정 교육과정 성취기준

다양한 상황을 문자를 사용한 식으로 나타낼 수 있다.

핵심발문

규칙성을 가지고 변하는 수를 표현하는 방법은 무엇일까?

개념과 원리 탐구하기 1 _ 문자 사용의 필요성

교과서(상) 91쪽

탐구 활동 의도

- 초등학교 3~4학년군에서 다양한 변화 규칙을 찾아 설명하고, 그 규칙을 수나 식으로 나타내는 방법을 배웠다. 또한 규칙적인 계산식의 배열에서 계산 결과의 규칙을 찾고, 계산 결과를 추측하는 것을 배웠다.
- 이 활동은 문자의 필요성을 스스로 발견하게 한다. 기존의 교과서에서는 문자를 직접 제시하고 식을 만들도록 하고 있어서 학생들이 문자를 사용할 필요성을 느끼기 어렵다. 3 에서는 크기를 모르는 상황, 즉 미지의 수를 나타낼 때 글로 표현할 수는 있지만 문자를 사용하는 것이 더 편리함을 느낄 수 있게 한다.
- 규칙적인 변화를 계산식으로 나타내는 과정에서 서로의 생각을 공유하고, 가장 적절하고 합리적인 식의 표현 방법에 내해 알게 된다.

예상 답안

1 정사각형 모양이므로 한 쪽의 벽돌의 개수에 4를 곱한 다음 겹치는 벽돌의 개수 만큼 뺀다.
다음과 같이 다양한 식이 나올 수 있다.
$12\times4-4=44$, $11\times4=44$, $12+12+12+12-1-1-1-1=44$
$12\times2+10\times2=44$, $10\times4+4=44$

11×4 10+10+10+10+1+1+1+1 12×4−4 11+11+11+11	한줄에 12개에 벽돌이 있지만 두 모서리가 겹쳐져 한 모서리 꼭짓점을 빼주어야 한다.

2　$29\times4-4=112$, $28\times4=112$, $29+29+29+29-1-1-1-1=112$
$29\times2+27\times2=112$, $27\times4+4=112$

3

나의 의견	모둠의 의견
문자를 사용하지 않고 다음과 같이 표현할 수 있다. 4×(가로에 놓인 벽돌의 개수)−4, 4×(가로에 놓인 벽돌의 개수−1) 한 쪽 테두리에 있는 벽돌의 개수를 □개라 하면 □×4−4, (□−1)×4라고 나타낼 수 있다.	가로에 놓인 벽돌의 개수를 n이라 하면 전체 벽돌의 개수는 $4\times n-4$ 또는 $4\times(n-1)$로 표현할 수 있다. 이때 문자는 꼭 n일 필요는 없다. 우리가 정하는 대로 쓰면 된다. $n+n+(n-2)+(n-2)$, $n+(n-1)+(n-1)+(n-2)$ 등 여러 가지 표현이 가능하다.

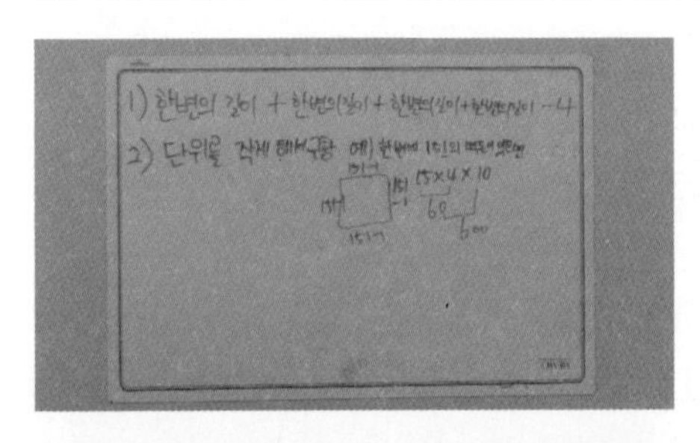

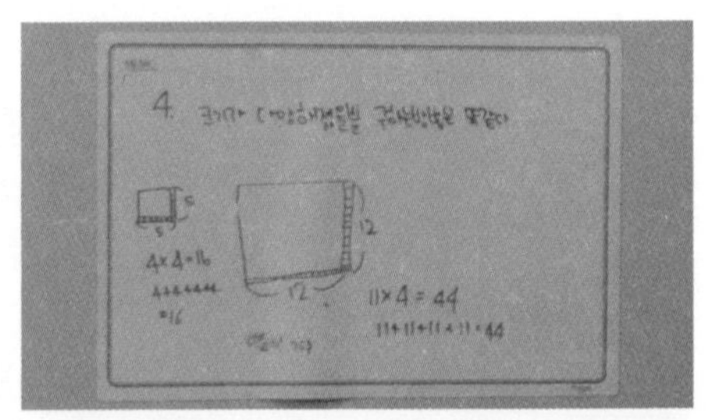

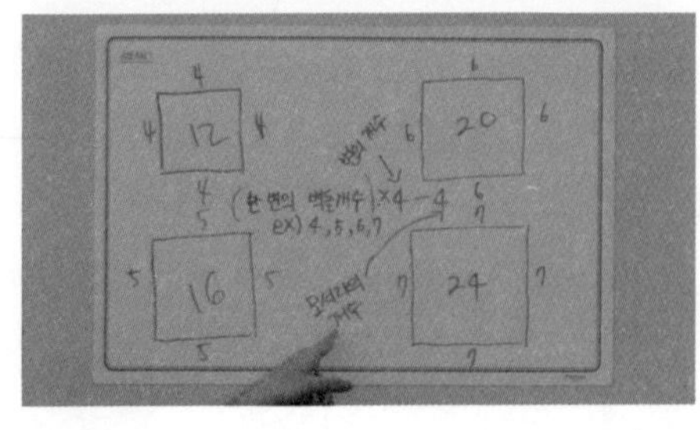

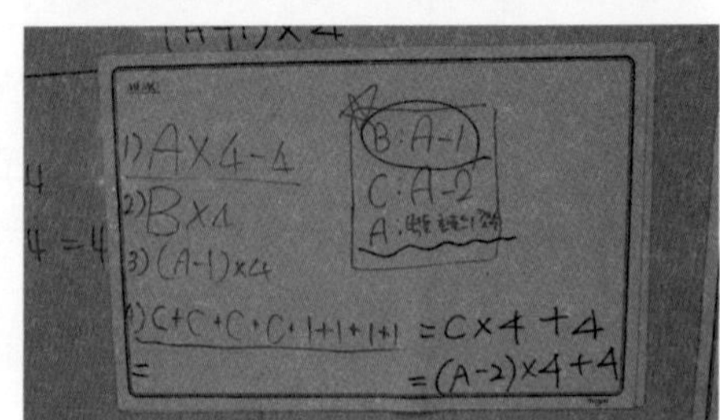

수업 노하우

- 2에서는 그림이 없더라도 1의 방법을 이용하여 문제 상황을 변화시켜 일반화하는 과정을 유도하도록 한다.
- 1, 2는 모둠 활동을 하지 않는다. 1에서 자신이 벽돌의 개수를 센 방법으로 2를 해결하고, 그 방법을 문자로 일반화시키는는 3으로 연결짓도록 한다. 1에서 모둠 활동을 하게 될 경우 학생들은 얼마나 다양한 방법으로 구했는가에 초점을 맞추었고, 자신이 생각한 방법을 일반화하는 것에는 관심을 덜 보였다.

[1], [2] 활동은 개인적으로 하고, [3] 활동은 모둠 활동으로 집중적으로 하여 문자로 일반화하는 것에 보다 초점을 맞출 수 있도록 한다.

- [3]에서 다양한 표현이 나올 것을 예상하고 다양한 표현 중 문자를 사용한 것과 사용하지 않은 것의 차이점을 토론하게 한다.
- 각 학생은 각자 자신의 방법에 일관성을 가지고 활동에 참여할 수 있도록 한다. 즉, 처음 만든 방식과 두 번째 만든 방식에 일관성을 유지했을 때 그 부분을 문자로 나타낼 수 있다.
- 다양한 표현이 나올 수 있지만 너무 관심이 분산되지 않게 $4\times n-4$와 $4\times(n-1)$의 두 표현에 집중하도록 하고, **탐구하기 2**와 연결되도록 할 수 있다.

수업 연구

- 모둠 활동 중 교사가 모둠마다 돌아다니며 방법이 독특하거나 모둠간 표현 방법이 서로 겹치지 않는 모둠을 미리 선정해 두고 모둠 활동 종료 후 전체 공유 활동 시 발표할 모둠을 교사가 직접 지정하여 진행할 수 있다.
- 모둠별로 발표할 때 학생들 사이의 질의 응답을 하도록 하되, 교사는 교사의 언어로 학생들의 풀이를 해석해 주지 않는다. 설명이 미흡하다고 느낄 경우, "혹시 이해가 된 사람?" 하고 질문하여 이해가 되었다는 학생 중 한두 사람을 더 발표하도록 하여 설명을 보완하는 형태가 되도록 안내한다. 중요한 것은 교사의 해석이 아니라 학생들의 표현이 미흡하더라도 되도록 개입을 줄이는 것이 자기 주도성을 강화할 수 있으며 오히려 이해를 쉽게 할 수 있다는 것을 믿고 기다려 주는 것이다.
- 〈효과적인 수학적 논의를 위해 교사가 알아야 할 5가지 관행〉이라는 책에서 5가지 관행 중 두 번째가 '점검하기'다. 학생들의 개인 활동 또는 모둠 활동 중 교사가 할 일은 각 학생 또는 각 모둠이 과제를 해결하는 방법을 세심하게 점검하는 것이다. 이 과제의 경우 각 학생의 개인 활동을 제대로 점검한다면 다양한 유형의 식 세우는 방법을 찾아낼 수 있을 것이며, 이런 경우 굳이 모둠 활동을 하지 않고 전체 공유 활동으로 넘어가도 충분하다.
- 이 과제의 핵심은 각자가 자기 주도적인 식을 만들어내면서 문자 사용의 필요성과 유용성을 느끼게 하는 것이므로 모둠 활동을 통해서 다른 사람의 방법과 자기의 방법이 섞이는 것이 좋지 않을 수 있다. 자기 방법을 확실하게 만드는 경험이 보장된다면 굳이 모둠 활동을 하지 않아도 된다.

개념과 원리 탐구하기 2 _ 문자를 사용한 표현

교과서(상) 92쪽

탐구 활동 의도

- **탐구하기 1**에서 찾은 규칙적인 변화를 계산식으로 나타내는 과정에서 문자의 필요성을 이해하고, 이를 통해 식으로 표현하는 방법에 대해 알게 된다.

예상 답안

[1] 여진이의 방법 : $4\times x-4$
수일이의 방법 : $4\times(x-1)$

2 여진이와 수일이의 식은 같은 식이다.

- 여진이가 쓴 식의 모양과 수일이가 쓴 식의 모양은 다르지만 두 식 모두 x가 4개 있는 것에서 4를 뺐다는 의미이므로 서로 같은 것을 뜻한다.
- 분배법칙에 의하여 두 식은 서로 같다. $4\times(x-1)=4\times x-4$

수업 노하우

- **탐구하기 1**에서 나온 다양한 식이 모두 같다는 것을 이해하려면 문자식의 계산에 보다 익숙해져야 한다. 여기서는 그 중 두 가지만 대표로 뽑아서 두 식이 같다는 것을 확인하는 정도로 넘어간다.
- 두 식이 같다는 것을 알게 하는 것도 중요하지만 이 활동에서는 테두리에 있는 벽돌의 개수가 정사각형의 크기에 따라 달라질 수 있다는 점을 고려하여 변할 수 있는 수를 표현하는 방법에 대해 고민하게 하고 그 과정에서 문자의 필요성을 깨닫도록 다시 한번 지도하는 것이 필요하다.

개념과 원리 탐구하기 3 _ 문자를 사용한 계산 법칙

교과서(상) 93쪽

탐구 활동 의도

- 앞 단원에서 배운 계산 법칙을 문자가 포함된 식으로 표현하는 과정을 통해 문자가 포함된 식의 장점에 대해 알게 된다.

예상 답안

1 사용하는 문자의 종류가 꼭 a, b, x, y가 아닐 수 있다.

(1) $x+y=y+x$ 또는 $a+b=b+a$

(2) $(x+y)+z=x+(y+z)$ 또는 $(a+b)+c=a+(b+c)$

(3) $a\times(x+y)=a\times x+a\times y$ 또는 $(x+y)\times a=x\times a+y\times a=a\times x+a\times y$

2 나의 의견

- 말로 쓰는 것보다 간단하게 정리할 수 있다. 다른 사람에게 설명할 때 복잡하지 않다.
- 모든 수에 대해 다 따져 볼 수가 없는데 문자로 나타내고, 그 문자가 '모든 수'라고 하면 간편하게 규칙을 말할 수 있다.

모둠의 의견

- 수를 대신해서 문자를 쓰면 정수와 유리수의 계산에서 배운 계산 법칙을 일일이 숫자를 통해 확인하지 않아도 간단하게 나타낼 수 있다.
- 어떤 정수나 유리수에 대해서 덧셈에 대한 교환법칙과 결합법칙, 덧셈에 대한 곱셈의 분배법칙이 항상 성립한다는 것을 나타낼 수 있다.

수업 노하우

- 교환법칙이나 분배법칙과 같은 계산 법칙이 성립한다는 것을 수 계산을 통해 확인했을 때와 문자를 사용하여 나타냈을 때의 차이점과 관계에 대해 학생들이 설명할 수 있도록 지도하는 것이 중요하다.
- 지도 과정에서 문자는 주로 영어의 알파벳 소문자를 사용하는 것이 국제적인 약속임을 알려 준다.

수업 연구

문자의 조기 사용 경고와 일반화된 식의 조기 사용 권장의 딜레마

〈수학으로 생각한다〉(고지마 히로유키)에서는 문자식의 조기 사용이 문제의 상황을 무시하고 방정식의 풀이에만 매달려 맥락 없이 문제를 해결하는 과정에서 창의적 사고가 메마르게 되는 현상을 경고하면서 초등학생들에게 문자 사용이 독이 될 수 있음을 경고하고 있다. 이는 초등학생들이 거꾸로 풀기를 주로 사용하기보다 문자를 사용한 방정식을 세워 등식의 성질이나 이항의 기술을 무작정 사용하는 방식에 대한 경고라고 볼 수 있다.

하지만 초등학교에서 모든 법칙이나 상황을 문장으로 표현하는 데 그치기보다 문자를 사용한 일반화의 과정까지 표현하는 것이 이해가 빠르며, 중학교 이후에 문자를 본격적으로 사용하는 과정에서 적응하기가 수월하다는 주장도 있다. 〈수학적 사고하기〉(Carpenter, Franke, Levi)에 의하면 초등학교 단계에서 여러 가지 수학적인 명제를 문자를 사용하여 일반화된 식으로 만드는 과정까지 학습할 것을 권장하고 있다. 예를 들면, '어떤 수에 0을 더하면 그 값은 변하지 않는다'는 성질을 $a+0=a$와 같이 문자 a를 사용하여 표현하는 것이 학생들의 이해를 돕고 중학교 이후에서 문자를 본격적으로 사용하는 데 도움이 된다는 것이다. 두 수의 덧셈에서 '더하는 수를 바꿔도 그 합이 같다'는 성질을 $a+b=b+a$와 같이 표현하는 방식 등으로 생각해 볼 수 있다.

결국 두 생각을 정리하면 초등학교에서는 방정식 성격의 문제, 즉 미지수를 구하는 문제에서 문자를 사용하는 것은 지양하지만, 항등식 성격의 수학적 성질을 일반화된 문자로 표현하는 것은 학생들의 이해를 돕는다는 것이다. 그런 의미에서 이번 2015 개정 교육과정에서 초등학교 6학년에 있던 방정식 부분이 중학교 1학년으로 이동한 것은 다행이라 생각할 수 있다. 그러나 초등학교에서 일반화된 법칙에 문자를 사용하는 것을 전면적으로 금지하는 것은 재고할 필요가 있다. 이제 초등학교에서 x, y 등의 문자를 사용하는 것은 규칙성 영역에서 식을 표현하는 경우에만 남아 있다.

개념과 원리 탐구하기 4 _ 곱셈 기호와 나눗셈 기호의 생략 규칙 1

교과서(상) 94쪽

탐구 활동 의도

- 앞의 활동을 통해 식에서의 문자 사용의 필요성에 대해 알게 되었다면 이 활동은 문자를 사용하여 식을 표현하는 데 있어서 보다 간편한 표현 방법에 대한 약속을 배우는 활동이다.
- 표현 규칙을 먼저 알려주고 식을 쓰도록 하는 것보다 먼저 문자식으로 표현하는 과정을 보여준 다음 규칙을 스스로 찾아내도록 한다.

예상 답안

1

- 수와 문자, 문자와 문자 사이의 곱셈은 곱셈 기호 ×를 생략할 수 있다.
- 수와 문자의 곱에서는 수를 문자 앞에 쓴다.
- 문자끼리는 알파벳 순서로 쓴다.
- 문자 앞에 곱한 수 1은 생략이 가능하다.
- 같은 수나 문자의 곱은 거듭제곱으로 나타낸다.
- 괄호 앞의 수의 곱셈에서는 곱셈 기호 ×를 생략할 수 있다.

2

- 나눗셈 기호 ÷는 분수를 이용하여 식을 나타낼 수 있다.
- 곱셈 기호를 생략할 때와 달리 나눗셈 기호 ÷는 분수를 이용하여 식을 나타낼 때 문자가 포함된 식뿐만 아니라 숫자끼리에서도 분수를 이용하여 나타낼 수 있다. 즉, $2 \div 3 = \frac{2}{3}$로 나타낼 수 있다.
- 학생들이 다음과 같이 자신의 언어로 표현한 것에 대해 틀렸다고 하기 보다는 다른 친구의 설명을 들으며 수학적 용어로 고쳐 보게 할 수도 있다.

2. 1은 생략이 가능하다 = 부호는 생략 안됨
3. 문자끼리 곱할 때는 알파벳 순서로 나타낸다.
4. 똑같은 숫자가 중복되면 문자는 제곱으로 만든다.
   (중복되면 → 곱해지면, 제곱으로 → 거듭제곱을 사용한다)
5. 숫자의 부호는 생략불가.
6. 괄호 앞에 곱하기, 부호도 생략가능

÷ 뒤에 있는 수는 분모, 나머지 수는 분자로 가면 된다
÷ 를 곱하기로 바꾸고 뒤에 수를 역수로 바꾼다

수업 노하우

- 곱셈 기호의 생략 방법과 나눗셈 기호의 생략 방법에 차이가 있음을 학생들 스스로 알아내도록 지도하는 것이 중요하다. 그리고 나눗셈의 경우 교환법칙이 성립하지 않는다는 사실을 학생들이 스스로 발견하도록 지도할 수 있고, 자연스럽게 곱셈에 대한 교환법칙이 성립한다는 사실도 깨닫게 할 수 있다.
- 문자와 문자 사이에 쓰인 × 기호와 수와 문자 사이에 쓰인 × 기호는 생략할 수 있다. 하지만 수와 수 사이에 쓰인 × 기호를 생략하면 $2 \times 3 = 23$이 되므로 수 사이에 있는 곱셈 기호는 생략하지 않는다.
- 곱셈 기호와 나눗셈 기호의 생략은 생략할 수도 있는 것이지, 오른쪽과 같이 틀렸다고 할 수는 없다. 왜 1이 생략 가능한지 생각해 보도록 하며 이 표현에 익숙해지도록 할 수 있다.

(4) $1 \times a \times b = 1ab$ (×)
$1 \times a \times b = ab$
↳ 1은 생략이 되는데 1ab 라고 해서 틀렸다.

- 기존 교과서는 규칙을 일방적으로 제시하는 '따라하기' 방식으로 구성되어 있다. 그러나 여기서는 결과를 제시하고 규칙을 스스로 추론하도록 하는 방식을 택했다. 무작정 '따라하기' 보다는 추론 과정을 거침으로써 자기주도성과 규칙을 소화하는 능력을 키우고자 한다.

개념과 원리 탐구하기 5 _ 곱셈 기호와 나눗셈 기호의 생략 규칙 2

교과서(상) 95쪽

탐구 활동 의도

- **탐구하기 4**를 통해 알게 된 규칙에 따라 문자가 포함된 곱셈과 나눗셈을 간단하게 표현하는 연습을 하는 활동이다. 옳은 것과 틀린 것을 판단하는 것에서 그치지 않고 틀린 표현의 경우 그 이유를 쓰게 하는 것은 학생들이 알아낸 규칙을 스스로 정리하는 기회가 된다.
- 기존 교과서에서 다루던 단항식(또는 일차식)과 수의 곱셈, 나눗셈을 별도 탐구활동 없이 곱셈 기호의 생략, 분배법칙과 통합하여 다루었다.

예상 답안

1

(1) $3\times x=3x$ (○), 수와 문자의 곱에서는 수를 문자 앞에 쓴다.

(2) $a\times(-3)=a-3$ (×), -3은 수이므로 수를 문자 앞에 쓰면 $-3a$이다.

(3) $2\times(a+b)=2ab$ (×), $a+b$는 더 이상 생략할 수 없다. 곱셈 기호만 생략하면 $2(a+b)$이다.

(4) $a\times a\times b\times b\times b=a^2b^3$ (○), 같은 문자의 곱은 거듭제곱으로 나타낸다.

(5) $2x\div y=\frac{y}{2x}$ (×), 나눗셈은 나누는 수를 분모에 쓴다. 즉, $\frac{2x}{y}$이다.

(6) $(a+b)\div c=\frac{c}{ab}$ (×), $a+b$는 생략할 수 없다. 나눗셈 기호만 생략하면 $\frac{a+b}{c}$이다.

(7) $-\frac{3}{5}y\div 3=-\frac{1}{5y}$ (×), $-\frac{3}{5}y\div 3=-\frac{3}{5}y\times\frac{1}{3}=-\frac{1}{5}y$이므로 $-\frac{y}{5}$로 나타낼 수 있다.

(8) $\frac{x}{4}\div(-2)=-\frac{x}{2}$ (×), $\frac{x}{4}\div(-2)=\frac{x}{4}\times\left(-\frac{1}{2}\right)=-\frac{x}{8}$이다.

수업 노하우

- 옳은 경우와 틀린 경우 모두 그 이유를 설명하도록 진행을 한다.
- 문자가 포함된 식을 쓰는 방법에 대해 틀린 부분을 지적하는 것에서 끝내지 않고, 옳은 표현의 경우에도 정확한 진술을 하고 다른 친구들에게 논리적으로 설명하게 하여 곱셈 기호와 나눗셈 기호의 생략 규칙을 정확히 익히도록 해야 한다.
- (3)은 분배법칙을 사용하여 $2a+2b$와 같이 정리할 수도 있다.
- (6)도 $\frac{a+b}{c}=\frac{a}{c}+\frac{b}{c}$라고 할 수 있다.

/2/ 끼리끼리 모이는 문자

학습목표

1 차수, 일차식, 동류항이라는 용어의 뜻을 안다.
2 일차식을 계산하는 원리를 발견하고 그것을 이용하여 일차식을 계산할 수 있다.
3 실제 상황과 연결하여 문자식의 의미를 해석할 수 있다.

2015 개정 교육과정 성취기준

1 다양한 상황을 문자를 사용한 식으로 나타낼 수 있다.
2 식의 값을 구할 수 있다.
3 일차식의 덧셈과 뺄셈의 원리를 이해하고, 그 계산을 할 수 있다.

핵심발문

문자식은 어떻게 계산할까?

개념과 원리 탐구하기 6 _ 항, 상수항, 계수, 다항식, 단항식

교과서(상) 96쪽

탐구 활동 의도

• 문자가 포함된 식을 표현하는 방법을 익힌 후 다항식과 단항식, 항, 계수와 같은 식을 표현하는 데 있어서 필요한 용어에 대해 알게 된다. 주장에 대하여 옳고 그름을 판단하고 그 이유를 설명하도록 함으로써 용어의 의미를 학생들 스스로 분명히 알게 하는 활동이다.

예상 답안

1 (1) 재현 : (옳다, (틀리다))
왜냐하면 상수항은 -2이므로 항은 $11x$, $3y$, -2이기 때문이다.
(2) 성수 : (옳다, (틀리다))
왜냐하면 x의 계수는 -1이고, 상수항은 -5이기 때문이다.
(3) 은정 : (옳다, (틀리다))
왜냐하면 $\frac{x}{3}=\frac{1}{3}x$이므로 x의 계수는 $\frac{1}{3}$이기 때문이다.

수업 노하우

• 친구들에게 식과 관련된 내용을 설명할 때 이 활동에서 알게 된 다항식 및 단항식과 관련된 용어를 사용하게 하면 수학적 의사소통 능력을 향상시킬 수 있다. 이 단원에서 뿐만 아니라 방정식 등을 포함한 문제의 해결 과정을 친구들에게 설명할 때 여기서 배운 용어를 정확히 사용하도록 지도함으로써 학생들이 용어에 좀 더 익숙해지도록 할 필요가 있다. 이 과정에서 학생들이 잘못 알고 있는 용어에 대한 오개념에 대해 파

악하는 것도 학생 지도에 도움이 된다.

- 학생들의 설명 중 수학 용어를 정확히 사용한 설명과 일상 언어로 표현되는 설명을 구분하여 그 차이점을 논의하면서 수학 용어의 정확한 사용의 필요성을 느끼게 한다.

개념과 원리 탐구하기 7 _ 분배법칙

교과서(상) 97쪽

탐구 활동 의도

- 덧셈에 대한 곱셈의 분배법칙을 문자를 사용하여 나타내는 방법을 배웠다. 이 활동을 통해 분배법칙의 의미를 좀 더 분명하게 이해하고 이를 설명할 수 있게 한다.
- 분배법칙을 복습하는 활동이다. 수에 대한 계산뿐만 아니라 도형의 넓이를 계산하는 과정에서도 분배법칙을 사용하고 있다는 사실을 연결하는 학습이 학생들의 분배법칙의 이해를 도울 것이다.
- 분배법칙을 사용하여 일차식과 수의 곱셈을 해결할 수 있다. **탐구하기 7**과 **탐구 되돌아보기 6**은 같이 다룰 수 있다.
- 동류항의 계산 원리로 분배법칙을 이용할 수 있도록 동류항을 탐구하기 바로 전에 탐구한다.

예상 답안

1 (1) $30(x+10)$, $30x+30\times10$, $30x+300$ 등
(2) $a(b+c)$, $ab+ac$, $(b+c)\times a$ 등

2 (2)에서 전체 직사각형의 넓이는 직사각형의 가로의 길이 $b+c$와 직사각형의 세로의 길이를 곱한 $(b+c)\times a$이다. 그런데 이 직사각형은 넓이가 $a\times b$인 작은 직사각형과 넓이가 $a\times c$인 또 다른 작은 직사각형의 넓이를 합한 것과 같으므로 $ab+ac$로도 나타낼 수 있다. 따라서 이 직사각형의 넓이를 구하는 과정에서 $a(b+c)=ab+ac$인 분배법칙이 성립한다고 말할 수 있다.

수업 노하우

- 학생들이 직접 직사각형의 넓이를 이용하여 분배법칙을 설명할 수 있도록 대수막대 또는 지오보드 등의 교구를 준비할 수 있다. 별도의 수학교실이 있다면 수학교실에 있는 교구들 중에서 분배법칙을 설명하는 데에 효과적인 교구를 찾거나 개발하도록 과제를 주는 것도 좋은 방법이다.
- 어떤 수학적 사실이 다양하게 쓰일수록 학생들에게 주는 학습 효과는 크다. 분배법칙이 단순하게 수의 계산에만 사용되지 않고 넓이 등 도형에도 이용된다는 것을 통해 학생들이 스스로 분배법칙의 다양성에 대한 동기를 유발하도록 수업을 진행한다.

개념과 원리 탐구하기 8 _ 동류항 계산의 원리

교과서(상) 98쪽

탐구 활동 의도

- 동류항의 의미를 알고, 문자와 차수가 서로 같은 동류항끼리는 덧셈과 뺄셈을 통해 더 간단히 할 수 있다는 것을 발견하는 과정에서 앞서 배운 분배법칙을 사용하도록 하는 활동이다.

예상 답안

1

- 서로 다른 문자 사이 또는 문자와 수 사이의 덧셈과 뺄셈은 더 이상 계산할 수 없기 때문에 생략하여 간단히 나타낼 수 없다. 곱셈 기호는 생략이 가능하고, 나눗셈 기호는 분수의 형태로 나타낼 수 있다. 이 식에서는 덧셈만 남았기 때문에 더 이상 간단하게 줄일 수 없다.
- $x+1$은 어떤 수보다 1 큰 수이고 $1x$는 x이므로 그 자신이다. 어떤 경우에도 $x+1$과 $1x$는 같은 수가 아니다.

2

(1) 나의 의견

- 그냥 5와 7을 더하면 12이고, x는 그냥 붙였다.
- $5x=5\times x$이므로 x를 5개 더한 것이고, $7x$는 x를 7개 더한 것이므로 $5x+7x$는 x를 12개 더한 것이 되어 그 합은 $12x$가 된다.

모둠의 의견

- $5x+7x$에서 두 개의 항에 모두 x가 곱해져 있고, 덧셈에 대한 곱셈의 분배법칙에 의하여 $(5+7)\times x=5x+7x$가 성립하고 $5+7=12$이므로 $5x+7x=(5+7)\times x=12x$가 성립한다.

5x+7x는 문자가 똑같고 5와 7을 더하면 12가 나오는데 12만 쓰면 안되니까 x를 써야된다. 그래서 12x를 씀

$5\times x+7\times x$
$=(5+7)x$
$=5x+7x$
$=12x$

(2) $5x-7x$에서 두 개의 항에 모두 x가 곱해져 있고, 덧셈에 대한 곱셈의 분배법칙에 따라 $(5-7)\times x=5x-7x$가 성립하고 $5-7=-2$이므로 $5x-7x=(5-7)\times x=-2x$가 성립한다.

(3) $4x$는 x의 차수가 1인 일차항이고 3은 상수항이므로 두 개의 항은 서로 동류항이 아니다. 따라서 $4x+3$은 더 이상 간단하게 나타낼 수 없다.

수업 노하우

- 1에서는 $x+1$과 같이 간단한 식에서 뭔가 더 줄여야 할 것 같은 느낌을 갖기 쉽다. 어떤 학생들은 억지로 이것을 더 간단히 하여 x 또는 $1x$ 또는 $2x$로 표현하기도 한다.
- 2에서는 분배법칙으로 설명하는 것이 일반적이지만 보다 개념적인 설명은 초등학교 2학년에서 나오는 곱셈을 이용하는 것이다. 이를 이용해 계수가 음수가 나오는 경우에는 어떻게 계산하면 될지 고민하게 한다. 개수 개념에서 계수 개념으로 확장되도록 하기 위함이다.
- 추가적으로 다음과 같은 발문을 할 수 있다.

친구가 $5x-3x=2$라는 계산을 하고 있다. 어떻게 생각하는가?

수업 연구

분배법칙은 '법칙'이므로 왜 그렇게 되는지 설명을 요구할 수 있다. 그러므로 보다 근본적인 설명은 곱셈의 개념을 연결해야 한다. 즉, $5x=5\times x$이므로 x를 5번 더한 $x+x+x+x+x$와 같다는 것을 초등의 곱셈 개념과 연결하면 단순히 법칙만을 외워 적용한 것보다 심층적인 이해를 도울 수 있다.

개념과 원리 탐구하기 9 _ 동류항 정리

교과서(상) 99쪽

탐구 활동 의도

- 동류항이 있는 다항식을 간단히 정리하는 활동이다. 일차항과 상수항으로 구성된 다항식을 간단히 하는 과정이 옳은지 판단하고, 그 이유를 함께 쓰게 함으로써 동류항끼리의 계산 과정을 스스로 발견하도록 한다.

예상 답안

1 (1) $x+\frac{x}{2}=3x$ (×)

x와 $\frac{x}{2}$는 모두 차수가 1인 일차항이므로 분배법칙을 통해 일차항의 계수끼리 더하여 더 간단히 나타낼 수 있다. 이때 일차항의 계수는 1과 $\frac{1}{2}$이므로 $x+\frac{x}{2}=\left(1+\frac{1}{2}\right)x=\frac{3}{2}x$이다.

(2) $-x-x=2x$ (×)

두 항 모두 차수가 1인 일차항이므로 분배법칙을 통해 일차항의 계수끼리 더하여 더 간단히 나타낼 수 있다. 이때 일차항의 계수는 -1과 -1이므로 $-x-x=(-1-1)x=-2x$이다.

(3) $3x+4-2x-1=x+3$ (○)

$3x$와 $-2x$는 모두 차수가 1인 일차항인 동류항이고 4와 -1은 상수항인 동류항이므로 다음과 같이 더 간단히 나타낼 수 있다.

즉, $3x+4-2x-1=3x-2x+4-1=(3-2)x+3=x+3$이다.

(4) $(4x+2)-(3x-1)=x+1$ (×)

분배법칙을 이용하여 동류항을 찾아 차수가 1인 일차항끼리 계산하고 상수항끼리 계산하면 다음과 같이 더 간단히 나타낼 수 있다.

$(4x+2)-(3x-1)=4x+2-3x+1=4x-3x+2+1=(4-3)x+3=x+3$이다.

(5) $2(2x+4)+(x-2)=5x+6$ (○)

분배법칙을 이용하여 동류항을 찾아 차수가 1인 일차항끼리 계산하고 상수항끼리 계산하면 다음과 같이 더 간단히 나타낼 수 있다.

$2(2x+4)+(x-2)=4x+8+x-2=4x+x+8-2=5x+6$이다.

수업 노하우

- 여러 개의 연산 문제를 연습하는 것보다 몇 개의 특징적인 오류를 찾아내게 하는 것이 연산의 교육 효과가 크다.
- 답을 구하고 그 답이 맞는가를 확인하는 학습 과정을 반복하는 것은 개념적인 학습보다 절차적인 학습이 강화되기 때문에 후에 연산의 개념을 이해하지 못하는 결과를 초래할 수 있다.

/ 3 / 문자로 표현된 세상

학습목표

1 문자에 수를 대입하여 문자식의 값을 구하고 그 결과를 해석할 수 있다.
2 실제 상황과 연결하여 문자식의 뜻을 해석하고 문자를 사용하면 편리한 상황을 창작할 수 있다.

2015 개정 교육과정 성취기준

1 다양한 상황을 문자를 사용한 식으로 나타낼 수 있다.
2 식의 값을 구할 수 있다.
3 일차식의 덧셈과 뺄셈의 원리를 이해하고, 그 계산을 할 수 있다.

핵심발문

문자식에 사용된 각각의 문자는 어떤 뜻인가?

개념과 원리 탐구하기 10 _ 식의 값

교과서(상) 100쪽

탐구 활동 의도

- 주어진 상황을 문자를 사용한 식으로 표현하고, 이렇게 표현된 식을 통해 식의 값을 구하는 활동이다.
- 문자를 사용한 식으로 표현하고, 식의 값을 구하는 과정에서 우리의 생활에서 이루어지는 많은 대화들 속에 수학을 소재로 한 내용이 적지 않게 포함되어 있음을 알게 하고, 수학을 통해 대화가 더 간결하고 명료해진다는 사실을 알게 한다.

예상 답안

1 (1) 위의 대화에서 공통적으로 규민이의 점수를 기준으로 자신의 점수를 이야기하고 있고, 규민이의 점수는 알려주지 않았으므로 규민이의 점수를 x로 놓고 각 학생들의 수학 점수를 식으로 표현하면 다음과 같다.

현우 : $x+10$ 은수 : $x-6$ 서영 : $2x$

(2) 현우의 점수가 60점이면 $x+10=60$이므로 규민이의 점수 x는 50점이다. 따라서 다른 친구들의 점수는 다음과 같다.

은수 : $x-6=50-6=44$(점) 서영 : $2x=2\times50=100$(점)

수업 노하우

- 1 (1)에서 아직 문자 사용이 익숙치 않을 경우 현우의 점수는 (규민)+10, 은수의 점수는 (규민)−6, 서영이의 점수는 (규민)×2로 나타낼 수 있다. 이런 경우 문자를 사용한 표현과 문장으로 표현한 것 사이의 차이점을 토론에 붙여 수업을 진행할 수 있다.
- 이 탐구 활동은 과정 평가 소재로도 활용이 가능하다. 하나의 일차식을 통해 식을 만들어 식의 값을 구하는 상황을 모둠별로 각각 설정하도록 하여 이를 만화나 소설로 표현해 보게 하는 수업으로 진행할 수 있다.

개념과 원리 탐구하기 11 _ 대입과 식의 값

교과서(상) 101쪽

탐구 활동 의도

- 문자로 표현된 식에 주어진 값을 대입하여 식의 값을 구하는 활동이다. **탐구하기 12**에서는 대입, 식의 값의 용어 없이 활동을 하고 여기에서는 용어까지 다룬다.
- 이 활동은 일상생활의 과학적 소양과 연결된 융합적 요소가 포함된 활동이다. 이 활동을 통해 여러 가지 상황에서 문자를 사용한 식이 사용되고 있음을 알게 한다. 특히 처음으로 두 개의 문자 사이의 관계에 대해 다루고 있어서 나중에 공부하게 될 함수와 밀접한 관련이 있다.

예상 답안

1 (1) 하영이의 표준 몸무게는 $0.9\times(158-100)=52.2$(kg)

그러므로 하영이의 비만도는 $\frac{63}{52.2}\times100=120.7$

따라서 하영이는 경도 비만이다.

(2) 성훈이의 표준 몸무게는 $0.9\times(175-100)=67.5$(kg)

그러므로 성훈이의 비만도는 $\frac{62}{67.5}\times100=91.9$

따라서 성훈이는 체중 미달이다.

(3) 은정이의 표준 몸무게는 $0.9\times(165-100)=58.5$(kg)

그러므로 은정이의 비만도는 $\frac{56}{58.5}\times100=95.7$

따라서 은정이는 정상이다.

2

(1) 하영이의 체질량지수는 $\frac{63}{1.58^2}=25.2$이므로 과체중이다.

(2) 성훈이의 체질량지수는 $\frac{62}{1.75^2}=20.2$이므로 정상이다.

(3) 은정이의 체질량지수는 $\frac{56}{1.65^2}=20.6$이므로 정상이다.

1의 결과와 비교하면 하영이는 경도 비만으로 과체중과 마찬가지라고 할 수 있다.
성훈이는 1에서는 체중 미달이었지만 2에서는 정상으로 판정되어 약간의 차이가 있다.
은정이는 두 방법 모두 정상으로 판정되었다.

수업 노하우

- 몸무게는 학생들에게 민감한 사항이라서 본인들의 비만도를 공개적으로 계산하지 않도록 다른 사람의 예시를 이용하였다. 하지만, 각자의 비만도를 계산하여 비만인 사람들은 건강에 유의하도록 지도할 필요가 있다.
- 비만도를 측정하는 두 가지 방법을 제시한 것은 또 다른 방법이 있을 수 있음을 암시한 것이며, 학생들에게 또 다른 방법을 찾아보도록 권고할 수 있다.
- 아직 방정식을 배우지 않은 상태이므로 다양한 문제를 제시할 수 없었다. 하지만 방정식을 배운 후에는 비만도를 이용하여 보다 많은 문제 상황을 제시할 수 있다.

게임하며 탐구하기 12 _ 빙고 게임

교과서(상) 102쪽

탐구 활동 의도

- 지루하고 단순한 문자와 식의 계산을 게임을 통해 한꺼번에 연습하도록 만든 것이다.

예상 답안

1 $-5a$ 2 $\frac{x}{2y}$ 3 9 4 $4a$ 5 8 6 24 7 15 8 $-\frac{1}{2}$ 9 7 10 b^2

11 $9a$ 12 $\frac{2}{5}x$ 13 4 14 $8a$ 15 19 16 a^2+a 17 $4xy$ 18 a^4b^3 19 11 20 $3b$

21 $\frac{4}{3}x$ 22 $\frac{8}{3}$ 23 2 24 -3 25 $15a$

풀이 2 $x\div2\div y=x\times\frac{1}{2}\times\frac{1}{y}=\frac{x}{2y}$

3 $2a-5b=2\times2-5\times(-1)=4-(-5)=9$

5 $2(x-y)+\frac{xy}{3}=2\{3-(-2)\}+\frac{3\times(-2)}{3}=2\times5+\frac{-6}{3}=10-2=8$

6 $2x^2+y^2=2\times(-2)^2+(-4)^2=8+16=24$

7 $x=4,\ y=-\frac{1}{8}$이므로 $x^2+2xy=4^2+2\times4\times\left(-\frac{1}{8}\right)=16-1=15$

8 $-\frac{x+y}{2}=-\frac{x}{2}-\frac{y}{2}$이므로 y의 계수는 $-\frac{1}{2}$

9 $3a-b=3\times2-(-1)=6+1=7$

12 $x\div5\times2=x\times\frac{1}{5}\times2=\frac{2}{5}x$

13 $2a-5a+10=-3a+10=-3\times2+10=4$

15 $3(x-y)+\frac{xy}{5}=3\{5-(-2)\}+\frac{5\times(-2)}{5}=21-\frac{10}{5}=19$

19 $3a-b=3\times2-(-5)=6+5=11$

23 $-\frac{2x+3y}{4}+\frac{5}{2}x+y=-\frac{x}{2}-\frac{3}{4}y+\frac{5}{2}x+y=2x+\frac{1}{4}y$에서 x의 계수는 2

25 (삼각형의 넓이)$=\frac{1}{2}\times$(밑변)$\times$(높이)$=\frac{1}{2}\times5a\times6=15a$

수업 노하우

- 게임을 이용하여 단원 마무리 활동을 할 때에는 게임의 규칙을 학생들에게 분명하게 제시하고 동의를 얻는 과정이 필요하다. 학생들은 개인별 또는 모둠별로 나름의 승부욕이 강하기 때문에 규칙을 정하는 과정에서 규칙의 중요성을 알게 된다. 그리고 공정한 게임이 이루어지도록 수학적 의사소통과 자연스러운 논리적인 토론이 가능한 분위기를 조성해야 한다. 특히 모둠별로 경쟁을 할 때에는 모둠 내 구성원이 모두 참여하여 결과를 인정하는 규칙을 만들어 수업에서 소외되는 학생이 없도록 배려해야 한다.

탐구 되돌아보기 예상 답안

교과서(상) 104~111쪽

1 개념과 원리 탐구하기 1

(1) ① $2x+2(x-2)$ ② $4(x-2)+4$

③ $x+2(x-1)+(x-2)$

④ $4(x-1)$ ⑤ $4x-4$

(2) 모두 같다.

① $2x+2(x-2)=2x+2x-4$
$=4x-4$

② $4(x-2)+4=4x-8+4$
$=4x-4$

③ $x+2(x-1)+(x-2)$
$=x+2x-2+x-2$
$=4x-4$

④ $4(x-1)=4x-4$

①~④를 간단히 하면 ⑤ $4x-4$와 같음을 알 수 있다.

2 개념과 원리 탐구하기 3

(1) $3(n+1)=3\times(n+1)$이므로 이 식은 $n+1$을 세 번 더한 것을 의미하고 덧셈의 교환법칙과 결합법칙을 이용하면 다음과 같이 $3n+3$과 같음을 확인할 수 있다.

$$3(n+1)=(n+1)+(n+1)+(n+1)$$
$$=n+n+n+1+1+1$$
$$=3n+3$$

다음과 같은 설명을 하는 학생이 많다. 이런 설명은 '분배법칙'의 뜻을 다시 설명하는 것에 불과하다.

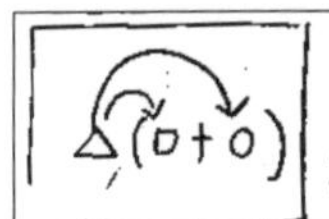

분배법칙 곧 가로에 있는 수랑 괄호 밖에 있는 수를 각각 곱하는 것이기 때문에 3(n+1)은 3n+3이 된다.

(2) 분수 $\frac{1}{7}$은 1을 7개로 똑같이 쪼갠 것 중 하나이다.

그러므로 $\frac{2}{7}$는 $\frac{1}{7}$이 2개 있는 것이며, $\frac{3}{7}$은 $\frac{1}{7}$이 3개 있는 것이므로 $\frac{2}{7}+\frac{3}{7}$은 $\frac{1}{7}$이 5개 있는 것이다.

따라서 그 결과는 $\frac{5}{7}$이다.

$2x=2\times x$이므로 $2x$는 x가 2개, $3x$는 x가 3개 있는 것이므로 $2x+3x$는 x가 5개 있는 것이다.

따라서 그 결과는 $5x$이다.

이제 두 계산식의 관계를 살펴보자.

$\frac{2}{7}$는 $\frac{1}{7}$이라는 단위분수(분자가 1인 분수)가 2개 있는 것이고, 이것을 곱셈식으로 나타내면 $2\times\frac{1}{7}$과 같다.

여기서 $\frac{1}{7}=x$로 생각하면

$\frac{2}{7}=2\times\frac{1}{7}=2\times x=2x$라고 할 수 있고, 마찬가지로 $\frac{3}{7}=3x$라고 할 수 있으므로

$\frac{2}{7}+\frac{3}{7}=2x+3x=5x=\frac{5}{7}$

인 관계가 성립한다. 초등에서 분수의 덧셈이 중학교의 다항식의 덧셈과 연결된다는 것을 알 수 있다.

다음과 같은 답안은 두 계산의 관계를 설명하고 있다고 보기는 어렵다.

2/7+3/7은 분모는 똑같으므로 분자만 더하면 5/7가 된다.

2x+3x은 숫자는 숫자끼리 문자는 문자끼리 하므로 2x+3x=5x가 된다.

그러므로 두 계산의 관계는 똑같은 수는 더하지 않고 다른 수만 더한다.

3 개념과 원리 탐구하기 3

지현이의 풀이는 다소 절차적이지만 선혁이와 새희의 풀이는 개념적으로 설명이 잘된 풀이다.

선혁이는 곱셈의 개념을 연결하여 설명하였고, 새희는 직사각형의 넓이를 구하는 과정을 통해 동류항끼리의 합을 분배법칙과 그림을 이용하여 설명하고 있다.

4 개념과 원리 탐구하기 3

문식이의 풀이는 예만 보이다가 끝나서 막연한 느낌이다. 반면 슬기의 풀이는 문자를 사용하고 있어서 항상 성립한다는 느낌을 가질 수 있다.

이와 같이 항상 성립하는 일반적인 사실을 설명할 때는 몇 개의 예시를 드는 것보다 문자를 사용하여 깔끔하게 설명하는 것이 효과적이다.

5 개념과 원리 탐구하기 4

(1) $\frac{a}{3}$ 와 $\frac{1}{3}a$는 서로 같은 식이므로 재영이의 답변은 잘못되었다.

(2) $-\frac{a}{1}$는 $-\frac{1}{1}a=-1\times a$이므로 $-a$로 간단하게 나타낼 수 있다. 따라서 재영이의 답변은 잘못되었다.

(3) 덧셈 기호를 생략하지 않는다는 재영이의 답변은 옳다. 덧셈 기호를 생략하면 $\frac{a}{5}+6b$가 $\frac{6ab}{5}$가 된다. $\frac{a}{5}+6b$와 $\frac{6ab}{5}$는 항상 같다고 할 수 없다.

> $\frac{a}{5}+6b$ 이렇게 덧셈 기호는 생략하지 않고 곱셈, 나눗셈만 생략한다.
> → 덧셈을 생략하면 값이 달라지기 때문에 생략하면 안된다

6 개념과 원리 탐구하기 6

(1) 식 $-2a+5b+9$에서 상수항은 9이다.

(2) 식 $3x-5y+15$에서 y의 계수는 -5이다.

(3) 식 $-\frac{x+y}{2}=\left(-\frac{1}{2}\right)\times(x+y)=-\frac{1}{2}x-\frac{1}{2}y$이므로 x의 계수는 $-\frac{1}{2}$이고, y의 계수도 $-\frac{1}{2}$이다.

7 개념과 원리 탐구하기 7

2를 5번 더하면 $2+2+2+2+2=2\times5=10$과 같이 곱셈을 이용하여 나타낼 수 있듯이 x를 1000번 더하면 $x+x+\cdots+x=1000\times x=1000x$로 간단하게 줄여서 나타낼 수 있다.

8 개념과 원리 탐구하기 8

A 할인매장: 6개의 한 묶음 당 음료를 1개 더 주면 7개를 살 때 지불한 가격은 $6a$원이므로 한 개당 가격은 $\frac{6}{7}a$원이다.

B 할인매장: 6개의 한 묶음 가격에 20 % 할인해주므로 한 개당 가격은 $a-\frac{20}{100}a=\frac{80}{100}a=\frac{4}{5}a$이다.

따라서 $\frac{6}{7}>\frac{4}{5}$이므로 음료수 한 개당 가격이 더 저렴한 할인매장은 B이다.

9 개념과 원리 탐구하기 10

자신이 태어난 달을 x월, 태어난 날을 y일이라 하면

① $4\times x$

② $4x+3$

③ $(4x+3)\times25=100x+75$

④ $100x+75+y$

⑤ $100x+75+y-75=100x+y$이므로 계산한 값의 백의 자리 (또는 천의 자리와 백의 자리) 숫자는 자신이 태어난 달이 되고, 계산한 값의 뒤의 두 자리(십의 자리와 일의 자리) 숫자는 자신이 태어난 날을 뜻한다. 따라서 이 과정을 모두 거쳐 계산한 결과를 알면 모든 사람의 생일을 알 수 있다.

10 개념과 원리 탐구하기 10

(1) ❶ $x+3$ ❷ $2(x+3)$
❸ $2(x+3)-1$ ❹ $2(x+3)-1-x=x+5$

(2) 예 ❶ 하나의 수를 생각한 다음, 그 수에 10을 곱한다.
➡ $10x$
❷ ❶에서 구한 수에 5를 더한다. ➡ $10x+5$
❸ ❷에서 구한 수를 5로 나눈다. ➡ $2x+1$
❹ ❸에서 구한 수에서 처음 생각한 수를 뺀다.
➡ $2x+1-x=x+1$
친구들이 ❹에서 답한 수에서 1을 빼면 친구가 생각한 수를 알 수 있다.

• 다음과 같은 대화체로 과제를 구성할 수도 있다.

[교사 발문] 자연수를 하나 생각하세요. 12

❶ 그 자연수에 3을 더하세요. ➡ $x+3$ 15

❷ 그 결과에 2를 곱하세요. ➡ $2(x+3)$ $15\times2=30$

❸ 그 결과에서 1을 빼세요. ➡ $2(x+3)-1$
$30-1=29$

❹ 그 결과에서 처음 생각한 자연수를 빼세요.
$29-12=17$

그 결과는 얼마인가요? ➡ $2(x+3)-1-x=x+5$ (17)입니다.

그러면 여러분이 처음 생각한 수는 12이군요. (학생이 말한 결과에서 5를 뺀 것이 처음 수이다.)

[학생 반응] 어떻게 아셨어요?

11 개념과 원리 탐구하기 10

(1) 수만으로 된 항
(2) 식 $3x+2$에서 $3x$와 2를 뜻함
(3) 항에서 문자에 곱해져 있는 수
(4) 한 개의 항으로 이루어진 식
(5) 항에서 문자의 곱해진 개수
(6) 한 개 또는 두 개 이상의 항의 합으로 이루어진 식
(7) 차수가 1인 다항식
(8) 다항식에서 문자와 차수가 같은 항

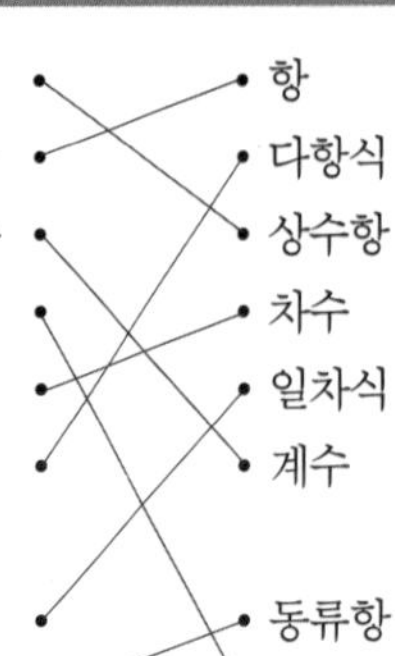

12 내가 만드는 수학 이야기

- 3개의 항으로 이루어진 다항식이다.
- 상수항은 -5이다.
- 다항식 $-x^2+\frac{x}{2}-5$의 차수는 2이다.
- $-x^2$에서 x^2의 계수는 -1이다.
- $\frac{x}{2}$에서 x의 계수는 $\frac{1}{2}$이다.
- 다항식 $-x^2+\frac{x}{2}-5$에서 동류항은 없다.
- $-\left(x^2-\frac{x}{2}+5\right)$는 분배법칙을 사용한 것이다.

-5는 상수항이다
$-x^2$, $+\frac{x}{2}$, +5는 항이다
x^2의 계수는 -1이다
$\frac{x}{2}$의 차수는 2이다
$\frac{x}{2}$ -5는 일차식이다
($\frac{x}{2}$)
x의 계수는 $\frac{1}{2}$이다
동류항이 없기 때문에 분배법칙은 안된다.

개념과 원리 연결하기 예상 답안

교과서(상) 112~113쪽

1

나의 첫 생각

성립하지 않는다.
반례를 들어 보자.
$a=1, b=2, c=3$을 대입하면 왼쪽의 값은
$1+(2\times3)=7$, 오른쪽의 값은
$(1+2)\times(1+3)=3\times4=12$이므로 서로 같지 않다.
따라서 항상 성립한다고 할 수 없다.

다른 친구들의 생각

$a+(b\times c)$와 $(a+b)\times(a+c)$을 각각 풀어서 계산해 본다.

$a+(b\times c)=a+bc$

$$(a+b)\times(a+c)=(a+b)\times a+(a+b)\times c$$
$$=a\times a+b\times a+a\times c+b\times c$$
$$=a^2+ab+ac+bc$$

두 식의 결과가 다르므로 곱셈에 대한 덧셈의 분배법칙은 성립한다고 할 수 없다.

정리된 나의 생각

반례를 통해서나 식을 직접 전개하여 비교해 봄으로써 곱셈에 대한 덧셈의 분배법칙은 성립하지 않음을 알 수 있다.

학생 답안 1

나의 첫 생각

$a+(b\times c)\neq(a+b)\times(a+c)$
예를 들어 $a=2, b=3, c=4$라고 대입하였을 때 $a+(b\times c)=2+(3\times4)=14$이고, $(a+b)\times(a+c)=(2+3)\times(2+4)=30$이다. 이렇게 숫자를 대입했을 때 값이 다르므로 두 식은 성립하지 않는다고 할 수 있다.

학생 답안 2

나의 첫 생각

$a=2$ $b=3$ $c=4$ 라고 했을 때
$2+(3\times4)$ = 혼합계산이므로 괄호 안 먼저 계산 후 계산=14
$(2+5)\times(2+4)=$
$7\times6=$] 42 로 성립하지 X.

학생 답안 3

나의 첫 생각

·잘 모르겠다.

· a+(b×c) = (a+b)×(a+c)를 간단히 하면 a+bc = a²bc가 되므로 성립하지 않는다.

다른 친구들의 생각

· a+(b×c) = (a+b)×(a+c)에서 a=2, b=3, c=4일 때 2+(3×4) = (2+3)×(2+4) 각각 구하면 14 = 30이 나오는데 두 값이 다르기 때문에 성립하지 않는다.

정리된 나의 생각

알고 있던 것을 새롭게 알게 되었다. 분배법칙이 무조건 성립되지 않는다는 것을 알았다.

---

2 (1)

[동류항의 뜻] 동류항은 문자와 차수가 각각 서로 같은 항을 말하며, 상수항은 모두 동류항이다.

[동류항의 성질] 동류항끼리는 덧셈이나 뺄셈 등의 연산을 통하여 항을 하나로 만들 수 있다. 그러나 동류항이 아닌 항끼리는 덧셈이나 뺄셈을 할 수 없다.

동류항끼리 연산을 할 때는 분배법칙을 사용한다.

학생 답안

동류항: 다항식에서 곱해진 문자와 지수가 같은 항

성질: 상수항끼리는 모두 동류항이다. 문자 위에 있는 지수가 같으면 동류항이다. 부호가 달라도 문자와 지수가 같으면 동류항이며 동류항끼리는 계산할 수 있지만 동류항이 아니면 계산할 수 없다.

동류항 계산: 동류항끼리 모은 다음 분배법칙을 이용하여 간단히 계산한다.

예) $5x-2+3x+9$
$=5x+3x-2+9$
$=(5+3)x+(-2+9)$
$=8x+7$

동류항 = 두 개 이상의 단항식 중 계수는 다르더라도 차수가 같은 항
ex) $2x$와 $3x$는 동류항

성질 = 동류항 끼리는. 계산할 수 있다

동류항이란 문자와 차수가 각각 같은 항이다.
문자식을 풀 때 동류항끼리 모아 계산하며,
상수항은 모두 서로가 동류항이다.

교환법칙의 뜻: 수의 순서를 바꿔도 값은 바뀌지 않는다
↳ 뺄셈과 나눗셈에선 쓰일 수 없지만 덧셈과 곱셈에선 사용할 수 있다.
결합법칙의 뜻: 어느 두 수를 계산하고 나머지 수를 계산해도 그 값은 같다.
↳
분배법칙: $a(b+c) = ab+ac$

(2)

각 개념의 뜻과 동류항의 연결성

- 동류항 계산을 예를 들면, $2x+3x$를 간단히 할 때 분배법칙을 이용한다. $2x+3x=(2+3)x=5x$와 같이 계산한다는 것이다. 초등의 곱셈 개념으로 연결하면 $2x$는 x를 2개 더한 것이고, $3x$는 x를 3개 더한 것이므로 $2x+3x$는 x를 5개 더한 것이다. 이것을 $5x$라 표현할 수 있다. 그런데 계수가 음수이면 개수로 더할 수 없고 이때는 분배법칙이 필요하다.
- 동류항 정리를 할 때 덧셈에 대한 곱셈의 분배법칙을 사용하는 것은 결국 곱셈을 하는 것이므로 초등에서 나온 곱셈의 개념이 동류항 정리에 이용된다.
- 자연수의 덧셈, 예를 들어 $24+35$를 계산할 때 십의 자리끼리 계산하면 $20+30=50$. 일의 자리까지 계산하면 $4+5=9$이므로 $24+35=50+9=59$로 계산할 수 있다. 같은 자리끼리 더하는 것은 동류항끼리 더하는 것과 같다.

학생 답안

동류항과 연결된 개념

혼합계산과 분배법칙 혼합 = 2+(3×4) = 괄호 선 계산 분배 = 2×(3×4) = (2×3)	2x+2를 더할 수 없는 것이 동류항이 아니어서인데, 2x+2는 2×x+2인데, 식에서 곱하기를 먼저 해야 하므로 2x와 2를 더할 수 없다.
수와 동류항의 공통점으로 여러 가지의 수, 동류항을 사칙연산을 이용하여 하나의 수, 동류항을 만들 수 있다.	계수 → 문자의 차수와 같은 개념. ↓ 2^(2) ← 지수. 다항식 → ~~[illegible]~~ 항이 여러 개인 식

수학 학습원리 완성하기 예상 답안

교과서(상) 114~115쪽

학생 답안 1

내가 선택한 탐구 과제

Q1.

$a \div 3$을 간단히 하려면, $\frac{a}{3}$로 나타내야 하는데, $\frac{1}{3}a$로 하면 안되나요?

나의 깨달음

나는 $a \div 3$를 간단히 하려면 $\frac{a}{3}$로 나타낸다고 주로 생각했고, 그렇게 외워왔다. 그러나 "Q1"를 알게 되면서 $\frac{1}{3}a$도 $\frac{a}{3}$가 될 수 있다는 것을 더 잘 알게 되었다.

그리고 그런 내용을 가진 문제를 더 풀어보았다.

수학 학습원리

1. 끈기있는 태도 기르기.

학생 답안 2

내가 선택한 탐구 과제

동류항.)

나의 깨달음

처음엔 동류항이 무엇인지 몰랐지만, 하다보니 쉽다는걸 알게 되었다.

$7x$ 와 $5x$는 동류항이지만 $7x$ 와 $5x^2$ 또는 $7x$ 와 $5y$는 동류항이 아니다. 동류항은 문자와 차수가 같은 항이기에, 그렇다.

상수항 즉 숫자로만 이루어진 항은 무조건 상수항이다

또한 동류항끼리는 더하거나 뺄 수 있다.

수학 학습원리

4. 수학적 의사소통력 기르기

STAGE 4

x를 구해 보자
– 방정식

이 단원의 핵심 지도 방향

이 단원에서는 문자식에서 '등호'의 의미를 '계산한 결과'라고 인식하는 것을 극복하도록 안내해야 합니다. 문자식에서는 식을 계산하는 과정이라고 보는 것이 아니라 좌변과 우변이 '같다'는 관점으로 볼 수 있도록 합니다. 그리고 식을 보는 이런 관점은 문제 상황을 식으로 표현하기만 하면 등식의 성질을 이용해서 기계적으로 해를 구할 수 있다는 해법이 주는 편리함을 아이들이 깨달을 수 있도록 합니다.

1 모든 문제는 풀린다

단원 지도 계획

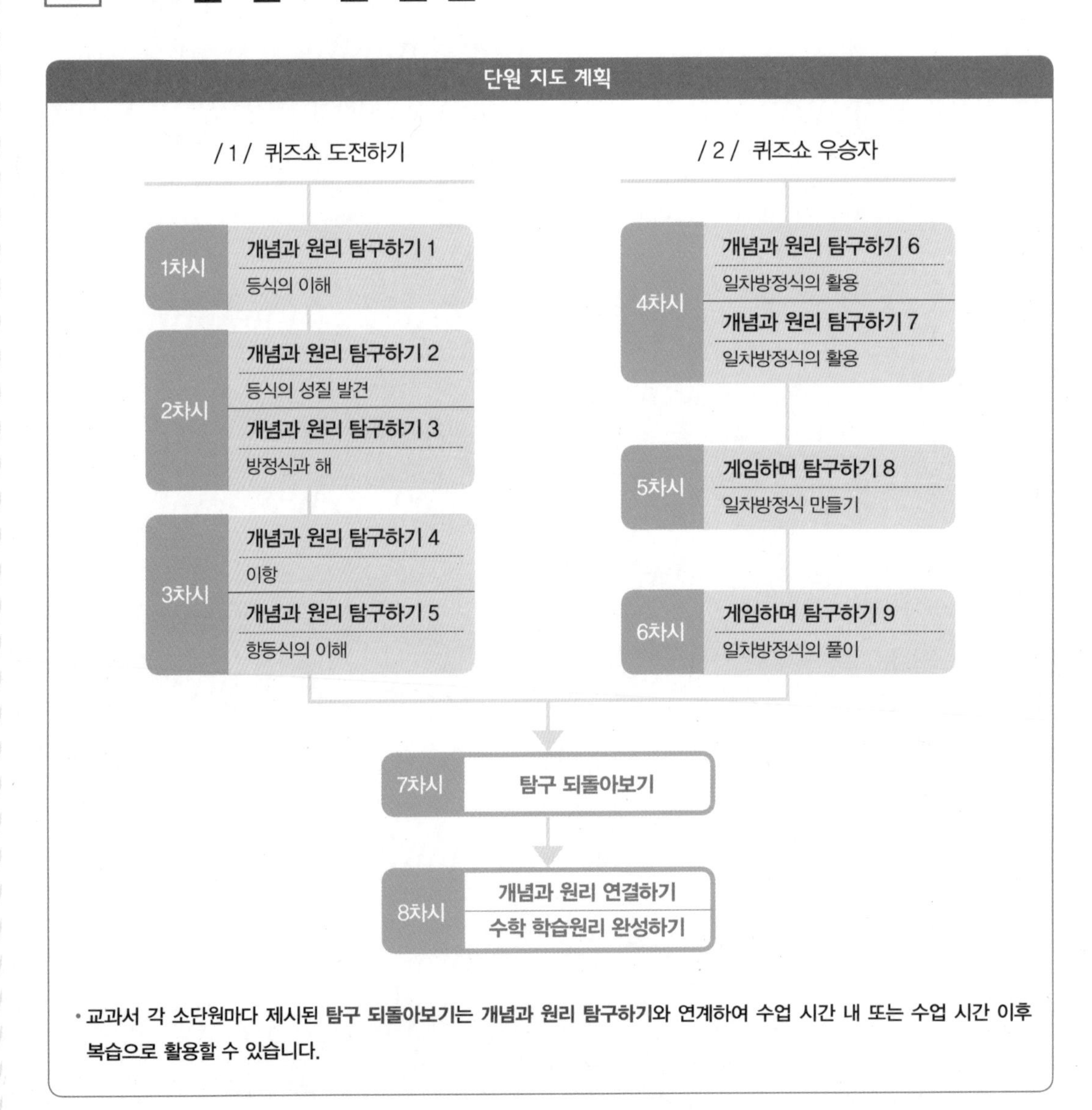

• 교과서 각 소단원마다 제시된 탐구 되돌아보기는 개념과 원리 탐구하기와 연계하여 수업 시간 내 또는 수업 시간 이후 복습으로 활용할 수 있습니다.

/1/ 퀴즈쇼 도전하기

학습목표

1 여러 가지 상황에서 등식, 방정식, 항등식을 세우고 그 뜻을 말할 수 있다.
2 등식의 성질을 스스로 발견하고, 그 성질이 성립함을 말할 수 있다.
3 등식의 성질을 활용하여 방정식의 해를 구할 수 있고, 그 해의 의미를 이해한다.

2015 개정 교육과정 성취기준

방정식과 그 해의 의미를 알고, 등식의 성질을 이해한다.

핵심발문

방정식에서 해를 구했을 때, 그 해의 의미는 무엇인가?

개념과 원리 탐구하기 1 _ 등식의 이해

교과서(상) 119쪽

탐구 활동 의도

- STAGE 3에서 다룬 텃밭의 테두리의 벽돌의 개수를 구하는 활동을 확장한 것이다.
- [1]은 주어진 상황을 문자를 사용한 식으로 나타내고, 등식이 필요한 상황에서 등식을 만들어 보는 활동이다. 여기서는 꼭 해를 구하지 않아도 된다.
  [2]는 두 식 사이의 관계를 표현하는 과정에서 등호를 사용하는 등식을 이해하고 x의 값을 구하는 일반적인 방법을 발견하는 활동이다.
- 초등학교에서는 등호를 '답' 또는 '계산한 결과'로 인식하는 경향이 있다. 중학교에서는 문자를 사용한 식에서의 등호가 두 양 사이의 동치 관계를 나타냄을 이해해야 한다.
- 기계적으로 등호가 들어간 식으로 등식을 배우는 것이 아니다. 문자를 사용한 식에서 등식의 개념과 더불어 '등식이 성립한다.'는 말의 의미를 이해하는 것이 목표다.

예상 답안

[1] 정사각형 모양의 한 변에 놓인 벽돌의 개수를 x라고 하면 네 변에 놓인 벽돌의 개수는 $4\times x$다.
겹쳐지는 부분 4개를 빼면 정사각형 모양의 테두리에 놓인 벽돌의 개수는
$4\times x-4=4x-4$
식으로 나타내지 못했더라도 여러 가지 방법으로 한 변에 50개씩 놓으면 성립한다는 것을 알아낼 수 있다. 따라서 전체 벽돌의 개수가 196이므로 $4x-4=196$과 같이 나타낼 수 있다.

[2] 성훈이의 풀이는 x에 1부터 적당한 여러 가지 수를 대입하여 얻은 식의 값이 20이 되는 x의 경우를 찾은 것이다. 즉, $4x-4$의 x에 수를 대입한 값이 20과 같아지는 x를 찾는다. x가 6일 때, 좌변의

$4x-4$의 값이 우변의 20과 같아지므로 $x=6$이다. 따라서 테두리의 한 변에 놓인 벽돌의 개수는 6이다.

윤혜의 풀이는 $4x$에서 4를 뺀 결과가 20이므로 양변에 4를 더하면 $4x=24$가 된다. 등식은 양변의 값이 같다는 뜻이므로 양변에 4를 더해도 등식은 성립한다. 같은 원리로 양변을 4로 나누면 $x=6$이 되므로 테두리에 놓인 전체 벽돌의 개수가 20일 때, 한 변에 놓인 벽돌의 개수는 6임을 구한 것이다. 즉, 윤혜의 방법은 등식의 x에 수를 하나하나 대입하지 않고 x의 값을 알아낼 수 있는 방법이다.

수업 노하우

- 이후 배울 방정식의 풀이에서 등호에 대한 관계적 이해는 상당히 중요하며 방정식을 풀 때 실행되는 변환이 동치관계를 유지시킨다는 것을 이해하는 데 반드시 필요하다. 다음과 같은 질문을 할 수도 있다.

> 다음 두 식에서 x는 같은 수인가요? 그렇게 생각한 이유를 말해 보세요.
> $2x+15=31$
> $2x+15-7=31-7$

- 초등수학에서 '거꾸로 풀기'를 통해 미지수의 값을 구하는 방법이 등식의 성질을 이용한 것과 같음을 학생들 스스로 발견할 수 있도록 하는 교사의 배려가 필요하다.

개념과 원리 탐구하기 2 _ 등식의 성질 발견

교과서(상) 121쪽

탐구 활동 의도

- 방정식의 풀이 과정을 통해 일반적인 등식의 성질을 스스로 발견하는 활동이다.
- 방정식을 풀 때 실행되는 변환이 동치 관계를 유지시킨다는 것을 이해하도록 하는 것이 중요하다. 방정식의 해의 뜻을 이해하고, 이를 구하기 위해 등식의 성질이 이용된다는 것을 확실히 하는 활동이다.
- 방정식에서 해를 찾는 것은 등식을 성립하게 하는 x의 값을 구하는 것이다. 이를 위해 [1]에서는 주어진 풀이 과정을 분석하여 해법을 발견하게 한다. [2]는 이 해법의 원리를 수학적 용어로 표현하게 함으로써 이를 통해 방정식의 해를 구하는 의미와 원리에 집중하고자 하였다.

예상 답안

[1] (1)

$$-7x-5=10$$
$$-7x-5+5=10+5$$

양변에 똑같이 5를 더했다.
또는 $-7x-5-(-5)=10-(-5)$로 생각하면 양변에서 똑같이 -5를 뺐다고도 볼 수 있다.

$$-7x=15$$
$$-7x\div(-7)=15\div(-7)$$
$$x=-\frac{15}{7}$$

양변을 똑같이 -7로 나누었다.
또는 양변에 똑같이 $-\frac{1}{7}$을 곱했다고도 할 수 있다.

(2)

$$\frac{1}{2}x+3=1$$

$$\frac{1}{2}x+3-3=1-3$$

양변에서 똑같이 3을 뺐다.
또는 $\frac{1}{2}x+3+(-3)=1+(-3)$으로 생각하면
양변에 똑같이 -3을 더했다고도 볼 수 있다.

$$\frac{1}{2}x=-2$$

$$\frac{1}{2}x\times 2=-2\times 2$$

양변에 똑같이 2를 곱했다.
또는 양변을 똑같이 $\frac{1}{2}$로 나누었다고도 할 수 있다.

$$x=-4$$

2 등식의 성질

① 등식의 양변에 같은 수를 더하여도 등식은 성립한다.
$a=b$이면 $a+c=b+c$

② 등식의 양변에서 같은 수를 빼도 등식은 성립한다.
$a=b$이면 $a-c=b-c$

③ 등식의 양변에 같은 수를 곱하여도 등식은 성립한다.
$a=b$이면 $ac=bc$

④ 등식의 양변을 0이 아닌 같은 수로 나누어도 등식은 성립한다.
$a=b$이면 $a\div c=b\div c$ (단, $c\neq 0$)

수업 노하우

- x의 값을 구하는 가장 합리적인 방법을 알아내기 위해 계산 과정에서 사용한 방법을 기록하도록 함으로써 등식의 성질을 자연스럽게 익히도록 지도한다.
- 학생들이 각자 정리한 등식의 성질을 확인하는 과정에서 불필요하거나 겹치는 부분을 토론을 통해 정리하여 최종적인 등식의 성질을 이끌어 낸다.

참고 등식의 성질은 다른 성질과 달리 어떤 정의나 다른 명제로부터 유도되는 것이 아니라 유클리드의 공리에 해당하는 것이다. 그러므로 그 자체를 이해시키는 과정을 생략하였다.
유클리드의 다섯 가지 공리 중 2와 3이 등식의 성질에 관한 것이다.
유클리드의 공리 2. 같은 것에 어떤 같은 것을 더하면 그 전체는 서로 같다.
유클리드의 공리 3. 같은 것에서 어떤 같은 것을 빼면 나머지는 서로 같다.

개념과 원리 탐구하기 3 _ 방정식과 해

교과서(상) 123쪽

탐구 활동 의도

- 앞에서 등식을 만족하는 x의 값을 구하는 활동은 방정식과 그 해의 뜻을 연결하는 활동이다.
- 방정식을 푸는 과정에서 **탐구하기 2**에서 정리한 등식의 성질이 중요하게 사용됨을 알게 한다.

예상 답안

1

$4x-4=132$

$4x-4+4=132+4$

양변에 같은 수 4를 더한다. 또는 양변에서 같은 수 -4를 뺀다.

$4x=136$

$4x\div 4=136\div 4$

양변을 같은 수 4로 나눈다. 또는 양변에 같은 수 $\frac{1}{4}$을 곱한다.

$x=34$

2 다음과 같이 만들고 풀 수 있다.

방정식 1	방정식 2
$3x-5=10$	$\frac{2}{5}x+1=7$
$3x-5+5=10+5$	$\frac{2}{5}x+1-1=7-1$
$3x=15$	$\frac{2}{5}x=6$
$3x\div 3=15\div 3$	$\frac{2}{5}x\times\frac{5}{2}=6\times\frac{5}{2}$
$x=5$	$x=15$

수업 노하우

- 문자식에서는 수를 계산할 때와 달리 양변이 같다는 등호의 의미가 중요해진다.
  그래서 **탐구하기 1, 2, 3**은 방정식이라는 용어를 도입하지 않고 등식을 성립하게 하는 x의 값을 구하는 활동에 초점을 맞추었다.
- 여기서는 그 활동이 방정식을 푸는 과정임을 연결하게 하여 방정식을 기계적으로 풀지 않도록 구성한 것이다. 앞에서 등식이 성립하게 하는 x의 값을 구하는 활동을 충분히 하는 것이 중요하며, 식을 푸는 과정을 수학적인 용어와 정리로 연결하여 표현하도록 지도한다.
- 1의 방정식의 풀이 방법으로 '등식의 성질'을 제시한 것은 '이항'을 강조하지 않는 의도보다 더 강력하게 '등식의 성질'의 이용을 강조하는 것이다. 그렇더라도 이항을 사용하는 것을 거부할 필요는 없다.

개념과 원리 탐구하기 4 _ 이항

교과서(상) 124쪽

탐구 활동 의도

- 이항은 항을 기계적으로 옮기는 것이 아니라 양변에 더하고 빼는 중간 과정을 생략하고 결과만 생각한 것으로, 이항이 등식의 성질에 따라 이루어짐을 충분히 연결지을 수 있도록 하는 활동이다.

예상 답안

1 $3x=\frac{3}{4}$에서 양변을 3으로 나누는 것은 이항이 아닌데 이것을 이항이라고 착각해서 부호를 바꾸어 -3으로 나누고 있다. 상진이는 이항의 개념을 바르게 이해했다고 볼 수 없다.

2 양변에 같은 수를 더하거나 양변에서 같은 수를 빼는 등식의 성질을 이용한 결과가 이항이라고 할 수 있다. 이항을 사용하면 등식의 성질을 사용하는 것보다 계산 과정이 한 단계 줄어드는 정도의 효과가 있다.

수업 노하우

- 상수항뿐만 아니라 미지수를 포함하는 항도 이항할 수 있음을 논의할 수 있다.
- $ax=b$를 $x=\frac{b}{a}$로 바꾸는 것이 이항이 아니라는 것을 논의할 수 있다.
- 학생들 중 상진이와 같이 곱셈과 나눗셈에 대해서도 이항이라고 생각하는 오류를 범하는 경우를 종종 발견할 수 있다. 이는 이항이 등식의 성질로부터 유도되는 과정이라는 것을 개념적으로 이해하지 못하고 '다른 쪽을 넘어가면서 부호를 바꾸는 작업'으로 그 절차만 학습한 결과다.
- 어떤 수학적 절차나 공식을 사용하는 것은 그 이용 가치가 크기 때문이다. 그런데 이항은 그 근본 원리인 등식의 성질과 큰 차이가 없기 때문에 오개념 유발을 피하기 위해서는 그 사용을 강조하는 것에 대한 고민이 필요하다.

개념과 원리 탐구하기 5 _ 항등식의 이해

교과서(상) 125쪽

탐구 활동 의도

- 항등식의 뜻을 알고 일상적인 대화 속에 숨어있는 항등식을 찾아보는 활동이다.
- 같은 상황에서 식에 변화를 주었을 때 만들어진 식이 항등식인지 방정식인지 판별하고, 항등식과 방정식의 공통점과 차이점을 학생들 스스로 알게 한다.

예상 답안

1

나의 선택	이유
○	예를 들어서 호준이 몸무게가 40 kg이면 아버지 몸무게는 80 kg이다. 몸무게 차이는 $80-40=40$이므로 호준이 몸무게와 같으므로 ○다.
○	아버지 몸무게가 호준이의 2배라는 것은 호준이 몸무게를 두 번 더하면 아버지 몸무게라는 뜻이다. (아버지)−(호준이)=(호준이)+(호준이)−(호준이)=(호준이) 따라서 정답은 ○다.

2

(1) 호준이의 몸무게를 x kg이라고 하면 아버지의 몸무게는 호준이 몸무게의 2배이므로 $2x$가 되고, 아버지의 몸무게 $2x$와 호준이의 몸무게 x의 차이는 호준이의 몸무게 x와 같으므로 등식 $2x-x=x$가 만들어진다. 이 등식은 x가 어떤 값을 갖더라도 항상 참이 되므로 항등식이다.

(2) 호준이의 몸무게를 $x$kg이라고 하면 아버지의 몸무게는 호준이의 몸무게의 3배이므로 $3x$가 되고, 아버지의 몸무게 $3x$와 호준이의 몸무게 x의 차이는 $3x-x$다.
이것이 호준이의 몸무게와 같다면 등식 $3x-x=x$가 만들어진다. $x=1$일 때 이 등식의 좌변은 $3-1=2$이고 우변은 1이므로 참이 아니다. 따라서 등식 $3x-x=x$는 항등식이 아니다.

수업 노하우

- 항등식을 탐구하는 활동으로 직관적으로 ○, ×를 선택한 학생들도 있고 식을 사용하는 학생들도 있을 것이다. 여러 가지 의견을 충분히 듣고 호준이의 몸무게를 x라는 문자를 사용한 식으로 나타내 보도록 지도한다.
- 말이나 문장으로 설명하는 것보다 문자를 사용하여 식으로 나타내는 것이 더 간단하고 명확함을 이해하게 한다.

/2/ 퀴즈쇼 우승자

학습목표

1 등식의 성질을 활용하여 방정식의 해를 구하고, 그 해의 의미를 이해한다.
2 일차방정식을 여러 가지 방법으로 풀 수 있고 각 방법의 장단점을 설명할 수 있다.
3 일차방정식을 활용하여 실생활 문제를 해결할 수 있으며, 자신들이 해결한 결과가 문제 상황에 맞는지 검증할 수 있다.

2015 개정 교육과정 성취기준

1 방정식과 그 해의 의미를 알고, 등식의 성질을 이해한다.
2 일차방정식을 풀 수 있고, 이를 활용하여 문제를 해결할 수 있다.

핵심발문

모든 일차방정식의 해를 구할 수 있는 방법은 존재할까?

개념과 원리 탐구하기 6 _ 일차방정식의 활용

교과서(상) 126쪽

탐구 활동 의도

- 주어진 상황을 이해하여 알고자 하는 수를 미지수로 놓아 일차방정식을 만들고 등식의 성질을 이용하여 해결하는 활동이다.

예상 답안

1
- 키가 180 cm인 남자의 정강이뼈의 길이를 x cm라고 하면 $180-72=2.5x$가 성립하므로 방정식 $2.5x=108$에서 양변을 2.5로 나누면 $x=43.2$다.
  따라서 사진 ②가 키가 180 cm인 남자의 정강이뼈에 가깝다.
  이때 키 180 cm에서 72 cm를 빼면 108 cm다. 44 cm $\times$ 2.5 $=$ 110 cm이므로 비슷함을 알 수 있다.
- 식을 세우지 않고 거꾸로 풀기로 해결할 수도 있다.
  ① $40\times2.5+72=172$ ② $44\times2.5+72=182$ ③ $50\times2.5+72=197$
  이므로 ②가 가장 가깝다.

2
방정식 $2.5x=108$의 우변을 0으로 만들면 $2.5x-108=0$이다.
이때 $2.5x-108$이 일차식이므로 이 방정식은 일차방정식이다.

수업 노하우

- [1]의 풀이 과정을 공유하고 발표하는 단계에서 소그룹 활동을 시작하여 [2]를 자연스럽게 연결하여 일차 방정식을 정의한다.
- 방정식을 세우지 않고 문제를 해결하는 학생도 있으므로 문제 해결을 마친 후에는 반드시 별도의 시간을 마련하여 서로의 풀이를 비교해 보게 한다.

개념과 원리 탐구하기 7 _ 일차방정식의 활용

교과서(상) 127쪽

탐구 활동 의도

- 다양한 상황 속에서 일차방정식을 만들어 내고, 일차방정식을 풀어 문제를 해결하는 활동이다.

예상 답안

구입한 과자와 음료수의 가격은 봄이 어머니가 편의점에서 지불한 가격 11,100원과 같기 때문에 다음과 같이 식을 세워 풀 수 있다. 과자 1개의 가격을 x원이라 하면 과자 1개보다 음료수 1개의 가격이 400원 더 싸므로 음료수 1개의 가격은 $x-400$이라 할 수 있다.

음료수 6개와 과자 3개의 가격이 11,100원이므로

$6(x-400)+3x=11100$

$6x-2400+3x=11100$

$6x+3x-2400+2400=11000+2400$

$9x=13500$

$x=1500$

[확인] 과자 1개가 1,500원이면 음료수 1개는 1,100원이므로 음료수 6개와 과자 3개의 가격은

$6\times1100+3\times1500=6600+4500=11100$(원)

다음 학생은 음료수 1개의 가격을 x로 놓고 문제를 해결한 과정이다.

11100
6x+3(x+400)=11100
6x+3x+1200=11100
9x=9900
x=1100

수업 노하우

- 주어진 상황이 일차방정식을 배운 후 바로 해결하기에는 좀 어려울 수 있는 활동이다. 아직 미숙한 학생들에게는 보다 간단한 문제를 제공하여 개별 활동을 통해 일차방정식을 해결하는 연습을 할 수 있는 시간을 줄 필요가 있다.

개념과 원리 탐구하기 8 _ 일차방정식 만들기

교과서(상) 128쪽

탐구 활동 의도

- 학생들이 직접 다양한 일차방정식을 만들고 이를 해결하는 활동이다.
- 문제를 만드는 과제는 학생들의 창의성과 의사소통 및 추론 역량을 키우는 데에 도움이 된다. 이 활동에서 식의 형태는 자유롭게 정하되 반드시 갖추어야 할 조건을 제시함으로써 학생들 입장에서는 지금까지 배운 내용을 가능한 모두 활용하는 기회를 얻게 된다.

예상 답안

다양한 문제를 만들 수 있다. 만약 해가 5라면 다음과 같이 만들 수 있다.

문제	일차방정식 및 풀이	해
(1)	$7(x-2)+3=24$, $7x-14+3=24$, $7x=35$, $x=5$	5
(2)	$\frac{x+4}{3}+7=x+5$, $x+4+21=3x+15$, $-2x=-10$, $x=5$	
(3)	$10-0.2x=1.3x+2.5$, $100-2x=13x+25$, $-15x=-75$, $x=5$	
(4)	$4x-12=8$, $4x=20$, $x=5$	

이때 무턱대고 방정식을 만드는 것보다 주어진 해에서 시작하여 거꾸로 방정식을 만들어나가는 방법을 사용하게 해 본다. 예를 들어 $x=5$에서 시작하여 $4x=20 \rightarrow 4x-12=20-12 \rightarrow 4x-12=8$과 같이 등식의 성질을 이용하여 만들 수 있다.

수업 노하우

- 학생들은 직접 여러 가지 문제를 만들어 낼 수 있으나 문제의 의도와 다르게 일차방정식이 아닌 식이 만들어지는 문제를 만든다거나, 경우에 따라서는 해가 존재하지 않는 문제를 만들 수도 있다. 이 시행 착오 과정을 통해 학생들은 수학적 구조를 간접적으로 경험할 수 있고 모둠별 활동을 통해 오류를 수정하는 과정 속에서 일차방정식을 해결하는 능력을 키울 수 있다. 교사는 학생들의 시행착오 과정을 일일이 지적하여 바로 잡아주기 보다 학생들이 문제의 오류를 스스로 찾고 해결할 수 있도록 인내심을 갖고 지켜봐 주는 자세가 필요하다.

게임하며 탐구하기 9 _ 일차방정식의 풀이

교과서(상) 130쪽

탐구 활동 의도

- 일차방정식의 풀이를 다양하게 연습하는 것이 목표인 게임이다.

예상 답안

방정식 카드

$x+4=7$

풀이 과정

$x+4-4=7-4$

$x=3$

해 3

$\frac{2}{5}x-3=1$

풀이 과정

$\frac{2}{5}x-3+3=1+3$

$\frac{2}{5}x=4$

$\frac{2}{5}x\times\frac{5}{2}=4\times\frac{5}{2}$

$x=10$

해 10

$11-3x=-7$

풀이 과정

$11-3x-11=-7-11$

$-3x=-18$

$-3x\div(-3)=-18\div(-3)$

$x=6$

해 6

$2x+2=x+7$

풀이 과정

$2x-x=7-2$

$x=5$

해 5

$1-\frac{1}{2}x=2$

풀이 과정

$1-\frac{1}{2}x-1=2-1$

$-\frac{1}{2}x=1$

$-\frac{1}{2}x\times(-2)=1\times(-2)$

$x=-2$

해 -2

$x+3=2x-4$

풀이 과정

$x-2x=-4-3$

$-x=-7$

$-x\div(-1)=-7\div(-1)$

$x=7$

해 7

방정식 카드

$2x-5=3$

풀이 과정

$2x-5+5=3+5$

$2x=8$

$2x\div2=8\div2$

$x=4$

해 4

$0.2(x-3)=1$

풀이 과정

$0.2(x-3)\times10=1\times10$

$2x-6=10$

$2x-6+6=10+6$

$2x=16$

$2x\times\frac{1}{2}=16\times\frac{1}{2}$

$x=8$

해 8

$2x-3=4x-17$

풀이 과정

$2x-4x=-17+3$

$-2x=-14$

$-2x\div(-2)=-14\div(-2)$

$x=7$

해 7

$2(3x-10)=34$

풀이 과정

$6x-20=34$

$6x-20+20=34+20$

$6x=54$

$6x\times\frac{1}{6}=54\times\frac{1}{6}$

$x=9$

해 9

$\frac{x-2}{3}=1$

풀이 과정

$\frac{x-2}{3}\times3=1\times3$

$x-2=3$

$x-2+2=3+2$

$x=5$

해 5

$11-3x=-4$

풀이 과정

$11-3x-11=-4-11$

$-3x=-15$

$-3x\div(-3)=-15\div(-3)$

$x=5$

해 5

$3-4x=-13$

풀이 과정

$3-4x-3=-13-3$

$-4x=-16$

$-4x\div(-4)=-16\div(-4)$

$x=4$

해 4

$\frac{x+4}{3}=1$

풀이 과정

$\frac{x+4}{3}\times3=1\times3$

$x+4=3$

$x+4-4=3-4$

$x=-1$

해 -1

방정식 카드

$3-\frac{1}{2}x=1$	$1+0.5x=3$
풀이 과정	풀이 과정
$3-\frac{1}{2}x-3=1-3$	$1+0.5x-1=3-1$
$-\frac{1}{2}x=-2$	$0.5x=2$
$-\frac{1}{2}x\times(-2)=-2\times(-2)$	$0.5x\times2=2\times2$
$x=4$	$x=4$
해 4	해 4

수업 노하우

- 게임을 이용한 단원 마무리 활동을 할 때에는 게임의 규칙을 학생들에게 분명하게 제시하고 동의를 얻는 과정이 꼭 필요하다. 학생들은 개인별 또는 모둠별로 나름의 승부욕이 강하기 때문에 규칙을 정하는 과정에서 규칙의 중요성을 알게 되며, 공정한 게임이 이루어지도록 수학적 의사소통과 자연스러운 논리적인 토론이 이루어질 수 있는 분위기를 조성한다. 특히 모둠별로 경쟁을 할 때에 모둠 내 구성원이 모두 참여해야만 결과를 인정하는 규칙을 만들어 수업에서 소외되는 학생이 없도록 배려해야 한다.
- 음수가 해인 경우는 뒤로 후퇴하는 규칙을 만들 수도 있다.

탐구 되돌아보기 예상 답안

교과서(상) 133~137쪽

1 개념과 원리 탐구하기 1

(1) $5+3=8$, $7x-5=16$과 같이 등호는 주어진 또는 만들어진 두 개의 식이나 수가 서로 같을 때 사용하는 기호다. 즉, 등호를 중심으로 오른쪽과 왼쪽에 주어진 식이나 수는 서로 같다.

(2) ① $x-2=3x$ ➡ 등식

② $\frac{1}{2}ah\,\text{cm}^2$

③ $2744=x+794$ ➡ 등식

④ $\frac{x}{50}=3$ ➡ 등식

⑤ $5000n$원

⑥ $(3x+2y)$점

②, ⑤, ⑥은 등호가 없으므로 등식이 아니다.

2 개념과 원리 탐구하기 2, 3, 4

(1) 상진이는 식을 간단히 정리하는 것과 방정식을 푸는 것을 혼동했다. 계산 결과로 나온 $-x+8$에서 계산을 멈추지 않고 마지막 줄에 '$=0$'을 붙여서 방정식으로 만들어 해를 구한 것은 이 문제의 의도가 아니다.

(2) 등식은 좌변과 우변이 같다는 것을 나타낸다. 등식의 성질을 사용하여 식을 변형하면 그 등식은 처음 등식과 같은 것이 아니므로 풀이의 두 번째 줄부터 맨 앞에 나오는 등호는 쓰지 않아야 한다.

3 개념과 원리 탐구하기 2, 3, 4

(1) 등식의 양변에 1을 더하여 문제를 해결해야 하므로, 두 번째 줄의 우변에 $+1$이 되어야 한다.

$2x-1=3$

$2x=3+1$

$2x=4$

$2x\div2=4\div2$

$x=2$

(2) 등식의 양변에 10을 곱했으므로 두 번째 줄이 $5x-11=30$이 되어야 한다.

$0.5x-1.1=3$

$5x-11=30$

$5x=30+11$

$5x=41$

$5x\div5=41\div5$

$x=\frac{41}{5}$

(3) 등식의 양변에 6을 곱했으므로 두 번째 줄이 $3x-4=6$이 되어야 한다.

$\frac{1}{2}x-\frac{2}{3}=1$

$3x-4=6$

$3x=6+4$

$3x=10$

$3x\div3=10\div3$

$x=\frac{10}{3}$

4 개념과 원리 탐구하기 2, 3, 4

등식의 성질을 이용하여 일차방정식 문제를 해결한 결과로 나온 해 x의 값을 주어진 일차방정식에 다시 대입해서 등식이 성립하는지 확인해야 한다. 방정식의 해는 방정식이 참이 되게 하는 x의 값이기 때문이다.

예를 들어, **2**에서 숙영이가 방정식

$3(x+2)-2(2x-1)=7$

을 푼 결과 $x=1$이 나왔다면 이 $x=1$은 단순한 답의 의미보다는 이 값을 처음 방정식에 대입했을 때 양변의 값이 같아지는, 즉 등식이 성립하는 것을 의미한다.

실제로 $x=1$을 등식의 좌변에 대입하면

$3\times(1+2)-2\times(2\times1-1)=9-2=7$

이 되어 해임을 확인할 수 있다.

5 개념과 원리 탐구하기 6, 7

(1)

㉠ $\frac{x}{3}$	㉡ $\frac{x}{6}$	㉢ $\frac{x}{15}$	㉣ $\frac{x}{10}$	㉤ 5년	㉥ $\frac{x}{4}$

(2) 나는 생의 $\frac{1}{3}$ 동안 성장하면서 고등학교를 졸업했다.

그리고 그 후 생의 $\frac{1}{6}$ 동안 전문적인 공부를 하면서

드디어 인공지능 분야를 섭렵할 수 있었지.

세계적인 기업에 취업도 하고….

드디어 예쁜 그녀를 만나 생의 $\frac{1}{15}$ 동안 연애를 즐기다가 결혼에 골인, 이후 생의 $\frac{1}{10}$ 만에 예쁜 딸을 낳았고 5년 후에 사업을 시작했다.
사업은 날로 번창하여 마지막 생을 마감하는 날까지 지속되었는데 사업의 시기는 내 생의 $\frac{1}{4}$ 이었다.

(3) 나의 생애를 x(살)라고 하면

$\frac{1}{3}x+\frac{1}{6}x+\frac{1}{15}x+\frac{1}{10}x+5+\frac{1}{4}x=x$

양변에 60을 곱하면

$20x+10x+4x+6x+300+15x=60x$

에서 $5x=300$, $x=60$

(4) 60년 생에서 $\frac{1}{3}$ 인 20년 동안 성장하고 고교를 졸업하였다.

이후 $\frac{1}{6}$ 인 10년 동안 공부하여 30세에 취업하였다.

연애는 $\frac{1}{15}$ 인 4년 동안 하였고, 34세에 결혼하여 $\frac{1}{10}$ 인 6년 만에 딸을 낳은 나이는 40세였다.

5년 후인 45세에 사업을 시작하여 $\frac{1}{4}$ 인 15년 후에 생을 마감했으니 그때 나이가 60세였다.

(5)

[잘 만든 문제]

나이: 40살

내 생의 $\frac{1}{2}$ 까지 나는 열심히 공부하면서 성실하게 살았다. 이후 10년이라는 시간 동안은 내가 해 보고 싶은 모든 일을 다 경험하며 살다가 결혼을 했다. 결혼한 후 내 생의 $\frac{3}{20}$ 만에 세상에서 제일 예쁜 딸이 태어났다. 딸이 태어난 후 4년이 지난 오늘은 내 생일이다.

$\frac{1}{2}x+10+\frac{3}{20}x+4=x$

$x=40$

잘 만든 이유: 복잡한 분수를 사용하여 식을 잘 만들었고, 계산했을 때 40살이라는 답을 구할 수 있다.

[오류가 있는 문제]

나이 : 30살

내 생의 $\frac{1}{3}$ 까지 할머니와 같이 살다가 갑자기 할머니가 돌아가셔서 너무 슬펐다. 이후 내 생의 $\frac{1}{6}$ 이 지났을 때 동생이 태어나서 매우 즐거웠다. 동생이 태어난 후 지금까지가 내 생의 절반이다.

$\frac{1}{3}x+\frac{1}{6}x+\frac{1}{2}x=x$

오류: 항등식이 나오기 때문에 나이가 30살이라는 것을 알 수 없다는 오류가 있다.

수업 노하우

방정식 문제를 만드는 과정에서도 최소공배수가 어떤 역할을 하는지 관찰하게 해 보는 것도 복습의 의미가 될 수 있다. 또한, 생애 기간을 다른 수로 나누어떨어지지 않는 소수(素數)로 놓으면 문제가 잘 만들어지지 않음을 경험적으로 알게 하는 것이 더 바람직하다. 이 때 교사의 되돌리기 활동이 반드시 필요하다. 활동의 전반에는 자유롭게 문제를 구성하도록 하고, 방정식의 해를 구하기 어려운 경우에 그 이유를 피드백하여 오류가 생기는 이유를 점검해 본 후 다시 문제 만들기 활동을 진행하는 것도 고려할 수 있다.
학생들은 미래의 직업 속에서 생긴 문제를 해결하기 위해 방정식을 풀어야 하는 상황을 가정하여 스토리를 작성한다. 스토리 속에 자연스럽게 문제 상황이 드러나도록 하며, 문제의 형식으로 작성하지 않도록 지도한다.

6 내가 만드는 수학 이야기

학생 답안 1

제목 : 금연 포스터

학생 답안 2

다음과 같이 삼행시를 지은 경우도 있다.

제목 : 일차방정식

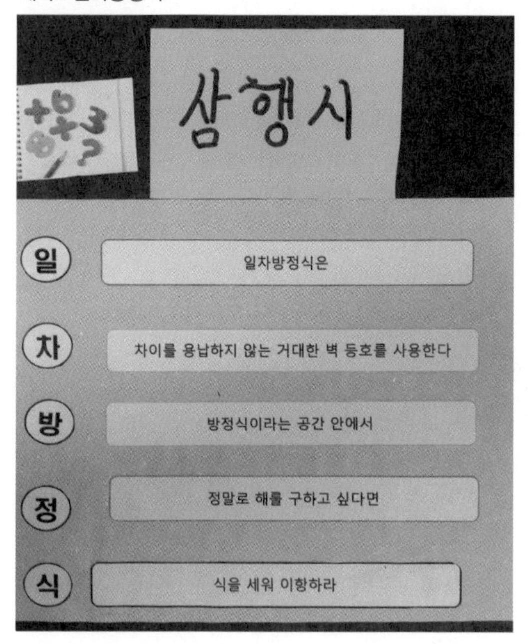

학생 답안 3

제목 : 학생 수와 텐트 수는?

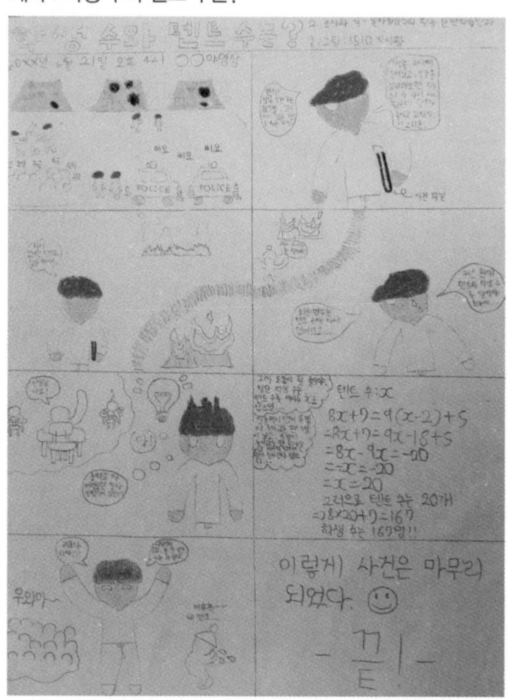

개념과 원리 연결하기 예상 답안

교과서(상) 138~139쪽

1

나의 첫 생각

식은 어떤 상황을 표현한 것이고, 등식은 그 상황이 또 다른 것과 같다는 것까지 표현한 것이다.

다른 친구들의 생각

등식은 등호를 사용하여 나타낸 식이고, 식은 등호가 없는 것이다.

정리된 나의 생각

등식은 항등식과 방정식으로 나뉘는데 항등식은 항상 성립하므로 등식이 성립하는 x의 값을 구하는 것은 방정식에서 하는 일이다. 그런데 그냥 식은 x의 값을 구하는 것을 요구하지 않으며 식을 간단히 정리하는 일만 하면 된다.

학생 답안

나의 첫 생각

식은 숫자와 기호, 문자 등을 사용하여 이들 사이의 관계를 나타낸 것이지만 등식은 등호(=)를 사용하여 두 수 또는 두 식이 같음을 나타낸 식으로 등식에는 좌변, 우변, 양변이 있다.

식은 문자나 수가 연산기호에 의해 나열된 것이고, 등식은 두 식을 등호(=)로 나타낸 것이기 때문에 등식은 식의 한 종류이다.

다른 친구들의 생각

식은 숫자와 기호, 문자 등을 사용하여 이들 사이의 관계를 나타낸 것이지만 등식은 등호(=)를 사용하여 두 수 또는 두 식이 같음을 나타낸 식으로 등식에는 좌변, 우변, 양변이 있다.

2 (1)

[방정식의 뜻] x의 값에 따라 참이 되기도 하고 거짓이 되기도 하는 등식을 x에 관한 방정식이라고 한다.

등식의 모든 항을 좌변으로 이항하여 정리하였을 때 (일차식)$=0$의 꼴로 나타낼 수 있는 등식을 일차방정식이라고 한다.

방정식의 풀이는 등식의 성질을 이용한다.

[등식의 성질]

- 등식의 양변에 같은 수를 더하거나 양변에서 같은 수를 빼도 등식은 성립한다.
- 등식의 양변에 같은 수를 곱하거나 양변을 0이 아닌 같은 수로 나누어도 등식은 성립한다.

학생 답안

x에 대한 방정식 : x의 값에 따라 참이 되기도 하고 거짓이 되기도 하는 등식을 x에 대한 방정식이라하며, 이 때 x를 미지수라 한다.

방정식의 해 또는 근 : 방정식을 참이 되게 하는 미지수의 값을 그 방정식의 해 또는 근이라하며 해 또는 근을 구하는 것을 방정식을 푼다고 한다.

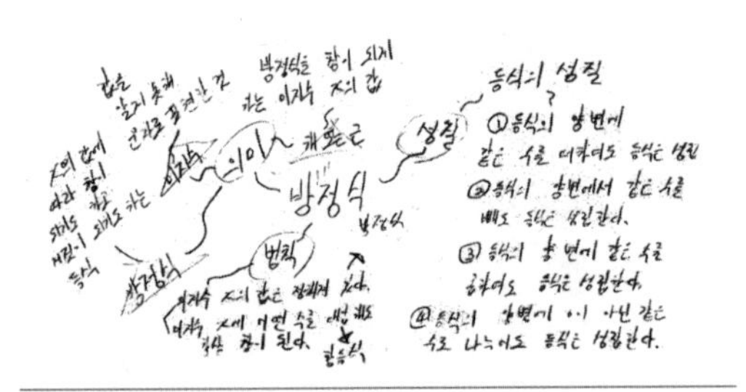

(2)

각 개념의 뜻과 방정식의 연결성

- 항등식은 항상 성립하는 등식이고 방정식은 특정한 x의 값에 대해서만 성립하는 등식이다.
- 등식은 항등식과 방정식이 있는데, 항등식은 항상 성립하는 등식이고 방정식은 특정한 x의 값에 대해서만 성립하는 등식이다.
- 항등식에서는 해를 구하는 일을 하지 않지만 방정식에서는 해를 구하는 일이 중요하다.
- 동류항은 문자의 종류와 차수가 같은 식을 말한다. 항이 여러 개인 일차방정식의 근을 구하려면 동류항 정리를 해야 한다.
- 비율이 같은 두 비를 등호로 연결한 식을 비례식이라 한다. 비례식의 성질. 즉 (외항의 곱) = (내항의 곱)을 이용하면 비례식은 방정식으로 바뀐다.

학생 답안

각 개념의 뜻과 방정식의 연결성

초등학교 때 x의 값을 구하는 것과 □, ○, ☆, △ 등을 구하는 것이 같고 x 같은 문자 대신 □, ○, ☆, △를 넣어 계산하는 식과 같다.

수학 학습원리 완성하기 예상 답안

교과서(상) 140~141쪽

학생 답안 1

내가 선택한 탐구 과제

탐구하기 6

나의 깨달음

탐구하기 6번을 풀 때 엄마와 동생의 대화를 읽고 과자 한 개의 가격이 얼마인지를 알려면 식을 어떻게 세워야 하는지 고민이 되었다. 평소에 글이 많은 문제는 잘 안 읽고 풀려고 하지 않는데, 이 문제는 모둠에서 친구들과 풀이과정을 비교하면서 잘 몰랐던 부분을 알 수 있었다. 나는 과자를 x로 두고 식을 세웠는데, 친구는 음료수가 더 써서 작은 것을 x로 두고 풀었다. 서로 식이 달라서 둘중에 한 명이 틀렸다고 생각했는데 결국에 과자 가격은 똑같은 답이 나와서 신기했다. 같은 문제도 여러 가지 식으로 풀 수 있다는 사실을 알게 되었다.

수학 학습원리

수학적 의사소통 능력 기르기

학생 답안 2

내가 선택한 탐구 과제

탐구하기 3

나의 깨달음

상진이가 $3x = \frac{3}{4}$ 에서 x값을 구할 때 x의 계수 3을 이항하면 나누기 -3이 된다고 쓴 풀이 과정에서 -3이 아니고 3으로 나누어야 하기 때문에 틀렸다고 생각했었다. 그런데 친구들과 함께 풀이 과정을 이야기 하면서 나누고 곱하는 것은 이항이 아니라는 사실을 처음 알았다.
x 앞에 있는 숫자를 없애기 위한 모든 풀이 과정은 다 이항이라고 그냥 단순하게 생각 했는데.
내 생각이 틀렸다는 걸을 알고 이항의 뜻을 다시 꼼꼼하게 읽어보았다. $3x$에서 3은 항이 아니라는 걸을 알고 수학에서 나오는 용어를 정확하게 알고 사용해야겠다고 생각했다. 이문제를 통해 항이 무엇이고 이항이 무엇인지 확실히 알게 되었다

수학 학습원리

1. 끈기 있는 태도 기르기

STAGE 5

변화를 나타내 보자

– 좌표평면과 그래프

이 단원의 핵심 지도 방향

학생들은 이미 초등학교 때부터 여러 과목에서 다양한 그래프로 나타난 자료를 직관적으로라도 해석해 본 경험이 있습니다. 그런데 수학 시간에는 이미 접한 그래프의 의미보다는 그래프를 함수식으로 나타내고, 식을 그래프로 나타내는 것에 집중했습니다. 이 단원에서는 '식 없이, 식을 사용하지 않고' 그래프 자체를 이해하고 해석하는 것, 그래프를 이해하고 경향성을 파악하는 것에 초점을 둡니다. 직관적으로만 해석하지 않고, 그래프 위의 한 점을 따로 떼서 그 점의 위치를 좌표로 인식하게 됩니다. 그래프라는 것을 대충 선으로 연결한 것이 아니라 의미를 가지는 점들의 모임으로 보는 눈을 갖게 될 것입니다.

1 변화를 나타내는 x와 y

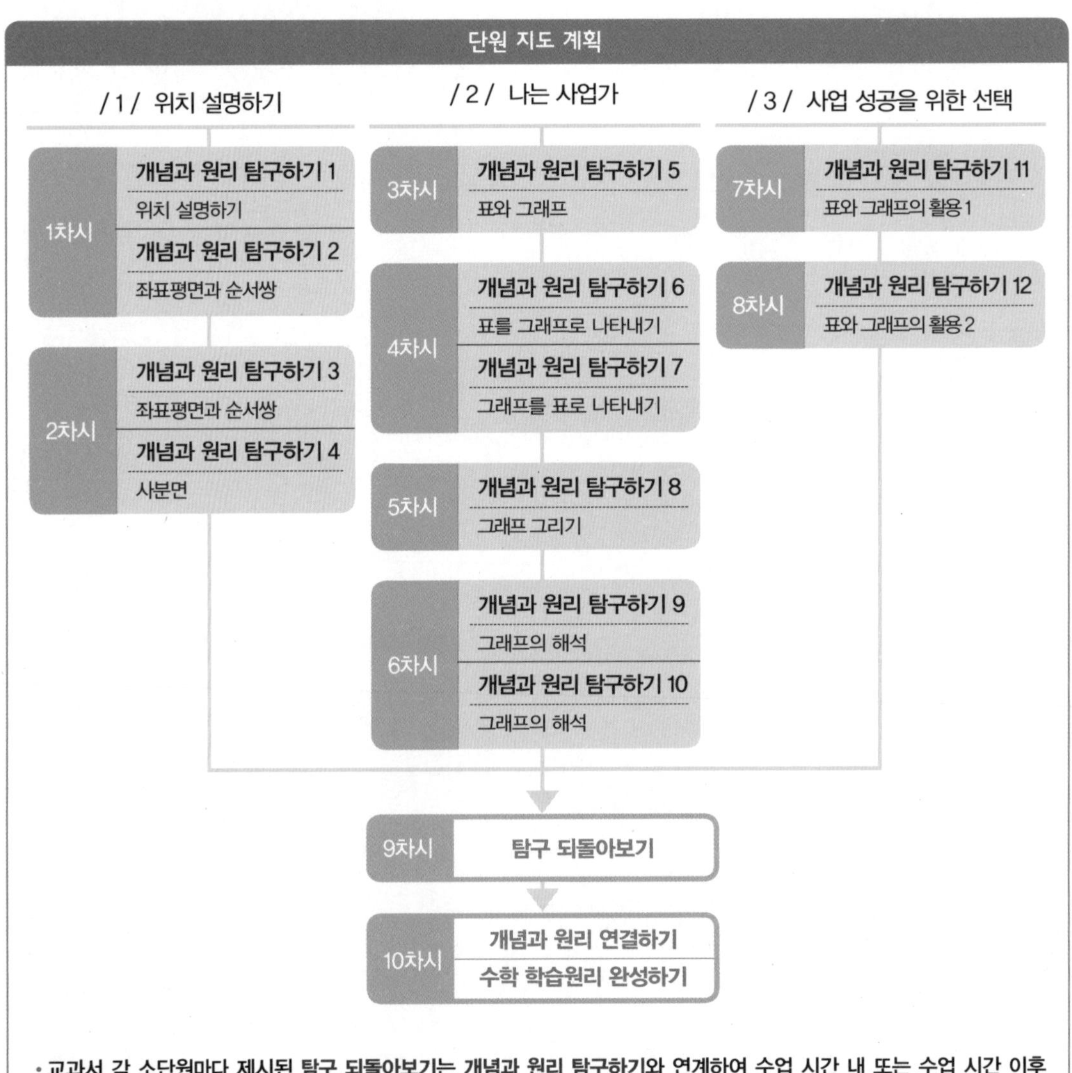

• 교과서 각 소단원마다 제시된 탐구 되돌아보기는 개념과 원리 탐구하기와 연계하여 수업 시간 내 또는 수업 시간 이후 복습으로 활용할 수 있습니다.

/1/ 위치 설명하기

학습목표

1 효과적으로 점의 위치를 의사소통할 수 있도록 표현하는 방법을 구안할 수 있다.

2 좌표의 필요성을 이해하고 직선이나 평면 위의 점의 위치를 좌표로 나타낼 수 있다.

2015 개정 교육과정 성취기준

순서쌍과 좌표를 이해한다.

핵심발문

평면 위의 어떤 점의 위치를 기호로 나타내는 방법은 무엇이 있을까?

개념과 원리 탐구하기 1 _ 위치 설명하기

교과서(상) 145쪽

탐구 활동 의도

- 이 활동에서 학생들은 특정한 장소의 위치와 이동 경로를 설명하게 된다. 같은 출발지와 도착지에 대해 다양한 방법으로 이동 경로를 설명할 수 있으나, 궁극적으로는 여러 가지 표현 방법 중에서 어떤 설명이 좀 더 이해하기 쉬운지 생각해 보게 하고 더 나아가 위치를 간편하고 일관되게 나타내는 방법의 필요성을 느끼게 하는 것이 목적이다.
- 또한 일상생활에서 위치를 나타내기 위해 사용하는 여러 가지 방법들을 생각해 보게 하고 이들의 편리성을 이야기해 보는 시간을 갖는 것도 필요하다.

1 답은 다양할 수 있다.

- 7번 게이트에서 2번 게이트 앞까지 간 다음 서점까지 이동하면 그 왼편에 편의점이 있다.
- 7번 게이트에서 희망은행 쪽으로 직진한 후 희망은행 앞에서 오른쪽으로 곧장 걸어가면 베이커리 다음에 편의점이 나온다.
- 7번 게이트에서 오른쪽으로 서울관광안내소와 여행사를 지나 3번 게이트 옆 구두미화소까지 오면 건너편에 서점과 베이커리 사이에 편의점이 있다.

2

- 위도와 경도, 적위와 적경(천체의 위치를 나타내는 방법의 하나로 위도, 경도와 유사함), 방위(4방위 또는 8방위), 좌표, 12방향(내비게이션), 극좌표 등을 사용한다.
- 주변의 랜드마크나 건물의 간판명을 사용한다.
- 주소나 좌우와 같은 방향 표현을 사용한다.

수업 노하우

- 짝끼리 번갈아 서로에게 다양한 방법으로 자유롭게 이동 경로를 설명할 수 있도록 안내하고, 2~4명을 발표시킨 후 각자 자신의 방법과 어떻게 다른지를 비교할 수 있는 기회를 제공한다.
- 약속 장소를 편의점으로 하지 않고, 각자 자신만의 약속 장소를 정하여 짝에게는 비밀로 한 후 7번 게이트(GATE 7)에서 새로운 약속 장소까지 가는 경로를 설명하도록 할 수도 있다. 또는 각자 희망하는 약속 장소로의 이동 경로를 글로 적게 한 후, 몇 명의 글을 선택하여 공개하고 다함께 약속 장소를 맞춰 보게 할 수도 있다.
- 어느 방향을 바라보고 서 있는지에 따라 좌우가 바뀔 수 있으므로 방향을 설명할 때에는 이런 점에 주의해야 함을 강조한다. 다음은 어느 학생의 이동 경로를 표시한 그림과 설명이다. 이 친구의 설명을 들은 짝은 7번 게이트에서 나와 왼쪽이 아닌 오른쪽으로 이동했다고 생각할 수 있다.

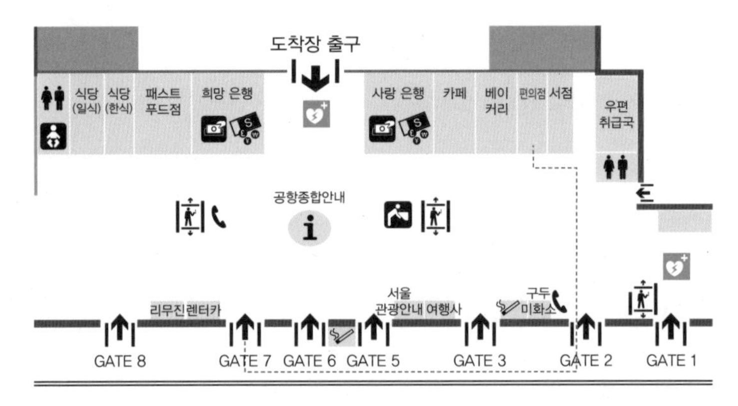

7번 출구로 나와서 왼쪽으로 가다가 2번 출구로 들어가서 서점까지 간 다음에 옆을 보면 편의점이 있어

- 위도와 경도는 격자선을 이용하여 위치를 나타내는 방법이므로 좌표평면과 연결 짓기에 좋은 답변이라 할 수 있다. 하지만 대부분의 학생들은 1에서 안내도에 나온 다른 상호명이나 구조물의 명칭을 이용하여 약속 장소까지의 이동 경로를 설명했기 때문에 2의 질문에 대해서는 방위나 위도, 경도 보다는 건물과 관련된 답변이 더 많을 것이다.
- 초등학교에서 방위, 좌표(지도에서 위치를 찾는 방법의 하나로 '좌표'를 학습하였으며, 이때 학습한 좌표의 의미는 '평평한 곳이나 어떤 공간 안에서 점의 위치를 나타내는 수나 수의 짝'이다), 위도, 경도 등은 이미 학습한 내용이다. 학생들에게서 나온 답에 대해 각각 무엇을 의미하는지를 아는 대로 설명하게 하고 부족한 부분에 대해서는 교사가 설명을 덧붙인다.

개념과 원리 탐구하기 2 _ 좌표평면과 순서쌍

교과서(상) 146쪽

탐구 활동 의도

- 좌표를 이용하여 수직선 위에 있는 점을 나타내어 보고, 정확한 위치의 표현을 가능하게 해주는 좌표의 편리성을 인식하게 한다.
- 좌표를 이용하여 수직선 위의 점을 나타내어 본 것을 바탕으로 하여 학생들 스스로 평면 위의 점의 위치를 나타내는 방법을 생각해보게 한다.

예상 답안

1 $A(0.6)$, $B(0)$, $C(-0.6)$

2
- 수직선 위에서는 좌우로만 움직일 수 있으나, 평면 위에서는 좌우뿐만 아니라 상하로도 움직일 수가 있다. 따라서 평면 위의 점의 위치를 나타내기 위해서는 수직선과는 달리 두 가지 요소가 필요하다.
- 가로의 수직선과 같이 세로 방향의 수직선이 있어야 평면 위의 점의 위치를 정확하게 표현할 수 있다.
- 우편취급국은 가로 방향으로는 0에서부터 3만큼 떨어져 있고, 세로 방향으로는 밑에서부터 2만큼 떨어져 있으므로 두 수 3과 2를 쉼표로 구분하여 '3, 2'와 같이 나란히 쓴다.

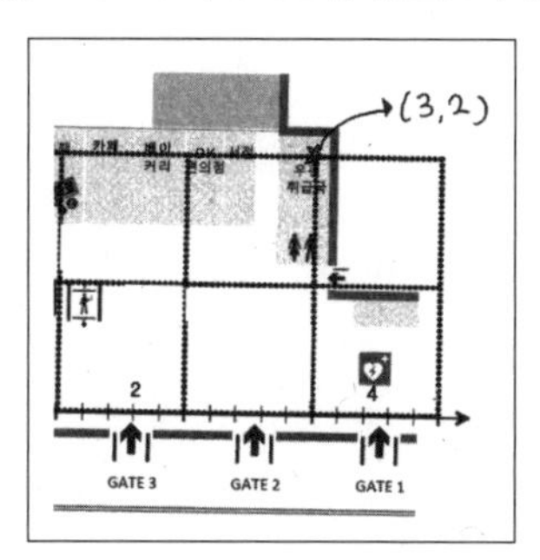

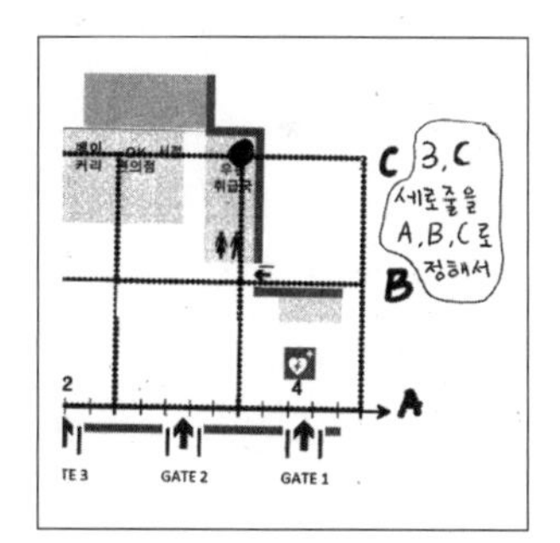

수업 노하우

- **탐구하기 1**에서 수직선을 다룬 이후이므로 학생들은 가로 방향의 수직선 뿐만 아니라 세로 방향의 수직선이 필요함을 알 수 있을 것이다. '세로 방향의 수직선'이란 표현을 하지 않더라도, 평면 위의 한 점의 위치를 표현하기 위해서는 1개의 수가 아닌 2개의 수가 필요함을 인식하고 각자 나름의 방법으로 자신의 의도를 나타낼 것이다.

  이때 교사는 세로 방향의 수직선이 필요하다는 생각으로 여러 의견을 정리한 후, 그 수직선이 어디에 놓일지 논의하게 한다. 그리고 두 수직선의 0이 한 점에서 만나도록 하는 것이 좋겠다는 의견을 이끌어 내도록 안내한다.
- 좌표는 점의 위치를 나타내는 수이며, 좌표를 나타내는 수를 표현하기 위해 좌표에는 소괄호( )를 사용함을 설명한다. 예를 들어 기호 $A(-4)$는 점 A의 좌표가 -4임을 의미한다.
- 평면 위의 점은 두 개의 수직선에 각각 대응하는 수로 표현해야 하므로 두 수를 어떻게 적을지 논의하게 한다. 참고로 위의 안내도에서 우편취급국의 위치는 $(3,\ 2)$이다.

• 좌표평면과 관련된 용어와 사분면과 관련된 내용은 **탐구하기 3**과 **4**에서 다룬다.

참고 학생들은 초등학교 3학년 때 사회 교과서에서 어떤 지역의 위치를 일정하게 나타내기 위해 좌표를 이용하는 방법을 이미 학습하였다. 이때에도 격자선을 이용하기는 했으나, 격자선으로 나누어진 각각의 구간마다 숫자나 기호를 매겨 위치를 표현했다.

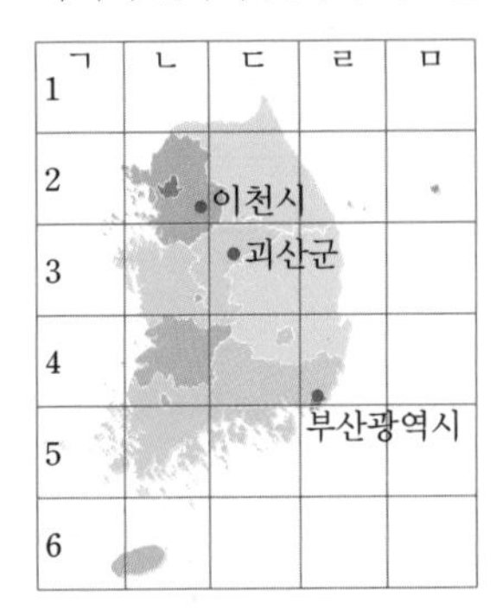

왼쪽 그림에 나타낸 3개 지역의 위치를 좌표로 나타내면 다음과 같다.

• 이천시 ➡ (ㄴ, 2)
• 괴산군 ➡ (ㄷ, 3)
• 부산광역시 ➡ (ㄹ, 4)

개념과 원리 탐구하기 3 _ 좌표평면과 순서쌍

교과서(상) 147쪽

탐구 활동 의도

• 이 탐구 활동에서는 평면 위의 점을 좌표로 나타내기 위해 필요한 용어들을 소개한다.
• [1]은 형식적으로 점의 위치를 좌표로 나타내는 연습보다는 순서쌍을 이용하여 위치를 나타내는 방법을 고안하게 함으로써 점의 좌표의 의미를 이해하게 한다.
• **탐구하기 2**의 [2]에서 친구들과 토론한 내용을 수학적으로 정리하는 활동이다. 위치를 순서쌍으로 나타내는 편리함을 경험할 수 있으며, 그 순서쌍의 x좌표와 y좌표가 무엇을 뜻하는지 이해하게 한다.

예상 답안

[1] (1) 답은 다양할 수 있다.
한라산 국립공원을 원점으로 하여 동서 방향으로 x축을 잡고, 남북 방향으로 y축을 잡을 수 있다. ((2)번의 그림 참조)

(2) 내가 가고 싶은 곳이 협재 해변, 가파도, 표선 해변이라면 각각의 위치를 다음과 같이 나타낼 수 있다.

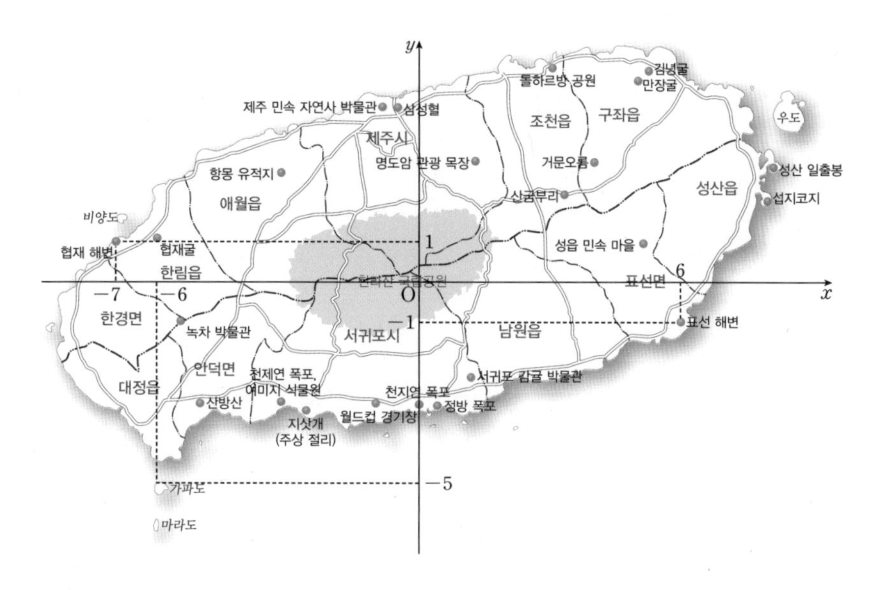

- 좌표축에 수를 위와 같이 표현하면 대략 협재 해변$(-7, +1)$, 가파도$(-6, -5)$, 표선 해변$(6, -1)$로 나타낼 수 있다.
- 동서남북을 이용할 수 있다. 협재 해변(서쪽 방향 7, 북쪽 방향 1), 가파도(서쪽 방향 6, 남쪽 방향 5), 표선 해변(동쪽 방향 6, 남쪽 방향 1)로 나타낼 수 있다.

2

- 점 $P(a, b)$에서 a와 b의 의미는 점 P에서 x축, y축에 수선을 그어 이 수선과 x축, y축의 교점에 대응하는 수가 각각 a, b라는 것이다.

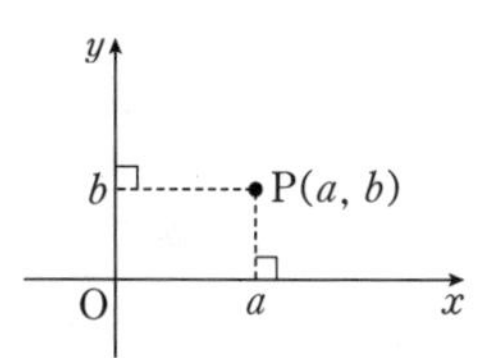

a는 가로축 x, b는 세로축 y에서 점의 좌표를 나타낸 것이다.	O에서 a만큼 오른쪽에 있고 O에서 b만큼 위에 있다.

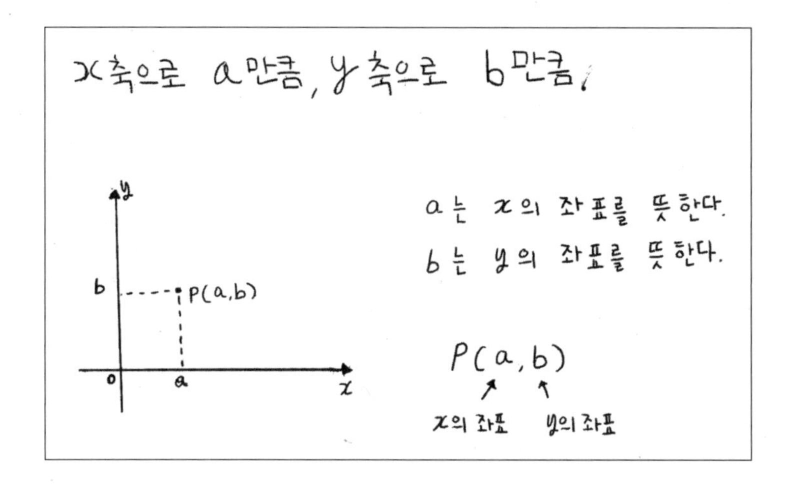

수업 노하우

- **탐구하기 2**를 통해 학생들은 수직선 위의 어떤 점의 좌표는 그 점에 대응하는 수임을 배웠다. 그러나 평면 위의 어떤 점의 위치를 나타내기 위해서는 가로와 세로, 두 방향을 모두 고려해야 하므로 평면 위의 점의 좌표는 하나의 수로 나타낼 수 없다. 따라서 두 수의 짝을 나타내는 순서쌍이 점의 좌표가 됨을 이해시켜야 한다.
- [2]에 대해 답을 할 때, 가능하면 좌표평면과 관련된 용어들을 사용하여 답을 하도록 안내한다.
- [2]에서 a와 b의 의미를 정확하게 이해했는지 파악해야 한다. 이에 대한 이해가 부족하면 순서쌍 (a, b)와 (b, a)를 같은 것으로 착각할 수 있기 때문이다.

참고 교과서에 주어진 좌표평면에는 격자선을 넣은 모눈종이가 주어진다. 격자선은 직각으로 만나므로 점 $\mathrm{P}(a, b)$에서 a, b의 값이 점 P에서 각 좌표축에 내린 수선의 발이라는 것을 의식하지 않고 지도하고 있다. 그래서 점 $\mathrm{P}(a, b)$에서 a와 b의 값의 기하학적 의미를 정확히 이해시키기 위해 [2]에서 격자선을 없앴다. 점 P에서 x축, y축에 내린 수선의 발에 대응하는 수가 각각 a, b라는 것을 이해할 수 있도록 한다. 격자선을 없앴더니 학생들의 답안에서는 '수선의 발'이라는 표현을 좀처럼 찾기 어려웠다.

개념과 원리 탐구하기 4 _ 사분면

교과서(상) 148쪽

탐구 활동 의도

- 좌표평면과 관련된 또다른 용어인 '사분면'에 대해 탐색하고 이해하게 한다.
- 좌표평면에 대해 학생들이 만든 물음에 친구들과 토론하여 답해 보도록 함으로써 위치를 나타내는 방법을 보다 정교하게 고안할 수 있다.
- [2]는 이전의 활동을 통해 알게 된 사실을 정리하고 점검하기 위한 것이다. 부족한 부분을 보완하고 오류를 수정할 수 있는 기회를 제공하는 중요한 활동이다.

예상 답안

[1] 답은 다양할 수 있다.

	제 1사분면	제 2사분면	제 3사분면	제 4사분면
x의 부호	$+$	$-$	$-$	$+$
y의 부호	$+$	$+$	$-$	$-$

제2사분면에 있는 점에서 x축과 수직으로 만나도록 아래로 선을 그으면 x축에서 만나는 점은 원점을 기준으로 왼쪽에 있기 때문에 $(-)$이고, y축과 수직으로 만나도록 옆으로 선을 그으면 y축에서 만나는 점은 원점을 기준으로 위쪽에 있기 때문에 $(+)$이다.

2

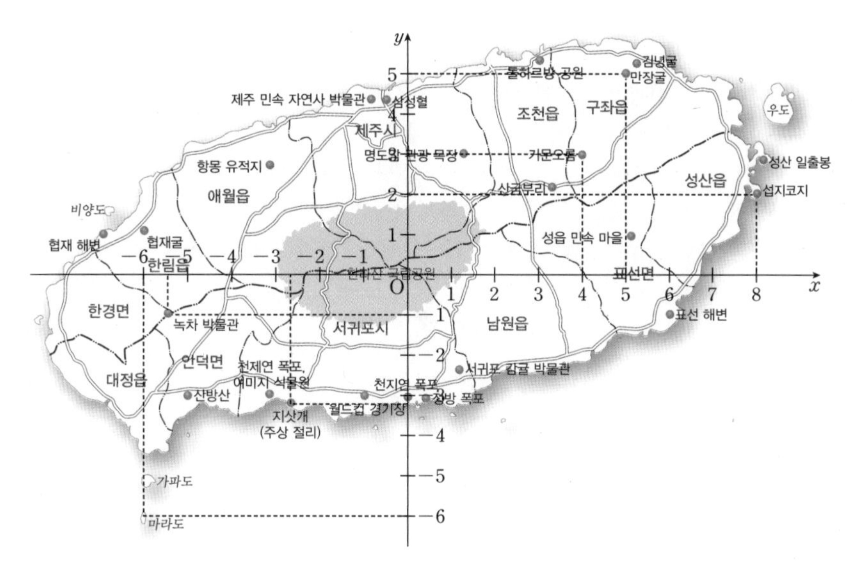

(1) 각자 만든 좌표값은 다를 수 있지만 제1사분면에 있는 점의 부호는 $(+, +)$이므로
거문오름$(4, 3)$, 만장굴$(5, 5)$, 섭지코지$(8, 2)$ 등이 있다.
제3사분면에 있는 점의 부호는 $(-, -)$이므로
지삿개$(-2.6, -3.2)$, 녹차박물관$(-5.6, -1)$, 마라도$(-6, -6)$ 등이 있다.

(2) 천지연 폭포는 y축 위에 있으므로 어느 사분면에도 속하지 않는다.

3

- 좌표평면에서는 수직선과 달리 두 개의 수로 위치를 나타낼 수 있다.
- 점 (a, b)에서 a, b는 각각 x좌표와 y좌표를 나타낸다. a, b의 순서가 바뀌면 점의 위치도 바뀐다.
- 격자선의 한 칸은 항상 1이어야 할까?
- x축과 y축의 한 칸의 크기는 항상 같아야 하나?
- x축에서 원점의 왼쪽을 양의 방향으로 정해도 될까?

지금 위의 그림들을 보며 한 눈금당 1이라는 숫자의 크기 차이가 생기는데 막대그래프처럼 1과는 다른 숫자의 크기로 한 눈금의 크기가 매겨질 수도 있을까, 라는 생각이 든다.

궁금한 점: x축 y축이 있다면 z축도 있을까?
알게된 점: 좌표를 표시할 때 수직선을 쓴다.

'A는 x축으로 1만큼 y축으로 2만큼'이라는 긴 글 보다는 A(1, 2) 처럼 기호로 간단하게 나타낼 수 있다는 것을 알게 되었다.

y축과 x축의 방향이 헷갈릴땐 어떡해야 할지 궁금하다. 그리고 이 위치표현은 뭔가 흥미로운 것 같다.

점의 위치를 표현할 때, 가로축, 세로축만으로도 위치표현이 되는 걸 알았다.

수업 노하우

- [1]은 각 사분면에 있는 점의 x좌표와 y좌표의 부호가 어떻게 다른지를 확인하는 문제이다. [1]을 해결한 후에는 원점과 좌표축 위의 점의 부호에 대해서도 생각해보게 해야 한다. 직접적으로 원점의 좌표와 좌표축 위의 점의 좌표를 구해 보도록 할 수도 있다. 이러한 과정은 x좌표와 y좌표 중 적어도 어느 하나가 0인 경우에는 그 점이 어느 사분면에도 속하지 않음을 알게 한다.
- [3]에서 나온 궁금한 점들만 별도로 모아 학생들에게 제시하고 함께 물음에 답해 보도록 하는 것은 좌표평면과 좌표에 대한 이해를 보다 정교화 시킬 수 있다.

/2/ 나는 사업가

학습목표

1 변수로 나타낼 수 있는 상황에 대해 알 수 있다.
2 실험 결과를 표나 그래프 등으로 표현할 수 있고, 이를 이용하여 보다 많은 것을 추측할 수 있다.
3 표나 그래프가 나타내고 있는 상황을 이해하고, 이를 해석할 수 있다.
4 주어진 그래프를 해석하여 상황을 설명할 수 있고 다른 그래프와의 관계를 통해 전체적인 흐름을 알 수 있다.

2015 개정 교육과정 성취기준

다양한 상황을 그래프로 나타내고, 주어진 그래프를 해석할 수 있다.

핵심발문

표와 그래프를 어떻게 해석할 수 있을까?

개념과 원리 탐구하기 5 _ 표와 그래프

교과서(상) 149쪽

탐구 활동 의도

- 학생들이 실제로 팔 벌려 뛰기를 해본 결과를 기록하고, 기록을 바탕으로 시간이 지남에 따라 속력이 어떻게 변할지 추측해 보게 한다.
- 좌표축을 제시해 주지 않았기 때문에 학생들 스스로 좌표축을 그리고 팔 벌려 뛰기 기록을 그래프로 나타내야 하는 과제이다. 이 과제는 2개의 변하는 양, 즉 시간과 팔 벌려 뛰기의 횟수 사이에 어떤 관계가 있는지를 파악하여 가로축과 세로축이 각각 어느 양을 나타내면 좋을지 결정해야 한다.
- 시간의 흐름에 따른 팔 벌려 뛰기 기록의 변화를 살펴보고, 이를 통해 자전거 여행하는 동안의 자전거 운전자의 속력 변화를 예상해 보게 한다.

예상 답안

1 답은 다양할 수 있다. 다음은 학생 답안 중의 하나이다.

x (초)	0	10	20	30	40	50	60
y (개)	0	9	17	26	34	41	47

시간이 10초 간격으로 늘어날 때, 횟수가 9, 8, 9, 8, 7, 6으로 일정하지 않게 늘어났다.

2 (1) • 시간이 변함에 따라 팔 벌려 뛰기의 횟수가 변하므로, 시간을 가로축에 나타내고 횟수를 세로축에 나타내었다.

• 팔 벌려 뛰기의 횟수를 기록한 시간이 총 60초이므로 시간을 나타내는 가로축은 0부터 60까지 10의 간격으로 눈금을 표시하였다. 그리고 60초일 때의 총 횟수가 47이어서 횟수를 나타내는 세로축은 0부터 50까지 10의 간격으로 눈금을 표시하였다.

(2)

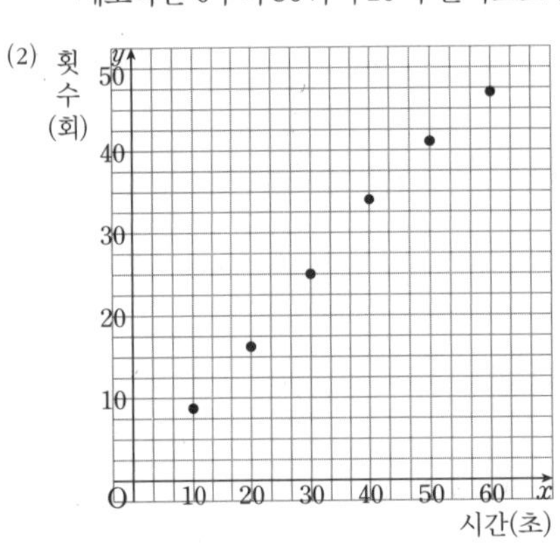

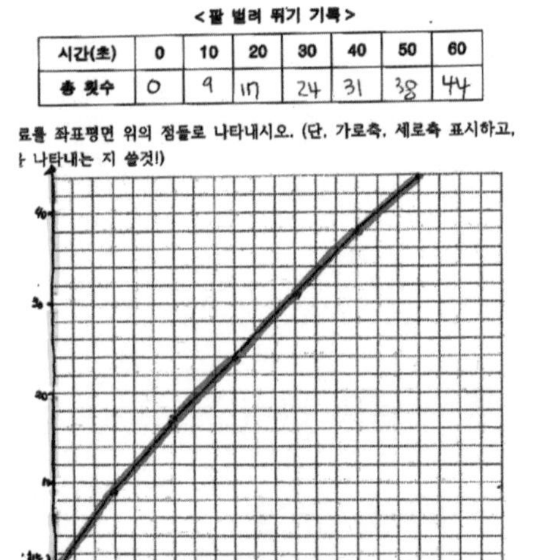

<팔 벌려 뛰기 기록>

시간(초)	0	10	20	30	40	50	60
총 횟수	0	9	17	24	31	38	44

료를 좌표평면 위의 점들로 나타내시오. (단, 가로축, 세로축 표시하고,
나타내는 지 쓸것!)

• 시간이 지남에 따라 점점 속력이 느려지는 것을 볼 수 있다.
• 거의 일정하게 팔 벌려 뛰기 횟수가 증가한다.
• 처음엔 횟수가 빠르게 늘어났지만 시간이 지나면서 점차 일정하게 늘어났다.

3 • 시간이 지날수록 체력이 떨어지기 때문에 속력이 느려질 것이다.
• 속력이 중간에 빨라질 수도 있고 느려질 수도 있다.
• 속력이 빨라졌다 느려졌다를 반복할 것 같다.

수업 노하우

• 모둠을 편성하여 역할을 분담하고(팔 벌려 뛰기 1명, 기록 1명, 시간 측정 1명, 발표 1명) 10초 단위로 측정한 결과를 표에 기록하게 한다. 처음에 최대한 빨리 뛰도록 하기 위한 아이디어가 필요한데, 가장 많이 뛴 모둠에게 보상해 주는 방법도 있다.
• 학생들이 직접 가로축과 세로축을 정해야 하므로 변하는 두 양 사이의 관계에 대해 고민하게 된다. '함수'

라는 용어는 중학교 2학년에서 다루어야 하므로 구체적으로 언급해서는 안 되지만, 학생들 스스로 어느 하나의 양이 변함에 따라 다른 양이 변하게 되는 관계를 파악할 수 있으며 이러한 관계를 나타내기 위해 가로축과 세로축이 각각 어떤 정보를 나타내야 하는지도 결정할 수 있다.

- [3]을 통해서는 직접 실험이 이뤄지지 않더라도 비슷한 상황에서 나타날 수 있는 현상을 예측하기 위해 이미 얻어 낸 표와 그래프를 사용할 수 있음을 알게 하는 것이 중요하다.

개념과 원리 탐구하기 6 _ 표를 그래프로 나타내기

교과서(상) 152쪽

탐구 활동 의도

- 한 양이 변할 때 다른 양이 그에 종속하여 변하는 대응관계를 나타낸 표에서 규칙을 찾아 설명해 보게 한다. 이는 초등학교에서 학습한 '규칙과 대응'의 복습 및 연장으로도 볼 수 있다. 참고로 '규칙과 대응'은 2009 개정 교육과정에서는 3~4학년 군에서 다루어졌으나 2015 개정 교육과정에서는 5~6학년군에서 다루어진다.
- 표에 나타난 상황을 그래프로 그려 보고, 표에서와 마찬가지로 그래프에서 찾을 수 있는 규칙과 특징을 적어 보게 한다. 이러한 활동은 표와 그래프의 비교를 가능하게 하며, 각각의 장단점을 파악할 수 있는 기회를 제공한다.
- 점으로 나타내는 그래프와 점을 연속으로 이어 그린 선으로 나타나는 그래프의 차이를 생각해 보게 한다.

예상 답안

[1]

- 시간이 지남에 따라 이동 거리가 줄어든다.
- 처음에는 시간이 지남에 따라 이동 거리가 거의 일정하게 늘어나는 것처럼 보인다. 하지만 거리의 변화가 나타나지 않는 구간도 있고, 점점 느려지는 구간도 있다.
- 한눈에 이동 거리의 변화를 파악하기에는 약간 어려움이 있지만 구체적 수치가 제시되어 있어 정확한 이동 거리의 변화를 계산할 수 있다.
- 시간은 0.5(시간)씩 일정하게 늘어나고, 이동 거리는 9, 10, 9, 8, 6, 6, 0, 6, 5, 4(km)로 불규칙하게 늘어난다.
- 다른 시간에서는 모두 이동 거리가 증가했지만, 3~3.5시간 사이에는 전혀 이동하지 않았음을 알 수 있다.

2 (1)

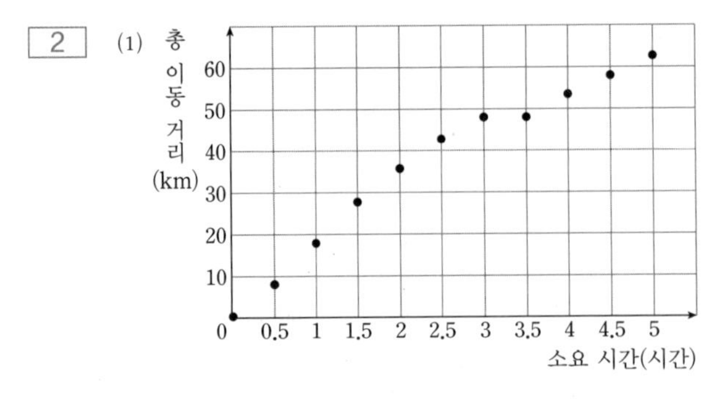

(2) • 중간에 쉬는 부분이 있긴 하지만 대부분 이동 거리가 증가하는 모습이고, 이동 거리가 줄어드는 부분은 나타나지 않는다.

• 이웃하는 점 사이의 높이를 비교했을 때, 0.5~1.0시간 사이의 높이가 가장 많이 차이가 나므로 이 시간 사이에 가장 빨리 달렸을 것으로 예상된다.

• 이동 거리를 나타내는 축의 눈금이 10의 간격으로 되어 있어 구체적인 이동 거리의 값을 알기는 어렵지만, 표로 나타냈을 때보다는 그래프로 나타냈을 때 전체적인 이동 거리의 변화를 한눈에 알아보기 쉽다.

3 그래프 위의 점들을 선으로 연결할 필요가 있다.

• 시간과 거리는 연속적으로 변하기 때문이다.
• 시간과 거리는 정수가 아닌 소수의 값을 가질 수도 있기 때문이다.
• 자전거는 띄엄띄엄 가는 것이 아니라 계속해서 연속적으로 움직여 가는 것이므로 선으로 연결해야 더 정확하다.

4 • 0.5~1.0시간일 때가 가장 빨리 이동한 시간이고, 가장 느리게 이동한 때는 3.0~3.5시간일 때이다.

• 0.5~1.0시간 사이에 가장 빨리 이동할 수 있었던 이유는 출발한 직후가 아니어서 어느 정도 자전거 운전에 익숙해졌을 뿐만 아니라 체력도 좋은 상태이기 때문이다.

• 3.0~3.5시간 사이에는 너무 힘이 들어 쉬는 시간이 필요했거나 무리해서 달려온 탓에 바퀴가 고장이 나 고치는 데에 시간을 소비했을 것이다.

빠른: 0.5~1.0 이유: 초반에 가속도를 내서 [illegible] [illegible]해서
느린: 3.0~3.5 빠르게 가다가 지쳐서 쉬다가 or 길을 잃어서 반대로 가다가 다시 길을 찾고 반대로 온만큼 [illegible]

이유: 가장 빠르게 이동한 0.5에서 1 사이의
이동거리가 10km여서 가장 빠르다 (처음 출발했기 때문에
체력이 넘쳐나서)
가장 느리게 이동한 3.0에서 3.5 사이는
쉬어서 이동거리가 그대로이기 때문

수업 노하우

- 문제에서 점검할 자전거 여행의 경로의 총 거리가 63 km라는 설명이 있기는 하지만 표만 보고 30분마다 각각의 이동 거리를 기록한 것으로 착각하는 학생이 있을 수도 있으므로 제시된 표가 이동 거리를 누적하여 나타낸 표임을 설명해 줄 필요가 있다. 다음은 이러한 착각을 한 학생의 [4]에 대한 답안이다.

> 가장 빨리 이동할 땐 63 km, 가장 적게 이동할 땐 9 km 이다. 왜 이렇게 갔냐면 처음에 그냥 늦지 않을 것 같아서 천천히 가다가 뒤에 오던 친구가 뒤쫓아 와서 엄청 빨리 간거다.

- 표와 그래프를 통해 다양한 규칙과 특징을 찾을 수 있도록 충분한 시간을 준다. 시간이 지남에 따라 속력이 느려지고, 또 어느 구간에서는 속력이 빨라지다가 어느 구간에서는 다시 속력이 느려지는 실제 상황을 반영한 것이므로 그런 현상이 나타날 수 있는 이유에 대해서도 추측해 볼 수 있게 한다. 또한 학생들의 발표를 통해 얻은 표와 그래프에서 찾을 수 있는 규칙과 특징 사이의 차이점을 보고, 이 둘 사이의 장단점을 비교해 볼 수 있는 시간을 마련한다.
- [3]은 처음으로 그래프에 나타낸 점들을 선으로 연결해 보는 활동이다. 이 활동에서 학생들은 초등학교에서 배운 꺾은선그래프를 떠올릴 수도 있는데, 꺾은선그래프가 어떤 목적으로 그려졌었는지를 생각해 본다면 점으로 나타내는 그래프와 선으로 나타내는 그래프 사이의 차이점을 이해할 수 있을 것이다. 학생들이 점그래프와 선그래프의 차이점을 깨닫고 선 형태의 그래프를 자연스럽게 받아들일 수 있도록 생각하는 시간과 말하는 시간을 충분히 확보해 주도록 한다.
- [4]에 대한 답을 찾을 때에도 학생들은 표와 그래프 사이의 장단점을 비교할 수 있을 것이다. 그래프가 표보다는 일정 시간 동안 이동한 거리를 시각적으로 잘 보여주는 장점이 있기 때문에 가장 빠르게 이동한 때와 가장 느리게 이동한 때를 찾을 때에는 그래프가 좀 더 편리할 수 있다. 그러나 구체적인 이동 거리의 변화는 표를 통해 좀 더 정확히 알아낼 수가 있다. 특히 주어진 문제 상황처럼 구간마다의 이동 거리의 차가 1~2 km로 서로 비슷한 경우에는 표를 이용하는 것이 정확한 답을 얻는 데에 더 유용하다.

개념과 원리 탐구하기 7 _ 그래프를 표로 나타내기

교과서(상) 154쪽

탐구 활동 의도

- **탐구하기** 6과 7에서는 표에 나타난 상황을 그래프로 표현하는 과제가 주어졌었던 반면, 여기에서는 이와는 반대로 그래프로 나타난 상황을 표로 표현하는 과제가 주어진다.
- 학생들은 평균속력을 구하여 제시된 상황의 옳고 그름을 판단하는 활동을 하게 된다. '평균속력'이라는 용어와 그 의미를 특별히 강조할 필요는 없지만, 평균속력이 전체적인 경향을 파악하는 데에 이용될 수 있음을 이해하게 하는 것이 필요하다.

예상 답안

시각(시)	10	11	12	13	14	15	16	17
총 이동 거리(km)	0	10	15	30	30	40	60	77

2

- 10시에 출발하여 17시에 도착할 때까지 중간에 13~14시 한 시간 동안만 휴식을 취하고 계속해서 속력을 빠르게 했다 느리게 했다를 반복하며 이동했다.
- 가장 빠르게 달린 시각은 15~16시로, 이때에는 1시간 동안 20 km를 달렸다.
- 휴식을 취하기 전인 10~13시보다는 휴식을 취한 후인 14~17시에 더 빠르게 이동했다.(오전에는 어제의 여행 피로로 인해 속력을 못 내고, 점심 식사를 마치고 휴식을 취한 후에는 체력을 다시 충전하여 빠르게 목표를 향해서 움직였다고 추측된다.)
- 시간이 지날수록 속력이 점차 빨라지는 것 같다. (점차 빠르게 서둘러 이동한 것을 보면 날이 무척 더웠을 것 같다.)
- 다음은 표와 그래프를 이용하여 이야기를 만든 학생들의 답안 예시이다.

10시에 출발을 하였다. 1시간 동안 열심히 달리다가 점점 지쳐서 1시간 동안은 원래 달리던 것의 반으로 달렸다. 그런데 시간이 별로 없다는 것을 느끼자 원래 달리던 것의 3배로 달리고 밥을 먹고 최고의 속도를 내 17시에 도착하였다.

10시부터 11시까지는 평지에서 적당히 가다. 11시부터 12까지 힘들어서 지쳐, 12시부터 13시까지 내리막이어서 속도를 내다. 잠시 멈춰 밥을 먹고, 순풍을 타고 빨리 갔다.

10부터 11까진 처음이라 중간속도로 달리다가 처음부터 너무 힘들어서 옆에 있는 것도 관광하며 천천히 가다가 12시부터 13시까지는 관광하다 친구들이 너무 많이 가 있어 따라잡으려 빨리 달리다. 13시부터 14시까지 배가 고파 밥을 먹은 후에 14시부터 15시까지는 밥을 먹은 후라 소화시키며 달리다. 15시부터 17시까진 빨리 도착하고 싶은 마음에 막판스퍼트를 내서 도착했다.

3 셋째 날의 총 이동 거리는 77 km, 총 걸린 시간은 7시간이므로 평균속력은 $77 \div 7 = 11$(km/h)이다. 따라서 셋째 날은 둘째 날보다 더 천천히 이동했다고 할 수 있다.

수업 노하우

- 필요하다면 누적이란 뜻을 설명해 주어야 한다. 또한 출발 전 시각인 0~10시까지의 데이터는 없으므로 시각을 나타내는 좌표축에 중간 생략을 나타내기 위해 물결 표시(≀≀)를 사용한 것임을 안내한다.
- 답안에 제시된 학생들의 예시처럼 표와 그래프를 통해 알 수 있는 사실들을 단순히 나열하는 데에 그치기보다는 표와 그래프가 나타내는 상황을 이야기로 만들어 발표해 보게 하는 것도 학생들의 흥미 유발과 적극적인 참여를 도울 수 있다.
- 평균속력은 이동하는 동안의 속력이 일정하지 않을 때, 평균적으로 속력을 구하여 빠르기를 비교하기 위해 사용한다. 이 상황에서는 학생들이 그래프를 분석하는 하나의 방법으로 평균속력이 있음을 가볍게 경험하고 넘어가는 정도로 다룰 수 있다.

개념과 원리 탐구하기 8 _ 그래프 그리기

교과서(상) 155쪽

탐구 활동 의도

- 앞의 활동들을 통해 표와 그래프를 해석하는 능력을 키운 학생들은 글로 주어진 상황에 맞는 그래프를 그려 보는 활동을 하게 된다.
- 주어진 각각의 상황에는 구체적인 값이나 변화의 크기 정도가 나타나 있지 않으므로 전체적인 경향을 그래프로 그려야 한다. 이러한 활동은 그래프가 갖는 장점, 즉 두 양 사이의 관계와 변화의 정도를 한눈에 알아보기 쉽다는 것과 그래프의 경향을 토대로 특정한 경우에 대한 예측이 가능하다는 것을 확인시켜 준다.

예상 답안

1 (1) 세인

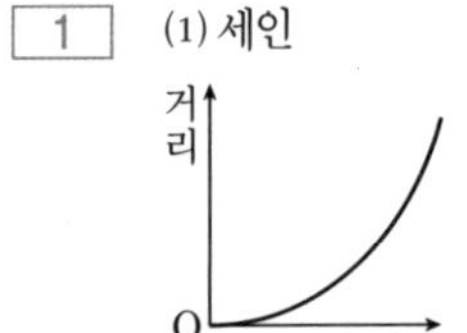

(2) 민주

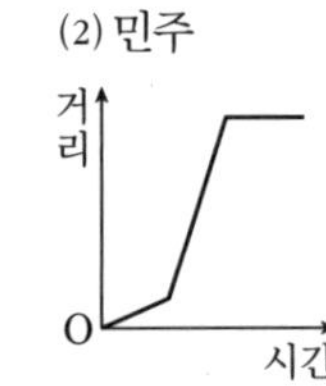

(3) 한나

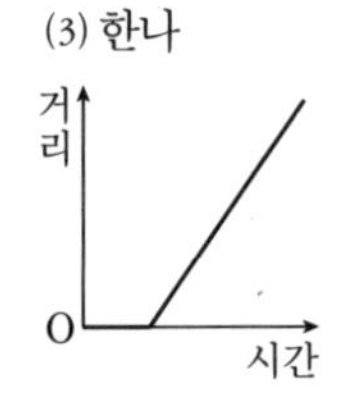

(4) 지수

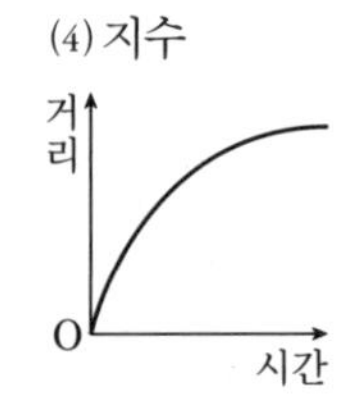

(5) 주원

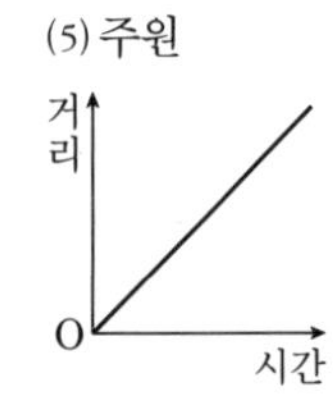

수업 노하우

- 세인과 지수의 그래프를 그릴 때, 대부분의 학생들은 속력이 빨라지고 느려지는 것을 표현하기 위해 다음과 같이 곡선이 아닌 기울기가 서로 다른 두 직선을 사용했다. 곡선 형태의 그래프를 그린 학생의 답과 직선 형태의 그래프를 그린 학생의 답을 서로 비교해 보고 어느 것이 더 타당할지 함께 생각해 볼 수 있다.

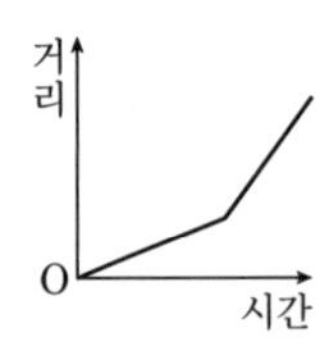

- 아래의 그림은 '속력이 느려졌다는 것(지수)'과 '일정한 속력으로 달렸다는 것(주원)'을 그래프로 잘못 표현한 것이다. 이와 같은 답안에 대해서는 함께 살펴보면서 학생 스스로 잘못 이해한 부분을 바로 잡고 수정할 수 있는 기회를 주는 것이 필요하다.

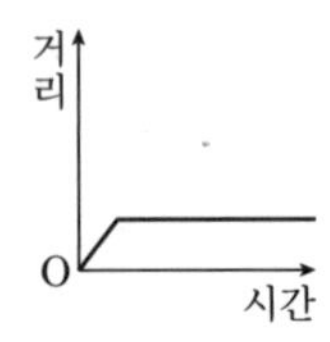

개념과 원리 탐구하기 9 _ 그래프의 해석

교과서(상) 156쪽

탐구 활동 의도

- 일정한 주기를 갖는 그래프에서 두 변수 사이의 관계를 관찰하고 직관적으로 이해함으로써 두 변수 사이의 변화를 예측해 보게 한다.
- **탐구하기 9**와 마찬가지로 주어진 상황을 이해하고 그래프로 표현해 보는 활동이다.

예상 답안

1 그래프를 보면 맥박이 3초에 4회인 것을 알 수 있다.
1분은 60초이고 60초는 3초의 20배이므로 1분 동안의 맥박수는 $4\times20=80$(회)이다.

2 (1) 빈맥은 맥박이 1분에 100회 이상 뛰므로 1초에 1.7회 이상 뛰는 것으로 나타낼 수 있다.
(2) 서맥은 맥박이 1분에 60회 이하로 뛰므로 1초에 1회 이하 뛰는 것으로 나타낼 수 있다.

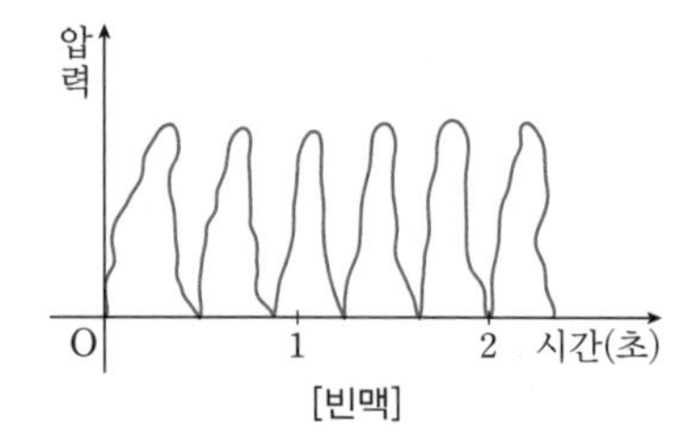

[빈맥]

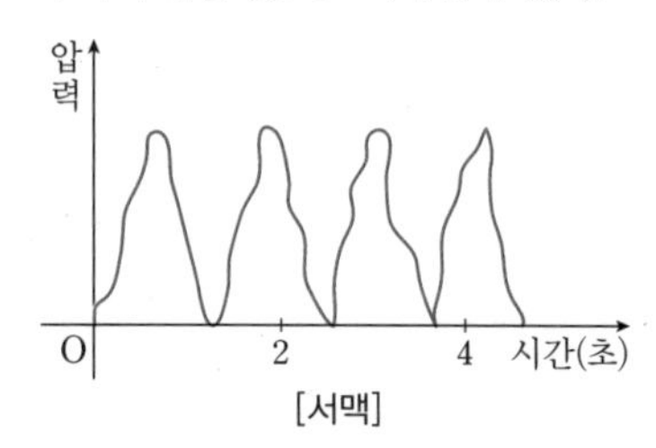

[서맥]

수업 노하우

- **탐구하기 10**의 두 과제는 각각 그래프를 해석하고 주어진 상황을 그래프로 나타내는 것이다. 이 두 과제를 해결하면서 학생들은 그래프가 글로 표현된 복잡한 상황을 간단히 나타내어 주는 훌륭한 도구임을 이해할 수 있다. 또한 그래프가 단순히 두 변수 사이의 관계를 표현하는 방법에 그치는 것이 아니라 두 변수 사이의 변화를 예측하는 도구로써 사용될 수 있음을 이해하게 된다. 따라서 활동을 마친 후에 그래프의 역할에 대해 함께 이야기를 나누며 정리하는 시간을 마련하는 것이 필요하다.

개념과 원리 탐구하기 10 _ 그래프의 해석

교과서(상) 157쪽

탐구 활동 의도

- 시간에 따른 이동 거리를 나타낸 그래프를 이해하고, 시간에 따라 각 그래프의 변화가 의미하는 바를 논리적으로 표현해 보는 활동이다.
- 4개의 그래프 각각을 해석하는 활동처럼 보이지만, 실제로는 주어진 4개의 그래프 사이의 관계를 연관 지어 설명하는 활동이다.
- 무엇보다도 그래프에 대한 각자의 해석을 발표하고 다른 사람의 발표를 경청한 후에, 발표 내용이 수학적으로 옳은지 옳지 않은지를 고민해 보는 데에 큰 의의를 두어야 한다.

예상 답안

1 (1) 한나 – 이동한 거리가 총 2.5km로 나머지 다른 3명의 친구들에 비해 이동 거리가 짧으므로 가장 가까운 곳에 있었다는 한나의 말은 옳다.

– 중간에 시간이 지남에도 이동 거리가 일정한 구간이 있는 것으로 보아 어딘가에서 멈추었다가 다시 출발했다. 멈추기 전까지는 가장 빨리 움직였다.

(2) 세인 – 문자를 못보고 천천히 오다가 중간에 문자 확인하고 깜놀했잖아. 주원이 혼자 오래 기다릴까 봐 엄청 속력을 높여서 달려왔어.

– 출발했을 당시에는 지수를 뺀 나머지 세 명 중 가장 천천히 이동하였으나 중간쯤부터는 가장 빠른 속력으로 움직여 약속 장소에 도착했다. 그래서 가장 먼저 약속 장소에 도착했다.

(3) 민주 – 중간에 오르막이나 내리막이 없어서 일정한 속력으로 올 수 있었어.

– 일정한 속력으로 움직여서 약속 장소에 도착했다.

(4) 지수 – 나는 좀 늦게 출발했어. 어디로 가야할 지를 몰라서! 늦게 도착하긴 했지만 가장 빠른 속력으로 움직여서 도착한 건 나라구. 이 땀 좀 봐.

– 다른 친구들처럼 문자 메시지를 받고 바로 같은 시각에 출발하지 않고 36분 늦게 출발했다. 그리고 가장 늦게 약속 장소에 도착했다.

수업 노하우

- 제시된 구체적 시간과 거리를 이용하면 그래프를 통해 더 많은 정보를 알아낼 수 있음을 알게 한다.
- 4명의 이동 거리가 모두 달라서 학생들이 어려울 것 같아서 한나의 멘트를 힌트로 제공한 것이다. 학생들이 그래프에 대해 한두 마디 문장을 완성하도록 안내한다.
- 모둠 구성원이 4명인 경우에는 각자 하나씩 그래프를 맡아 탐색하게 할 수도 있다. 활동이 끝난 후에는 각자의 의견이 잘 보이도록 모둠 칠판에 적게 한다.
- 학생들이 각자 만든 문장을 발표할 때에는 그렇게 문장을 적은 이유에 대해서도 설명할 수 있도록 안내한다. 또한 발표를 듣는 학생들은 그래프에 제시된 정보에 근거하여 그 의견에 동의하는지 또는 다른 의견이 있는지를 논의할 수 있다. 이러한 활동은 자연스럽게 그래프의 특징을 찾게 하고 그래프의 탐색을 익숙하게 할 수 있다.
- 간단한 발표와 참, 거짓을 확인하는 정도로만 활동이 이루어졌다면, 다음과 같은 추가 질문들을 준비하여 제시하여도 좋다.
  - 주원이가 기다리는 맛집에 가장 먼저 도착한 사람은 누구인가?
  - 주원이의 메시지를 받은 후 가장 빠른 속력으로 이동한 사람은 누구인가?
  - 일정한 속력으로 이동한 사람은 누구인가?

  또는 학생들이 직접 그래프를 관찰하여 질문을 만들어 보도록 할 수도 있다.
- 다음은 잘못된 해석으로 틀린 문장을 적은 예시이다.
  - 한나 : 난 머리가 좀 아파서 20분 정도 쉬었다가 출발했어.
  - 민주 : 내가 가장 멀리 떨어져 있어서 오면서 점점 속력을 높이면서 왔지.
  - 세인 : 내가 민주보다 조금 가까운 곳에서 출발한거야.
  - 지수 : 늦게 출발하긴 했지만, 그래도 3등으로 도착했어.

/3/ 사업 성공을 위한 선택

학습목표

1 변수들의 상황을 분석하는데 표와 그래프를 적절히 사용할 수 있다.

2 두 변수 사이의 관계를 예측하여 문제를 해결하고 의사결정을 할 수 있다.

2015 개정 교육과정 성취기준

다양한 상황을 그래프로 나타내고, 주어진 그래프를 해석할 수 있다.

핵심발문

최대 이윤을 남기기 위한 1인당 여행 비용은 어떻게 결정할 수 있을까?

개념과 원리 탐구하기 11 _ 표와 그래프의 활용 1

교과서(상) 158쪽

탐구 활동 의도

- 제시된 표와 그래프에서 규칙을 찾아보고, 이 규칙을 이용하여 제시되지 않은 값에 대해서도 결과를 예측해 보는 활동이다.
- 어떤 의사결정이 필요한 문제에 대해 표와 그래프를 이용할 수 있음을 알게 한다.

예상 답안

1 (1)

	선택한 숙소	선택한 이유
객실을 5개 빌릴 때	(Ⓐ, B)	A숙소의 가격 : 18만 원 B숙소의 가격 : 21만 원
객실을 10개 빌릴 때	(A, Ⓑ)	A숙소의 가격 : 35.5만 원 B숙소의 가격 : 30만 원

(2) A숙소는 8개, B숙소는 10개

2

- A숙소의 경우 : 이용 객실의 수가 1개씩 증가할 때마다 이용 요금은 일정하게 35,000원씩 증가하므로 이용 객실의 수가 14개일 때의 이용 요금은 490,000원일 것이다.
- B숙소의 경우 : 이용 객실의 수가 1개부터 10개까지 1개씩 증가할 때마다 이용 요금의 증가액이 50,000원, 40,000원, 40,000원, 30,000원, 30,000원, …으로 바뀐다. 그러므로 10개 이상의 객실 이용에 대해서는 10개의 객실을 대여할 때와 동일한 요금, 즉 300,000원일 수도 있고, 또는 마지막 증가액인 10,000원씩만 추가 요금이 발생하여 14개에 340,000원일 수도 있을 것이다.

수업 노하우

- 표와 그래프를 충분히 관찰하여 이용 객실의 수가 증가함에 따라 이용 요금이 어떻게 변하는지, 두 변수 사이에 어떤 규칙이 있는지 찾아보도록 안내한다. [1]은 각각의 표와 그래프를 이해하는 도입 문제의 성격이다. [2]에서 학생들이 표와 그래프를 비교하는 방법을 고안할 수 있도록 시간을 충분히 줄 수 있다.
- 두 숙소에 대해 표와 그래프로 서로 다른 형태로 자료가 제시되어 있으나, 똑같은 수의 객실을 이용할 때의 요금을 서로 비교하여 답을 해야 하는 문제이다. 따라서 학생들은 표와 그래프의 차이점을 다시 한 번 확인할 수 있으며, 두 자료가 같은 형태일 때 자료를 비교하기가 훨씬 수월함을 알게 된다.

개념과 원리 탐구하기 12 _ 표와 그래프의 활용 2

교과서(상) 160쪽

탐구 활동 의도

- 이 과제는 표와 그래프를 활용하는 과제이므로, 상황에 따라 생략할 수 있다.

예상 답안

[1]

- 1인당 여행 비용이 10만 원일 때, 고객 수가 40명이므로
  (사업팀의 이윤)$=(10\times40)-(15\times40)=-200$(만 원)
- 1인당 여행 비용이 15만 원일 때, 고객 수가 35명이므로
  (사업팀의 이윤)$=(15\times35)-(15\times35)=0$(만 원)
- 1인당 여행 비용이 20만 원일 때, 고객 수가 30명이므로
  (사업팀의 이윤)$=(20\times30)-(15\times30)=150$(만 원)
- 1인당 여행 비용이 25만 원일 때, 고객 수가 25명이므로
  (사업팀의 이윤)$=(25\times25)-(15\times25)=250$(만 원)
- 1인당 여행 비용이 30만 원일 때, 고객 수가 20명이므로
  (사업팀의 이윤)$=(30\times20)-(15\times20)=300$(만 원)
- 1인당 여행 비용이 35만 원일 때, 고객 수가 15명이므로
  (사업팀의 이윤)$=(35\times15)-(15\times15)=300$(만 원)
- 1인당 여행 비용이 40만 원일 때, 고객 수가 10명이므로
  (사업팀의 이윤)$=(40\times10)-(15\times10)=250$(만 원)
- 1인당 여행 비용이 45만 원일 때, 고객 수가 5명이므로
  (사업팀의 이윤)$=(45\times5)-(15\times5)=150$(만 원)
- 1인당 여행 비용이 50만 원일 때, 고객 수가 0명이므로
  (사업팀의 이윤)$=(50\times0)-(15\times0)=0$(만 원)

1인당 여행 비용과 사업팀의 이윤 사이의 관계를 그래프로 나타내면 다음과 같다.

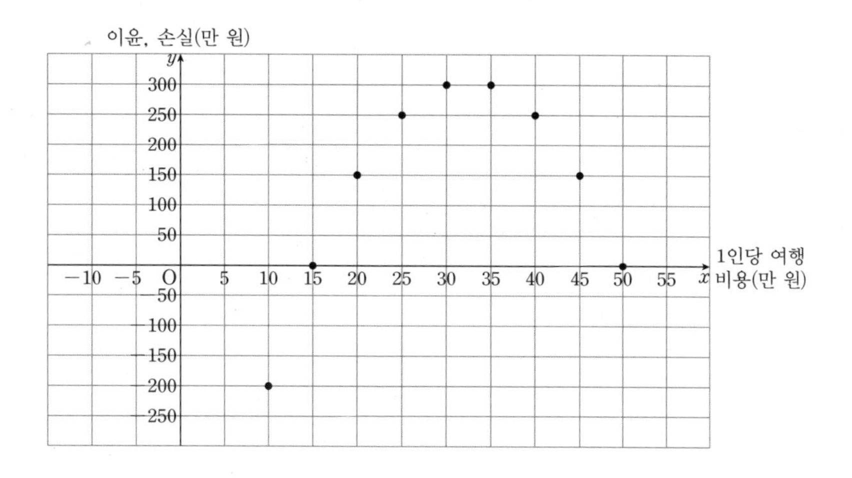

2 • 1인당 여행 비용을 30만 원 또는 35만 원으로 할 때 가장 많은 이윤이 남는다. 이때의 최대 이윤은 300만 원이며, 여행 비용과 이윤의 관계를 나타낸 그래프에서 y의 값이 가장 클 때이다.

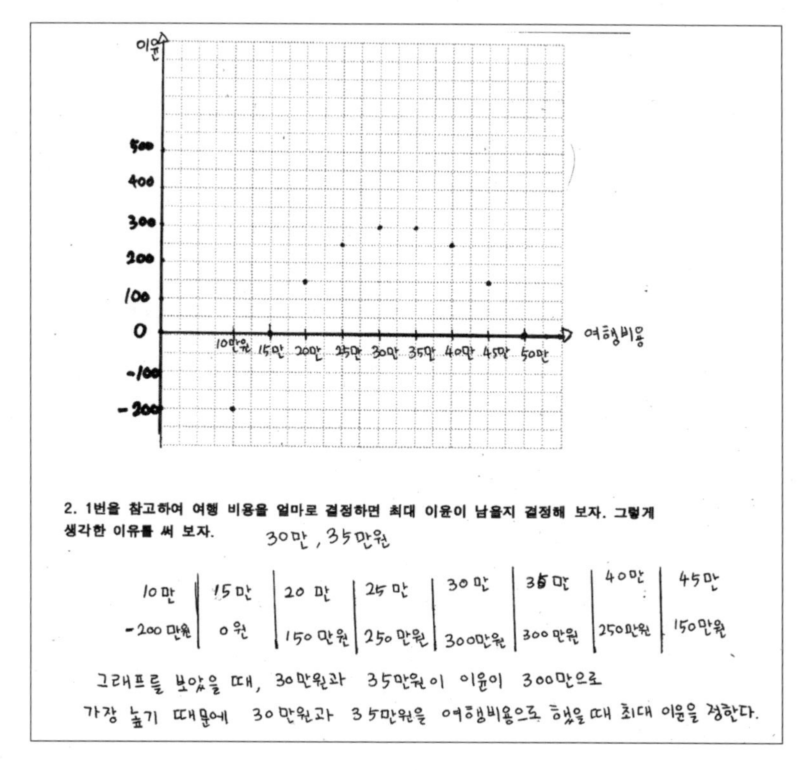

2. 1번을 참고하여 여행 비용을 얼마로 결정하면 최대 이윤이 남을지 결정해 보자. 그렇게 생각한 이유를 써 보자. 30만, 35만원

10만	15만	20만	25만	30만	35만	40만	45만
-200만원	0원	150만원	250만원	300만원	300만원	250만원	150만원

그래프를 보았을 때, 30만원과 35만원이 이윤이 300만으로 가장 높기 때문에 30만원과 35만원을 여행비용으로 했을 때 최대 이윤을 정한다.

• 그래프에서 1인당 여행 비용이 30만 원과 35만 원일 때 사업팀의 이윤이 300만 원으로 같다. 그리고 이 이윤은 다른 값들과 비교했을 때 최대 이윤이다. 하지만 두 값이 같으므로 그래프의 변화를 보면 여행 비용이 30만 원과 35만 원의 중간인 32만 5천원일 때 이윤이 더 높아질 것을 예상할 수 있다. 따라서 이윤이 최대가 되는 때는 1인당 여행 비용이 32만 5천원일 때라고 생각할 수도 있다.

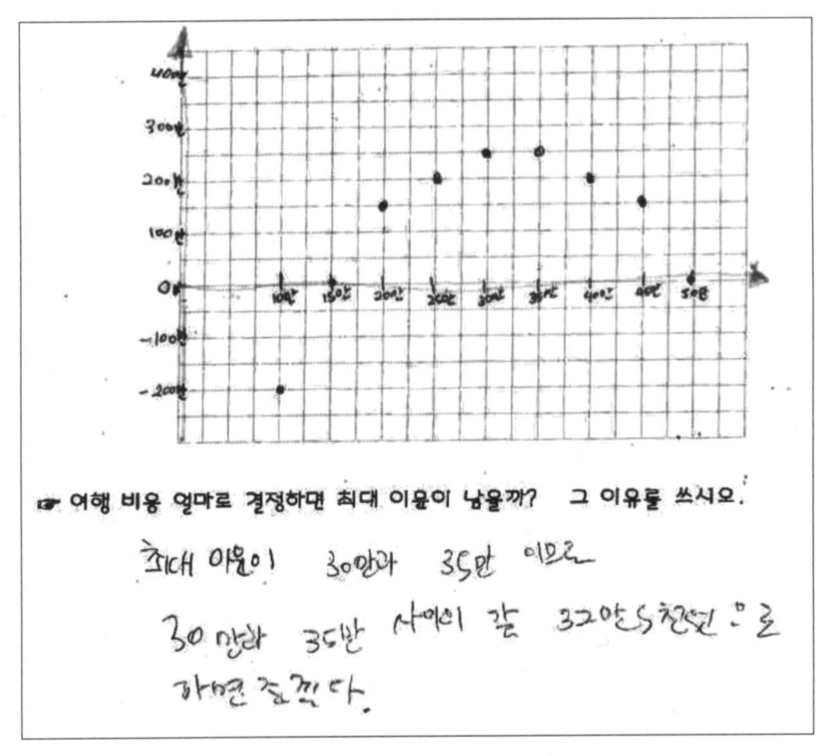

• 다음과 같이 실제 운영비(파란색), 총수입(보라색)을 그리고, 그 차이를 그래프에 나타낸 학생도 있다.

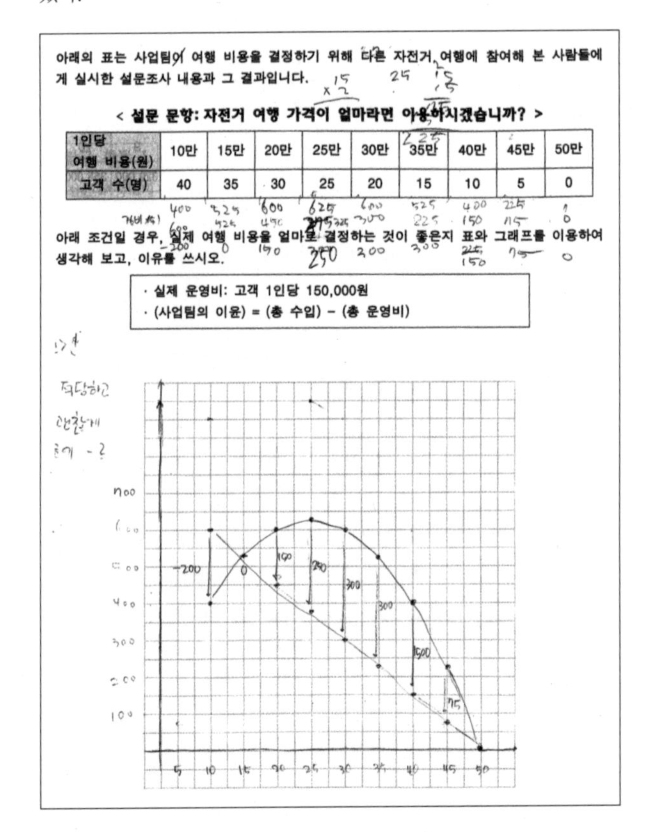

아래의 표는 사업팀이 여행 비용을 결정하기 위해 다른 자전거 여행에 참여해 본 사람들에게 실시한 설문조사 내용과 그 결과입니다.

< 설문 문항: 자전거 여행 가격이 얼마라면 이용하시겠습니까? >

1인당 여행 비용(원)	10만	15만	20만	25만	30만	35만	40만	45만	50만
고객 수(명)	40	35	30	25	20	15	10	5	0

아래 조건일 경우, 실제 여행 비용을 얼마로 결정하는 것이 좋은지 표와 그래프를 이용하여 생각해 보고, 이유를 쓰시오.

· 실제 운영비: 고객 1인당 150,000원
· (사업팀의 이윤) = (총 수입) − (총 운영비)

수업 노하우

- 무엇을 변수 x와 y로 놓는지가 중요함을 맥락이 있는 과제를 통해서 자연스럽게 이해할 수 있도록 한다.
- 1인당 여행 비용, 고객 수를 이용하여 실제 운영비와 사업팀의 이윤을 계산하여 여행 비용에 대한 사업팀의 이윤의 변화를 그려내야 한다. 제시된 문제를 해결하기 위해 어떤 정보를 담고 있는 그래프를 그려야 하는지 충분히 고민하고 결정할 수 있게 해야 한다.
- 사실 이 문제에는 여러 변수들이 포함되어 있기 때문에 학생들이 그래프를 그리기 위해 어떤 두 변수를 택하기까지에도 많은 고민과 시간을 필요로 할 수 있다. 모둠 활동을 통해 진행이 다소 원만하게 이루어질 수는 있으나, 모둠 활동이 잘 이루어지지 않거나 지나치게 혼란을 겪는 상황이 생긴다면 제시된 표를 확장하여 각각의 1인당 여행 비용에 따른 총 수입과 총 운영비 그리고 사업팀의 이윤을 구해 보도록 안내한다.
- 가로축과 세로축이 무엇을 나타내어야 하는지를 고민하는 학생들이 많을 수 있다. 그래프가 질문에 답하기 위해 필요한 것, 즉 궁금해 하는 사항들을 보여주는 역할을 해야 함을 강조한다면 학생들 스스로 고민을 해결할 수 있을 것이다.
- 1인당 여행 비용이 10만 원일 때에는 사업팀의 이윤이 -200만 원, 1인당 여행 비용이 15만 원과 50만 원일 때에는 사업팀의 이윤이 0원으로, 이윤이 음의 값을 갖거나 0이 되는 경우도 발생한다. 이 값들의 의미를 함께 생각해 볼 수 있는 시간을 마련하여 사업으로 손해가 발생할 수도 있으며 아무런 이익을 얻지 못할 수도 있음을 알게 한다.
- 최대 이윤이 남을 때의 여행 비용을 32만 5천원이라고 답한 경우에 대해서는 그래프만으로는 최대 이윤이 남는다고 추측하기도 어렵고 조사하지 않은 값이므로 실제 고객의 수를 추정하기도 어렵다는 반론이 제기될 수도 있다. 제시한 비용의 옳고 그름을 따지기 보다는 여행 비용을 결정한 이유에 대해 충분히 논리적으로 설명할 수 있는지에 중점을 두고, 반론 또한 논리적인지에 중점을 두고 자유롭게 의견을 제시하도록 안내한다.
- 이 과제는 그래프를 이용하여 합리적인 의사결정을 하고 이 이유를 설명할 기회를 준다는 점에서 의미가 있지만, 학생들에게 해결을 위한 많은 노력과 시간을 요구하므로 상황에 따라 생략할 수도 있다.

탐구 되돌아보기 예상 답안

교과서(상) 161~167쪽

1 개념과 원리 탐구하기 1, 2, 3

나무들의 설명에서 나무의 키가 작은 것부터 나열하면 천리향, 동백나무, 황칠나무, 비자나무 순서이고, 고도가 낮은 것부터 나열하면 황칠나무, 동백나무, 비자나무, 천리향 순서다.

① 나무는 4종류이고 좌표평면의 점은 5개이므로 가능한 것은 2가지이다. 4종류의 나무 중에서 키가 가장 작은 천리향은 A, B가 가능하고 고도가 가장 높으므로 A, E가 가능하다. 키와 고도의 조건을 모두 만족하는 점을 구하면 A다.

② 키가 두 번째로 작은 동백나무는 B, C가 가능하고 고도가 두 번째로 낮으므로 B, D가 가능하다. 키와 고도의 조건을 모두 만족하는 점을 구하면 B다.

③ 키가 세 번째로 작은 황칠나무는 C, D가 가능하고 고도가 가장 낮으므로 C가 더 타당하다.

④ 키가 가장 큰 비자나무는 D, E가 가능하고 고도가 세 번째로 낮으므로 B, E가 가능하다. 키와 고도의 조건을 모두 만족하는 점을 구하면 E다.

따라서 동백나무는 B, 황칠나무는 C, 천리향은 A, 비자나무는 E다.

2 개념과 원리 탐구하기 5, 6, 7

(1) (텐트 수, 대여료)로 순서쌍을 만들고, 이를 좌표평면 위에 나타내면 다음 그림과 같다.

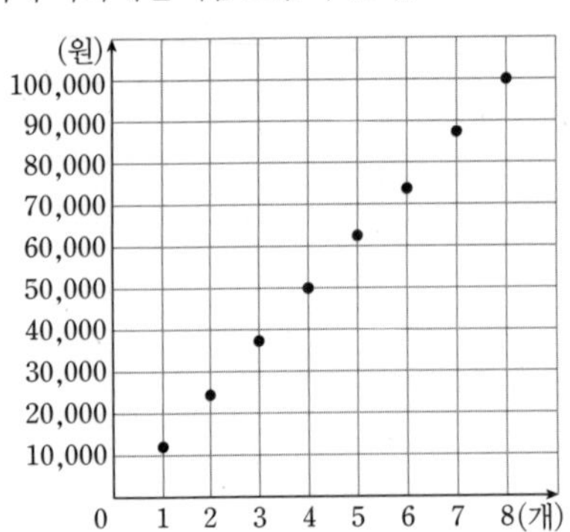

(2) 텐트의 수는 연속적이지 않기 때문에 선으로 연결할 필요가 없다.

(3) 대여하는 텐트의 수가 1개씩 증가할 때마다 대여료는 12,500원씩 일정하게 증가한다.

3 개념과 원리 탐구하기 8, 9, 10

(1) 2시간 후부터 2시간 30분이 지날 때까지와 3시간 30분 후에 가장 기온이 높았으며, 그 때의 기온은 30°C이다.

(2) 기온이 가장 빨리 오른 때는 여행을 시작한 지 1시간 후부터 1시간 30분이 지날 때까지이며, 기온이 가장 빨리 내린 때는 3시간 30분 후부터 4시간이 지날 때까지이다.

(3) 여행을 시작한 지 1시간 15분 후와 3시간 45분 후이다. 기온이 24°C임을 가리키는 가로 격자선을 따라 선을 그어 보면 가로축의 1시간 15분 후와 3시간 45분 후를 가리키는 위치에서 그래프와 두 번 만나게 된다.

4 개념과 원리 탐구하기 9, 10

(1) ① 기온이 일 년 내내 낮은 편이며, 강수량이 매우 적다.

② 일 년 내내 강수량이 거의 일정하게 나타나고, 다른 때보다 겨울철에 조금 더 강수량이 많다.

③ 4계절의 기온 변화가 뚜렷하며, 여름철의 강수량이 다른 계절에 비해 다소 많은 편이다.

④ 기온이 일 년 내내 일정한 편이며, 다른 도시들보다 강수량이 매우 많은 편이다. 특히 11월과 1월 사이의 강수량이 많다.

⑤ 겨울철에도 10°C 이상의 기온이 유지될 정도로 따뜻한 편이며, 강수량은 일 년 내내 거의 0에 가까울 정도로 매우 적다.

(2) ① E : 일 년 내내 기온이 낮다. 일 년 중 가장 따뜻한 달의 기온도 10°C 미만이다.

④ G : 연교차가 작고, 일 년 내내 20°C 이상의 고온이 일정하게 유지되므로, 적도 부근의 도시일 것이다.

⑤ B : 일 년 내내 강수량이 거의 없는 편이다.

5 개념과 원리 탐구하기 8

(1) 처음에는 빨리 걷다가 점점 속력을 줄였습니다.
(2) 1초에 1미터씩 일정한 속력으로 걸었습니다.
(3) 처음에는 천천히 걷다가 점점 속력을 높여갔습니다.
(4) 처음에는 일정한 속력으로 걷다가 몇 초간 정지한 후 다시 일정한 속력으로 걸었습니다.

6 내가 만드는 수학 이야기

제목 : 토끼와 거북이의 레이스 그래프

옛날 옛날에 토끼와 거북이가 달리기 시합을 했어요. 그런데 거북이는 워낙에 느린데 비해 토끼는 속력이 빠르잖아요?
그래서 출발하자마자 토끼는 거북이를 한참 뒤로 하고 10분 동안 열심히 달렸어요. 그리고 뒤를 돌아보았더니 워낙 느린 거북이가 그 모습조차 보이지 않는 거예요. 그래서 거북이가 올 때까지 잠시 기다린다고 하는 것이 그만 잠들어 버렸지 뭐예요…. ㅠㅠ
그 사이 거북이는 부지런히 걸어서 30분이 되는 시점에 토끼가 깜박 잠든 옆을 지나 추월을 하고 말았어요. 거북이는 쉬지 않고 부지런히 걸었죠. 그런데 아뿔사! 토끼는 50분이 되어서야 잠을 깬 거예요. 거북이는 거의 결승점에 도달하기 직전이었죠!
토끼는 다시 처음과 비슷한 속력으로 전력질주 했어요. 하지만 거북이는 출발한 지 60분이 되었을 때 이미 결승점에 도달하고 말았답니다. 그 시점에 토끼는 아직 ….
결국 이 시합에서 토끼가 지는 바람에 ….

학생 답안

제목 결승점까지의 달리기 대회
토끼와 거북이는 결승점까지 누가 빨리 달리는지 대회를 결정했어요.
거북이는 쉬지 않고 계속 결승점까지 달렸지요. 그리고 토끼는 대회 시작한 후 빠르게 1분 동안 뛰었지요.
그리고 40분 쉬고 거북이가 자신보다 앞서 달리는 것을 눈치채고, 빠르게 달렸지요.
하지만 1시간 동안 쉬지 않고 뛴 거북이가 달리기 대회에서 토끼를 이겼지요.

제목 토끼와 거북이의 테일스런너
토끼와 거북이는 어느 날 경주를 하게 되었어요. 동시에 출발하였지만 토끼는 굉장히 빨랐고, 거북이는 일정하게 느렸어요. 그러자 토끼는 10분 뒤 언덕에서 잠에 빠졌어요. 그런 토끼와는 반면, 거북이는 쉬지 않고 일정하게 걸었어요. 그 결과 토끼는 40분 뒤 깨어나 재빨리 일어나서 달렸지만 일정하게 달려온 거북이를 이길 수 없었어요. 결국 거북이가 그 경주에서 이기고 토끼가 졌답니다.

제목 달리기 경주
토끼와 거북이는 달리기 경주를 하게 되었어요. 토끼는 빠르게 달렸지만 거북이는 느릿느릿 꾸준히 움직였어요. 토끼가 느린 거북이를 비웃으며 쉬는 동안에도 거북이는 열심히 결승점을 향했어요. 거북이가 결승점에 가까워졌을 때 토끼가 뒤늦게 거북이를 쫓았지만 결국 거북이가 이겼답니다.

개념과 원리 연결하기 예상 답안

교과서(상) 168~169쪽

1

나의 첫 생각

아무거나 바꿔도 상관없다.
x와 y를 바꾸어도 그래프는 그려지기 때문이다.

다른 친구들의 생각

x는 원인, y는 결과를 나타내기 때문에 바꾸면 그래프가 이상해진다.
예를 들어 시간에 따른 속력의 변화를 그래프를 나타낼 때 x축에 시간을 나타내고, y축에 속력을 나타내야 하는데, 만약 이것을 바꾸면 속력의 변화에 따른 시간을 나타내는 그래프가 되어 무엇을 먼저 생각해야 하는지가 애매해진다.

정리된 나의 생각

인과 관계를 파악하여 x축에는 원인이 되는 것을, y축에는 그 결과로 나타나는 것을 표시한다.

학생 답안

나의 첫 생각

$y=2x$

이렇게 그래프를 그릴 때, 두 변수 x와 y를 바꾸어 그릴 때 그래프의 모양이 반대되도록 서로 다르게 그려진다.

위치가 알맞지 않을 것 같다.
그래프의 x와 y의 위치가 달라진다
그래프에 찍은 점의 위치가 달라진다.
그래프를 그릴 때 두 변수 x, y값을 바꾸거나 그래프의 축이 되는 x축, y축을 바꾸었을 때 맨 처음 나타내고자 했던 좌표와 달라지므로 바꾸면 안될 것 같다.
좌표값의 크기가 달라진다.

· x에 따른 y의 변화를 나타내기 때문에 변수를 바꾸면 그래프의 결과가 바뀐다.

2 (1)

[그래프의 뜻] 그래프는 변하는 두 양 사이의 관계를 좌표평면 위에 그림으로 나타낸 것이다.

[그래프의 성질] 그래프에서는 x축에 원인이 되는 것을, y축에 결과에 해당하는 것을 나타내는 것이 그래프를 해석할 때 쉽다.

[그래프와 표] 어떤 현상을 나타내는 방법으로는 그래프와 비슷한 역할을 하는 것이 표라고 할 수 있는데, 두 가지는 어느 한 가지만 있어도 어떤 현상에 대한 표현이 가능하지만 같이 나타내면 현상을 이해하는 데 도움이 된다.

(2)

각 개념의 뜻과 그래프의 연결성

- 두 가지 관련 있는 것 사이에 변화 관계를 나타낼 때 여러 가지 그래프를 그려서 표현하였다.
- 두 양 사이의 대응 관계를 표로 나타내면 규칙성을 파악하기가 쉽다. 규칙성이 파악되면 식으로 나타낼 수 있다. 두 양을 좌표축으로 잡으면 대응 관계는 그래프로 나타낼 수 있다.
- 수량을 점으로 표시하고, 그 점들을 선분으로 이어 그린 그래프를 꺾은선그래프라고 합니다.
- 그래프는 막대그래프, 꺾은선그래프, 그림그래프 등이 있는데 이 중 꺾은선그래프가 여기서 나오는 그래프와 유사하다.

수학 학습원리 완성하기 예상 답안

교과서(상) 170~171쪽

학생 답안 1

내가 선택한 탐구 과제

점으로된 그래프와 선으로 된 그래프의 차이

나의 깨달음

· 초등학생 때는 모든 그래프는 다 선으로 이을 수 있다고 생각 했었는데 이 단원을 배우면서 점으로 된 그래프와 선으로 된 그래프를 사용하는 경우가 다르다는 것을 알았다. 또 점으로 된 그래프는 정해진 수를 구할 때 사용되고 선으로 된 그래프는 변화량을 나타낼 때 구할 수 있다는 것을 깨달았다

수학 학습원리

학습원리 5 여러가지 수학 개념 연결하기.

학습원리 1. 끈기있는 태도와 자신감 키우기.

학생 답안 2

내가 선택한 탐구 과제

「탐구활동 2」 아래의 표는 사업팀이 여행 비용을 결정하기 위해 지난 자전거 여행에 참여해 본 사람들에게 실시한 설문조사 내용과 그 결과 입니다.

<설문 문항: 자전거 여행 가격이 얼마라면 이용하시겠습니까?>

1인당 여행 비용(원)	10만	15만	20만	25만	30만	35만	40만	45만	50만
고객 수(명)	40	35	30	25	20	15	10	5	0

나의 깨달음

(총 수입)-(총 운영비)=(사업팀의 이윤)이라는 것을 알고 위의 표에서 사업팀의 이윤을 구해 그 결과를 그래프로 나타내기 위하여 이윤과 비용이라는 순서쌍을 사용하였고 이때 순서쌍이란 두 수의 순서를 정하여 쌍으로 나타낸 것이라는 것을 알게 되었다. 또 그래프에 따른 결과들을 몇 개의 점만으로 나타내어 그 것을 통해 사업팀의 이윤을 알 수 있다는 것이 신기하였다. 그래서 이를 가지고 실제 여행 비용을 얼마로 결정하는 것이 좋은지를 알게 되었는데 그 결과 1인당 여행 비용(원)이 너무 적거나 많으면 사업팀은 오히려 손해를 보게 된다. 그래서 30과 35는 가장 적절한 비용으로 사업팀의 이윤이 가장 높았기에 실제 여행 비용을 30만원과 35만원 사이에서 결정하는 것이 좋다고 순서쌍을 이용하여 이 문제를 풀 수 있었다.

수학 학습원리

4. 수학적 의사소통 능력 기르기

"표, 수식, 그림, 그래프 등을 이용하여 주어진 조건을 분석하고 설명하였기 때문이다.

학생 답안 3

내가 선택한 탐구 과제

<탐구활동 2>

이 표는 용두암부터 성산일출봉까지의 63km 거리를 30분마다 재면서 거리를 기록한 표이다. 이 표를 보고 그래프를 그리고 특징을 설명하시오.

시간	0	0.5	1	1.5	2	2.5	3	3.5	4	4.5	5
이동거리 (km)	0	9	19	28	36	42	48	48	54	59	63

나의 깨달음

표를 보고 그래프를 나타내기 위해서는 순서쌍 (x, y)과 좌표평면이 필요하다는 것을 알게 되었다. 그 점들을 나타내보니 시간에 따른 이동거리의 변화를 쉽게 알 수 있었다. 이 그래프를 통하여 알 수있는 특징은 시간이 지날수록 속력이 줄어들고 있다는 것이다. 그 이유는 시간이 30분에서 1시간으로 변할 때는 10km가 늘었고 1시간 에서 1시간 30분으로 변할 때는 9km가 늘었고 1시간 30분에서 2시간으로 변할 때는 8km가 늘었기 때문에 시간에 대한 이동거리가 줄어들고 있는 것 같다. 따라서 속력도 점점 줄어들고 있는 것 같다.

수학 학습원리

학습원리는 5, '여러 가지 수학 개념을 연결하기' 인 것 같다. 왜냐하면 초등학생 때 배웠던 표, 그래프, x, y 등의 개념들을 이용해서 문제를 푼 것이기 때문이다.

STAGE 6

서로 영향을 주고받는 세상을 살펴보자
– 정비례와 반비례

이 단원의 핵심 지도 방향

앞 단원에서 두 변수의 다양한 관계를 식을 사용하지 않고, 표와 그래프로 나타내고 해석했습니다. 이 단원에서는 두 변수의 관계 중에서 특별한 경우인 정비례와 반비례에 초점을 둡니다. 정비례와 반비례 관계인 변수의 예에서 시작하는 것이 아니라 다양한 관계를 주고 그 중 정비례와 반비례 관계인 것을 찾아보고 그 이유를 설명해 보게 합니다. 그리고 정비례와 반비례 관계인 경우의 그래프를 그려 보고, 그래프의 특징을 관찰하여 일반화할 수 있습니다.

1 변화하는 양 사이의 관계

단원 지도 계획

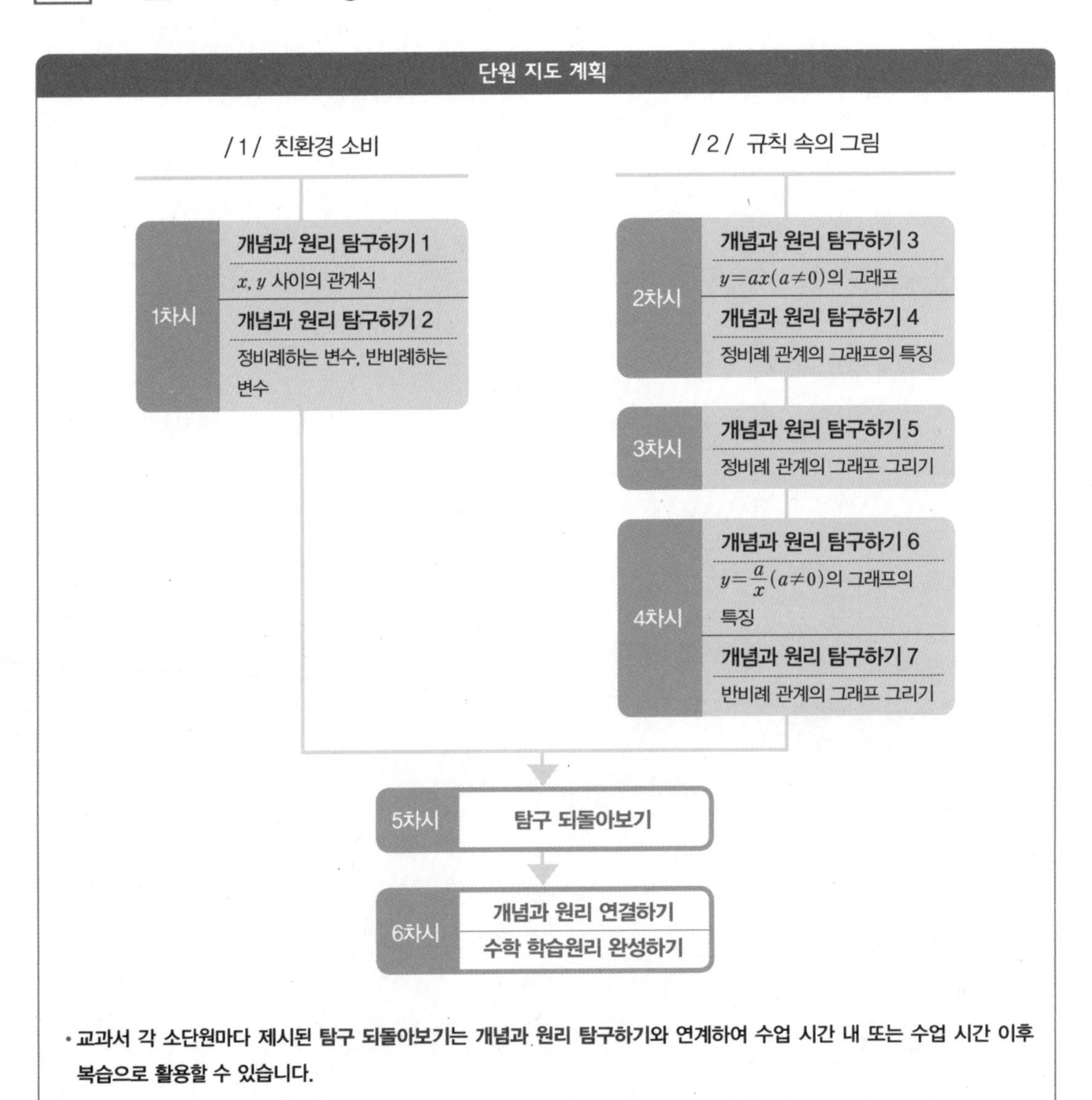

• 교과서 각 소단원마다 제시된 탐구 되돌아보기는 개념과 원리 탐구하기와 연계하여 수업 시간 내 또는 수업 시간 이후 복습으로 활용할 수 있습니다.

/1/ 친환경 소비

학습목표

1 사회적인 상황에서 두 변수 사이에 정비례 또는 반비례 관계가 성립함을 이해하고 설명할 수 있다.
2 정비례 또는 반비례 관계를 각각 $y=ax(a\neq0)$, $y=\frac{a}{x}(a\neq0)$라는 식으로 연결하여 나타낼 수 있음을 설명할 수 있다.

2015 개정 교육과정 성취기준

정비례, 반비례 관계를 이해하고, 그 관계를 표, 식, 그래프로 나타낼 수 있다.

핵심발문

두 변수 x, y가 정비례 관계인지, 반비례 관계인지 어떻게 판단할 수 있을까?

개념과 원리 탐구하기 1 _ x, y 사이의 관계식

교과서(상) 175쪽

탐구 활동 의도

- STAGE 5에서 학생들은 그래프와 표로 제시된 두 변수 사이의 여러 가지 관계에 대해 살펴보았다. 정비례와 반비례도 그러한 관계들 중 하나다. 여기서는 정비례와 반비례를 포함한 여러 가지 관계에서 출발함으로써 학생들이 정비례를 배울 때는 무조건 정비례라고 인식하고, 반비례를 배울 때는 무조건 반비례라고 습관적으로 인식하지 않도록 하였다.
- 두 변수 사이의 관계식을 이용하여 정비례인지 반비례인지를 판단하는 활동을 하게 된다. 두 변수가 정비례하는 것과 반비례하는 것을 구분하기 위해 학생들은 정비례와 반비례의 뜻을 교사의 설명을 통해서가 아니라 제시된 글을 통해 익히게 되며, 각각의 관계식이 주어진 조건에 맞는지 따져 보도록 하는 활동이다.
- 정비례와 반비례 관계를 나타내는 일반적인 관계식의 형태를 이해하게 한다.

예상 답안

1 (1) $y=115x$ (2) $y=5000-4x$
(3) $xy=2$ (4) $y=30x$(⬅ $6000\div200=30$)
(5) $y=3.14x^2$ (6) $y=\frac{12}{x}$ 또는 $xy=12$

2 (1) (1), (4)
- x가 2배, 3배, 4배, …로 변하면 y도 각각 2배, 3배, 4배, …로 변한다.

- (1)에서 x가 1일 때의 y의 값은 115인데, x가 2, 3, 즉 1의 2배, 3배가 되면 그 때의 y의 값도 230, 345로 각각 115의 2배, 3배가 된다.
- (4)도 마찬가지로 x가 1일 때의 y의 값은 30인데, x가 2, 3, 즉 1의 2배, 3배가 되면 그 때의 y의 값도 60, 90으로 각각 30의 2배, 3배가 된다.

(2) (3), (6)

- x가 2배, 3배, 4배, …로 변하면 y는 각각 $\frac{1}{2}$배, $\frac{1}{3}$배, $\frac{1}{4}$배, …로 변한다.
- (3)에서 x가 1일 때의 y의 값은 2인데, x가 2, 4, 즉 1의 2배, 4배가 되면 그 때의 y의 값은 1, $\frac{1}{2}$로 각각 2의 $\frac{1}{2}$배, $\frac{1}{4}$배가 된다.
- (6)도 마찬가지로 x가 1일 때의 y의 값은 12인데, x가 2, 3, 즉 1의 2배, 3배가 되면 그 때의 y의 값은 6, 4로 각각 12의 $\frac{1}{2}$배, $\frac{1}{3}$배가 된다.

3 (1) 두 변수 x, y의 관계식이 $y=ax(a\neq 0)$의 꼴이면, 이 관계식에 대해 다음과 같은 표를 만들 수 있다. 따라서 x가 2배, 3배, 4배, …로 변함에 따라 y도 각각 2배, 3배, 4배, …로 변함을 알 수 있으므로, $y=ax(a\neq 0)$는 x와 y가 정비례함을 나타내는 식이라고 할 수 있다.

x	1	2	3	4	…
y	a	$2a$	$3a$	$4a$	…

(2) 두 변수 x, y의 관계식이 $y=\frac{a}{x}(a\neq 0)$의 꼴이면, 이 관계식에 대해 다음과 같은 표를 만들 수 있다. 따라서 x가 2배, 3배, 4배, …로 변함에 따라 y는 각각 $\frac{1}{2}$배, $\frac{1}{3}$배, $\frac{1}{4}$배, …로 변함을 알 수 있으므로, $y=\frac{a}{x}(a\neq 0)$는 x와 y가 반비례함을 나타내는 식이라고 할 수 있다.

x	1	2	3	4	…
y	a	$\frac{a}{2}$	$\frac{a}{3}$	$\frac{a}{4}$	…

수업 노하우

- 정비례와 반비례는 2015 교육과정 개정 때 초등학교에서 중학교로 이동한 것이므로 2019학년도 이전 학생들은 초등학교에서 학습한다. 반복하는 부분임을 감안해서 지도한다.
- 실생활의 예를 통해 정비례와 반비례 관계를 직관적으로 이해하는 것이 먼저다. 일상에서 정비례는 하나가 커지면 나머지도 커지는 관계, 반비례는 하나가 커지면 나머지는 작아지는 관계로 인식하는 경향이 있다. 그것을 수학적인 정의에 맞게 수정해 갈 것이다.
- 2를 답하기 위해서는 우선 두 변수 x와 y의 값의 변화를 파악해야 한다. 사실 표를 작성하면 x가 2배, 3배, 4배, …로 변할 때의 y의 값의 변화를 알아보기 쉽다. 1에서 찾은 관계식에 특정한 x의 값을 대입해야 한다는 아이디어를 떠올리지 못하거나 두 변수 사이의 관계 파악에 어려움을 겪는 학생이 있다면 표를 그려 보도록 안내할 수 있다. 하지만 힌트를 주지 않더라도 변화를 파악하기 위해 표를 이용하는 학생들이 있었다. 다음은 표에 대한 힌트를 전혀 제공받지 않았지만, 표를 이용하여 이유를 설명한 학생들의 답안이다.

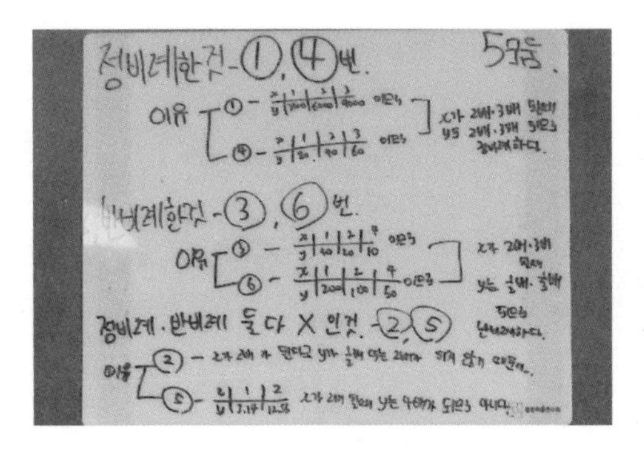

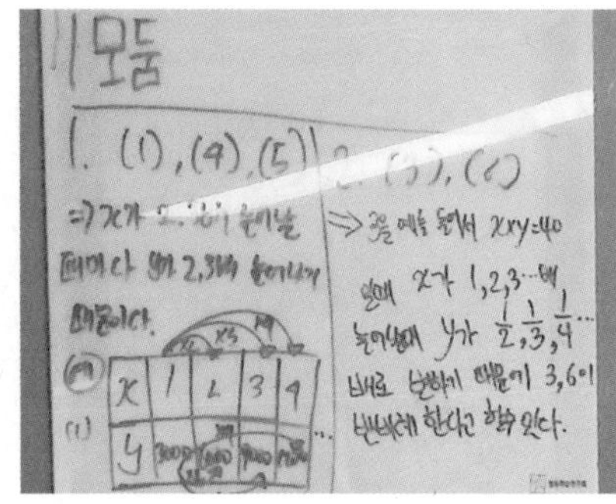

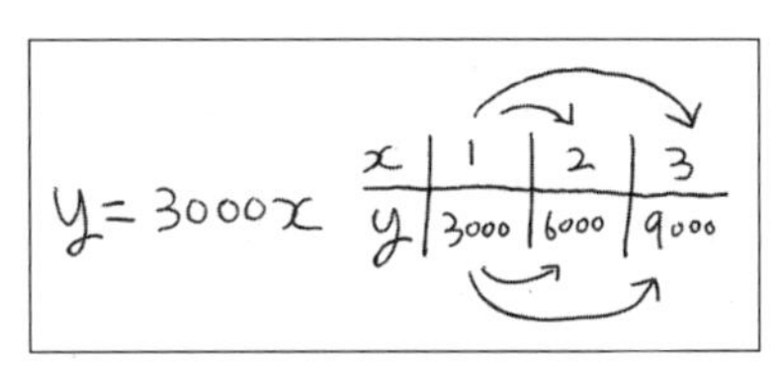

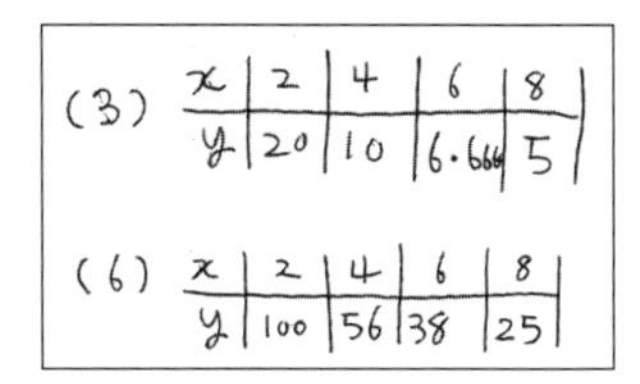

- [2]를 해결한 후에는 x와 y가 정비례하지도 반비례하지도 않는 것에 대해 그 이유를 생각해 보는 시간을 갖는다. 혹시 (2)나 (5)를 정비례 관계나 반비례 관계로 답한 경우가 있다면 자연스럽게 다른 의견을 제시할 수 있는 기회를 제공하여 다함께 옳고 그름에 대해 생각해 볼 수 있다.
- [1]의 (2)나 (5)를 정비례 또는 반비례로 착각하는 학생들이 종종 있다. (2)에 대해서는 남은 돈을 생각하지 않고 구입한 공책의 값의 변화만 생각하여 정비례라고 답을 하기도 하고, (5)에 대해서는 x가 아닌 x^2을 하나의 변수로 생각하여 정비례라고 답을 하는 경우가 있다. 또는 정비례는 'x가 커질 때 y도 커지는 관계', 반비례는 'x가 커질 때 y는 작아지는 관계'로 생각하여 (2)는 반비례, (5)는 정비례라고 답을 하기도 한다.

(1) 두 변수 x, y에서 x가 2배, 3배, 4배……로 변함에 따라 y도 2배, 3배, 4배……로 변하는 관계가 있으면 x와 y는 **정비례**한다고 합니다. 1번에서 x와 y가 정비례하는 것을 모두 고르고 이유를 설명하시오.

1, 4, 5

x가 커지면 y도 커져서

(2) 두 변수 x, y에서 x가 2배, 3배, 4배……로 변함에 따라 y가 $\frac{1}{2}$배, $\frac{1}{3}$배, $\frac{1}{4}$배……로 변하는 관계가 있으면 x와 y는 **반비례**한다고 합니다. 1번에서 x와 y가 반비례하는 것을 모두 고르고 이유를 설명하시오.

2, 3, 6

x가 커지면 y가 작아지고

y가 커지면 x가 작아져서

- [3]은 정비례와 반비례의 관계를 나타내는 관계식의 형태를 알게 하는 데에 그치지 않고, [2]에서 정비례를 'x가 커질 때 y도 커지는 관계', 반비례를 'x가 커질 때 y는 작아지는 관계'로 착각한 학생들의 오류를 올바르게 수정할 수 있도록 하는 문항이다. 예를 들어 두 변수 x와 y 사이의 관계식이 $y=-2x$인 경우 x가 $1, 2, 3, \cdots$으로 점점 커지더라도 y는 오히려 $-2, -4, -6, \cdots$으로 점점 줄어든다.

  따라서 학생들은 커지고 작아지는 것의 비교가 아니라 2배, 3배, 4배, … 또는 $\frac{1}{2}$배, $\frac{1}{3}$배, $\frac{1}{4}$배, …와 같이 몇 배씩 변화하는지에 따라 정비례와 반비례를 구분할 수 있음을 확인하고 이해하게 된다.
- a를 상수로 보고 일반화하는 경우, a에 구체적인 값을 대입하여 확인하는 경우가 있었다. 두 경우를 비교하여 일반화해 볼 수도 있다.

x에 따라서 y도 정해지는데 (변하는데)
a×x 니까 x가 증가함에 따라 (2배, 3배)
y도 증가하기 때문이다. (같은 비율로 변한다.) (2배, 3배)
($x=3$일 때 $y=a\times x$ / $y=a\times 3$)

넵=> 표로 보자면

x	1	2	3
y	a	$\frac{a}{2}$	$\frac{a}{3}$

이렇게 x가 2배, 3배 될 때 y는 $\frac{1}{2}$배, $\frac{1}{3}$배가 되므로 반비례라고 할 수 있다.

예를 들어 a가 40일때.

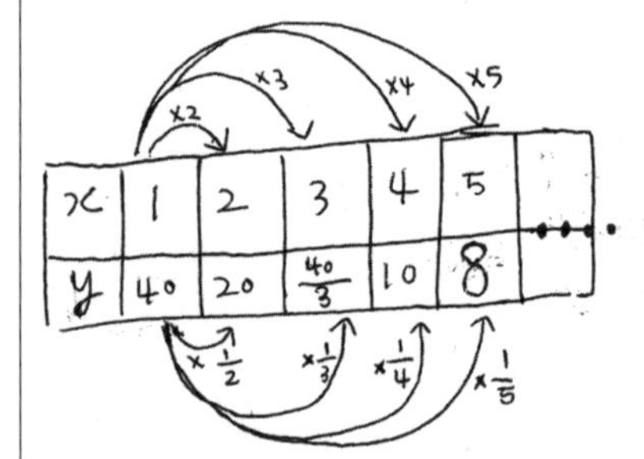

와 같이 x가 2배, 3배가 됨에 따라 y도 $\frac{1}{2}$, $\frac{1}{3}$ 배씩 되기 때문이다.

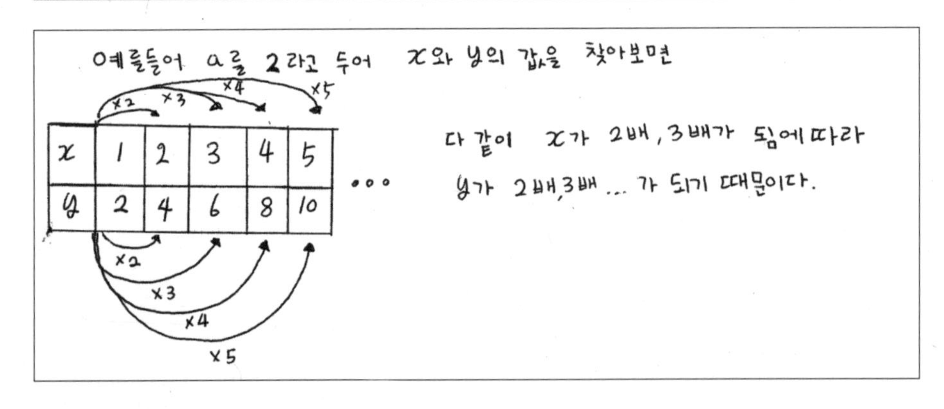

수업 연구

- 실생활 문제이다 보니 관계식에 단위를 쓰는 경우가 있다. 관계식에는 단위를 쓰지 않아도 된다.
- 문자를 사용해서 나타내지만 곱셈 기호와 나눗셈 기호를 생략하지 않는 경우가 있을 수 있다. 이 경우 모두 답으로 인정한다. 왜냐하면 곱셈 기호와 나눗셈 기호는 생략할 수 있는 것이지, 반드시 생략해야 하는 의무 사항은 아니기 때문이다.

(1) yg=115g×x개
$y=115\times x$

(2) y원=5000원−4권×x원
$y=5000-4\times x$

개념과 원리 탐구하기 2 _ 정비례하는 변수, 반비례하는 변수

교과서(상) 177쪽

탐구 활동 의도

- 정비례할 것 같은 두 변수, 그리고 반비례할 것 같은 두 변수를 골라 보고 각각 고른 이유를 설명하는 활동이다. 제시된 변수들 사이에 어떤 관계가 있을지를 고민해 보면서 정비례와 반비례의 의미를 다시 한 번 되새기게 할 수 있는 활동이다.

예상 답안

1 답은 다양할 수 있다.

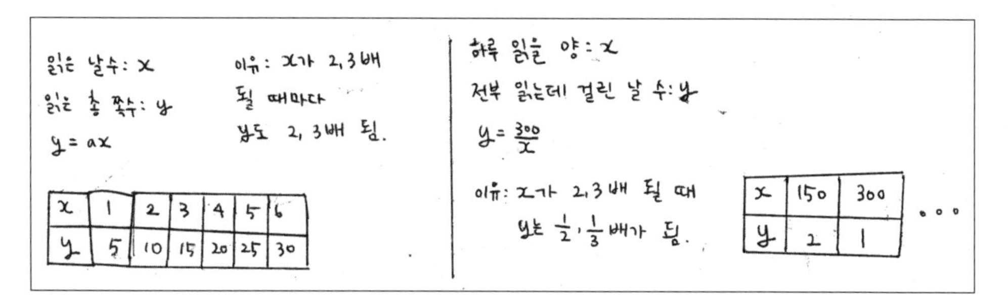

정비례한다.
일수가 1일, 2일, 3일이 되면 하루에 한쪽 읽으면 총 쪽수가 1쪽, 이틀에 3쪽 읽으면 총 쪽수가 6쪽이 되기 때문이다.

2

	두 변수	이유
정비례	• 읽은 날 수 x(일)와 읽은 총 쪽 수 y(쪽) • 하루에 읽을 양 x(쪽)와 읽은 총 쪽 수 y(쪽)	읽은 날 수가 2배, 3배, 4배, …로 변하면 읽은 총 쪽 수도 각각 2배, 3배, 4배, …로 변한다.
반비례	하루에 읽을 양 x(쪽)와 전부 읽는 데 걸린 날 수 y(일)	하루에 읽을 양이 2배, 3배, 4배, …로 변하면 전부 읽는데 걸린 날 수는 각각 $\frac{1}{2}$배, $\frac{1}{3}$배, $\frac{1}{4}$배, …로 변한다.
정비례도 반비례도 아님	읽은 총 쪽 수 x(쪽)와 전부 읽는 데 걸린 날 수 y(일)	읽은 총 쪽 수가 2배, 3배, 4배, …로 변하더라도 전부 읽는데 걸린 날 수는 알 수가 없다.

수업 노하우

- 예를 들어 '하루에 5쪽씩 읽는다.'고 가정하면 읽은 날 수와 읽은 총 쪽수는 정비례하는 것은 쉽게 알 수가 있다. 이처럼 정비례의 경우, 두 변수 이외에 다른 한 양이 일정하게 정해져 있다는 가정을 해야 하므로 이러한 아이디어가 떠오르지 않으면 정비례하는 두 변수를 찾는 것은 어려울 수 있다. 모둠 활동을 통해 어려움을 해소할 수 있도록 하고, 모둠 활동에서도 정비례하는 두 변수를 찾지 못하는 모둠이 생긴다면 모둠별 발표를 통해 정비례 관계를 확인하고 이해할 수 있는 시간을 제공한다.
- 두 변수 사이의 관계를 정비례와 반비례, 또는 아무것도 아닌 것으로 판단했다면, 그 이유도 적어 보게 한다. 모둠별 발표를 위해 칠판에 답안을 적을 때에도 두 변수의 관계를 구분 지은 이유에 대해 설명하도록 안내한다.

하루에 읽은 양(쪽)는 읽은 총 쪽수(쪽)와 정비례한다.
└ x └ y

x, y로 볼때 만약 읽은 날이 a라고 한다면

x	5	10	15
y	5a	10a	15a

x가 2배, 3배 될 때 y도 2배, 3배로 변해서.

- 선택한 두 변수가 정비례하는지, 또는 반비례하는지 판단하는 과정에서 $y=ax$, $y=\frac{a}{x}$의 a를 상수로 보고 구체적인 상황을 각자 만들어 볼 수 있도록 한다.
- 단순히 특정한 식의 형태로 정비례와 반비례를 구분하는 것에 익숙해지지 않도록 하고, 정확한 수학적 의미를 이해하여 그것을 바탕으로 둘 사이를 구분할 수 있는 능력을 키우게 한다.

수업 연구

그룹 활동 50% 완성론(최수일, 지금 가르치는 게 수학 맞습니까?)

학생들의 참여를 중심으로 디자인된 수업에서는 그룹 활동에 배정하는 시간과 그룹 활동 중의 교사의 역할이 중요하다.

모든 그룹이 주어진 과제를 충분히 해결하도록 배려하면 시간이 많이 걸릴 뿐더러, 빨리 끝낸 그룹이 지루해하거나 딴 짓을 하는 아이들이 발생할 우려가 있다. 그래서 적절한 타이밍을 잡는 것이 중요한데, 보통은 절반 정도의 그룹이 과제를 마쳤다고 판단될 때 그룹 활동을 중단시키고 표현 활동으로 넘어가야 한다. 미진한 그룹은 전체 공유의 시간을 통해서 배우도록 경청의 사회문화를 만들면 된다.

/2/ 규칙 속의 그림

학습목표

1 다양한 방법으로 정비례 관계의 그래프와 반비례 관계의 그래프를 그릴 수 있다.
2 정비례 관계의 그래프와 반비례 관계의 그래프의 각각의 특징을 스스로 발견하여 정리할 수 있다.
3 그래프를 그릴 때 유의해야 하는 점이 무엇인지 알고 그래프를 정확하게 그릴 수 있다.

2015 개정 교육과정 성취기준

정비례, 반비례 관계를 이해하고, 그 관계를 표, 식, 그래프로 나타낼 수 있다.

핵심발문

정비례 관계의 그래프와 반비례 관계의 그래프는 어떻게 그릴 수 있으며, 각각의 그래프가 갖는 특징은 무엇일까?

개념과 원리 탐구하기 3 _ $y=ax(a\neq0)$의 그래프

교과서(상) 178쪽

탐구 활동 의도

- **탐구하기** 5에서 x의 값의 범위가 수 전체일 때 정비례 관계의 그래프가 직선 모양이 됨을 이해하고 그릴 수 있도록 하기 위해 여기서는 x의 값의 범위가 제한적으로 주어진 상황을 분석하게 하였다. 주어진 그래프가 잘못된 그래프라고 하기 보다 어떻게 그린 것인지를 분석해 보게 하는 것이 중요하다.
- 두 정비례 관계의 그래프의 관계식은 같지만 x의 값의 범위에 따라 어떻게 나타나는지를 설명할 수 있게 한다. 이를 통해 $y=\frac{1}{2}x$라는 관계식을 만족하는 순서쌍 (x, y)가 어떤 규칙으로 찍히는지 파악하여 x의 값의 범위가 수 전체일 때의 그래프 모양을 추측해 볼 수 있도록 한다.
- 그래프를 올바르게 그리기 위해서는 어떤 점에 유의해야 하는지를 학생들 스스로 파악하게 하고, 올바르게 그래프를 그려 보게 한다.
- 여러 가지 공학적 도구를 활용한 그래프 그리는 활동은 이와 같은 사고 실험을 한 후에 확인해 보는 용도로 사용해 볼 수 있다.

예상 답안

1
- 도현이는 관계식을 만족하는 5개의 점들을 찾고, 그 사이만을 선분으로 연결하였다. 이때의 x의 값의 범위는 -4 이상 4 이하다.
- 준현이는 관계식을 만족하는 5개의 순서쌍만을 구하여 좌표평면 위에 나타내었다.

2 x의 값이 수 전체일 때의 $y=\frac{1}{2}x$의 그래프는 다음과 같은 직선이다.

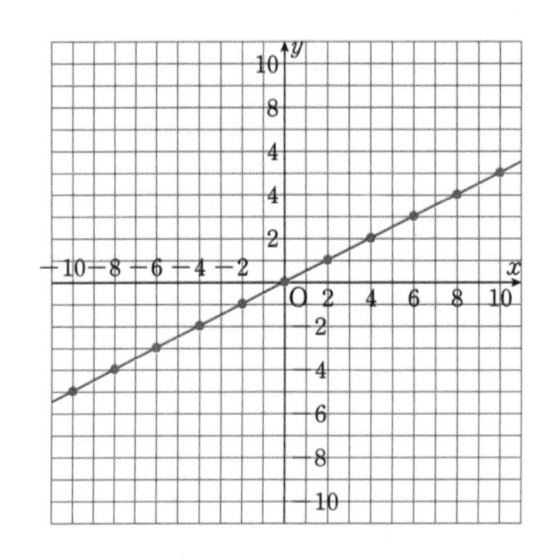

수업 노하우

- [1]에서는 두 학생 모두 관계식을 만족하는 5개의 순서쌍을 찾았다. 이 순서쌍들을 찍어 보면 점들이 찍히는 패턴을 발견할 수 있다. 이 활동에서는 x의 값의 범위가 제한적일 때에는 이렇게 나타나지만, x의 값의 범위가 수 전체로 확장이 될 경우는 패턴에 따라 점들이 어떻게 찍힐지 추측해 볼 수 있다.
- 도현이와 준현이 모두 5개의 x의 값에 대해서만 관계식 $y=\frac{1}{2}x$를 만족하는 y의 값을 구하고, 구한 순서쌍을 좌표로 하는 점을 좌표평면 위에 나타내었다. 하지만 x의 값의 간격을 2보다 점점 더 작아지게 하면 정비례의 관계식 $y=\frac{1}{2}x$의 그래프는 점들이 더 촘촘하게 나타남을 상상할 수 있을 것이다. 또한 x의 값의 범위가 수 전체로 확장되면 그 그래프가 원점을 지나는 직선이 됨을 이해하고 받아들일 수 있을 것이다.
- 이 탐구활동은 그래프의 의미를 다시 한번 생각해 보게 하는 활동이다. 즉, 몇 개의 점의 좌표만을 이용하여 그래프를 그릴 수 있고, 이 그래프를 통해 그래프에 나타나지 않은 점의 좌표에 대해서도 예측이 가능하다는 사실을 확인시켜 주는 활동이다.

개념과 원리 탐구하기 4 _ 정비례 관계의 그래프의 특징

교과서(상) 179쪽

탐구 활동 의도

- 정비례 관계의 그래프를 그리는 것보다 그려져 있는 그래프의 식 구하기를 먼저 해보게 하는 활동이다. x의 값의 범위가 수 전체일 때의 그래프가 어떤 형태인지를 자연스럽게 발견할 수 있도록 직선 형태의 그래프를 의도적으로 먼저 제시하였다.
- 정비례 관계의 그래프에 대해 자세히 살펴보고, 그 특징들을 찾아보게 한다.
- 학생들은 우선 주어진 그래프가 정비례 관계의 그래프임을 알 때, 그래프가 나타내는 두 변수의 관계를 식으로 표현해 보는 활동을 하게 된다. 그리고 그래프를 이용하여 정비례 관계가 되는 이유를 설명해야 하는데, 이때는 앞의 **탐구하기 1**에서 학습한 지식들을 활용해야 한다.

예상 답안

1 (1)

	관계식	구한 과정
㉠	$y=\frac{1}{2}x$	정비례 관계식 $y=ax$에 점 $(2, 1)$을 대입하면 $a=\frac{1}{2}$이다.
㉡	$y=2x$	정비례 관계식 $y=ax$에 점 $(1, 2)$를 대입하면 $a=2$이다.
㉢	$y=-3x$	정비례 관계식 $y=ax$에 점 $(-1, 3)$을 대입하면 $a=-3$이다.
㉣	$y=-x$	정비례 관계식 $y=ax$에 점 $(1, -1)$을 대입하면 $a=-1$이다.

(2) • x가 2배, 3배, 4배, …로 변함에 따라 y도 각각 2배, 3배, 4배, …로 변하기 때문이다.
• 원점을 지나는 직선이기 때문이다.

참고 **탐구하기 3**에서 정비례 관계의 그래프가 원점을 지나는 직선임을 확인하고 정리하는 과정을 거쳤다면 이러한 답변도 가능하다. 다음은 정비례 그래프가 반드시 원점을 지난다는 것을 설명한 학생의 답안이다.

> (2) ㉠~㉣의 그래프에서 x, y가 정비례하는 이유를 설명하시오.
>
> 원점을 지나는 곧은 직선이기 때문이다.
>
> ⇒ 정비례 관계식 ($y = ax$)를 보면 정비례는 원점을 지난다는 것을 알 수 있다.
>
> → $0 = a \times 0$ 모든 수 성립 (x, y) $(0, 0)$ 무조건 원점 지남.
>
> (3) ㉠~㉣의 그래프에서 발견할 수 있는 특징을 3가지 이상 쓰시오.

(3) • 원점을 지난다.
• 직선이다.
• 2개의 사분면을 지난다.
• 정비례 관계식 $y=ax(a\neq0)$의 x의 계수 a의 부호에 따라 지나는 사분면이 달라진다. a의 부호가 양수이면 그래프는 제1, 3 사분면을 지나고 오른쪽 위를 향하고, a의 부호가 음수이면 그래프는 제2, 4 사분면을 지나고 오른쪽 아래를 향한다.

수업 노하우

• 1에서 각각의 그래프의 관계식을 구하는 과정은 학생들마다 다양할 수 있다. 따라서 각자 자신만의 방법으로 자유롭게 관계식을 구해 보도록 안내하고 다양한 방법에 대해 함께 의견을 나눌 수 있는 시간을 마련한다.
• 학생들은 관계식을 만족하는 순서쌍들을 이용하여 그래프가 그려진다는 사실을 여러 번 경험하였으므로, 그래프가 지나는 특정한 점을 이용하여 관계식을 구할 수 있다는 것을 쉽게 이해하고 받아들인다. 또는 그래프가 지나는 점들의 x좌표와 y좌표 사이의 관계를 확인하여 관계식 $y=ax$의 a의 값을 구하기도 한다.
– 그래프가 지나는 특정한 점을 이용한 경우

(1) 각 그래프의 관계식을 구하고, 구한 과정을 설명하시오.

㉠: $y=0.5x$ $(2,1)$ $1=a\times2$ $a=\frac{1}{2}, a=0.5$

㉡: $y=2x$ $(1,2)$ $2=a\times1$ $a=2$

㉢: $y=3x$ $(-1,3)$ $3=a\times-1$ $a=-3$

㉣: $y=-x$ $(-1,1)$ $1=a\times-1$ $a=-1$

– 그래프가 지나는 점들의 x좌표와 y좌표 사이의 관계를 이용한 경우

(1) 각 그래프의 관계식을 구하고, 구한 과정을 설명하시오.

㉠: $y=\frac{1}{2}x$

x	-4	-2	0	2	4
y	-2	-1	0	1	2

⇒ 각각 x에 $\frac{1}{2}$을 곱하면 y...

㉡: $y=2x$

x	-2	-1	0	1	2
y	-4	-2	0	2	4

⇒ 각각 x에 2를 곱하면 y....

㉢: $y=-3x$

x	-1	0	1
y	3	0	-3

⇒ 각각 x에 -3을 곱하면 y....

㉣: $y=-x$

x	-3	-2	-1	0	1	2
y	3	2	1	0	-1	-2

⇒ 각각 x에 -1을 곱하면 y....

– 정비례 관계식의 변형을 이용한 경우

(1) 각 그래프의 관계식을 구하고, 구한 과정을 설명하시오.

㉠: $y=\frac{x}{2}$ $1\div2=\frac{1}{2}$

㉡: $y=2x$ $2\div1=2$

㉢: $y=-3x$ $3\div-1=-3$

㉣: $y=-1x$ $1\div-1=-1$

$y=ax$

$y\div x=a$

y좌표$\div x$좌표$=a$

대입

참고

등식의 성질을 이용하여 정비례 관계식 $y=ax(a\neq0)$를 $\frac{y}{x}=a$로 변형하여 문제를 해결한 경우가 있다면, '두 변수 x와 y가 정비례할 때, x와 y의 비는 항상 일정하다'는 정비례의 특징을 덧붙여 설명할 수 있다. 또한 이 비를 이용하면 그래프의 기울기에 대해서도 설명이 가능하다. 하지만 기울기는 2학년에서 학습해야 할 용어이므로 이에 대해서는 가급적 설명을 피하고, 비가 일정하다는 특징이 있음을 간단히 소개하고 넘어가도록 한다.

개념과 원리 탐구하기 5 _ 정비례 관계의 그래프 그리기

교과서(상) 180쪽

탐구 활동 의도

- x의 값이 수 전체일 때 정비례 관계의 그래프를 직접 그려 보는 활동이다.
- [1]은 정비례 관계의 그래프에 대해 각각의 특징을 구체적으로 묻고 있지는 않으므로, 직접 그려 보고 모둠별로 친구들이 그린 그래프들을 보면서 각각의 그래프의 특징을 발견하는 정도로 활동한다.
- [2]는 정비례 관계의 그래프가 직선임을 확인하고 이해했다면, 직선의 특징을 이용하여 정비례 관계의 그래프를 쉽게 그릴 수 있음을 알아내는 활동이다. 직선은 그 직선이 지나는 서로 다른 두 점만 알면 그 두 점을 곧게 이어 그릴 수 있다. 따라서 정비례 관계의 그래프는 원점을 지나는 직선이므로 원점 O와 그래프가 지나는 다른 한 점을 구하면 쉽게 그릴 수 있음을 발견하게 한다.

예상 답안

[1] 답은 다양할 수 있다.

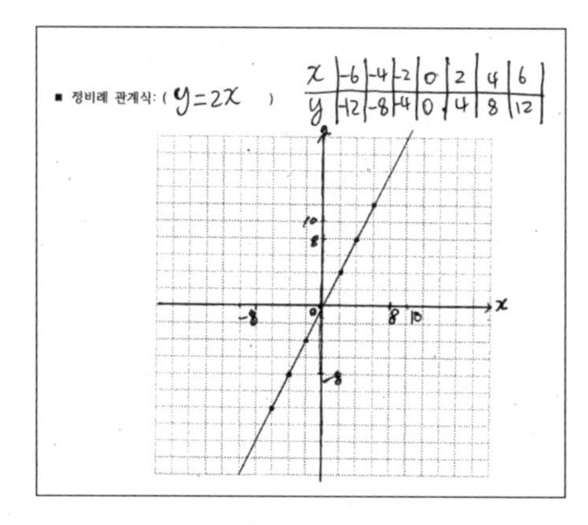

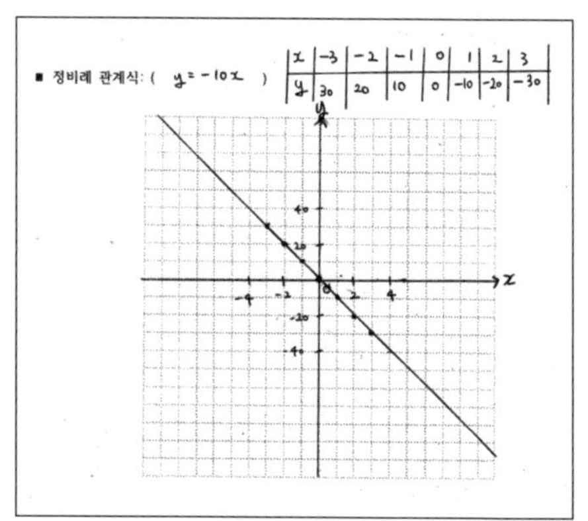

[2] 두 점을 지나는 직선은 하나로 결정된다. 정비례 관계의 그래프는 직선이므로 두 점만 있으면 그릴 수 있으며, 원점을 항상 지나므로 원점 이외의 나머지 한 점만 알고 있으면 직선을 그릴 수 있다.
따라서 혜영이는 원점 이외의 점 한 개를 더 알고 있었고 이 두 점을 이어서 그릴 수 있다.

수업 노하우

- 학생들이 $a<0$인 경우까지 고려하도록 안내한다.
- 학생들은 **STAGE 5**에서 점으로 표현해야 하는 그래프와 선으로 표현해야 하는 그래프의 차이점을 학습하였다. 따라서 관계식을 만족하는 순서쌍들을 찾아 좌표평면 위에 나타낸 후 점들을 연결하여 선으로 나타낼지, 아니면 점으로 그대로 두어야 할지는 스스로 결정하게 한다. 또는 모둠원끼리 함께 논의하여 결정하게 할 수도 있다.

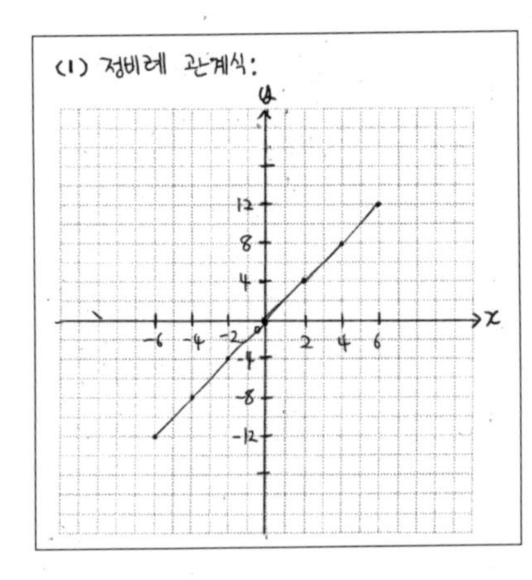

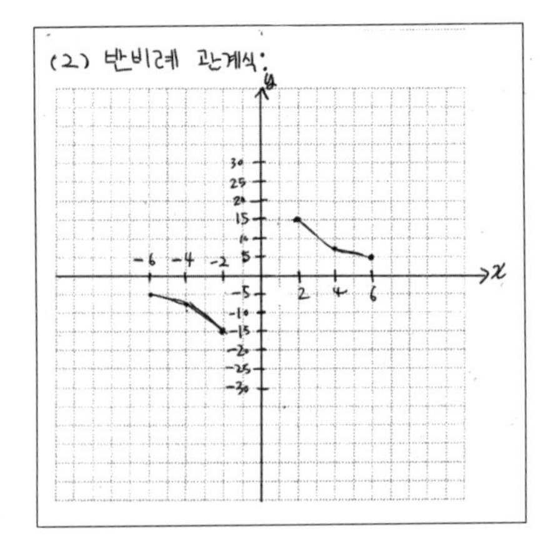

- x의 값의 범위에 대한 언급이 특별히 없을 때는 그 범위가 수 전체임을 강조하여 안내해 준다.
- [1]에서 학생들은 그래프를 그릴 때 표를 이용하여 많은 점을 찍어 직선으로 연결한다. 이때 [2]를 통해 보다 효율적으로 정비례 관계의 그래프를 그릴 수 있음을 연결하여 지도한다.
- 좌표평면을 만들 때, 좌표축과 원점을 표시하는 것이 중요함을 한번 더 강조하여 설명한다. 그래프는 두 변수 사이의 변화의 과정을 한눈에 파악할 수 있다는 장점을 가진 도구이므로, 어떤 변수 사이의 변화인지, 그리고 무엇을 기준으로 좌표축의 방향이 나뉘게 되는지 명확하게 표시되어 있어야만 그래프를 정확하게 해석할 수 있을 것이다.
- 그래프를 그릴 때, 학생들이 가장 많이 하는 실수는 자신들이 찾은 순서쌍을 좌표로 하는 점들만 좌표평면 위에 나타내고 그 점들만 선으로 연결하는 것이다.

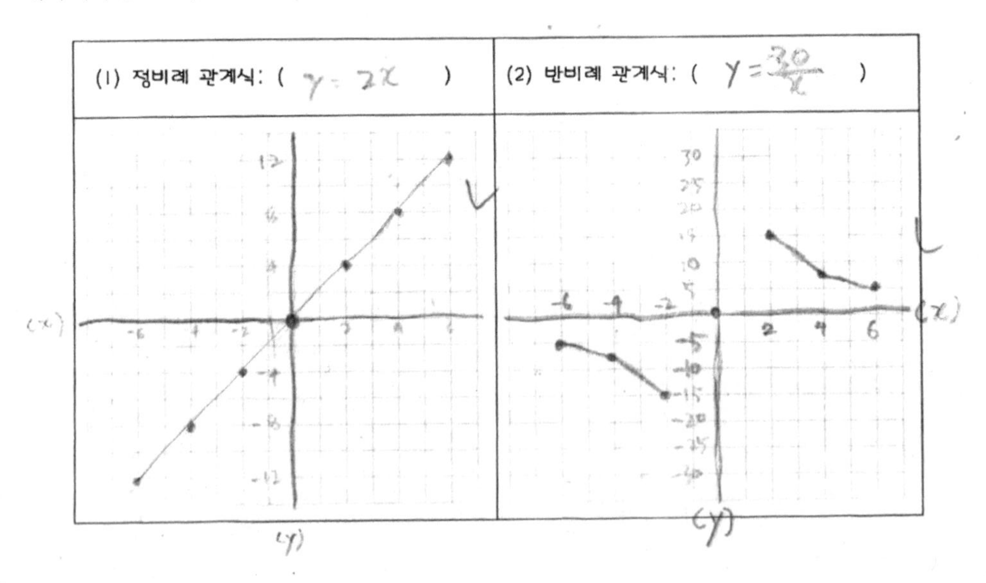

- 앞의 탐구활동에서 정비례와 반비례에 대한 의미의 차이 그리고 표현된 식의 차이점을 살펴보았다. 이번 활동에서는 각각의 그래프를 직접 그려 보았으므로, 그래프에서 찾을 수 있는 정비례와 반비례 사이의 차이점에 대해 이야기를 나누며 활동을 마무리하면 좋을 것이다. 시간적인 여유가 있다면, 그동안 학습한 것을 바탕으로 하여 표, 식, 그래프에서 알 수 있는 정비례와 반비례의 차이에 대해 정리해 보는 것도 의미가 있을 것이다.

개념과 원리 탐구하기 6 _ $y=\frac{a}{x}(a\neq0)$의 그래프의 특징

교과서(상) 181쪽

탐구 활동 의도

- **탐구하기 3**에서는 정비례 관계의 그래프를 살펴본 결과 이번 탐구활동에서는 비슷한 방법으로 반비례 관계의 그래프를 살펴보게 된다.
- 제시된 반비례 관계의 그래프를 어떻게 그렸는지 분석함으로써 오류가 무엇인지를 살펴보고, 이를 설명할 수 있게 한다.
- 반비례 관계의 그래프를 그릴 때 어떤 점에 유의해야 하는지를 학생들 스스로 파악하게 한다.

예상 답안

1 민석이가 그린 관계식 $y=\frac{8}{x}$의 그래프는 잘못된 것이다. 왜냐하면 다음과 같은 이유 때문이다.

- 각각의 점들 사이는 선분이 아니라 곡선으로 연결하여야 한다.
- x의 값의 범위에 대한 특별한 언급이 없으므로 x의 값의 범위를 모든 수로 생각하여 그려야 하는데, x의 값이 -8부터 -1, 그리고 1부터 8까지인 경우에 대해서만 그래프를 그렸다.
- 민석이가 그린 그래프는 점 $(3, 3)$을 지나는데 점 $(3, 3)$은 $3\neq\frac{8}{3}$이 되어, 관계식 $y=\frac{8}{x}$을 만족시키는 순서쌍이 아니다.
- 민석이가 그래프에 나타낸 8개의 점의 좌표는 모두 관계식 $y=\frac{8}{x}$을 만족시키지만, x의 값이 2배, 3배, 4배, …로 변함에 따라 y는 각각 $\frac{1}{2}$배, $\frac{1}{3}$배, $\frac{1}{4}$배, …로 변해야 하므로, 즉 y의 값의 변화가 점점 작게 나타나야 하므로 8개의 점을 매끄러운 곡선으로 연결해야 한다.

2 x의 값이 0을 제외한 수 전체일 때의 $y=\frac{8}{x}$의 그래프는 다음과 같은 곡선이다.

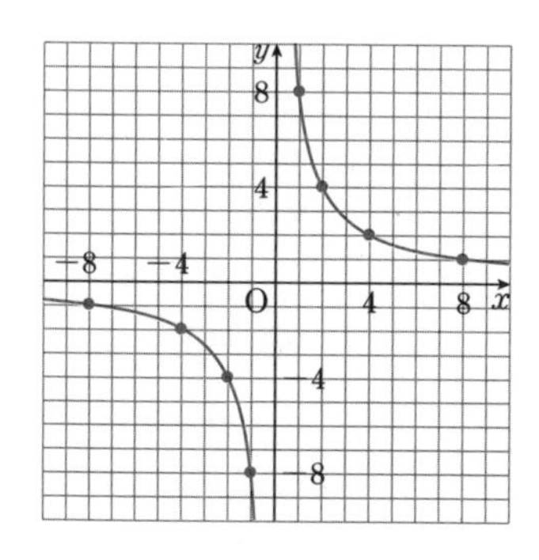

답: 잘못 그렸다.

이유: x에는 모든 수가 들어갈 수 있기 때문에 8 이상의 수는 물론 소수나 분수도 들어갈 수 있어 그래프는 8 이상으로 무한히 뻗어 나갈 수 있으며 곡선으로 그래프가 그려져야 한다.

↳ 직선으로 그으면 다른 x의 값에 따른 y가 올바르게 나오지 않는다.

수업 노하우

- 민석이는 8개의 x의 값에 대해서만 관계식 $y=\frac{8}{x}$을 만족하는 y의 값을 구하고, 구한 순서쌍을 좌표로 하는 점을 좌표평면 위에 나타낸 다음 선분으로 서로 연결하였다. 하지만 정비례 관계의 그래프를 그릴 때와 마찬가지로 x의 값의 간격을 점점 더 작게 나누고, 그 값을 대입하여 얻어지는 순서쌍들을 좌표평면 위에 나타내어 가면 반비례의 관계식 $y=\frac{8}{x}$의 그래프가 한 쌍의 곡선의 형태가 됨을 확인할 수 있다. 물론 이때 x의 값들이 많으면 순서쌍을 구하기 어렵다. 하지만 보다 정확한 그래프를 얻을 수 있는 방법이므로 한번쯤은 학생들에게 직접 시도해 보도록 안내할 수 있다.
- 반비례 관계의 그래프에 대해서도 x의 값의 범위에 대한 언급이 특별히 없을 때는 그 범위가 0을 제외한 수 전체임을 강조하여 안내해 준다. 그런데 학생들은 종종 수 전체를 자연수나 정수 전체로만 생각하는 경우가 있으므로, 유리수 전체라는 것을 언급해줄 필요가 있다. 또한 유리수 범위라는 것을 알고 있더라도 이 활동의 경우, x의 값의 범위를 확장시키는 것에 대해 8 이상은 쉽게 떠올리나 0과 1 사이는 쉽게 떠올리지 못한다. 따라서 0과 1 사이의 확장에 대한 발표가 전혀 없는 경우에는 교사가 이에 대해 언급해 주어야 한다.

개념과 원리 탐구하기 7 _ 반비례 관계의 그래프 그리기

교과서(상) 182쪽

탐구 활동 의도

- 학생들은 **탐구하기 6**을 통해 반비례 관계의 그래프를 그릴 때의 유의점을 알게 되었다. 따라서 이번 활동에서는 알게 된 유의점들에 주의하면서 x의 값이 수 전체일 때 반비례 관계의 그래프를 직접 그려 보게 한다.
- [2]는 모둠별로 친구들이 그린 그래프들을 보면서 각각의 그래프가 어떤 형태인지를 확인하는 정도로 활동이 다루어지게 한다.
- 올바르게 그린 반비례 관계의 그래프를 살펴보면서 그래프의 특징들을 이해하고 정리할 수 있는 기회를 제공한다.

예상 답안

1

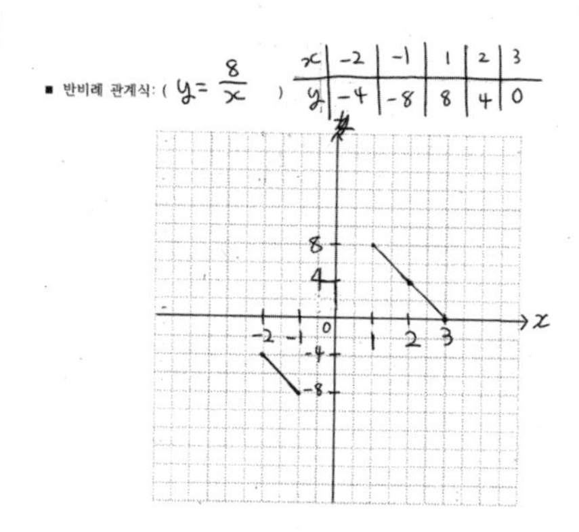

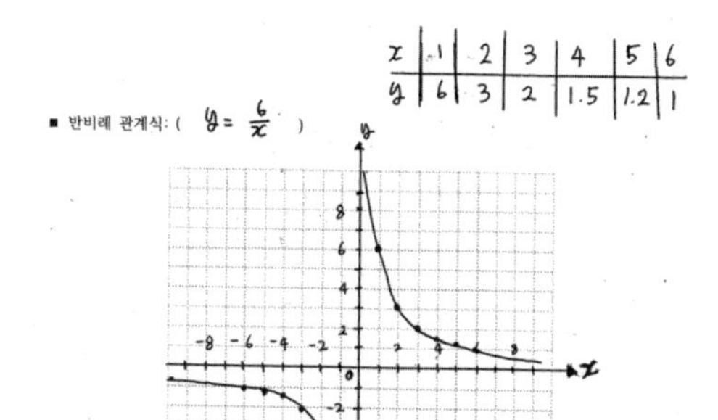

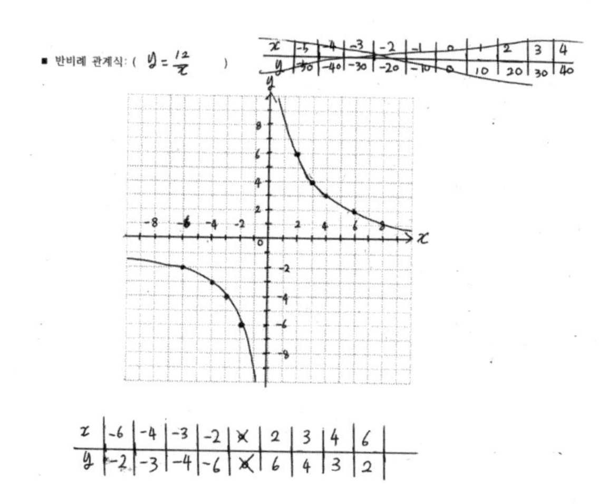

2

- 원점을 지나지 않는다.
- 두 좌표축에 접근하면서 한없이 뻗어 나가는 한 쌍의 매끄러운 곡선이다.
- 2개의 사분면을 지난다.
- 두 개의 사분면에 각각 하나씩의 곡선으로 나타난다.
- 반비례 관계식 $y=\dfrac{a}{x}(a\neq 0)$에서 a의 부호에 따라 지나는 사분면이 달라진다. a의 부호가 양수이면, 그래프는 제1, 3 사분면을 지나고, a의 부호가 음수이면, 그래프는 제2, 4 사분면을 지난다.
- $x=0$일 때의 y의 값과 $y=0$일 때의 x의 값이 존재하지 않는다.

수업 노하우

- 학생들은 **STAGE 5**에서 점으로 표현해야 하는 그래프와 선으로 표현해야 하는 그래프의 차이를 학습하였다. 따라서 관계식을 만족하는 순서쌍들을 찾아 좌표평면 위에 나타낸 후 점들을 연결하여 선으로 나타낼지, 아니면 점으로 그대로 두어야 할지는 스스로 결정하게 한다. 모둠원끼리 함께 논의하여 결정하게 할 수도 있다.
- x의 값의 범위에 대한 언급이 특별히 없을 때는 그 범위가 수 전체임을 강조하여 안내해 준다.
- 그래프를 그릴 때 1에서 학생들이 표를 이용하여 많은 점을 찍어 직선으로 연결한다. 이때 2에서는 보

다 효율적으로 반비례 관계의 그래프를 그릴 수 있음을 연결하여 지도한다.

- 그래프를 그릴 때, 학생들이 가장 많이 하는 실수는 자신들이 찾은 순서쌍을 좌표로 하는 점들만 좌표평면 위에 나타내고 그 점들만 선분으로 연결하는 것이다. 이러한 실수는 반비례 관계의 그래프를 그릴 때, 점들 사이를 곡선이 아닌 선분으로 연결하는 실수로도 이어진다.
- [1]에서 표를 이용하여 그래프를 그리는 경우에는 표에서 발견할 수 있는 반비례 관계의 특징을 이야기 해 보게 할 수 있다. 찾을 수 있는 특징 중 하나는 절댓값이 같은 서로 다른 두 x의 값에 대해 그 때의 y의 값 또한 절댓값이 같은 서로 다른 두 수가 된다는 것이다. 이러한 특징이 반비례 관계의 그래프가 원점을 중심으로 서로 마주 보는 형태의 곡선이 되게 함을 간단히 언급해줄 수 있다.
- 반비례 관계식 $y=\frac{a}{x}(a\neq0)$의 그래프는 좌표축에 가까워지면서 한없이 뻗어 나가는 한 쌍의 곡선으로 x축, y축에 한없이 가까이 갈 뿐, 만나지는 않는다는 것을 학생들 스스로 발견하게 한다. 이때 점근선이나 쌍곡선이라는 용어는 사용하지 않도록 주의한다.

수업 연구

표를 이용하여 반비례의 그래프를 그리는 경우에 발견할 수 있는 또 다른 특징은 어떤 x와 y의 짝을 선택하더라도 두 수의 곱, 즉 xy의 값이 항상 일정하다는 것이다.

이는 그래프에서도 지나는 점들의 관계를 유심히 살펴본다면 찾을 수 있는 특징이기도 하다. 이런 현상은 오른쪽 그림과 같이 반비례 곡선 위의 한 점과 두 축으로 만들어지는 직사각형의 넓이가 항상 일정하다는 사실과 연결할 수 있다. 오른쪽 그림과 같은 $a>0$인 경우의 $y=\frac{a}{x}$의 그래프에서 두 직사각형 PBOA와 QDOC의 넓이는 항상 a와 같다.

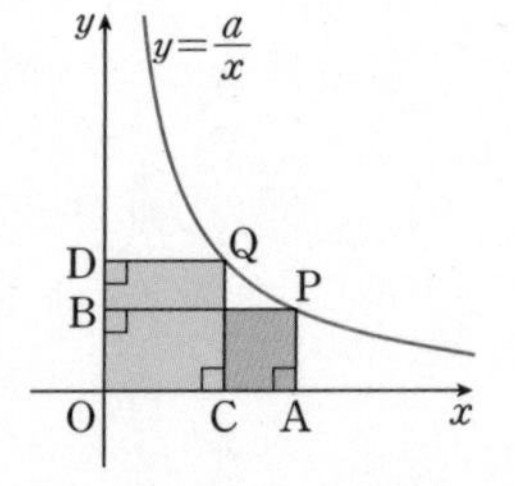

탐구 되돌아보기 예상 답안

교과서(상) 183~189쪽

1 개념과 원리 탐구하기 1, 2

(1) $y=-2x$, 정비례 관계다.

왜냐하면 x가 2배, 3배, 4배, …로 변함에 따라 y도 각각 2배, 3배, 4배, …로 변하기 때문이다.

(2) $y=-x+1$, 정비례도 반비례도 아니다.

왜냐하면 x가 2배, 3배, 4배, …로 변하여도 y가 각각 2배, 3배, 4배, …로 변하지도 않고 $\frac{1}{2}$배, $\frac{1}{3}$배, $\frac{1}{4}$배, …로 변하지도 않기 때문이다.

(3) $y=\frac{12}{x}$, 반비례 관계다.

왜냐하면 x가 2배, 3배, 4배, …로 변함에 따라 y가 각각 $\frac{1}{2}$배, $\frac{1}{3}$배, $\frac{1}{4}$배, …로 변하기 때문이다.

2 개념과 원리 탐구하기 1, 3

(1) ㉠-①

ⓛ-③

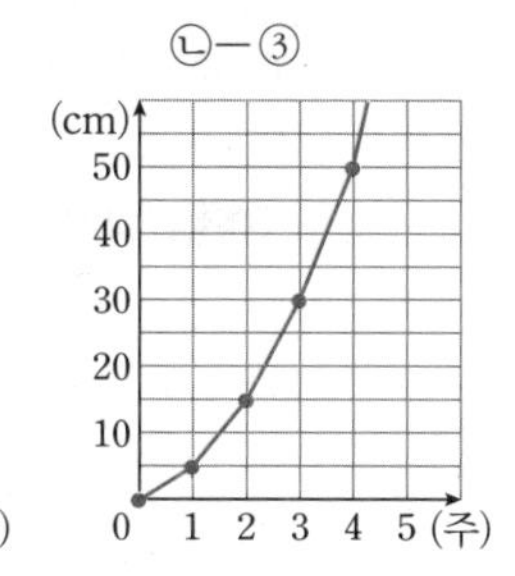

ⓒ-②

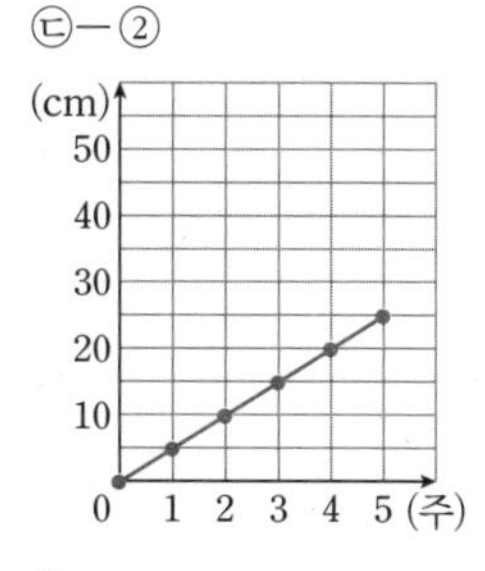

(2) ⓒ, $y=5x$

3 개념과 원리 탐구하기 1, 2

(1) 정비례 관계가 아니다.

왜냐하면 $x=1$일 때, $y=5$이고, $x=2$일 때, $y=7$인데 $\frac{y}{x}=\frac{5}{1}\neq\frac{7}{2}$로 $\frac{y}{x}$의 값이 일정하지 않으므로 정비례 관계가 아니다.

(2) 반비례 관계가 아니다.

왜냐하면 $x=1$일 때, $y=7$이고, $x=2$일 때, $y=4$인데 $x\times y=1\times7\neq2\times4$로 $x\times y$의 값이 일정하지 않으므로 반비례 관계가 아니다.

4 개념과 원리 탐구하기 4

(1) 민정: $y=ax$를 이용하였다.

은정: $\frac{y}{x}=a$를 이용하였다.

은지: 관계를 나타낸 표를 이용하였다.

(2) 답은 다양할 수 있다.

예 나는 민정이처럼 $y=ax$를 이용하는 것이 편리하다고 생각한다. 그래프가 원점을 지나는 직선일 경우 정비례라는 것을 알고 있으므로 관계식을 이용하면 새로 또다른 공식을 외우지 않아도 이를 이용하여 a의 값을 구할 수 있다.

5 개념과 원리 탐구하기 3, 4

원점을 중심으로 뻗어 있는 제1, 3사분면을 지나는 직선이므로 정비례 관계를 나타내는 그래프이고 그 식은 $y=ax(a>0)$ 형태다. x축보다는 y축에 더 가깝게 느껴지므로 $a>1$이다. 왜냐하면 $a=1$일 때, 직선 $y=x$는 x축과 y축에서 같은 간격만큼 떨어져 있기 때문이다.
예를 들면 $y=2x$, $y=3x$, $y=100x$ 등이다.

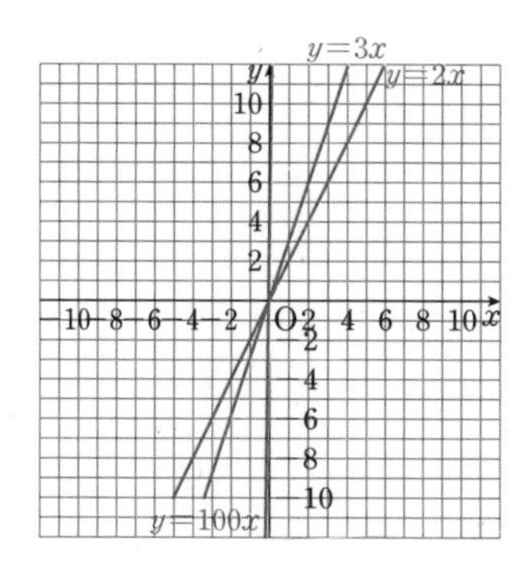

6 개념과 원리 탐구하기 4, 5

(1) x는 일한 시간, y는 일한 시간에 따라 받은 급여로 정한다. 시간에 따라 급여는 일정하게 증가하기 때문에 x를 시간으로 두었다.

(2) 법정최저시급을 이용하여 x가 1(시간)일 때, y의 값은 7350(원)이라고 나타낼 수 있다. 이때 관계식은 $y=7350x$다.

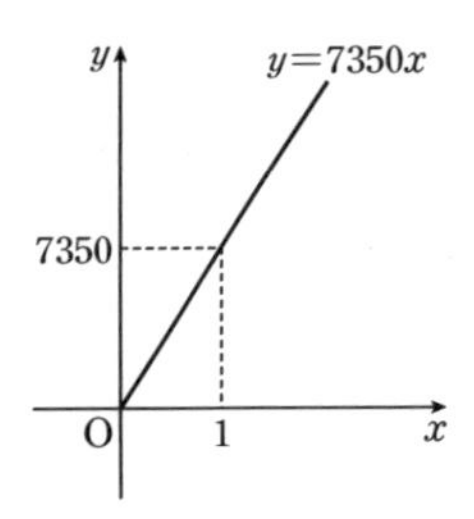

시간당 5000원을 받는다고 설정할 경우, 그래프에 x가 1일 때 y는 5000에 표시할 수 있다.

(3) 사고 싶은 태블릿의 가격을 50만 원이라고 할 때, $y=7350x$일 경우 다음과 같은 식을 세울 수 있다.

$7350x=500000$, $x=68.03\cdots$

따라서 약 69시간 동안 일해야 하므로, 하루 3시간씩 아르바이트를 할 경우 23일 동안 일해야 한다는 것을 계산할 수 있다.

7 개념과 원리 탐구하기 5, 6, 7

(1)

①	②
좌표평면에서 원점이 2개다.	x의 값의 범위가 수 전체일 때의 그래프가 아니라, x의 값이 -3, -2, -1, 0, 1, 2, 3, 4일 때의 그래프다.

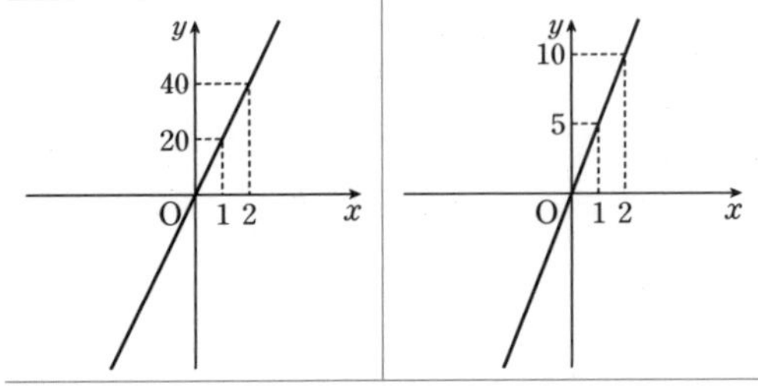

(2)

①	②
x의 값의 범위가 수 전체일 때의 그래프가 아니다. x의 값이 2, 4, 6, -2, -4, -6일 때의 y의 값을 구해 연결하였는데, 곡선이 아니라 직선으로 연결했다. x의 값이 0과 2 사이, 0과 -2 사이일 때의 그래프가 없다.	주어진 관계식을 만족하는 순서쌍은 구했는데 곡선으로 연결하지 못하였다.
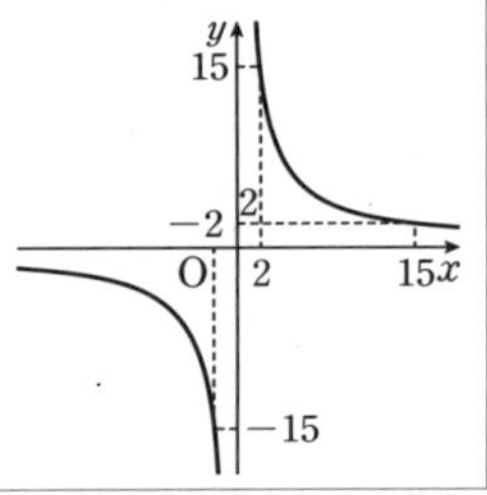	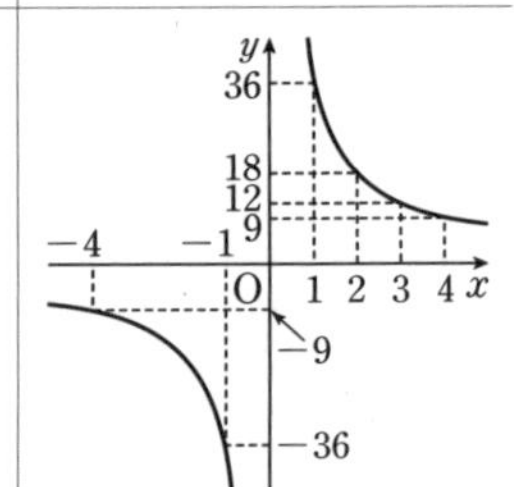

8 개념과 원리 탐구하기 6, 7

- x축과 만나는 점도, y축과 만나는 점도 없다.
- $y=0$일 때 x의 값이 존재하지 않으므로 곡선의 그래프가 x축과 만나는 점은 없다. 마찬가지로 $x=0$일 때 y의 값이 존재하지 않으므로 곡선의 그래프가 y축과 만나는 점도 없다.

9 개념과 원리 탐구하기 5, 6

(1) 정비례 관계의 그래프는 원점을 지나는 직선이므로 그 구간은 0초 이상 3초 이하, 6초 이상 8초 이하인 구간이다.

(2) 반비례 관계의 그래프는 두 좌표축에 접근하면서 한없이 뻗어나가는 매끄러운 곡선인데 그러한 곡선인 구간은 없다.

10 내가 만드는 수학 이야기

일상 생활에서의 정비례 관계, 반비례 관계와 수학에서 사용하는 것에는 차이가 있음을 느꼈다. 예를 들면 사람은 나이에 따라 키가 자라므로 나이와 키는 정비례 관계가 있다고 일상적으로 말하지만 수학적으로는 그렇지 않다. 나이가 2배, 3배, 4배, …로 많아질 때 키도 2배, 3배, 4배, …로 자라야 정비례 관계인데 실제로는 사람의 키가 이렇게 자라지 않기 때문이다.

푸름이가 한 번에 3분 걸리는 게임을 하고 있어요. 많이 할수록 총 시간은 계속 3분씩 늘어났어요. 이런 것을 정비례라고 해요. 또 20 L짜리 음료수를 4명이서 마실 때는 한 명당 5 L를 마시게 되지만 5명이서 마실 때에는 한 명당 4 L를 마시게 돼요. 이런 것은 반비례라고 합니다.

학생 답안 1

제목 사탕과 자동차

OO는 편의점을 운영을 하면서 손님을 맞이하고, 물건을 팝니다.
어느 날, OO이 운영하는 편의점에 △△이라는 이름을 가진 한 아이가 왔어요.
△△는 사탕을 먹고 싶어 편의점에 왔지요.
그런데, △△는 1000원 가지고 1개에 200원인 사탕을 몇 개 살 수 있는지 어려워 했어요. △△는 어려서 아직 암산을 정확히 못하고 곱셈을 못하기 때문이죠.
OO는 △△를 위해 어떤 해결 방안을 내세워 도와주었지요.
그리고 OO는 좋은 아이디어가 떠올랐죠.
바로 좌표평면으로 사탕의 가격을 표시해주는 것이죠.
그래서 OO는 종이에 x축은 사탕의 개수, y축은 사탕 가격으로 그래프를 그려주었지요.
그리고 OO는 저녁이 되어 퇴근을 하고 집으로 차를 타고 갔어요.
그리고 OO는 자동차 빠르기에 따라 집까지 가는 시간이 어떻게 달라지는지 계산해보았더니 1분 동안 간 거리가 늘어날 수록 걸리는 시간이 점점 줄어들었어.
OO는 1분에 가는 거리를 xkm, 걸린 시간을 y분으로 하여
x와 y의 사이의 관계를 대응표로 나타내어 자세히 알아보았다.
그리고 OO는 하루 동안의 일을 생각해보았다.
OO은 좌표평면으로 사탕의 가격을 표현할 때 정비례 관계, 자동차 속력을 대응표로 나타낸 것은 반비례 관계인 것을 알게 되었어요.

사탕의 가격 y (원) / x (개): 0, 1, 2, 3, 4, 5, 6

x(km) = 1분 동안 가는 거리	1	2	3	4	…
y(분) = 걸린 시간	12	6	4	3	…

학생 답안 2

제목 예은의 일기

오늘 우리반 친구 3명이 우리 집에 놀러왔다. 어머니께서 음료수 500ml를 주셔서 나까지 4명이 똑같이 125ml를 마셨다. 그런데 또 다른 친구 한명이 와서 500ml 음료수를 하나 더 받았다. 이번에는 5명이 똑같이 500ml를 100ml씩 마셨다. 사람의 수가 변화할수록 한명이 마시는 음료수의 양이 반대로 변화했다. 그리고 친구들과 다같이 게임을 했다. 한 번 할때마다 5분이 걸렸다. 게임을 두 번, 세 번 할수록 시간도 5분씩 지나갔다. 그렇게 여러번 게임을 하고 시간이 되어 친구들은 집에 돌아갔다. 오늘은 정말 즐거웠다.

개념과 원리 연결하기 예상 답안

교과서(상) 190~191쪽

1

나의 첫 생각

- 정비례는 같이 증가하는 것, 반비례는 반대로 감소하는 것이므로 두 판단은 모두 옳다.
- 정비례와 반비례의 관계식은 $y=ax$, $y=\frac{a}{x}$인데 a의 부호에 따라 증가, 감소가 변하기 때문에 옳지 않다.
- 옳지 않다. 예를 들어
  (1) x가 2이고 y가 -2일 때 각각 2를 곱하면 x는 4, y는 -4로 x는 증가하지만 y는 감소한다.
  (2) x가 2, y가 -2일 때 각각 2와 $\frac{1}{2}$을 곱하면 x는 4, y는 -1로 x가 증가하면 y도 증가한다.

다른 친구들의 생각

(1) 틀린 설명이다.
왜냐하면 $y=-2x$의 경우 x와 y는 정비례 관계이지만, x가 증가할 때 y는 감소하기 때문이다.

(2) 틀린 설명이다.
왜냐하면 $y=-\frac{1}{x}$의 경우 x와 y는 반비례 관계이지만, x가 증가할 때 y도 증가하기 때문이다.

정리된 나의 생각

정비례 관계나 반비례 관계는 각각의 정의에 맞는지 판단해야 한다. 단순하게 x, y가 증가, 감소로 판단할 것이 아니고 x가 2배, 3배, 4배, …로 변함에 따라 y가 $\frac{1}{2}$배, $\frac{1}{3}$배, $\frac{1}{4}$배, …로 변하면 두 변수 x, y는 반비례 관계다.
변하는 것은 증가하는 것과 감소하는 것을 모두 나타낸다는 것에 주의해야 한다.

학생 답안

나의 첫 생각

·잘 모르겠다.

·옳다. 정비례의 경우 x값이 2배 3배… 증가할 때 y값도 2배 3배… 증가하기 때문에 x값이 증가하면 y값도 증가한다. 또 반비례의 경우 x값이 2배, 3배 …증가할 때, y값은 $\frac{1}{2}$배, $\frac{1}{3}$배…로 감소하기 때문에 x값이 증가하면 y값이 감소한다

·정비례나 반비례의 함수식은 $y=ax$, $y=\frac{a}{x}$인데 a의 부호에 따라 증가,감소가 변해서 옳지않다

다른 친구들의 생각

·정비례 함수식인 $y=ax$에서 a의 부호에 따라 증가, 감소가 구분된다. 마찬가지로 반비례 함수식인 $y=\frac{a}{x}$에서 a의 부호에 따라 증가, 감소되기 때문에 둘다 옳지않다.

정리된 나의 생각

·모르는 것을 알게 되어서 좋았다. a의 부호에 따라 증가, 감소가 구분된다는 것을 알게 되었다.

2 (1)

[정비례의 뜻과 성질]

① 두 변수 x, y에서 x가 2배, 3배, 4배, …로 변함에 따라 y도 각각 2배, 3배, 4배, …로 변하는 관계가 있으면 x와 y는 정비례한다고 한다.

② 두 변수 x, y가 정비례하면 두 변수 사이에는 $y=ax(a\neq0)$ 또는 $y\div x=a$인 관계가 성립한다.

[반비례의 뜻과 성질]

① 두 변수 x, y에서 x가 2배, 3배, 4배, …로 변함에 따라 y가 각각 $\frac{1}{2}$배, $\frac{1}{3}$배, $\frac{1}{4}$배, …로 변하는 관계가 있으면 x와 y는 반비례한다고 한다.

② 두 변수 x, y가 반비례하면 두 변수 사이에는 $y=\frac{a}{x}(a\neq0)$ 또는 $xy=a$인 관계가 성립한다.

학생 답안

x축은 오른쪽 y축은 위로 갈수록 값이 커진다.

정비례그래프의 성질: 원점을 지나는 직선의 그래프

└$y=ax$ / a의 절댓값이 클수록 직선은 y축에 가까워진다.

반비례그래프의 성질: 원점에 대칭인 곡선 그래프.

└원점 지나지 X.

$y=\frac{a}{x}$ / a의 절댓값이 클수록 곡선은 원점에서 멀어진다.

변화하는 양 변수 x가 2배, 3배… 변함에 따라 y가 2배, 3배… 변하는 것이 정비례, x가 2배, 3배… 변함에 따라 y가 $\frac{1}{2}$배, $\frac{1}{3}$배… 변하는 것이 반비례이다.

정비례 관계식: $y=ax$

반비례 관계식: $y=\frac{a}{x}$

(2)

각 개념의 뜻과 정비례와 반비례의 연결성

- 초등에서 배운 비의 성질을 생각하면 $1:2=2:4=3:6=\cdots\cdots$ 에서 비율은 모두 $\frac{1}{2}$이다. 이 비를 $x:y$라 하면 $y=2x$, 즉 정비례 관계가 성립한다.
- 초등학교에서 배운 정비례, 반비례는 증가와 감소라는 표현을 사용하여 설명하였지만 음수를 배운 중학교에서는 증가, 감소가 아닌 변화한다고 표현하는 것을 알게 되었다.
- 초등에서 배운 비의 성질을 생각하면 $1:2=2:4=3:6\cdots$에서 비율은 모두 $\frac{1}{2}$이다. 이 비를 $x:y$라 하면 $x=2y$, 즉 정비례 관계가 성립한다.
- 직사각형의 넓이를 구하는 공식은 반비례라고 할 수 있다. 가로의 길이가 x, 세로의 길이가 y인 직사각형의 넓이를 s라고 하면, $s=xy$다. 이때 넓이가 일정하면 두 변수 x, y는 반비례한다.
- 변하는 두 양 사이의 관계를 좌표평면 위에 그림으로 나타낸 것을 그래프라고 한다. 정비례나 반비례도 두 변수 사이에 변화하는 관계를 말하는 것이므로 그래프로 나타낼 수 있다.

학생 답안

정비례, 반비례와 연결된 개념.

등식에 좌변에 2를 곱하면 우변에도 2를 곱해야 하는 것이 정비례랑 무언가 비슷한 것 같다.

수학 학습원리 완성하기 예상 답안

교과서(상) 192~193쪽

학생 답안 1

내가 선택한 탐구 과제

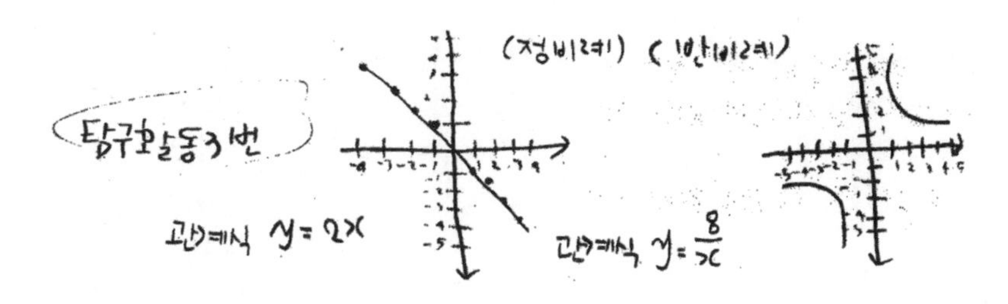

나의 깨침

나는 솔직히 이걸 배우기 전까지 a값을 구하는 방법을 정확히 몰라서 그냥 애들한테 물어봐서 했는데 그때도 설명들으면서 애매모호했다 근데 이걸 할 때 문제를 만들어야 했다 그때 a값을 처음부터 정해야 되는데 그때부터 조금씩 a의 값은 모르고 x와 y의 값을 구할 때 $y \div x$는 a의 값이 나오는 줄 알고 처음부터 차근차근하게 구한 값으로 1) $y=2x$로 만들어서

x	1	2	3	4	5
y	2	4	6	8	[illegible]

이 표로 그래프를 그리고 제1사분면과 3사분면을 지나게 그린다. 이렇게 이 탐구활동을 통해 a의 값을 구하는 방법도 알게 되고 a의 값이 + 양수면 그래프는 1, 3 사분면이 지나고 -수면 (음수) 2, 4 분면을 지난다는 것을 정확히 알게 되고 또 +(양수) 그래프에서 0을 지나고 음수(-)는 0을 지나지 않고 직선이 아니라 곡선으로 그려졌다

수학 학습 원리

2. 관찰하는 습관을 통해 규칙성을 발견하기
3. 수학적 추론을 통해 자신의 생각을 정당화하기

학생 답안 2

내가 선택한 탐구 과제

[탐구활동4] 1. 다음 그래프를 아래 모눈종이에 그리시오.

(1) $y=\frac{12}{x}$

x	y
-6	-2
-3	-4
-2	-6
-1	-12
1	12
2	6
3	[illegible]
6	2

(2) $y=\frac{3}{x}$

x	y
-6	[illegible]
-3	[illegible]
-2	[illegible]
-1	[illegible]
1	[illegible]
2	[illegible]
3	1
6	$\frac{1}{2}$

(3) $y=-\frac{6}{x}$

x	y
-6	1
-3	2
-2	3
-1	6
1	-6
3	-3
	-2
6	-1

(4) $y=-\frac{8}{x}$

x	y
-8	1
-4	2
-2	4
-1	8
1	-8
2	-4
4	-2
8	-1

나의 깨침

위 그래프 식($y=\frac{12}{x}, y=\frac{3}{x}, y=-\frac{6}{x}, y=-\frac{8}{x}$)을 만족하는 점들을 찾아서 찍었다. 다 찍고나니 반비례 그래프에 특징을 살펴볼 수 있었는데 첫번째, 정비례 그래프와는 다르게 원점을 지나지 않는 곡선이었다. 이를 보고 반비례 관계는 x의 값이 증가하면 y의 값은 감소한다는 것도 알 수 있었다. 두번째는 양수의 식과 음수의 식들의 공통점으로 알 수 있었는데 양수의 식은 제 1사분면과 제 3사분면에 나타내어지고 음수의 식은 제 2사분면과 제 4사분면에 나타내어진다. 그리고 위 그래프를 그리며 한없이 뻗어나가는 곡선을 보고 x축과 y축은 맞닿겠구나라고 생각하였지만 추가로 3번 문제를 통해 위 내 생각을 연결하여보니 x축과 y축은 서로 접근은 가능하나 맞닿으면 안된다는 것을 알고 그 이유는 x가 0이 되면 y는 없는 수가 되버리므로 식이 성립할 수 없기 때문이다. 이 사실을 수로 대입해 예로 들면 $y=\frac{a}{x}$인데 분모인 x가 0이 되버리면 $\frac{a}{0}$ → ✖ 이와 같이 되버린다. 그래서 반비례 관계식

수학 학습 원리

그래프를 그릴 때 주의점은 x축과 y축이 맞닿게 그리지 않는다라는 것을 알게 되었다.

<수학적 추론을 통해 자신의 생각을 정당화 하기>

• 새로운 결과가 이미 알려진 사실에 어떻게 연결되는지를 논리적으로 설명하기.

학생 답안 3

내가 선택한 탐구 과제

x축의 선의 x축과, y축의 선이 y축과 만나는 경우를 구해라.

나의 깨침

나는 솔직히 x축의 선의 x축과 y축의 선이 y축과 언젠가는 만날 줄 알았는데, x가 0일 때의 값은 없으므로 x와 축과 만나는 점은 존재하지 않고, x가 0이 안되면 y도 만날 수 없으므로 존재하지 않는다는 것이 신기했다. 즉 그래프의 성질이 선은 절대 축과 만나지 않는다는 것을 깨달았다.

수학 학습 원리

1. 끈기 있는 태도 기르기

끈기 있게 관찰하며 만나지 않는다는 것을 깨달음.

학생 답안 4

내가 선택한 탐구 과제

다음 그래프가 x축과 만나는 점, y축과 만나는 점의 좌표를 구하시오

나의 깨침

나는 그래프 읽을 줄 알았지만 구할 수 없다

왜냐하면 x축과 만나면 y좌표는 0이므로 $0=\frac{1}{x}$가 되는데

분수에는 0이 들어갈 수 없기 때문이다.

y축도 마찬가지다 y축과 만나면 x축은 0이므로 관계식이

성립되지 않는다

고로 구할 수 없다.

수학 학습 원리

3. 수학적 추론을 통해 자신의 생각을 정당화하기.

자신이 생각한 여러가지 예가 왜 맞는지 설명하기

STAGE 7

세상을 확대해 보자
– 기본 도형

이 단원의 핵심 지도 방향

이 단원에서는 학생들이 본격적으로 도형의 성질을 추론하고, 정당화하는 활동을 하게 됩니다. 초등학교에서 했던 방식의 각의 크기, 선분의 길이를 구하는 '문제 풀이'보다 '추론과 정당화 과정'에 초점을 둘 필요가 있습니다. 그래서 이 과정에서 필요한 수학 용어, 기호를 정확히 사용하도록 합니다. 예를 들어 '두 점 사이의 거리', '점과 직선 사이의 거리', '맞꼭지각의 성질' 등 중요한 개념에 집중하여 학생들이 스스로 명제를 만들어 보고, 그 명제가 참인지 거짓인지 판단해 보고, 그 이유를 다양한 방법으로 설명하고 정교화하는 경험을 하도록 안내합니다.

1 내 주변에 숨어 있는 기본 도형

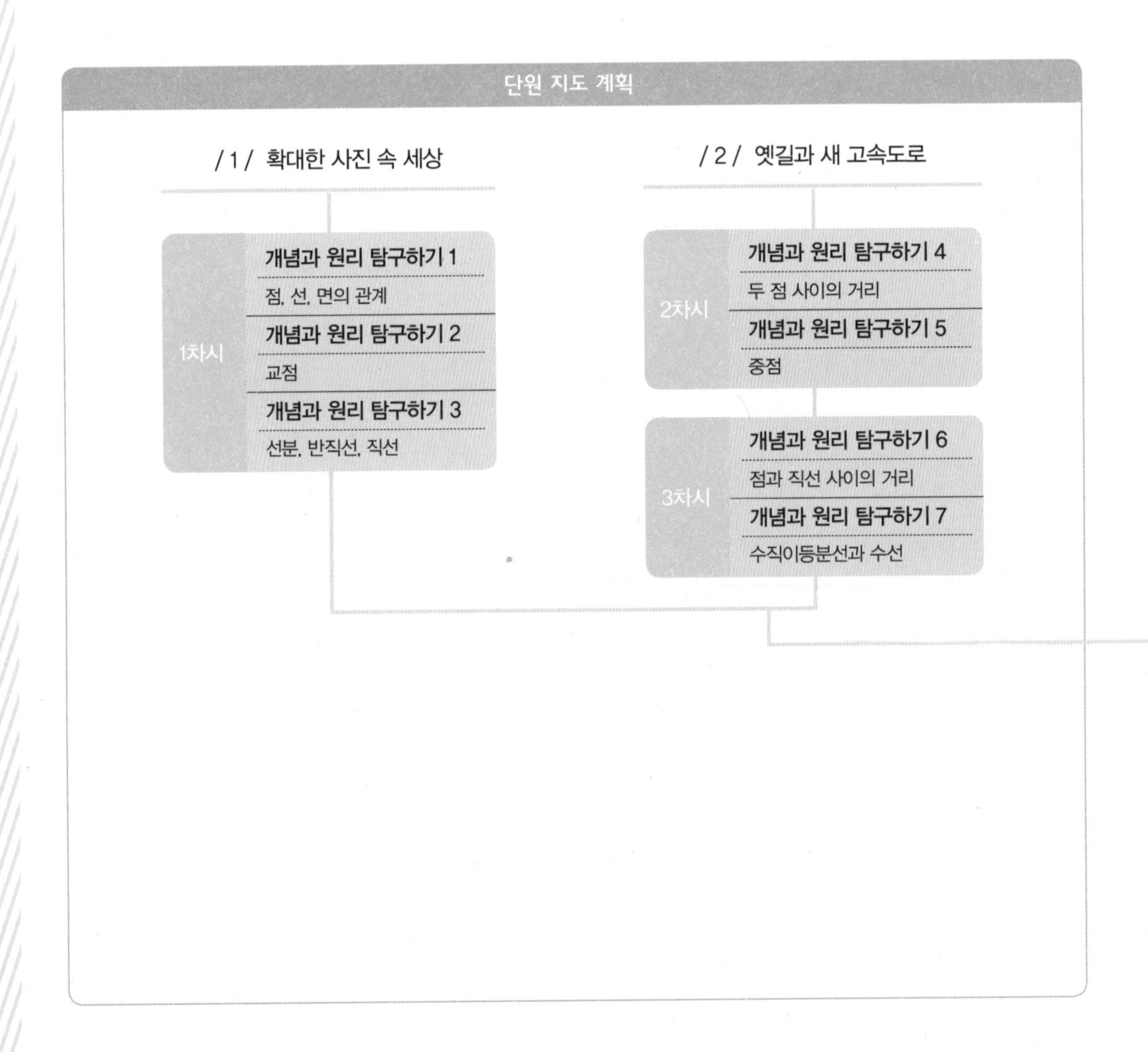

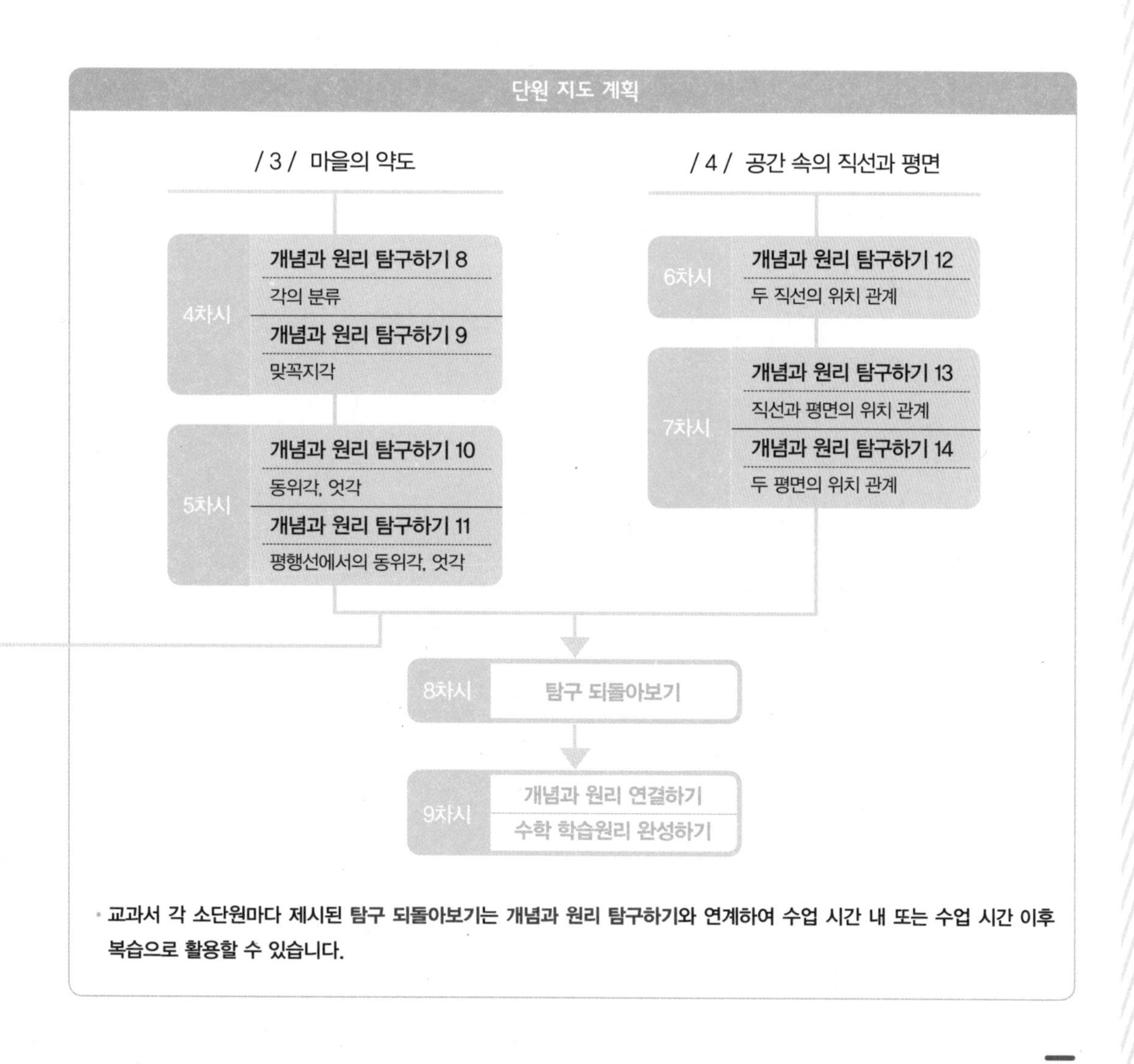

- 교과서 각 소단원마다 제시된 탐구 되돌아보기는 개념과 원리 탐구하기와 연계하여 수업 시간 내 또는 수업 시간 이후 복습으로 활용할 수 있습니다.

/1/ 확대한 사진 속 세상

학습목표

1 일상의 다양한 상황에서 점, 선, 면을 발견하고 정확한 기호로 이들을 표현하여 의사소통할 수 있다.
2 교점의 의미를 이해하고 교점을 찍을 수 있다.
3 직선, 반직선, 선분의 차이점을 이해하고 각각 정확한 기호로 나타낼 수 있다.

2015 개정 교육과정 성취기준

점, 선, 면, 각을 이해하고, 점, 직선, 평면의 위치 관계를 설명할 수 있다.

핵심발문

직선, 반직선, 선분은 어떤 차이가 있을까?

개념과 원리 탐구하기 1 _ 점, 선, 면의 관계

교과서(하) 13쪽

탐구 활동 의도

• 크기가 전혀 없는 점이 모여서 길이가 있는 선이 만들어지고, 넓이가 전혀 없는 선이 모여서 넓이가 있는 면이 만들어지는 것은 어떻게 보면 논리적으로 모순처럼 생각될 수 있다. 이 활동은 학생들이 직관적으로 이러한 원리를 자연스럽게 받아들이고 동의하게 할 수 있도록 돕는 활동이다.

예상 답안

1
• 여러 개의 점으로 선이나 면을 표현할 수 있다.
• 여러 색의 점들이 모이면 다른 색처럼 보일 수 있다.
• 여러 개의 점들을 하나씩 일정한 방향으로 찍으면 선이 될 수 있다.
• 여러 개의 점들을 일정한 간격 안에 가득 채우면 면이 된다.

2
• 점들이 모여서 선이나 면이 된다.
• 선은 무수히 많은 점으로 이루어져 있다.
• 무수히 많은 선이 모이면 면이 된다.
• 점은 길이도 넓이도 없지만, 그것이 모인 선과 면은 길이나 넓이가 있다.

참고
점이 크기를 갖는다면 같은 길이의 선분이라도 점의 크기만큼 길이가 달라질 수 있고, 선이 두께를 갖는다면 같은 크기의 두 사각형의 넓이를 구할 때 서로 다른 결과가 나올 수 있다.

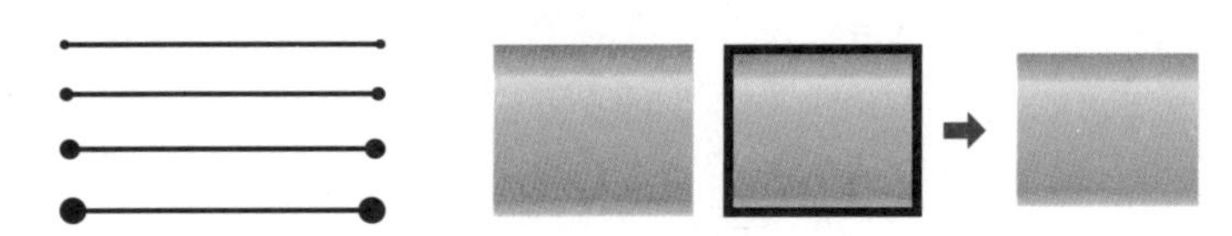

수업 노하우

- 점, 선, 면을 지도할 때에는 용어의 정의를 엄밀히 다루기보다는 직관적으로 용어의 의미를 이해하게 하고 다양한 상황에서 그들 사이의 관계를 파악할 수 있는 기회를 제공하는 것이 중요하다.
- 제시된 미술 작품을 전체적으로 보았을 때에는 선과 면으로 된 밑그림에 채색을 한 것처럼 보이지만, 실제로는 작은 점만을 이용하여 선과 면을 표현한 작품이다. 이렇게 다양한 색의 작은 점들을 찍어서 선과 면을 표현하는 회화 기법을 점묘법이라고 한다.
- 점묘법처럼 점들이 모여 선이 되고, 선이 모여 면이 됨을 확인할 수 있는 다양한 예를 학생들이 직접 찾아보게 한다면 점, 선, 면의 관계를 이해하는 데에 도움이 될 것이다. 다음은 점묘법과 같은 원리가 적용된 예이다.

LED 시계　　　　　　　　　　픽셀아트

- 특정한 모양이나 형태를 나타내는 삼각형, 사각형, 원, 직육면체 등과 같은 도형은 모두 점, 선, 면으로 이루어져 있으므로, 점, 선, 면이 도형을 구성하는 기본 요소임을 언급해 준다. 또한 점, 선, 면 각각도 도형의 하나임을 언급해 준다.

개념과 원리 탐구하기 2 _ 교점

교과서(하) 14쪽

탐구 활동 의도

- 지도를 보고 점, 선, 면을 찾아서 기호를 만들어 보고 수학적으로 통용되는 기호에 대해 익히는 활동이다.
- 지도는 위치에 대한 정보를 전달하기 위해 제작된 것으로, 중요한 지점을 점으로 나타내고 이동할 수 있는 길을 선으로 나타낸 것이다. 한눈에 위치를 확인할 수 있도록 도와주는 지도가 기본 도형인 점, 선, 면만으로 구성된 것을 확인하고, 이 기본 도형들이 생활의 편리성을 높여주는 도구로 사용될 수 있음을 알게 한다.
- 지도에서 두 개 이상의 길이 한 지점을 동시에 통과하는 것을 관찰하게 하여 교점이 생기는 경우를 파악하게 하고, 정확한 교점의 의미를 알게 한다.

예상 답안

1 점은 지도 위에 아무 데나 표시할 수 있고 지도의 특정한 위치나 도로 위 임의의 지점에 찍을 수도 있다. 선은 직선이나 곡선 모두에 이름 붙일 수 있다. 면은 경복궁이나 창덕궁 등에 표시한다.

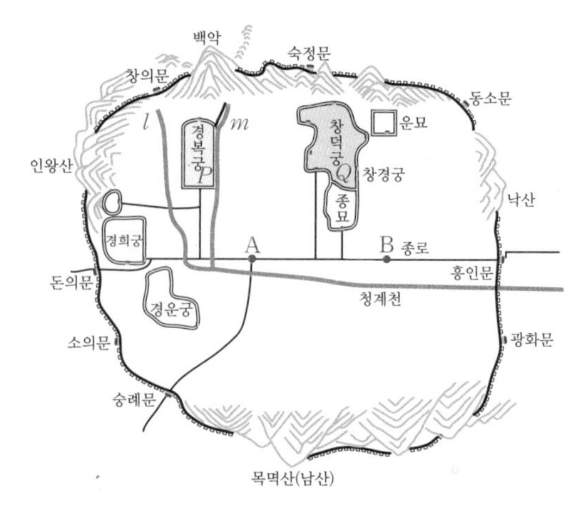

2 선과 선이 만나는 점을 찾아 찍는다.

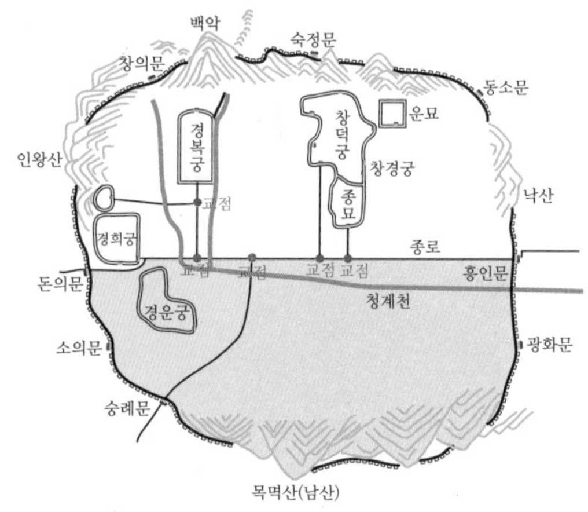

수업 노하우

- 학생들은 앞서 좌표를 배우면서 점을 나타낼 때 알파벳의 대문자를 사용하였다. 여기서는 선과 면을 나타낼 때도 기호를 사용할 수 있도록 돕는다.
- 교점의 의미를 통해 점은 두 선이 만나거나 선과 면이 만나는 것으로도 설명될 수 있음을 알게 하여 점, 선, 면의 관계에 대한 이해를 넓혀준다.
- 선과 면이 만나는 점은 공간에서 생각하는 것이므로 여기서는 생각하지 않는다.

개념과 원리 탐구하기 3 _ 선분, 반직선, 직선

교과서(하) 15쪽

탐구 활동 의도

- 초등학교에서 학습한 선분, 반직선, 직선의 개념을 복습하고, 이들을 수학 기호로 표현하는 방법을 익히게 한다.
- 관찰을 통해 학생들 스스로 선분, 반직선, 직선 사이의 공통점과 차이점을 발견하게 한다.
- 2 에서는 세 점을 지나는 선에서 찾을 수 있는 선분, 반직선, 직선을 기호로 나타내어 보고, 같은 선

분, 같은 반직선, 같은 직선에 대해 다른 표현이 가능함을 이해하게 한다. 이는 선분, 반직선, 직선의 차이를 확실하게 이해하는 데에 도움이 된다.

예상 답안

1 (1) (앞에서부터 순서대로) $\overleftrightarrow{AB}$, $\overrightarrow{OD}$, $\overline{FG}$

(2)

공통점	차이점
• 두 점을 지난다. • 곧은 선이다. • 점들이 모여서 만들어진 것이다.	• 시작과 끝이 다르다. • 선분은 길이를 잴 수 있지만, 직선이나 반직선은 끝이 없으므로 길이를 잴 수 없다.

2

	기호로 나타내기	다른 표현으로 나타내기
(1) 직선 AB	$\overleftrightarrow{AB}$	$\overleftrightarrow{BA}$, $\overleftrightarrow{BC}$, $\overleftrightarrow{AC}$
(2) 반직선 AB	$\overrightarrow{AB}$	$\overrightarrow{AC}$
(3) 반직선 CA	$\overrightarrow{CA}$	$\overrightarrow{CB}$
(4) 선분 AB	$\overline{AB}$	$\overline{BA}$

참고 학생들은 초등학교 3학년 때 이미 선분, 반직선, 직선의 개념을 학습하였다. 이때 선분은 '두 점을 곧게 이은 선', 반직선은 '한 점에서 한쪽으로 끝없이 늘인 곧은 선', 직선은 '양쪽으로 끝없이 늘인 곧은 선'으로 배웠으며, 점을 나타낼 때 알파벳 A, B, C, ⋯ 대신 ㄱ, ㄴ, ㄷ, ⋯을 사용하였다.
따라서 수학 기호를 사용하여 선분, 반직선, 직선을 나타내는 것은 중학교에서 처음 학습하는 것이므로 여기에 중점을 두어 지도하도록 한다.

수업 노하우

- 탐구 활동 앞부분에도 기호를 사용하는 방법이 설명되어 있기는 하지만, 가끔 용어와 기호를 함께 쓰는 학생들이 있다. 용어를 사용하지 않고 간단히 나타내기 위해 기호를 사용하는 것이므로, '선분 $\overline{AB}$', '반직선 $\overrightarrow{AB}$', '직선 $\overleftrightarrow{AB}$'와 같은 표현은 지양하도록 지도한다.

반직선 $\overrightarrow{OO}$ 직선 $\overleftrightarrow{AB}$

- 2에서 직선과 선분은 두 점이 바뀌어도 서로 같은 것을 나타내지만, 반직선은 두 점이 바뀌면 시작점과 방향이 달라지므로 서로 다른 반직선이 된다. 따라서 이 과제를 통해 같은 선분, 같은 반직선, 같은 직선에 대해 꼭 하나의 표현만이 가능한 것은 아니지만, 시작점과 방향이 중요한 반직선의 경우에는 다른 표현으로 나타낼 때에 주의해야 함을 강조한다. 혹시라도 이러한 점에 주의하지 못하고, $\overrightarrow{CA}$와 $\overrightarrow{AC}$가 같은 반직선이라고 생각한 학생이 있다면 직접 직선 위에 $\overrightarrow{CA}$와 $\overrightarrow{AC}$를 표시해 보게 하여 서로 다르다는 것을 확인할 수 있도록 안내한다.

/2/ 옛길과 새 고속도로

학습목표

1 두 점 사이의 거리, 점과 직선 사이의 거리의 정의를 알고, 그렇게 정의한 이유를 추측할 수 있다.
2 중점의 뜻을 알고, 기호를 사용하여 중점과 선분 사이의 관계를 나타낼 수 있다.
3 서로 수직으로 만나는 두 직선과 관련된 용어들을 이해하고 정확한 용어와 기호를 사용하여 의사소통할 수 있다.

2015 개정 교육과정 성취기준

점, 선, 면, 각을 이해하고, 점, 직선, 평면의 위치 관계를 설명할 수 있다.

핵심발문

두 점 A, B 사이의 거리를 왜 선분 AB의 길이로 정했을까?

개념과 원리 탐구하기 4 _ 두 점 사이의 거리

교과서(하) 16쪽

탐구 활동 의도

- 새로 뚫게 될 터널의 모양을 결정하는 과제를 통해 두 점을 연결하는 수많은 선들 중 길이가 가장 짧은 것은 무엇이고, 그것을 두 점 사이의 거리로 정의하게 된 이유까지도 생각해 보게 하는 활동이다.
- 두 점 사이의 거리도 기호를 사용하여 나타낼 수 있음을 알게 한다.
- 원에 내접하는 도형으로 삼각형이나 사각형이 아닌 십이각형을 이용한 것은 원의 둘레와 최대한 비슷한 도형으로 비교하도록 하기 위해서다.

예상 답안

1

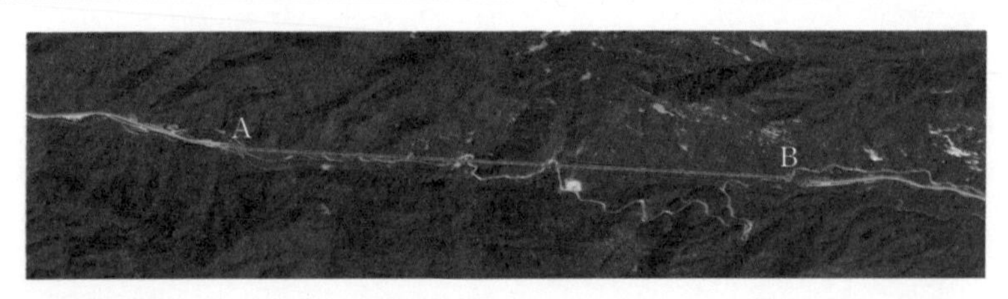

- 선분의 형태로 터널을 뚫으면 가장 짧은 길이가 되므로 이동이 가장 빠른 터널을 만들 수 있고, 다른 형태의 터널을 만드는 것보다 적은 자원이 필요할 것이다.
- 두 점 사이의 가장 짧은 거리는 선분이므로 두 점을 곧은 선으로 연결한 모양의 터널을 뚫어야 한다.
- 터널이 구불구불하면 곧은 길보다 이동하는 데에 시간도 많이 소요되므로, 안전성을 위해서라도 곧은 길을 뚫어야 한다.

2 (1) • 가장 짧은 거리는 잴 수 있지만 나머지 다양한 길이는 모두 다르기 때문에 재기가 어렵다.
• 가장 짧은 것은 하나지만 선분을 제외한 길이는 다양하다.

> 직선과 반직선은 끝이 없고 선분 AB는 A에서
> 시작해서 B로 끝나고 반대로 재도 항상 길이가
> 같아서.

> 선분 AB의 길이는 더 줄어들지 않고 더 늘어나지
> 않기 때문이고 AB의 최소의 거리이기 때문에

> 왜냐하면 두 점 사이의 거리를
> 가장 짧은 선으로 구해야지 효율적이고,
> 곡선같은 선들로 이으면
> 무한한 값들이 너무나도 많이 나와서
> 기준이 있어야지 혼란이 없어서

> 기준이 있어야지 혼란이 없어서
> 기준이 필요하다.
> 가장 짧은건 하나지만
> 긴것은 너무 많다.

(2) 십이각형의 이웃하는 두 꼭짓점은 모두 선분과 원의 일부인 곡선으로 연결되어 있다. 그런데 두 점을 잇는 선들 중 길이가 가장 짧은 것은 선분이므로 십이각형의 둘레의 길이보다 원의 둘레의 길이가 더 길다.

수업 노하우

• 여기서 기호 $\overline{AB}$는 선분 AB의 길이를 나타내기도 하지만 본래는 도형으로서의 선분 AB 자체를 나타내기도 하므로 학생들은 혼란스러워 할 수도 있다. 따라서 기호 $\overline{AB}$가 두 가지의 의미로 모두 사용될 수 있다는 것과 이 때문에 주어진 상황에 따라 분명히 구별하여 사용하는 것이 중요함을 강조해야 한다. 예를 들어 $\overline{AB}=5$라는 표현에서 $\overline{AB}$는 '선분 AB'가 아니라 '선분 AB의 길이'를 나타내며 그냥 $\overline{AB}$라는 표현은 길이보다는 선분 AB 자체를 나타낸다.

개념과 원리 5 _ 중점

교과서(하) 17쪽

탐구 활동 의도

• **탐구하기 4**에서 고안해 낸 선분 모양의 터널에 하나의 환풍구를 설치해야 할 때, 그 위치를 정하는 과제가 주어진다. 학생들은 이 과제를 해결하는 과정에서 자연스럽게 중점을 생각해 내게 되고, 그 점이 선분의 양 끝점으로부터 같은 거리에 있는 점, 즉 '중점'의 개념까지도 자연스럽게 받아들이게 된다.
• 기호를 사용하여 중점을 설명할 수 있도록 하고, 그림에도 특정한 기호를 사용하여 같은 길이를 표시할 수 있음을 알게 한다.

예상 답안

1 환풍구를 하나밖에 만들 수 없다면, 터널의 가운데에 있어야 한다. 왜냐하면 양쪽 방향으로 고른 환기를 하기 위해서다.

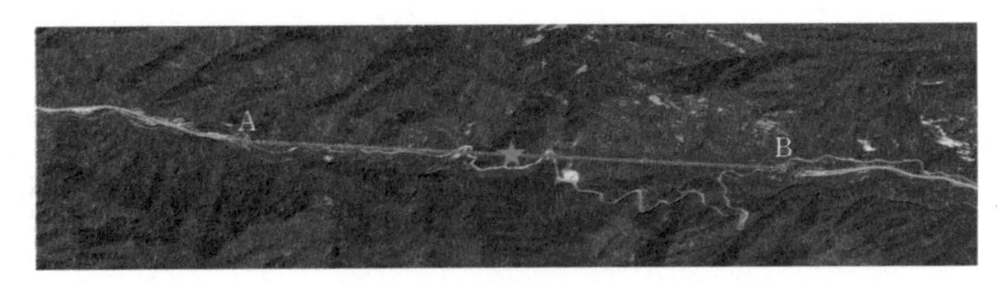

왜냐하면 선분 AB의 가운데에 설치해야 하는 이유는, 터널 맨 앞과 끝에는 구멍이 있으므로 공기가 왔다갔다 하므로 중간이 공기가 가장 환풍이 안되므로 중간에서도 가장 중간, 정가운데에 두어야 좋습니다.

2

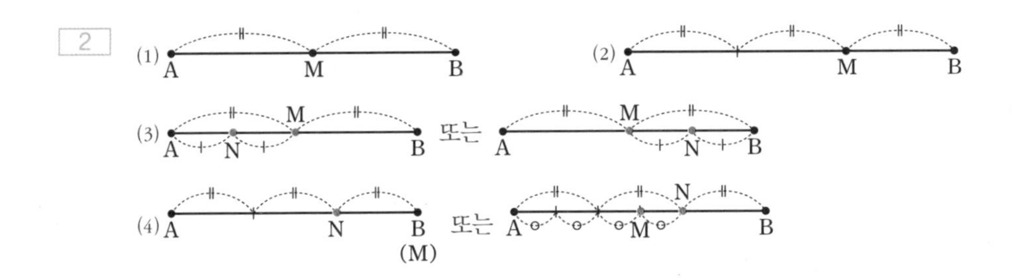

수업 노하우

- 앞서 언급했던 것처럼 기호 $\overline{AB}$가 도형으로서의 선분 AB와 선분 AB의 길이를 모두 나타낼 수 있으므로, 2의 $\overline{AM}=\overline{MB}$는 두 도형 $\overline{AM}$과 $\overline{BM}$이 서로 같다는 것을 의미하는 것이 아니라 선분 AM의 길이와 선분 BM의 길이가 같다는 것을 의미함을 설명해 준다.
- 선분은 양 끝점이 존재하기 때문에 길이를 가질 수 있으므로 중점이 존재한다. 하지만 직선과 반직선은 유한한 길이를 가지지 않으므로 중점이 존재하지 않음을 이해시킨다.
- 2의 (3)과 (4)는 답이 2가지씩 나올 수 있다. 그러므로 조건에 맞는 점을 비교적 쉽게 찾을 수 있는 (1)과 (2)는 개별적으로 해결하고, (3)과 (4)는 모둠별로 해결하도록 안내할 수 있다.
- 2 (4)의 답 중 하나는 점 B의 위치에 점 M이 놓이는 것이다. 서로 다른 두 점이 겹칠 수 없다는 조건이 제시되어 있지 않으므로 이 경우도 답으로 인정한다.
- 수학 용어를 기호를 사용하여 나타내는 것은 무엇보다 중요하다. 기호로 복잡한 상황을 간단히 나타낼 수 있을 뿐만 아니라 기호는 약속이므로 제시된 기호에 대해 누구나 같은 설명을 할 수 있기 때문이다. 따라서 그림에 나타내는 기호 또한 어느 누가 보더라도 같은 의미를 파악할 수 있도록 나타내어져야 한다. 그림에 같은 길이를 나타낼 때, 학생들이 가장 많이 하는 실수 중 하나는 다른 길이에도 똑같은 같음 표시를 한다는 것이다.

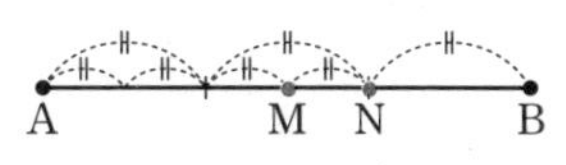

잘못된 기호 표시를 사용한 예

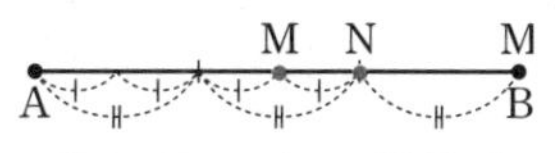

바른 기호 표시를 사용한 예

같은 길이를 나타내기 위해 한 번 사용한 같음 표시는 다른 길이에 대해서는 사용할 수 없음을 안내해줄 필요가 있다. 또는 바르게 표시한 학생의 답안을 확인하게 하여 자신의 잘못된 기호 사용을 인식하고 수정하게 할 수도 있다.

• 한 선분 위에서 하나의 같음 표시를 사용하는 경우에는 덜 혼란스러울 수 있으나, 여러 개의 같음 표시를 사용하는 경우에는 선분 위에 직접 같음 표시 기호를 나타내면 정확한 해석이 어려울 수 있다. 따라서 2 의 예상 답안에 제시된 그림처럼 곡선 모양의 선분 길이 표시선을 사용하도록 안내한다.

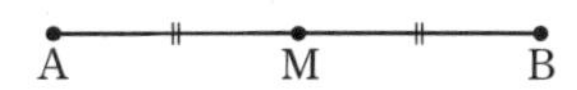

개념과 원리 탐구하기 6 _ 점과 직선 사이의 거리

교과서(하) 18쪽

탐구 활동 의도

• '수직', '수선'이라는 용어는 이미 초등학교 4학년 때에 학습한 용어이다. 이 탐구 활동에서는 '수직', '수선'과 관련이 있는 여러 다른 수학적 용어들을 학습하게 된다. 그리고 학습한 용어들을 사용하여 주어진 여러 개의 점과 선 사이의 관계를 설명해 보게 한다.

• 2 (1)의 과제는 (2)의 '점과 직선 사이의 거리'를 정의하는 것과 연결되는 과제로, 학생들은 구조용 터널의 위치를 고민하면서 점과 직선 사이에 다양한 선분을 그려 보고, 이 선분들이 가지고 있는 길이의 특징을 직관적으로 이해하게 된다.

• 2 (2)는 두 점 사이의 거리와 마찬가지로 최단 거리를 이용하여 점과 직선 사이의 거리를 정의함을 알게 한다.

예상 답안

1
- 직선 DF는 직선 l의 수선이다.
- 점 C는 $\overline{AD}$의 중점이다.
- 직선 BE와 직선 CG는 서로 직교한다.
- $\overline{CG} \perp l$
- 점 C에서 직선 l에 그은 수선의 발은 점 G이다.
- 점 D와 직선 l 사이의 거리는 $\overline{DF}$의 길이이다.

2 (1) 답은 다양할 수 있다. 다음은 학생들의 답안을 바탕으로 하여 크게 세 가지 방법으로 정리한 것이다.
- **방법 1:** 점 P에서 직선 l에 수선을 그었을 때, 수선과 산 표면인 선분 DI가 만나는 점에서부터 터널을 뚫기 시작하면 된다. 왜냐하면 수직 방향으로 뚫으면 중력의 도움을 받아 빨리 뚫을 수 있기 때문이다.

- **방법 2**: 점 P를 지나고 직선 l과 평행한 선을 그었을 때, 그 선과 산 표면인 선분 DI가 만나는 점에서부터 수평 방향으로 터널을 뚫기 시작하면 된다. 왜냐하면 사람들의 안전을 위해 머리 위쪽에서부터 뚫고 들어가는 것은 위험하기 때문이다.
- **방법 3**: 우선 점 P에서 산 표면인 선분 DI에 내린 수선의 발을 찾는다. 그 점을 H라고 하면 선분 HP의 경로를 따라 터널을 뚫으면 된다. 왜냐하면 그 길이가 산 표면에서부터 사고 지점인 점 P까지의 가장 짧은 거리이기 때문이다.

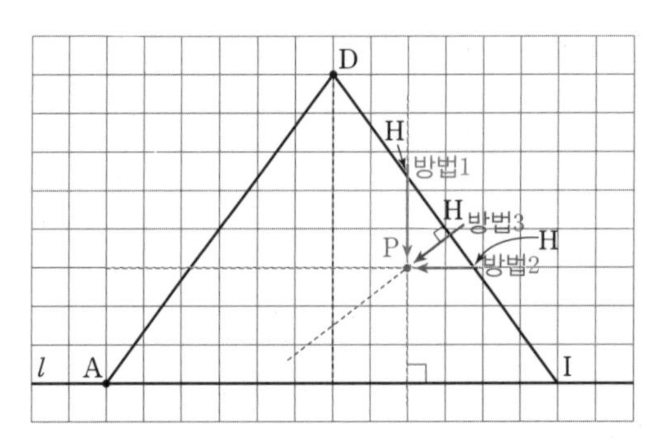

(2) • 두 점 사이의 거리를 선분의 길이로 정한 것처럼 가장 짧은 길이를 이용하여 점과 직선 사이의 거리를 정한 것이다.

• 한 점에서 직선까지 여러 선분을 그어 보면, 그 중 점과 수선의 발 사이의 거리가 가장 짧다.

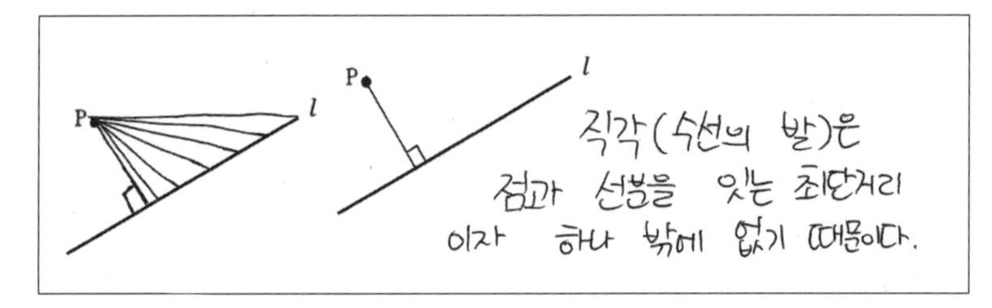

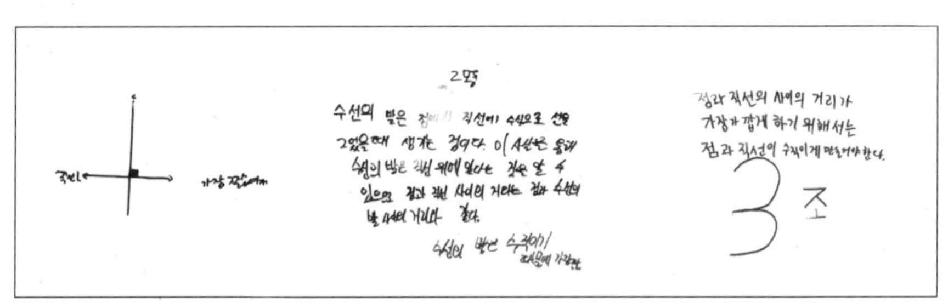

수업 노하우

- 활동을 시작하기 전에 초등학교 4학년 때에 학습한 수직과 수선이라는 용어의 의미를 설명해 준다. 수직은 두 직선이 만나서 이루는 각이 직각임을 나타내는 용어이며, 수선은 한 직선과 직각으로 만나는 다른 한 직선을 나타내는 용어이다. 새롭게 정의되는 직교의 의미도 정확하게 이해하게 하여 이들 사이를 분명하게 구별할 수 있도록 지도한다.
- [2] (1)에서 학생들은 처음에는 주어진 점들을 이용하여 구조용 터널의 시작점을 찾으려고 한다. 하지만 점차 주어진 점보다는 산 표면에서부터 점 P까지의 더 가까운 길이 무엇인지 고민하게 된다. 예상 답안에 제시된 것처럼 빠른 길이 무엇인지를 이해하고 알더라도 현실적인 이유를 근거로 하여 점과 직선 사이의 거

리를 나타내는 선분이 아닌 다른 선분을 이용하여 구조용 터널을 만들어야 한다고 주장하는 학생들이 있을 수 있다. 그러므로 이 활동에서는 점과 직선 사이의 거리를 나타내는 선분이 정답임을 강조할 것이 아니라 자신의 의견을 정확한 수학적 용어를 사용하여 표현할 수 있는지에 중점을 둔다.

수업 연구

수학에서의 거리

(1) 두 점 A, B 사이의 거리 : $\overline{AB}$의 길이

(2) 점 P와 직선 l 사이의 거리
: 점 P에서 직선 l에 내린 수선의 발 H까지의 $\overline{PH}$의 길이

(3) 점 A와 평면 Q 사이의 거리
: 점 A에서 평면 Q에 내린 수선의 발 H까지의 $\overline{AH}$의 길이

(4) 서로 평행한 두 직선 l, m 사이의 거리
: 두 직선 모두에 수직인 $\overline{PQ}$의 길이

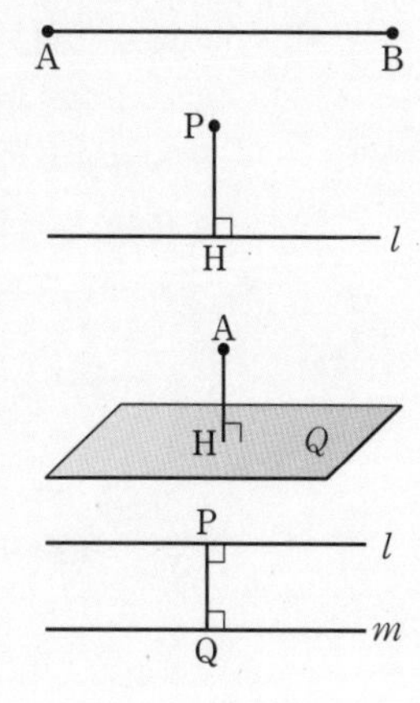

개념과 원리 탐구하기 7 _ 수직이등분선과 수선

교과서(하) 20쪽

탐구 활동 의도

- 수직이등분선과 수선을 직접 그려 봄으로써 그 차이점을 알게 한다.
- 2 에서는 수직이등분선과 수선의 차이를 좀 더 구체적으로 확인하고 이에 대해 설명할 수 있도록 하기 위해 주어진 질문에 답변을 하는 형태로 문제를 제시하였다.

예상 답안

1 (1)

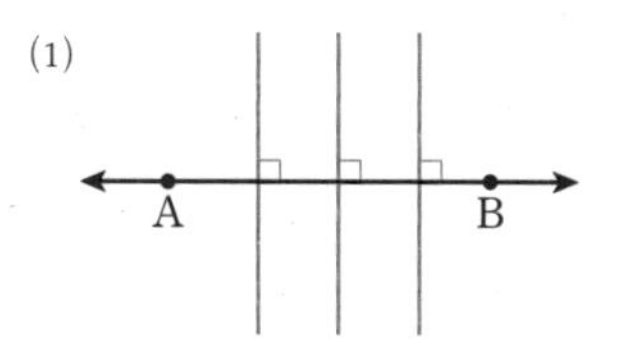

(2)

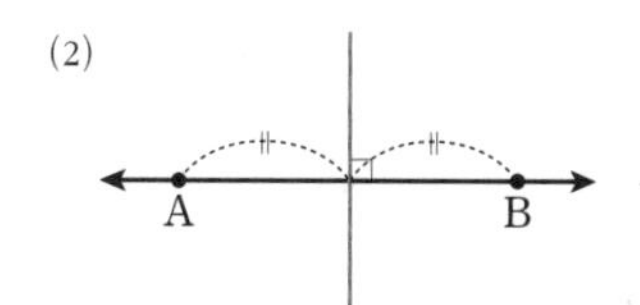

2 (1) • 수선은 한 직선에 수직으로 만나는 직선을 나타내므로 여러 개일 수 있지만, 수직이등분선은 선분에 그을 수 있는 여러 수선들 중에서 중점을 지나는 직선이므로 단 하나뿐이다.
• 수선은 직선이나 선분, 반직선에도 그릴 수 있지만, 수직이등분선은 선분에서만 그릴 수 있는 것이므로 서로 다르다.
• 같은 것은 아니나, 수직이등분선은 수선 중의 하나이다.

(2) • 수직이등분선은 단 한 개뿐이지만, 수선은 여러 개일 수 있다.
• 직선 위에는 수많은 점이 있으므로 하나의 직선에 대해서 무수히 많은 수선을 그릴 수 있다.

수업 노하우

• 1 에서 개별적으로 수선과 수직이등분선을 그려 보게 한 후 모둠 내에서나 전체 발표를 통해 서로의 그림을 비교해 보게 하면, 수선은 여러 위치에 그려질 수 있지만 수직이등분선은 단 하나의 위치에 그려짐을 이해할 수 있다.
• 수선과 수직이등분선의 차이점을 알게 하기 위한 활동이므로, 수선과 수직이등분선을 정확하게 그리는 것에 목표를 두지 않도록 한다. 대신 각자 그린 수선과 수직이등분선이 어떤 특징을 갖는지 그림에 직접 또는 앞에서 배운 기호로 표시하도록 안내한다.
• 2 에서는 추가로 다음과 같은 발문을 할 수 있다.

선분의 중점을 지나는 선은 1개뿐일까?

참고

초등학교 4학년 때에 학습한 '수선을 그리는 방법'

(1) 직각삼각자 사용하기 : 주어진 직선에 직각삼각자의 직각을 낀 한 변을 대고 직각을 낀 다른 한 변을 따라 선을 긋는다.

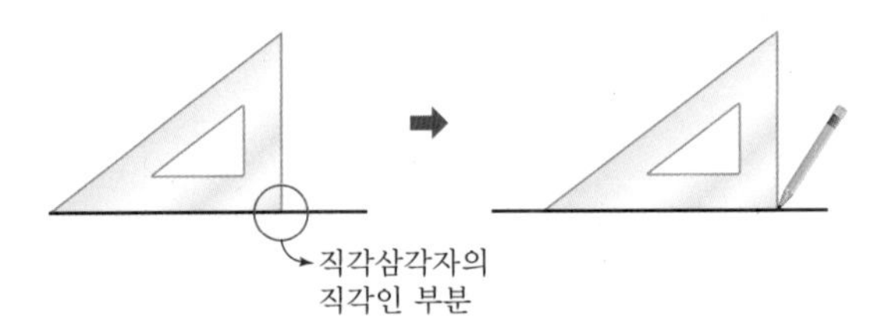

(2) 각도기 사용하기 : 주어진 직선 가 위에 점 ㄱ을 찍은 후, 각도기의 중심을 점 ㄱ에 맞추고 각도기의 밑금을 직선 가와 일치하도록 맞춘다. 그리고 각도기에서 90°가 되는 눈금 위에 점 ㄴ을 찍고, 점 ㄴ과 점 ㄱ을 직선으로 잇는다.

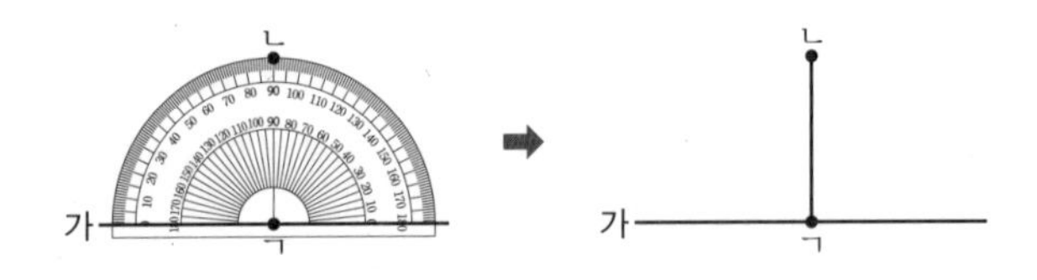

/3/ 마을의 약도

학습목표

1. 각과 각의 크기를 기호를 사용하여 나타낼 수 있고, 크기에 따라 각을 분류할 수 있다.
2. 맞꼭지각, 동위각, 엇각의 뜻을 이해하고 설명할 수 있다.
3. 맞꼭지각의 크기에 대한 성질을 스스로 발견하고 그것이 성립하는 이유를 논리적으로 설명할 수 있다.
4. 평행선에서의 동위각과 엇각의 성질을 이해하고, 이를 이용하여 평행한 직선을 찾을 수 있다.

2015 개정 교육과정 성취기준

1. 평행선에서 동위각과 엇각의 성질을 이해한다.
2. 점, 선, 면, 각을 이해하고, 점, 직선, 평면의 위치 관계를 설명할 수 있다.

핵심발문

평행한 두 직선이 한 직선과 만날 때 생기는 각들을 관찰하면 무엇을 알 수 있을까?

개념과 원리 탐구하기 8 _ 각의 분류

교과서(하) 21쪽

탐구 활동 의도

- 초등학교에서 배운 예각, 둔각, 직각에 대해 복습하고 평각이라는 새로운 각에 대해 이해하게 한다. 그리고 주어진 그림에서 다양한 크기의 각들을 찾아보고 크기에 따라 각을 분류해 봄으로써 정확한 용어를 사용할 수 있는지를 확인하게 한다.
- 학생들은 초등학교에서 이미 각에 대한 용어와 각을 읽는 방법을 학습하였다. 그런데 수학 기호를 사용하여 각을 나타내는 방법은 처음 배우게 되므로, 여기에서는 이 부분에 중점을 두고 기호로 나타내는 연습을 하게 한다. 또한 다양한 방법으로 각을 나타낼 수 있음을 알게 한다.

예상 답안

1

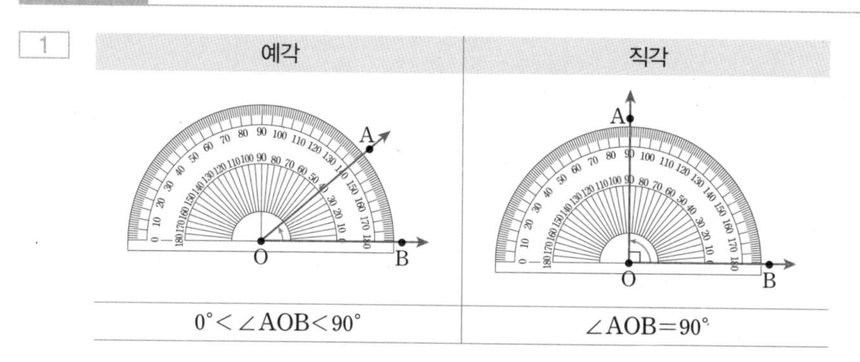

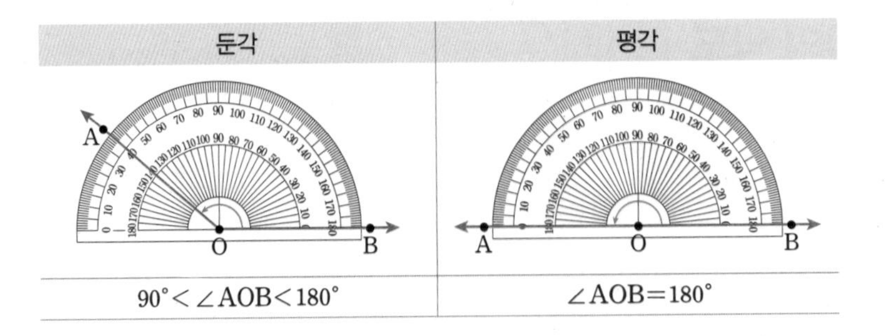

수업 노하우

• 선분 AB를 나타내는 기호 $\overline{\mathrm{AB}}$처럼 각 AOB를 나타내는 기호 ∠AOB도 두 가지 의미로 사용된다. 즉, 기호 ∠AOB는 각 AOB를 나타내기도 하고, 각 AOB의 크기를 나타내기도 한다. 따라서 상황에 따라 이 둘을 분명히 구별하여 사용해야 함을 안내한다.

개념과 원리 탐구하기 9 _ 맞꼭지각

교과서(하) 22쪽

탐구 활동 의도

- 맞꼭지각의 뜻을 이해하고, 맞꼭지각의 성질을 학생들 스스로 발견해 보게 한다. 그리고 발견한 사실들이 수학적으로 옳은지를 설명하게 한다.
- 2 에서 시작점이 같은 4개의 반직선에 의해 생긴 각들 중 크기가 같고 서로 마주보는 위치에 있는 두 각을 맞꼭지각이라고 할 수 있는지 판단하게 하여 정확한 용어의 뜻을 아는 것이 얼마나 중요한지를 깨닫게 한다.

예상 답안

1 (1)
- $\angle a = \angle c$
- $\angle b = \angle d$
- $\angle a + \angle b = \angle c + \angle d = 180°$
- $\angle a + \angle d = \angle b + \angle c = 180°$
- 마주보는 각끼리 크기가 같다.
- 이웃한 각끼리 크기를 더하면 180°이다.

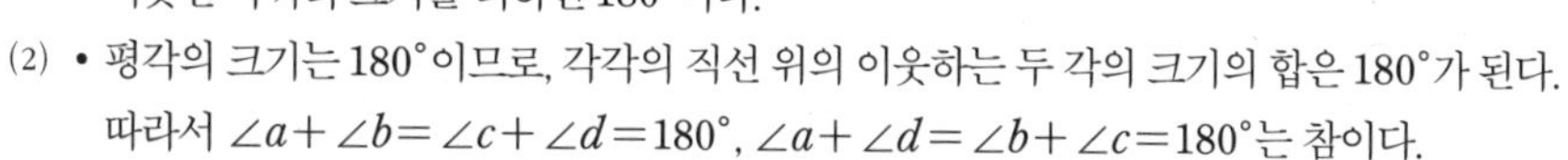
(2)
- 평각의 크기는 180°이므로, 각각의 직선 위의 이웃하는 두 각의 크기의 합은 180°가 된다. 따라서 $\angle a + \angle b = \angle c + \angle d = 180°$, $\angle a + \angle d = \angle b + \angle c = 180°$는 참이다.
- 직선 위의 이웃하는 두 각의 크기의 합은 180°이므로, $\angle a + \angle b = \angle a + \angle d = 180°$이다. 따라서 $\angle b = \angle d$는 참이다. 같은 방법으로 $\angle a + \angle b = \angle b + \angle c = 180°$이므로 $\angle a = \angle c$도 참임을 알 수 있다.

∠d = ∠b
이유: ∠a를 180에서 빼면 ∠b이고 또 다른 직선에서 ∠a를 빼면 ∠d이기 때문.

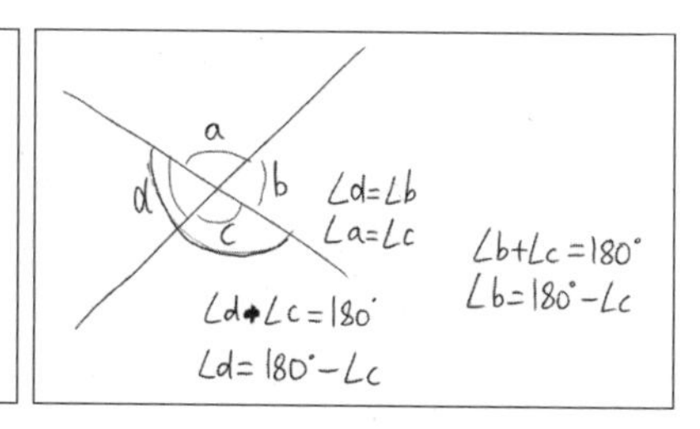

2
- 맞꼭지각은 두 직선이 한 점에서 만날 때 생기는 교각들 사이의 관계인데, 문제에 제시된 그림은 두 직선이 한 점에서 만나는 그림이 아니라 서로 다른 네 개의 반직선이 한 점에서 만나는 그림이므로 ∠AOB와 ∠COD는 맞꼭지각이라고 할 수 없다.

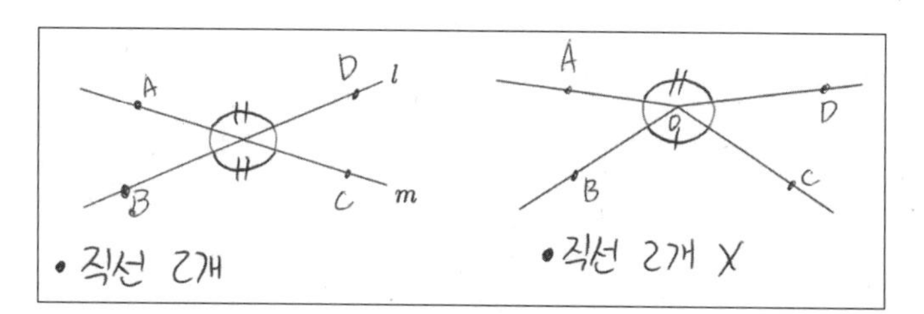

- ∠AOB와 ∠COD가 서로 맞꼭지각이라면 ∠AOD와 ∠COB도 서로 맞꼭지각으로 그 크기가 같아야 하는데, ∠AOD와 ∠COB의 크기는 서로 같지 않다. 따라서 ∠AOB와 ∠COD는 맞꼭

지각이 아니다.

• 두 각의 크기의 합이 180°가 되지 않는 것으로 설명할 수도 있다.

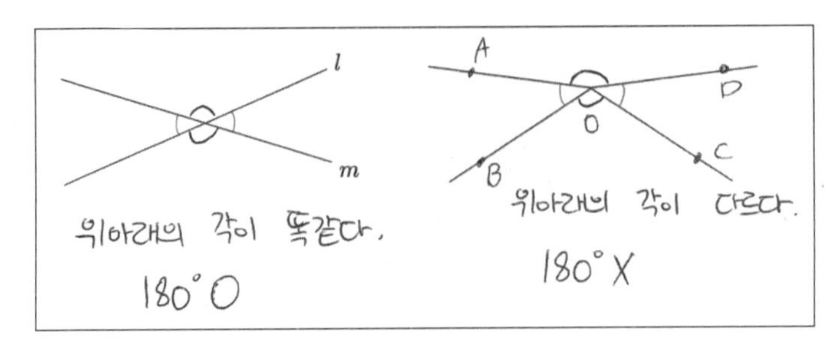

수업 노하우

• 모든 학생들이 맞꼭지각의 크기가 서로 같다는 사실을 수학적으로 설명하는 것을 기대하기는 어렵다. 하지만 모둠활동을 통해 맞꼭지각에 대해 발견한 성질들을 모아 보고 이 성질들에 대해 어떻게 설명할 수 있는지 의견을 나눈다면 직관적인 이해뿐만 아니라 논리적인 이해도 가능해질 것이다.

• 맞꼭지각은 서로 다른 두 직선이 만나서 생기는 4개의 교각 중 서로 마주 보는 두 쌍의 각으로, 그 크기가 같다. 그런데 맞꼭지각을 그냥 '마주 보는 각' 또는 '크기가 같은 각'으로 기억하게 되면, 2 와 같은 그림이 제시되었을 때 두 각을 맞꼭지각으로 착각하기도 한다. 따라서 맞꼭지각은 반드시 두 직선의 교각으로 결정되는 각임을 강조하여 지도한다.

수업 연구

'맞꼭지각의 크기가 같은가'를 설명하라는 과제를 주지 않고, 발견할 수 있는 성질을 있는 대로 찾아보라고 열린 질문을 한 것은 실제 수업에서 학생들의 반응에 차이가 많기 때문이다. 가장 큰 이유는 수학자들이 발견한 사실을 그냥 주고서 설명하라고 했을 때 동기 유발이 어렵다는 것이다. 이럴 경우 수학의 필요성을 느끼기 어려운 것이 사실이다. (Fawcett, 증명의 본질)
그러나 자기들에게 발견의 기회를 제공해서 스스로 추측하여 만들어낸 사실에 대해서는 옳다는 것을 설명하고 싶은 것이다. 그래서 저절로 내적인 동기가 유발되고 수학적 사실을 안내된 재발명으로 끌고 갈 수 있다. 그리고 실제 수업에서는 맞꼭지각에 국한되지 않고 더욱 풍부한 사실이 발견되기도 한다. 그래서 원래 의도하지 않았던 부분까지도 얻는 수확이 있을 수 있다.

 개념과 원리 탐구하기 10 _ 동위각, 엇각

교과서(하) 24쪽

탐구 활동 의도

• 1 에서는 동위각과 엇각의 뜻을 구체적으로 제시하지 않고 각자 나름대로의 기준을 만들어 건물의 위치를 분류해 보게 한다. 그리고 2 에서 설명하는 동위각과 엇각의 뜻을 좀 더 쉽게 받아들일 수 있도록 그 의미를 담고 있는 질문을 제시하여 해결하게 한다.

• 2 에서는 동위각과 엇각의 수학적 의미를 이해하고 직접 그림에서 동위각과 엇각을 찾아보게 한다.

• 2 (3)은 **탐구하기 9**에서 학습한 맞꼭지각과 새롭게 학습한 동위각, 엇각을 이용하여 제시된 그림을 설명해 보게 한다.

예상 답안

1 (1) • 세로 길을 기준으로 왼쪽에 위치한 건물들과 오른쪽에 위치한 건물들을 분류
- 왼쪽(카페, 은행, 교회, 볼링장)과 오른쪽(병원, 슈퍼마켓, PC방, 우체국)

• 가로 길을 기준으로 각각의 길에서 위쪽에 위치한 건물들과 아래쪽에 위치한 건물들을 분류
- 위쪽(카페, 병원, 교회, PC방)과 아래쪽(은행, 슈퍼마켓, 볼링장, 우체국)

• 두 가로 길 사이에 위치한 건물들과 바깥쪽에 위치한 건물들을 분류
- 사이(은행, 슈퍼마켓, 교회, PC방)과 바깥쪽(카페, 병원, 볼링장, 우체국)

(2) 은행과 볼링장, 병원과 PC방, 슈퍼마켓과 우체국

(3) 슈퍼마켓과 교회

2 (1)

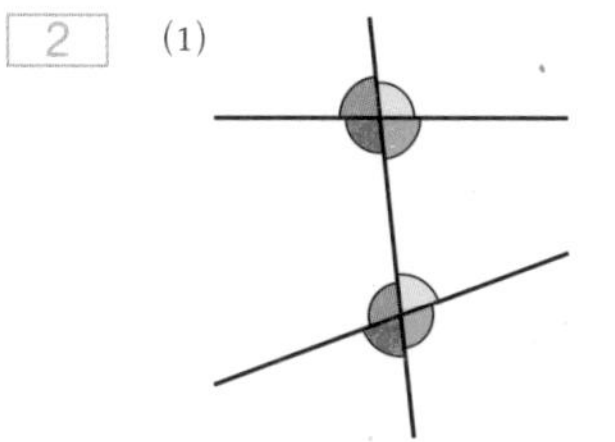

(2)

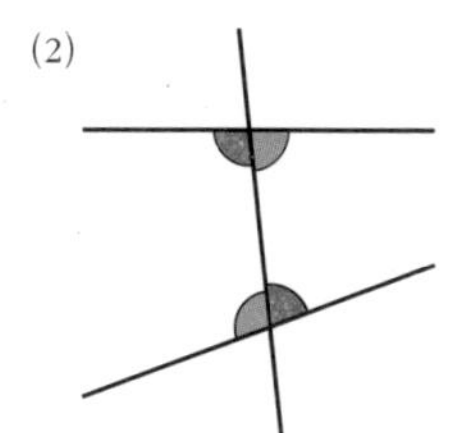

• 4개의 교각을 한 묶음으로 보고 동위각과 엇각을 각 묶음의 비교로 설명한 학생도 있다.

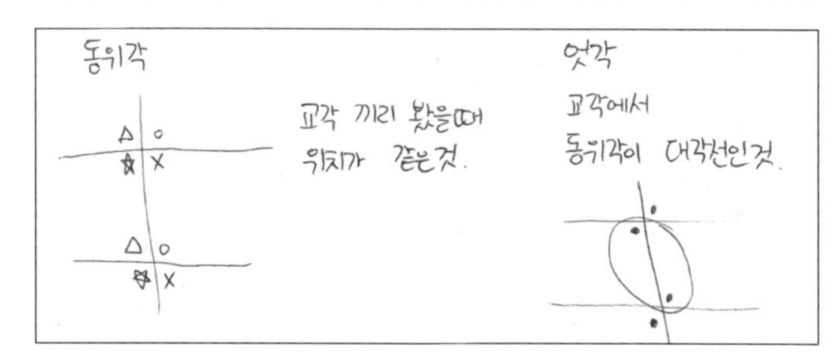

(3) • 맞꼭지각의 크기가 같음을 이용하면 $\angle b=50^\circ$, $\angle e=100^\circ$임을 알 수 있다.

• $\angle a$의 동위각은 $\angle d$다.

• 엇각인 각끼리 짝을 지으면, $\angle b$와 $\angle e$, $\angle c$와 $\angle d$다.

수업 노하우

• 1 (1)에서 학생들은 가로 길, 세로 길이라는 표현 대신 '목련길과 개나리길이 만나는 교차로', '사거리' 등의 단어를 사용하여 설명하기도 한다.

• 1 에서 건물들을 위치에 따라 분류하기 위해 우선은 기준을 정했던 것처럼, 동위각과 엇각 또한 어떤 기준에 의해 그 위치를 분류한 것이다. 1 의 (2)와 (3)을 해결하는 과정에서 각각의 '같은 위치'와 '엇갈린 위치'를 결정한 기준이 무엇인지 생각해 보게 한다면, 동위각과 엇각의 의미를 더욱 자연스럽게 받아들일 수 있다.

• 2 의 활동을 마친 후에는 '서로 동위각인 두 각의 크기는 같을까?', '서로 엇각인 두 각의 크기는 같을까?'와 같은 발문을 통해 동위각과 엇각은 각의 크기와는 관계가 없고 위치와 관계가 있음을 다시 한 번 명확하게 짚고 넘어갈 수 있도록 지도한다.

• 서로 다른 두 직선이 한 직선과 만날 때 생기는 두 교점을 기준으로 하여 위치에 따라 동위각과 엇각이 결정됨을 이해했다면 2 (3)과 같이 앞에서 다룬 것과는 다른 방향의 세 직선이 제시되더라도 동위각과 엇각을 찾을 수 있다.

개념과 원리 탐구하기 11 _ 평행선에서의 동위각, 엇각

교과서(하) 26쪽

탐구 활동 의도

- 평행한 두 직선이 다른 한 직선과 만날 때 생기는 동위각과 엇각의 크기가 각각 같음을 구체적인 활동과 관찰을 통해 직관적으로 알게 하는 활동이다.
- 맞꼭지각의 크기는 항상 같으므로, 서로 다른 두 직선과 한 직선이 만날 때 생기는 동위각과 엇각의 크기도 항상 같다는 오개념이 생기기 쉽다. 이러한 오개념이 생기지 않도록 하기 위해 평행한 두 직선이 주어진 경우와 평행하지 않은 두 직선이 주어진 경우를 서로 비교하게 하여 학생들 스스로 동위각과 엇각의 크기가 각각 같은 경우는 두 직선이 서로 평행할 때뿐이라는 사실을 깨닫게 한다.
- 사실 평행과 평행선은 이미 초등학교 4학년 때에 학습한 용어이다. 1을 통해 동위각과 엇각이 두 직선의 평행 관계를 결정하는 중요한 요소임을 알게 되었다면 2에서는 이미 학습한 내용을 기호로 나타내어 보고, 중학교에서 새롭게 배운 동위각과 엇각을 이용하여 평행선을 찾아보는 활동을 하게 된다. 즉, 이전에 학습한 개념과 새롭게 배운 개념들을 연결하는 과정이라고 할 수 있다.
- 3은 평행선의 성질을 실생활에 적용해 보는 활동이다. 수학 학습을 통해 알게 된 사실들이 실생활의 문제를 해결하는 데에 유용함을 깨닫게 한다.

예상 답안

1 • 평행한 두 직선이 다른 한 직선과 만날 때 생기는 동위각과 엇각의 크기는 각각 같다.
• 서로 평행하지 않은 두 직선이 다른 한 직선과 만날 때 생기는 동위각과 엇각의 크기는 같지 않다.

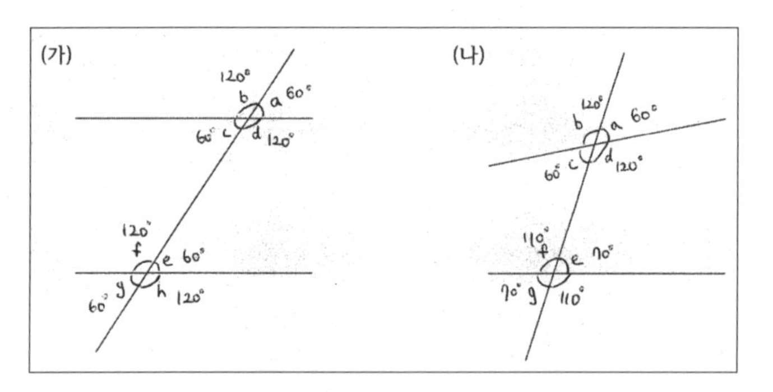

2 (1) 동위각의 크기가 같으므로 $l /\!/ n$이다.
(2) 엇각의 크기가 같으므로 $l /\!/ m$이다.

3 긴 막대를 철로 위에 그림과 같이 가로지르게 놓은 다음, 동위각과 엇각의 크기를 구해 본다. 동위각과 엇각의 크기가 각각 같다면 철로는 평행한 것이다.

수업 노하우

- 1의 (가)와 (나) 모두 두 직선이 다른 한 직선과 만나는 그림이므로 각각 8개의 각이 생긴다. 각들의 크기를 직접 재어 보게 하여 동위각과 엇각의 크기를 비교하게 한다.
- 학생들은 (가)와 (나)의 비교를 통해 평행한 두 직선이 갖는 동위각과 엇각에 관한 성질을 이해하고 받아들인다. 그런데 학생들이 정리한 성질들을 살펴보면, 평행한 두 직선이 주어졌을 때 동위각과 엇각의 크기가 같다는 사실을 서술한 것이 대부분이다. 적절한 발문을 통해 동위각과 엇각의 크기로 두 직선의 평행 여부를 판단할 수 있다는 사실을 이해했는지 확인하고, 이러한 성질에 대해서도 정리할 수 있는 기회를 제공한다.
- 1 (가)에서 동측내각의 크기의 합이 180°가 됨을 발견하는 학생이 있다면 그 이유를 설명하게 하여 유클리드의 평행선 공준과 연결하여 격려한다. 만일 이런 발견이 없다면 교사가 질문으로 제시할 수 있다.
- 2는 1에서 발견한 평행선의 성질을 이용하여 평행한 두 직선을 찾는 문제다. 이 문제에 대해서는 기호를 바르게 사용하는지 그리고 평행하다고 판단한 이유를 적절하게 제시하는지에 중점을 두어야 한다.
- 3은 학습한 내용을 활용하여 철도가 평행함을 설명할 수 있는지를 확인하는 문제이다. 하지만 모둠원끼리 토론을 하는 과정에서 다양한 의견이 나올 수 있으므로 자유롭게 방법을 논의할 수 있도록 특별한 제한을 두지는 않는다.

/ 4 / 공간 속의 직선과 평면

학습목표

1 관찰을 통하여 두 직선, 직선과 평면, 두 평면 사이의 위치 관계를 분류하고, 각각의 경우에 대하여 설명할 수 있다.

2 직선과 평면이 만날 때 생기는 교점과 두 평면이 만날 때 생기는 교선에 대하여 이해한다.

2015 개정 교육과정 성취기준

점, 선, 면, 각을 이해하고, 점, 직선, 평면의 위치 관계를 설명할 수 있다.

핵심발문

여러 위치 관계를 분류한 기준은 무엇인가?

개념과 원리 탐구하기 12 _ 두 직선의 위치 관계

교과서(하) 28쪽

탐구 활동 의도

- 초등에서 학습한 정육면체에 두 직선을 다양하게 그려 두 직선의 위치 관계를 분류하는 활동이다. 1 에서는 자유롭게 자신이 분류 기준을 만들어 두 직선의 위치 관계를 구분하게 한다.
- 정팔면체는 아직 학습하지 않았지만 두 직선의 위치 관계를 보다 깊이 탐구하기에 적절한 과제다. 2 에서는 1 에서 만든 기준을 따르도록 하였다.
- 두 직선이 한 평면에 있는 경우와 그렇지 않은 경우를 분류해 보게 함으로써 평면에서 두 직선의 위치 관계와 공간에서 두 직선의 위치 관계 사이의 차이점을 이해하게 한다. 또한 공간에서 두 직선이 꼬인 위치가 되는 경우를 발견하게 한다.

예상 답안

1
- 두 직선이 만나는 경우(㉢, ㉤, ㉥)과 만나지 않는 경우(㉠, ㉡, ㉣)로 분류할 수 있다.
- 두 직선이 평행한 경우(㉡)과 평행하지 않은 경우(㉠, ㉢, ㉣, ㉤, ㉥)으로 분류할 수 있다.
- 두 직선이 일치하는 경우(㉤)과 그렇지 않은 경우(㉠, ㉡, ㉢, ㉣, ㉥)으로 분류할 수 있다.

2
(1)
- 두 직선이 만나는 경우(㉢, ㉤, ㉥, ㉧)과 만나지 않는 경우(㉠, ㉡, ㉣, ㉦)으로 분류할 수 있다.
- 두 직선이 평행한 경우(㉠, ㉣)과 평행하지 않은 경우(㉡, ㉢, ㉤, ㉥, ㉦, ㉧)으로 분류할 수 있다.
- 두 직선이 일치하는 경우(㉥)과 일치하지 않는 경우(㉠, ㉡, ㉢, ㉣, ㉤, ㉦, ㉧)으로 분류할 수 있다.

(2)
- 두 직선이 한 평면 위에 있다면 반드시 만나거나 평행하거나 또는 일치해야 한다. 그런데 ㉡과 ㉦의 두 직선은 만나지도 않고 평행하지도 않으므로 한 평면 위에 있지 않다.

- ㉢과 ㉥은 두 직선이 주어진 입체도형의 한 면 위에 놓인 것이 보이므로 한 평면 위에 있다고 할 수 있다. 그리고 ㉠과 ㉤의 경우에는 이 입체도형의 내부에 위, 아래의 꼭짓점과 다른 두 개의 꼭짓점을 연결하여 만든 모양의 면을 생각하면 두 직선이 한 평면 위에 있음을 알 수 있다. 또한 ㉣과 ㉧은 위, 아래의 꼭짓점을 제외한 나머지 네 개의 꼭짓점을 연결하여 만든 모양의 면을 생각하면 두 직선이 한 평면 위에 있음을 확인할 수 있다.

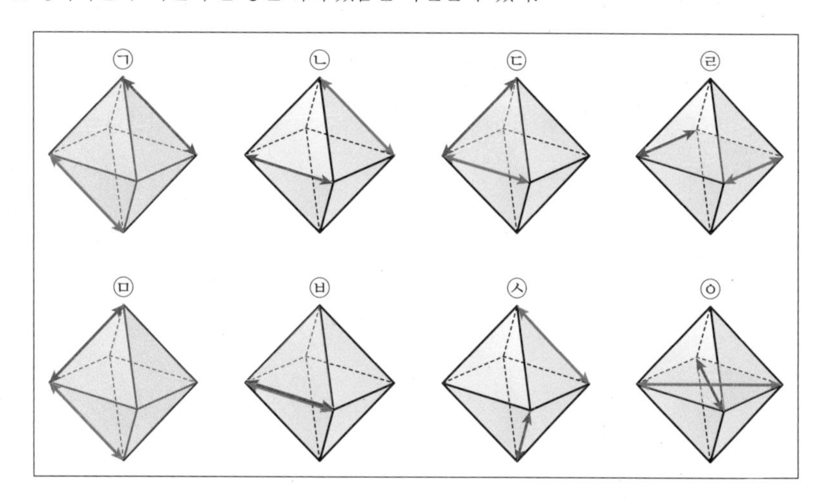

수업 노하우

- 1 의 활동을 마친 후에는 개인별로 발표를 하게 하거나 모둠별로 한두 가지의 분류 방법을 소개하게 하여 다양한 분류 방법에 대해 공유하는 시간을 갖는다. 이때에는 비슷한 방법끼리 모아볼 수도 있고, 서로 다른 방법을 비교할 수도 있다.
- 1 , 2 에서 두 직선이 한 평면 위에 있는 경우와 그렇지 않은 경우를 분류한 것이 있다면 자연스럽게 2 (2)와 연결시켜 지도한다. 그런 분류가 학생들의 답안으로 나오지 않은 경우에는 2 (2)를 통해 두 직선이 한 평면 위에 있는지의 여부가 위치 관계를 분류하는 또 하나의 기준이 됨을 이해하게 한다.
- 사실 두 직선의 위치 관계는 평면과 공간에서의 관계로 각각 나누어 생각할 수도 있지만, 여기에서는 이 둘을 구별하지 않고 공간에서 두 직선의 위치 관계만을 살펴보게 된다. 그러나 2 (2)를 통해 꼬인 위치를 제외한 나머지의 모든 위치 관계는 평면 위에서도 나타날 수 있는 두 직선의 위치 관계임을 확인할 수 있다.
- 2 (2)를 통해 학생들은 두 직선이 한 평면 위에 있다는 것은 한 점에서 만나거나 평행하거나 또는 일치하는 것임을 알게 된다. 그리고 이 사실을 통해 두 직선이 한 평면 위에 있지 않다는 것은 두 직선이 만나지도 평행하지도 않음을 의미한다는 사실도 이해하게 된다. 교사는 학생들이 이러한 구별을 이해했는지 확인한 후에, 한 평면 위에 있지 않은 두 직선을 서로 '꼬인 위치에 있다.'는 것을 언급해 준다.
- 그림만으로 두 직선의 위치 관계를 파악하는 데에 어려움을 겪는 학생들이 있다면 직육면체, 정팔면체 교구나 빨대와 같은 구체물을 제공하여 조작을 통해 이해를 돕도록 한다.

개념과 원리 탐구하기 13 _ 직선과 평면의 위치 관계

교과서(하) 30쪽

탐구 활동 의도

- 구체물을 가지고 직선과 평면의 위치 관계가 될 수 있는 모든 경우를 확인하고, 다양한 관찰 결과를 분류하는 활동이다.
- 분류한 직선과 평면의 위치 관계 각각에 대해 직선과 평면의 교점의 개수를 구해 봄으로써 직선과 평면이 만나는 점(교점)의 개수도 분류의 기준이 될 수 있음을 이해한다.

예상 답안

1 직선과 평면의 위치 관계는 다음과 같이 세 가지의 경우로 분류할 수 있다.

한 점에서 만나는 경우	직선이 평면에 포함되는 경우	평행한 경우

- 직선이 평면에 포함되는 경우에는 교점이 무수히 많다고 할 수 있다.
- 직선이 평면에 포함되지 않고 만난다면 한 점에서 만나므로 교점은 1개다.

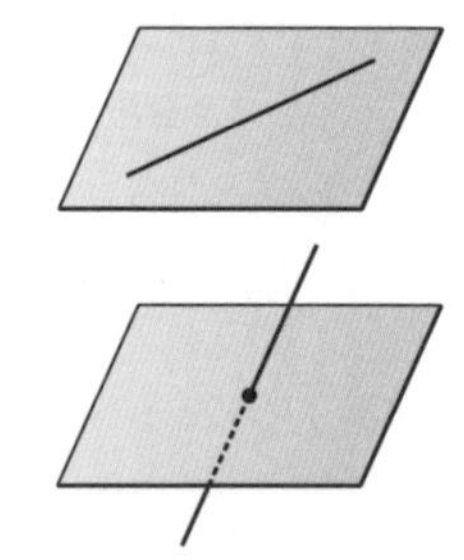

수업 노하우

- 막대와 종이는 각각 유한한 길이와 넓이를 갖기 때문에 위치 관계를 분류할 때 오개념이 생기기도 한다. 따라서 활동을 시작하기 전에, 막대를 직선으로 생각하고 종이 또한 무한히 펼쳐진 면으로 생각하여 활동해야 함을 강조한다. 오른쪽 그림은 막대와 종이를 각각 직선과 무한한 평면으로 생각하지 못하여 교점의 개수를 구하는 과정에서 오류를 범한 학생의 답안이다.

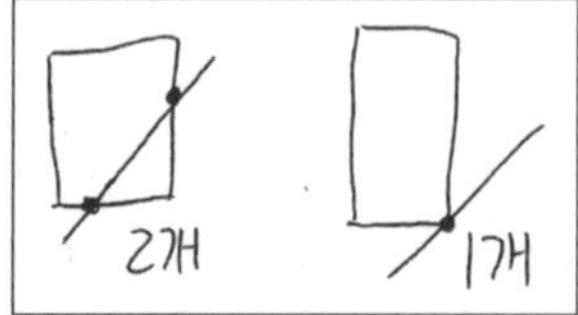

- 두 직선의 위치 관계에서 '일치한다'를 배웠기 때문에 학생들은 직선이 평면에 포함되는 위치 관계에 대해 '포함'이라는 용어 대신 '일치'라는 용어를 사용하기도 한다. 이때에는 '일치'라는 용어가 두 개체가 동등할 때 쓰는 표현임을 일깨워 주고 다른 용어로 표현해 보도록 안내한다. '붙어 있다', '무수히 많은 점에서 만난

다’ 등의 다양한 반응이 나올 수 있는데, ‘포함’이라는 용어가 쉽게 나오지 않는다면 직접적으로 언급하여 설명해 준다.

- 또한 학생들 중에는 직선이 평면과 한 점에서 만나는 경우를 직선이 평면에 포함되는 것으로 착각하기도 한다. ‘포함한다’와 ‘한 점에서 만난다’의 의미를 정확하게 이해하고 구별할 수 있도록 지도한다.
- [2]의 질문은 학생들로 하여금 직선과 평면이 만나는 점(교점)의 개수도 직선과 평면의 위치 관계를 분류하는 하나의 기준이 될 수 있음을 알게 한다. 즉, 교점이 0개인 경우에는 만나지 않으며, 1개인 경우에는 한 점에서 만난다. 또한 교점이 무수히 많은 경우에는 직선이 평면에 포함되는 경우다.
- 직선이 평면과 한 점에서 만나는 경우에는 교점이 1개 밖에 없지만, 직선이 평면에 포함되는 경우에는 직선 위의 모든 점이 교점이 된다.

개념과 원리 탐구하기 14 _ 두 평면의 위치 관계

교과서(하) 31쪽

탐구 활동 의도

- **탐구하기 13**에서 직선과 평면의 위치 관계를 분류하기 위해 했던 것과 마찬가지로 구체물을 가지고 두 평면의 위치 관계가 될 수 있는 모든 경우를 확인하고, 다양한 관찰 결과를 분류하는 활동이다.
- 유한한 넓이를 갖는 면으로 활동을 하기 때문에 나타날 수 있는 오개념을 문제로 제시하였다. 이 문제를 통해 두 평면의 위치 관계를 생각할 때에는 유한한 면이 아닌 무한한 면에 대해 생각해야함을 다시 한번 확인하게 된다.
- 두 평면이 만날 때 생기는 교선의 개수를 구해 봄으로써 직선과 평면이 만나는 점(교점)의 개수도 분류의 기준이 될 수 있음을 이해한다.

예상 답안

[1] 두 평면의 위치 관계는 다음과 같이 세 가지의 경우로 분류할 수 있다.

평행한 경우	한 직선에서 만나는 경우	일치하는 경우

2 평면이 종이처럼 일정한 넓이를 갖는다면 두 평면은 한 점에서 만날 수 있다. 하지만 실제의 평면은 무한히 펼쳐진 면이므로 재현이가 만든 오른쪽 형태처럼 한 점에서 만날 수가 없다. 따라서 한 점에서 만나는 것처럼 보이는 두 면은 실제로는 일치하는 경우이거나 만나는 경우다.

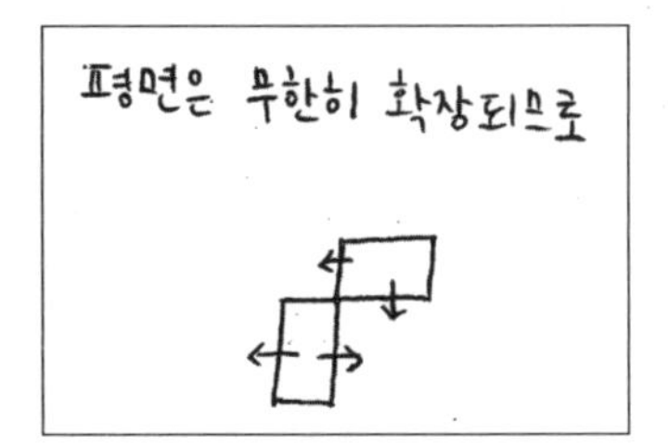

3 • 두 평면이 일치하는 경우에는 교선이 무수히 많다고 할 수 있다.
• 두 평면이 일치하지 않고 한 직선에서 만나는 경우에 교선은 1개다.

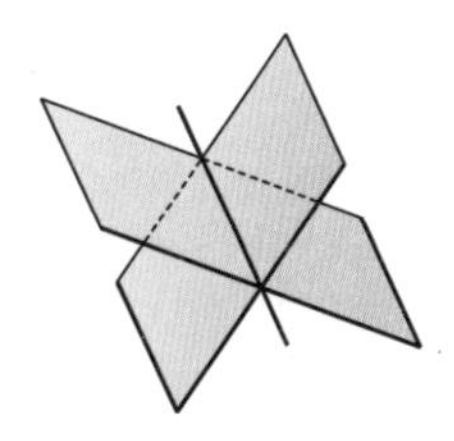

수업 노하우

• 앞의 탐구 활동과 마찬가지로 학생들에게 제공된 종이는 유한한 넓이를 갖지만 위치 관계를 생각할 때에는 종이를 무한히 펼쳐진 면으로 생각해야 함을 강조하여 언급한다. 유한한 종이가 실제로는 무한한 평면을 나타낸다는 것을 이해한다면, 2 에서 재현이가 주장하는 것이 틀렸음을 알아차리고 올바른 설명을 제시할 수 있다.
• 두 평면의 위치 관계를 그림으로 나타내는 것은 쉽지 않을 수 있다. 그림으로 표현하는 것을 어려워하는 학생이 있다면 위치 관계를 말이나 글로 표현하도록 안내하고, 그림으로 잘 표현한 학생이 있다면 발표를 통해 다함께 그 그림을 공유하도록 지도한다.

수업 연구

오개념을 바로잡는 방법은 다양할 것이다.
그중 오개념이 생길만한 상황을 문제로 제시함으로써 그 오개념을 바로잡는 방법이 효과적이다.
교사가 직접적으로 오개념을 지적하고 고치려 들면 정서적 거부감을 유발시킬 수 있다. 오개념을 가진 당사자가 스스로 해결할 시간과 기회를 제공함으로써 자기 주도적인 치료가 가능해진다. 그리고 이렇게 바로 잡은 오개념은 다시 나타나지 않는다.
많은 부모들이 자녀들에게 나타나는 오개념을 직접 지적하고 가르쳤지만 며칠 뒤에 똑같은 실수와 잘못을 저지르는 것을 목격한다고 증언하고 있다. 이것은 오개념을 수정할 당사자의 학습이 일어나지 않았기 때문이다. 대안 교과서에서 오개념을 많은 문제로 제시한 것은 이런 의도라고 볼 수 있다.

탐구 되돌아보기 예상 답안

교과서(하) 32~37쪽

1 개념과 원리 탐구하기 5

(1) $\overline{AM}=\overline{BM}$이고 $\overline{BM}=2\overline{MN}$이므로

$\overline{AM}=\boxed{2}\overline{MN}$

(2) $\overline{MN}=\frac{1}{2}\overline{MB}$이고 $\overline{MB}=\frac{1}{2}\overline{AB}$이므로

$\overline{MN}=\boxed{\frac{1}{4}}\overline{AB}$

(3) $\overline{NB}=\overline{MN}=\frac{1}{4}\overline{AB}$이므로

$\overline{AB}=16\text{ cm}$일 때

$\overline{NB}=\boxed{4}\text{ cm}$

(4) • $\overline{AN}=3\overline{NB}$ • $\overline{AM}=\overline{BM}$

• $\overline{AB}=4\overline{NB}$ • $\overline{MN}=\overline{BN}$

• $\overline{MN}=\frac{1}{3}\overline{AN}$

2 개념과 원리 탐구하기 8

(1) (2)

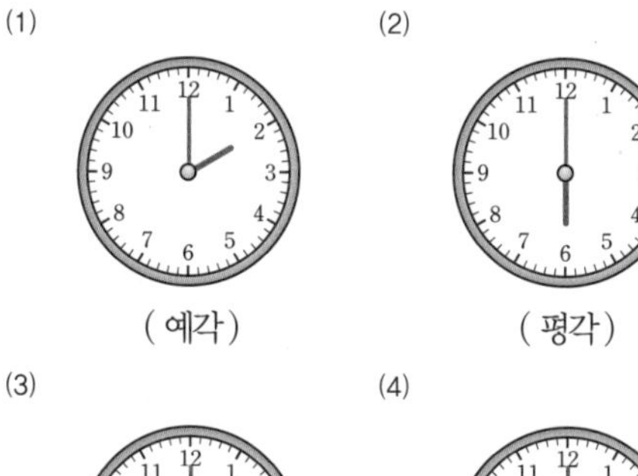

(예각) (평각)

(3) (4)

(둔각)

(직각)

3 개념과 원리 탐구하기 9

(1) $\angle a=30°$

• 맞꼭지각의 크기는 서로 같으므로 $\angle a$의 크기는 30°다.

• $\angle a+\angle b=\angle b+30°$이므로 $\angle a=30°$다.

(2) 항상 같다. 왜냐하면 맞꼭지각은 서로 다른 두 직선이 한 점에서 만날 때 생기는 네 개의 각 중 서로 마주 보는 두 각을 말하는데, 서로 맞꼭지각인 두 각은 공통인 다른 한 교각과의 합이 180°가 되어 그 크기가 서로 같음을 알 수 있다.

4 개념과 원리 탐구하기 11

(1) 엇각의 크기가 45°로 같으므로 두 거울은 서로 평행하다.

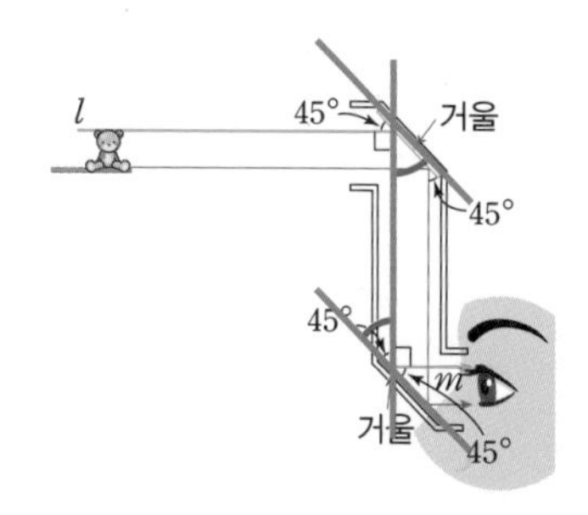

(2) 엇각의 크기가 90°로 같으므로 두 직선 l, m은 서로 평행하다.

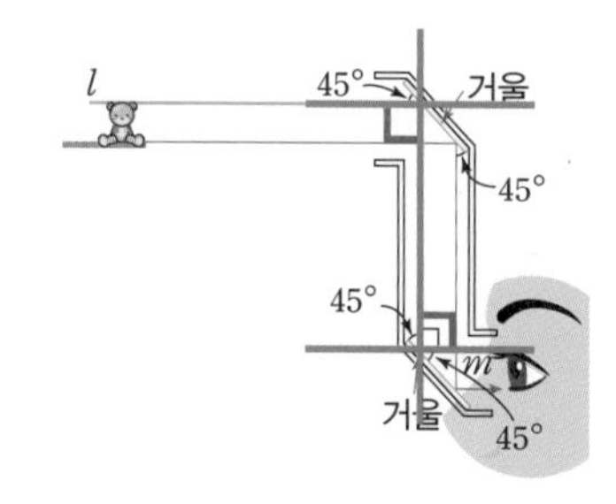

5 개념과 원리 탐구하기 12

모서리 AB와 꼬인 위치에 있는 모서리는 모서리 AB와 만나지도 않고 평행하지도 않는 모서리이므로 $\overline{FG}$, $\overline{EH}$, $\overline{CG}$, $\overline{DH}$, $\overline{HG}$가 있다.

6 개념과 원리 탐구하기 12

사진 상으로 두 비행기가 지나는 길은 만나는 것처럼 보인다. 하지만 실제로는 꼬인 위치에 있어 서로 만나지 않으므로 충돌하지 않는다.

지나는 길이 만난다고 하더라도 시차를 두고 교점을 지난다면 충돌하지 않는다.

7 개념과 원리 탐구하기 13, 14

(1) ○

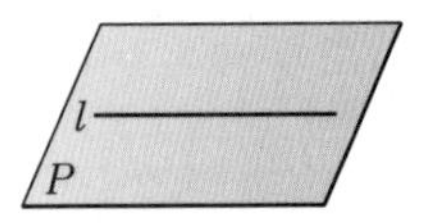

(2) ○ (평행한 경우)

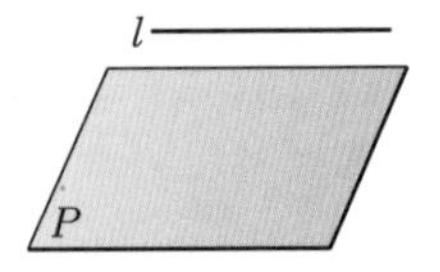

(3) × (평면은 무한하기 때문에)

(4) ○ (평행한 경우)

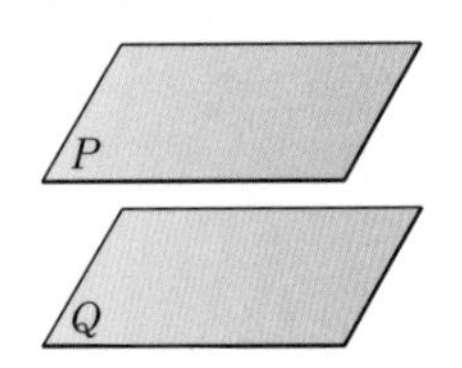

8 개념과 원리 탐구하기 13

직선과 평면이 수직이면, 직선은 평면 위의 모든 직선과 수직이어야 한다. 그런데 주어진 오른쪽 그림의 못과 나무 표면을 나타내는 두 직선은 서로 수직이 아니므로 못은 나무에 수직으로 박혀있다고 할 수 없다.

9 내가 만드는 수학 이야기

제목 : 도로의 꼬인 위치

고속도로 인터체인지는 여러 방향으로 가는 차가 속도를 유지하면서 자기 길을 찾아가야 하므로 꼬인 위치가 되게 만들어야 한다. 꼬인 위치는 서로 만나지 않으며 같은 평면 위에 있지 않으므로 이층으로 도로가 놓이게 된다. 그래서 인터체인지를 통해 자유스럽게 사고 없이 자동차가 소통할 수 있다.

삼거리나 사거리는 도로를 선으로 보면 두 선이 만나는 점이 되므로 교점이라고 할 수 있다. 사거리 중 상당수는 도로가 서로 직각으로 만나므로 서로 직교한다고 볼 수 있다.

학생 답안 1

제목 진쨩이 길을 잃었을 때

어느 시골 마을에서 길을 잃어버렸던 진쨩은 우연히 길을 안내해주는 표지판을 발견하게 되었다. 그러나 세 표지판은 만나지도 않고 평행하지도 않은 꼬인 위치에 있었고 세 직선은 한 평면 위에 있지도 않았다. 그래서 m, l, n 이 세 직선에는 교점과 교선이 생길 수가 없었다. 그 까닭은 선과 선 또는 선과 면이 만나지 않고 면과 면 또한 만나지 않았기 때문이다. 진쨩은 긴 고민 끝에 가장 마음 내키는 n쪽 방향을 택하였고 n쪽 표지판의 직선은 직선 AB 위의 점 A에서 점 B쪽으로 뻗은 직선 반직선 AB와 같아 진쨩은 표지판에 $\overrightarrow{AB}$ 라는 기호를 낙서하고 얼른 n쪽 길로 후다닥 뛰어갔다.

학생 답안 2

제목 주사위 빵

민서는 빵을 만들기 위해 빵집으로 갔어요. 그리고 민주는 밀가루를 반죽하면서
주사위 모양의 빵을 만들었지요. 그리고 주사위 모양의 빵을 자세히 관찰했어요.
그리고 민서는 학교에서 선과 선이 만나 이루는 점을 교점,
면과 면이 만나 이루는 선분을 교선이라고 하는 것을 이용하여 관찰하였지요.
그래서 민서는 선분 AB와 선분 BC가 한 점으로 만나 생기는 점,
선분 AE와 EF가 한 점으로 만나 생기는 점들을 교점이라고 한다는 것을
관찰하면서 새롭게 다시 알아갈 수 있었지요.
또, 입체도형의 꼭짓점은 교점이 될 수 있다는 것을 알게되었지요.
또, 입체도형의 꼭짓점이 교점이 될 수 있기 때문에
자신이 만든 주사위 모양의 정육면체 도형은 교점이 8개인 것을 알 수 있었어요.
그리고 민서는 면과 면이 만나 생긴 선분을 교선이라고 하기 때문에
면과 면이 만나 생긴 선분을 세어보았어요.
그리고 민서는 교선이 선분과 같다는 것을 알게 되었어요.

그리고 민서는 주사위 모양으로
정육면체 도형은
교각이 몇도 인지 알고 싶어지겠습니다.
그래서 민서는 각도기로
각도를 재보았습니다.
그리고 민서는 정육면체 도형은
어떠한 각이든 90°로
직교한다는 것을 알게 되었습니다.

그리고 민서는 한 선은
180°로 표현된 것을
학교에서 배웠습니다.
그래서 민서는 AB, BF 등의
선분의 각을 재보았습니다.
그래서 민서는
어떠한 선분이든
180°인 것을 확인할 수 있었습니다.

개념과 원리 연결하기 예상 답안

교과서(하) 38~39쪽

1

나의 첫 생각

꼬인 위치는 만나지도 않고 평행하지도 않으므로 다음과 같다.

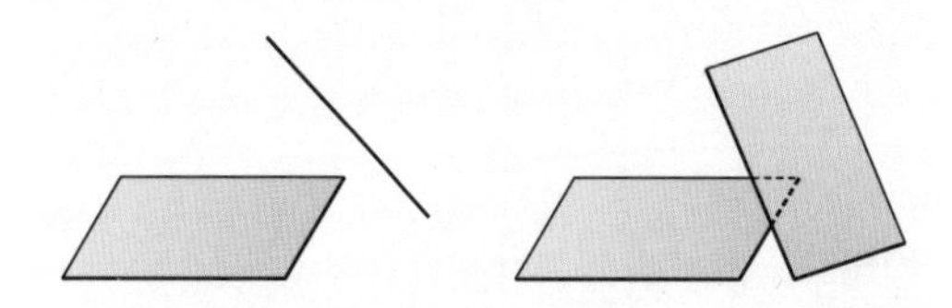

다른 친구들의 생각

직선은 비록 선분처럼 그리지만 양쪽으로 한없이 뻗어나가는 선이고, 평면은 평행사변형으로 그리지만 무한한 것을 생각하면 직선과 평면은 평행하지 않으면 반드시 만난다.
마찬가지로 두 평면도 평행하지 않으면 반드시 만난다.
따라서 직선과 평면, 평면과 평면은 꼬인 위치가 없다.

정리된 나의 생각

꼬인 위치는 만나지도 평행하지도 않는 상태다. 공간에서의 두 직선은 꼬인 위치가 있지만 직선과 평면, 두 평면 사이에는 꼬인 위치가 없다.

학생 답안 1

나의 첫 생각

직선과 평면; 꼬인 위치가 될 수 없다. = 한 점에서 만남 평행 포함

평면과 평면; 꼬인 위치가 될 수 없다 = 평행 만남 포함(일치)

학생 답안 2

나의 첫 생각	다른 친구들의 생각	정리된 나의 생각
평면은 확장되기 때문에 꼬인 위치가 될 수 X.	평면을 확장 하면 꼬인위치는 존재 X 평면은 높이는 가지고 있고 직선은 길이만 가지고 있다. (높이 X) ∴ 꼬인위치가 존재할 수 있다. 직선은 ←→만 할 수 있다	평면의 확장으로 인해 꼬인위치 X.

2 (1)

[맞꼭지각의 뜻] 두 직선이 한 점에서 만날 때 $\angle a$와 $\angle c$, $\angle b$와 $\angle d$와 같이 서로 마주보는 각을 맞꼭지각이라고 한다.

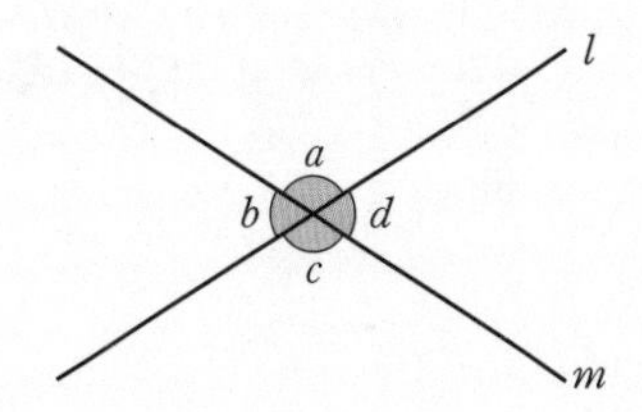

[맞꼭지각의 성질] 맞꼭지각의 크기는 서로 같다. 그림에서 $\angle a = \angle c$, $\angle b = \angle d$

학생 답안

맞꼭지각의 뜻: 두 직선이 한 점에서 만날 때 생기는 서로 마주보는 각이다.

맞꼭지각의 성질: 두 직선이 한 점에서 만나면 무조건 서로 마주보는 각은 같은 크기이다.

맞꼭지각의 법칙: 마주보는 각의 크기가 같다.

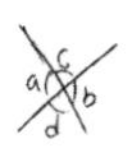

맞꼭지각: ∠a와 ∠c, ∠b와 ∠d와 같이 서로 마주보는 한 쌍의 교각

맞꼭지각의 성질: 맞꼭지각의 크기는 서로 같다. ∠a=∠c, ∠b=∠d

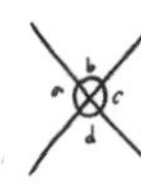

(2)

각 개념의 뜻과 맞꼭지각의 연결성

- 한 점에서 그은 2개의 반직선이 일직선이 될 때 두 반직선이 이루는 각은 평각이다. 맞꼭지각도 두 직선이 만나서 생기는 각이니 평각을 찾을 수 있고, 이것을 이용해서 그 성질을 설명할 수 있다.
- $A=B$이고 $B=C$이면 $A=C$. 즉 어느 것과 서로 같은 것들은 모두 같다. 이 원리는 맞꼭지각의 성질을 설명하는 과정에 사용된다.
- 등식의 양변에서 똑같은 수를 빼도 등식은 성립한다(등식의 성질). 이 성질은 맞꼭지각의 성질을 설명하는 과정에 사용된다.

수학 학습원리 완성하기 예상 답안

교과서(하) 40~41쪽

학생 답안 1

내가 선택한 탐구 과제

단원 1.4의 탐구 활동 2에 있는 문제를 (직선과 평면의 위치 관계에 대하여)

나의 깨달음

두 직선의 위치 관계에서는 평행하다와 한 점에서 만난다, 일치한다,
그리고 꼬인 위치에 있다 이렇게 4가지로 분류할 수 있었다. 그래서 이와 관련지어
직선과 평면의 위치 관계에 대해 알아보았다. 첫번째 포함된다란 직선 l이 평면 P 위에
있을 때 직선 l은 평면 P에 포함된다는 것이고, 두번째 한 점에서 만난다는 직선 l
과 평면 P가 한 점 A에서 만난다는 개념인데 여기서 한 점 A는 교점이며, 선과
선 또는 선과 면이 만나서 생기는 점을 교점이라고 한다. 이어서 세 번째 평행하다
는 직선 l과 평면 P가 만나지 않을 때 직선 l과 평면 P는 평행하다라고 이렇
게 3가지로 분류해볼 수 있었다. 그런데 전에 배웠던 두 직선의 위치 관계
와 다른 점을 느꼈다. 두 직선은 꼬인 위치가 될 수 있지만 이와 달리 직선과
평면은 꼬인 위치가 될 수 없다는 점이다. 그래서 그 이유는 꼬인 위치는 공간에
서 직선과 직선의 위치 관계에만 존재한다. 평면은 무한히 뻗어나가는 면이므
로 평행하지 않으면 언젠가 반드시 만나게 된다. 따라서 직선과 평면 사이에
는 꼬인 위치처럼 보이지만 직선과 평면을 연장하면 결국 한 점 또는 한 직선
에서 만나게 되므로 직선과 평면은 꼬인 위치가 없다는 것을 알게 되었다. 그래서
<수학 학습원리> 위의 과정을 통하여 새로운 결과가 이미 알려진 사실에 대해
어떻게 연결되는지를 논리적으로 사고해야 된다는 것 또한 깨닫게 되었다.

수학 학습원리

3. 〈수학적 추론을 통해 자신의 생각 설명하기〉

STAGE 8

쌍둥이 삼각형을 찾아보자
– 작도와 합동

이 단원의 핵심 지도 방향

작도는 기술적인 방법만 제시되어 있어서 교육과정이 개정될 때마다 교사들이 삭제하기를 바라는 단원이기도 합니다. 이 단원에서는 논의 끝에 작도를 기술적인 방법으로 가르치는 것이 아니라 학생들이 스스로 작도 방법을 고안하고 그렇게 작도한 과정을 정당화할 수 있도록 삼각형의 합동 조건을 먼저 다루기로 결정했습니다. 초등학교 과정과 연결하여 삼각형의 합동 조건을 만들고, 이를 이용하여 삼각형을 작도하는 방법을 정당화합니다. 작도 방법을 발견할 때 그렇게 작도한 이유를 삼각형의 합동 조건을 이용하여 설명할 수 있습니다.

1 합동인 삼각형

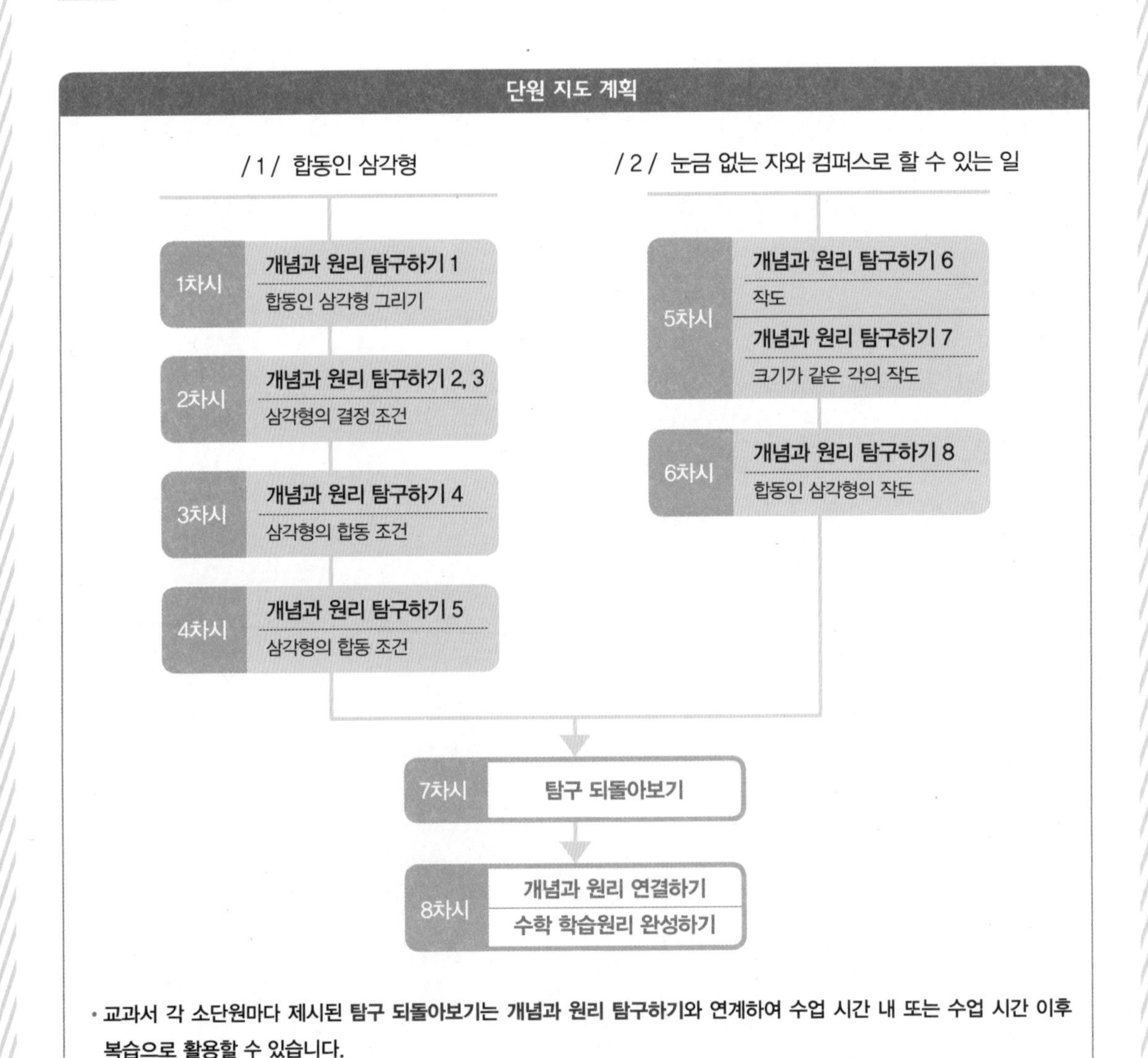

• 교과서 각 소단원마다 제시된 탐구 되돌아보기는 개념과 원리 탐구하기와 연계하여 수업 시간 내 또는 수업 시간 이후 복습으로 활용할 수 있습니다.

/1/ 합동인 삼각형

학습목표

1 삼각형의 모양과 크기가 하나로 결정되는 조건을 찾고, 이를 이용하여 삼각형을 그릴 수 있다.
2 두 삼각형이 합동이 되는 조건을 추측하여 찾아내고, 이를 이용하여 두 삼각형이 합동인지 판별할 수 있다.

2015 개정 교육과정 성취기준

삼각형의 합동 조건을 이해하고, 이를 이용하여 두 삼각형이 합동인지 판별할 수 있다.

핵심발문

두 삼각형이 합동이 되는 조건은 무엇일까?

참고 • 중학교 1학년에서 삼각형의 합동 조건을 도입하는 전통적인 방식은 작도하는 과정을 통해 삼각형이 하나로 결정되는 것을 확인하고 이것을 삼각형의 합동 조건으로 연결하는 방식이었다. 하지만 삼각형을 작도하는 과정에서 삼각형의 합동 조건을 사용해야 하는 논리적 모순이 있다.

개념과 원리 탐구하기 1 _ 합동인 삼각형 그리기

교과서(하) 45쪽

탐구 활동 의도

- 이 활동은 눈금 있는 자와 컴퍼스, 각도기를 이용하여 주어진 삼각형과 합동인 삼각형을 그릴 수 있는 조건을 추측해 보는 것이 목표이다.
- 이 활동은 앞으로 학생들에게 삼각형의 합동 조건을 만들기 위한 토대가 될 것이다.

예상 답안

1 방법 1

① 자로 길이가 4.5cm인 선분 BC를 그린다.
② 점 B를 꼭짓점으로 하여 각도기로 45°인 각을 그린다.
③ 점 C를 꼭짓점으로 하여 각도기로 60°인 각을 그린다.
④ ②와 ③의 두 각이 만나는 점 A를 찾아 삼각형 ABC를 완성한다.
이것은 삼각형 ABC와 합동이다.

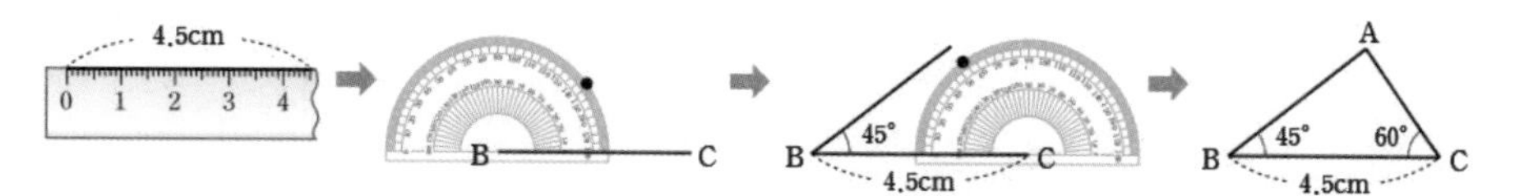

방법 2

① 자로 길이가 4.5cm인 선분 BC를 그린다.
② 점 B를 꼭짓점으로 하여 각도기로 45°인 각을 그린다.
③ 점 B에서 길이가 4cm인 곳에 점 A를 찍는다.
④ 점 A와 점 C를 이어 삼각형 ABC를 완성한다.
이것은 삼각형 ABC와 합동이다.

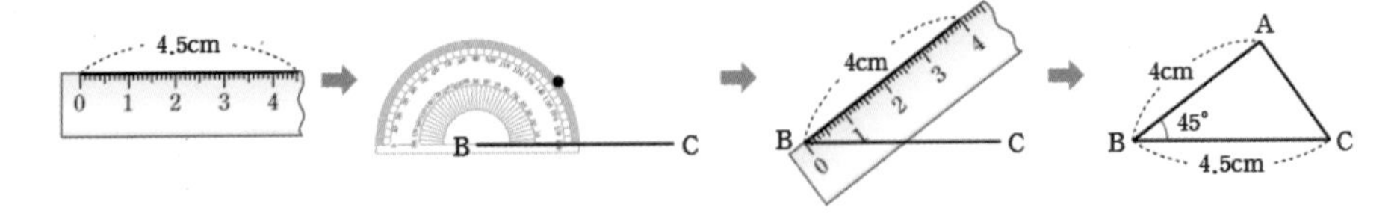

참고

공학적 도구를 이용할 수 있다.

Step 1: 크롬(Chome)을 실행한 후, 주소창에 다음을 입력하여 알지오매스 자료로 들어가 보자.
http://me2.do/Ff4Y7C6Z
Step 2: 원 도구는 컴퍼스, 선분 도구는 자, 그리고 회전 도구는 각도기와 같은 역할을 한다.
Step 3: 합동인지 확인해 보기 위해 길이와 각도 도구를 이용하여 내가 만든 도형을 측정해 보자.
Step 4: 📷을 클릭하면 내가 만든 것을 찍어 그림 파일로 저장할 수 있다.

개념과 원리 탐구하기 2 _ 삼각형의 결정 조건

교과서(하) 47쪽

탐구 활동 의도

- 이 활동은 삼각형의 세 변의 길이 사이의 관계를 알아보는 것이 목표다. 세 변의 길이가 주어질 때, 가장 긴 변의 길이가 나머지 두 변의 길이의 합보다 크거나 같으면 삼각형이 만들어지지 않음을 알아낼 수 있다.
- 삼각형을 작도하지 않아도 구체적 조작 활동을 통하여 세 변의 길이가 주어지면 삼각형을 한 가지로 작도할 수 있음을 직관적으로 추측해 볼 수 있다.
- 삼각형을 작도하는 과정에서 삼각형의 합동 조건을 이용하게 되므로 합동 조건 이전에 작도를 가르치게 되면 결국 기술적인 방법만 지도하게 된다. 그래서 여기에서는 조작 활동을 통해 결정 조건부터 이해하고 합동 조건을 만들어가는 방향으로 과제를 구성하였다.

예상 답안

1 (나), (라)

세 변의 길이가 주어질 때, 가장 긴 변의 길이가 나머지 두 변의 길이의 합보다 크거나 같으면 삼각형이 만들어지지 않음을 알아낼 수 있다.

(나) $3\,cm+3\,cm=6\,cm$, 가장 긴 변의 길이가 나머지 두 변의 길이의 합과 같으므로 삼각형이 만들어지지 않는다.

(라) 4 cm + 5 cm = 9 cm < 10 cm, 가장 긴 변의 길이가 나머지 두 변의 길이의 합보다 크므로 삼각형이 만들어지지 않는다.

아래와 같이 그림으로 설명한 학생도 있었다.

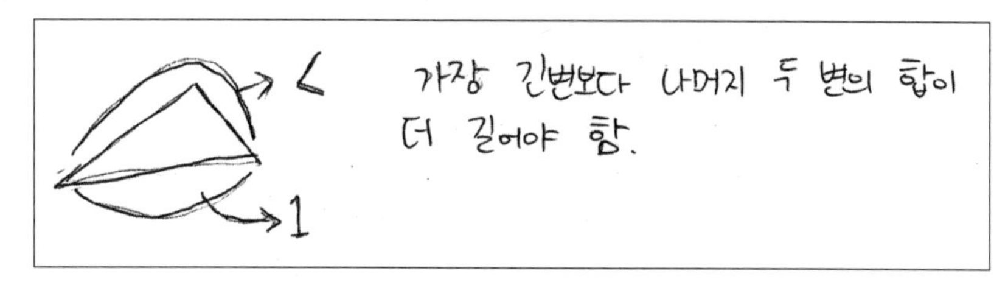

2 [보기]에서 삼각형이 만들어지는 경우는 (가)와 (다)이다. 삼각형이 만들어지기 위해서는 가장 긴 변의 길이가 나머지 두 변의 길이의 합보다 작아야 한다.

아래와 같이 학생들이 세 변의 길이를 문자 a, b, c로 놓고 문자를 이용하여 대소 관계를 나타낼 수도 있다.

$a<b+c$ [$a>b$, $a>c$]

3 (가), (다)의 경우는 삼각형을 어떻게 돌리거나 뒤집어도 모양은 하나다.

(가), (다) ⓧ 어디로 돌리든 합동이기 때문이다.
모양은 하나이다.
하나를 바꾸면 나머지도 영향을 받음.

수업 노하우

- 3 에서 세 개의 막대로 삼각형을 만들 때, 막대의 위치에 따라 삼각형이 달라 보일 수는 있다. 하지만 삼각형의 모양을 돌리거나 뒤집어서 보면 결국 똑같은 것임을 이해할 수 있다.

개념과 원리 탐구하기 3 _ 삼각형의 결정 조건

교과서(하) 48쪽

탐구 활동 의도

- 다양한 시도를 통해 깨진 조각을 이용한 여러 삼각형을 그려 보고, 삼각형이 단 하나로 결정되는 것은 어느 조각인지 찾아본다.
- 삼각형 모양의 접시가 두 조각으로 깨졌다고 가정하고, 각각의 조각을 이용하여 원래의 접시 모양을 복원해 보는 활동이다. 접시를 복원하는 것은 원래의 접시 모양과 합동인 삼각형을 찾는 것과 같다. 따라서 학생들은 합동인 삼각형을 그리기 위해 어떤 정보가 필요한지 고민하게 된다.

예상 답안

1 (가) 조각은 한 각의 크기만 보존하고 있어서 아래 그림과 같이 다양한 모양의 삼각형이 가능하기 때문에 원래의 삼각형이 무엇인지는 알 수 없다. 하지만 (나)는 정확하게 접시를 복원할 수 있다.
왜냐하면 (나) 조각은 원래의 삼각형의 한 변의 길이와 양 끝의 두 각의 크기를 알 수 있기 때문이다. 따라서 주어진 변의 양 끝에서 주어진 각과 같도록 각각 반직선을 그으면 두 반직선은 한 점에서 만나게 되고, 그 점이 삼각형의 사라졌던 꼭짓점이 된다. 따라서 세 점을 연결하여 그려진 삼각형 모양은 원래의 접시 모양이 된다.

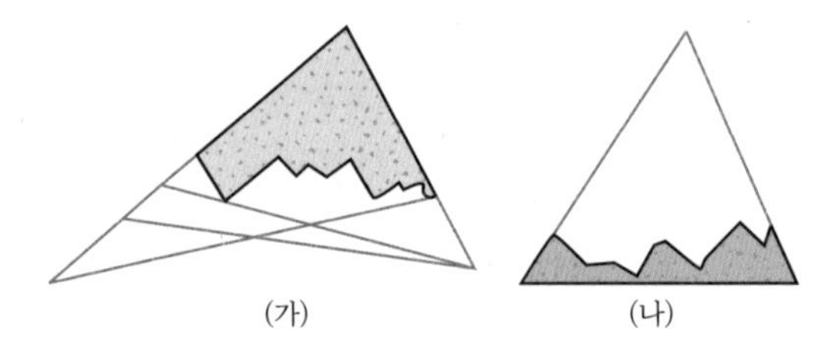

2 (나)의 조각처럼 한 변의 길이와 그 양 끝각의 크기를 안다면, 원래의 접시와 합동인 삼각형 모양의 접시를 만들 수 있다. 그런데 (가)의 조각의 경우에는 삼각형의 한 각에 대한 정보만 알 수 있을 뿐 세 변의 길이와 나머지 두 각에 대한 정보는 전혀 알 수가 없다.
하지만 주어진 각을 끼고 있는 두 변의 길이가 주어진다면 각각의 변의 끝 점이 삼각형의 세 꼭짓점이 되어 원래의 접시와 합동인 삼각형 모양의 접시를 만들 수 있다.

수업 노하우

- 주어진 조건을 이용하여 만들 수 있는 삼각형이 여러 개라면 그 조건은 하나의 삼각형을 만들기 위한, 즉 삼각형의 모양과 크기가 하나로 결정되게 하는 조건이라고 할 수 없다. 2는 두 개 이상이 아닌 단 하나의 삼각형을 만들기 위한 조건이 무엇인지를 묻는 것으로, 삼각형의 합동 조건과도 연결된다.
- 1의 답을 발표할 때에는 원래의 접시 모양을 복원할 수 없는 조각에 대해서도 그렇게 생각한 이유를 설명해 보게 한다.
- 2를 해결하기에 앞서 교사는 다음과 같은 발문을 할 수 있다.

두 삼각형에서 대응하는 세 변의 길이와 대응하는 세 각의 크기가 모두 같으면 당연히 두 삼각형은 서로 합동이라고 할 수 있다. 그렇다면 두 삼각형이 합동임을 알기 위해서는 항상 대응하는 세 쌍의 변의 길이와 세 쌍의 각의 크기가 각각 모두 같은지 확인해야 할까?

이전의 활동을 경험한 학생들은 이러한 교사의 발문에 '아니오'란 답을 내놓을 것이다. 이때 교사는 좀 더 구체화된 질문으로 해결하도록 안내하고, 학생들이 답을 찾는 과정에서 최소한의 조건만으로도 두 삼각형이 합동이 된다는 것을 스스로 인식할 수 있게 해야 한다.

개념과 원리 탐구하기 4 _ 삼각형의 합동 조건

교과서(하) 49쪽

탐구 활동 의도

- 자, 각도기, 컴퍼스를 이용하여 주어진 조건에 맞는 삼각형을 그려 보고, 각자 그린 삼각형을 친구들과 비교해 봄으로써 삼각형의 합동 조건을 추측해 보는 활동이다.
- 삼각형의 합동 조건이라는 용어는 중학교에서 처음 접하게 되는 용어다. 하지만 이 또한 **탐구하기 1**에서 '합동인 삼각형을 그릴 수 있는 조건'이라는 설명으로 이미 학습한 상태다.

예상 답안

1 ❶

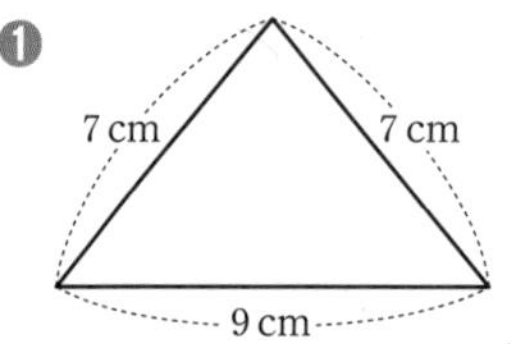

❷

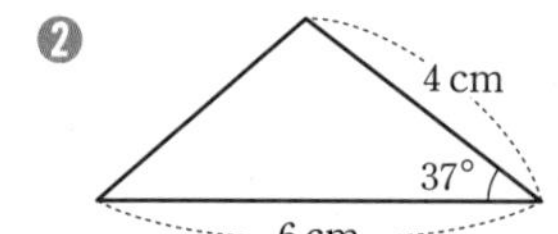

2 ❶

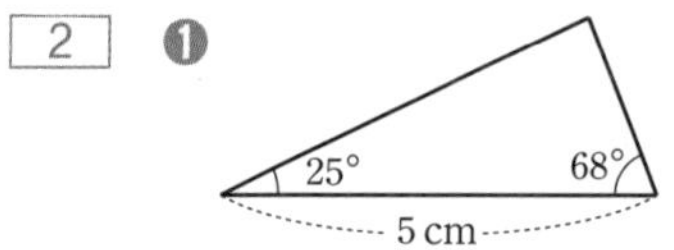

❷

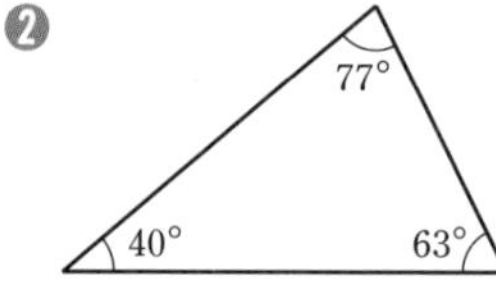

3 (1) 1의 ❶, ❷와 2의 ❶은 어떻게 그려도 합동인 삼각형이 된다.
그러나 2의 ❷는 삼각형의 세 각의 크기가 같더라도 세 변의 길이가 다른 삼각형이 그려질 수 있다.

(2) 두 삼각형이 서로 합동이 되기 위해서는 다음과 같은 세 가지 조건 중 하나를 만족해야 한다.

- 대응하는 세 변의 길이가 각각 같다.
- 대응하는 두 변의 길이가 각각 같고, 그 사이에 있는 각(끼인각)의 크기가 같다.

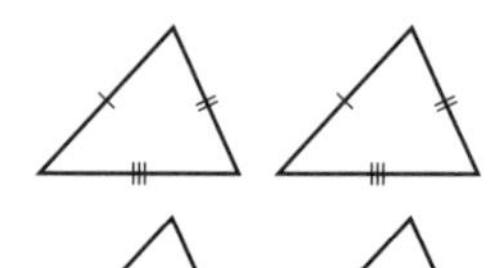

- 대응하는 한 변의 길이가 같고, 그 양 끝각의 크기가 각각 같다.

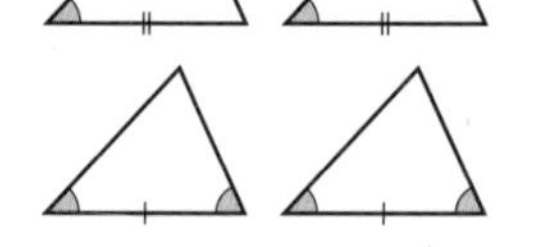

이 세 가지 경우를 삼각형의 합동 조건이라고 한다.

수업 노하우

- 1의 ❶, ❷와 2의 ❶의 경우에서 학생들이 그리는 삼각형의 모양은 달라 보일 수 있으나 모두 동일하다. 즉, 회전을 하거나 뒤집었을 때 합동이 되는 경우도 생긴다. 따라서 별도의 종이에 주어진 조건을 만족하는 삼각형을 그려 보게 하고, 이들을 잘라서 친구들의 삼각형과 서로 비교해 보도록 안내할 수도 있다.

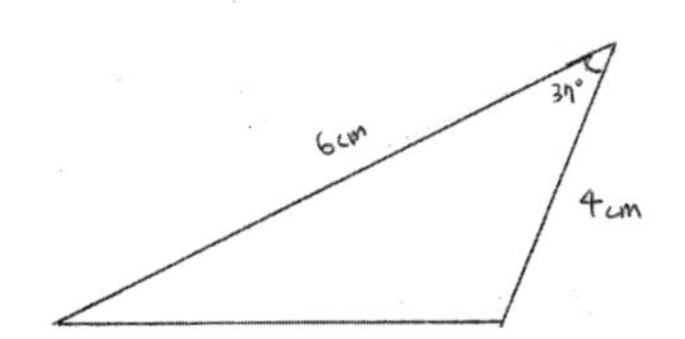

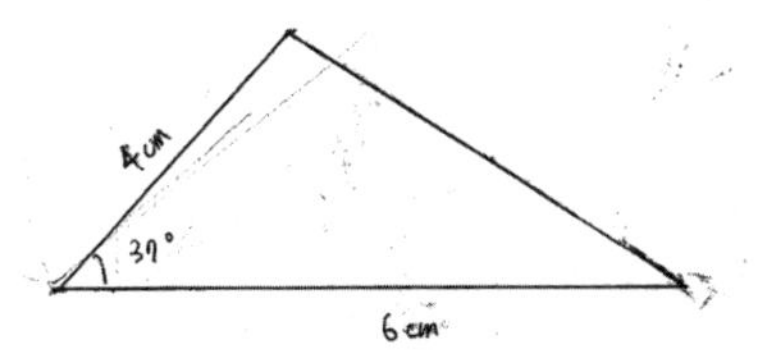

- 원래 삼각형의 세 변의 길이가 주어진 경우에는 자와 컴퍼스를 이용하여 삼각형을 그려야 하지만, [1] ❶의 경우는 두 변의 길이가 같은 이등변삼각형이므로 이등변삼각형의 성질을 이용하면 자와 각도기만으로도 충분히 조건에 맞는 삼각형을 그릴 수 있다. 하지만 이등변삼각형의 성질은 중학교 2학년 때 학습해야 하는 내용이므로 특별히 자와 각도기만을 이용하여 삼각형을 그린 학생이 없다면 별도의 설명은 하지 않도록 한다.

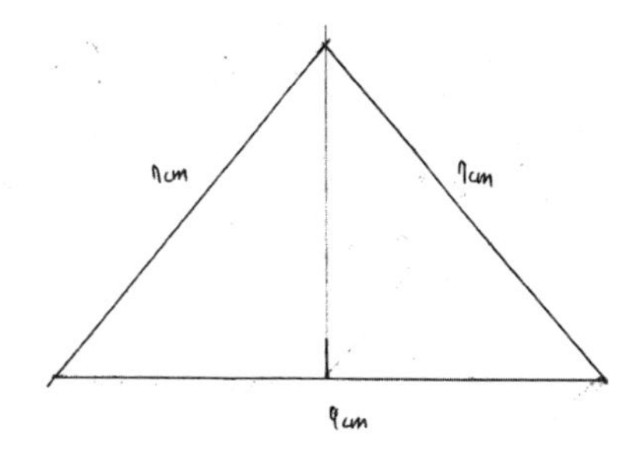

- 학생들은 각자가 그린 삼각형을 서로 비교하여 [3] (1)의 답을 적어야 하는데, 이때 [2]의 ❷처럼 세 각의 크기가 주어진 경우에는 크기가 다른 여러 개의 삼각형이 그려질 수 있음을 알게 된다.
  하지만 이에 비해 세 변의 길이가 주어진 경우에는 어떻게 그리더라도 합동인 삼각형이 그려지게 된다. 세 각의 크기가 주어진 경우와 세 변의 길이가 주어진 경우에 대해 각각 서로 다른 결과가 나타남을 확인했다면, 다음과 같은 발문을 하거나 **탐구 되돌아보기** [1]을 제시하여 삼각형의 세 변의 길이 사이의 관계도 확인하고 넘어갈 수 있도록 안내한다.

> 세 변의 길이가 주어지면 항상 삼각형을 만들 수 있을까?

참고

학생들은 이 질문에 대한 답도 이미 초등학교 때 학습을 한 상태다.
다음과 같은 세 가지 경우에는 삼각형을 그릴 수 없음을 배웠다.
- 가장 긴 변의 길이가 짧은 두 변의 길이의 합과 같거나 긴 경우
- 두 변 사이에 있는 끼인각의 크기가 180°인 경우
- 두 각의 크기의 합이 180°인 경우

- 3 (1)은 합동인 삼각형을 그리는 방법이 무엇이었는지를 복습하고 다시 한 번 되새기게 하는 문항인 반면, 3 (2)는 합동인 삼각형을 그리는 방법을 바탕으로 하여 두 삼각형이 주어졌을 때 어떻게 하면 그 둘의 합동 여부를 판단할 수 있는지 묻는 문항이다.
  예를 들어, 3 (1)에서 두 변의 길이와 그 끼인각의 크기를 알면 합동인 삼각형을 그릴 수 있었으므로 두 삼각형의 두 대응변의 길이와 그 끼인각의 크기만 확인해도 두 삼각형의 합동 여부를 판단할 수 있다. 이러한 관계를 학생들 스스로 파악하고 찾아낼 수 있도록 충분한 시간을 제공해야 한다.
- 3 (2)에서 합동이 되는 조건을 다음과 같이 구체적인 수치로 표현할 수 있다.

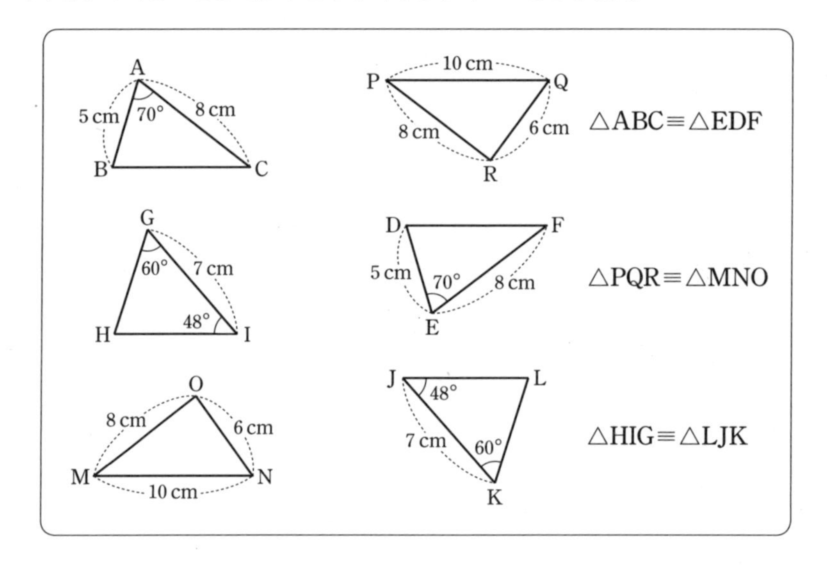

개념과 원리 탐구하기 5 _ 삼각형의 합동 조건

교과서(하) 52쪽

탐구 활동 의도

• 앞의 **탐구하기 4**를 통해 알게 된 삼각형의 합동 조건을 이용하여 두 삼각형이 합동인 경우를 찾고 그 이유를 설명해 보는 활동이다. 합동이 아닌 경우에 대해서도 합동 조건을 이용하여 아니라고 판단한 이유를 설명할 수 있으며, 필요에 따라서는 반례를 이용하여 설명할 수도 있다.

예상 답안

1 (1) $\triangle ABC$와 $\triangle FED$는 $\overline{BA}=\overline{DF}$, $\overline{BC}=\overline{DE}$로 대응하는 두 변의 길이는 같으나 그 끼인각인 $\angle B$와 $\angle D$가 아닌 $\angle C$와 $\angle D$의 크기가 같으므로 합동이 아니다.

(2) $\triangle ABC$와 $\triangle IGH$는 $\overline{BC}=\overline{GH}$로 대응하는 한 변의 길이가 같고 그 양 끝각인 $\angle B$, $\angle C$와 $\angle G$, $\angle H$의 크기가 $\angle B=\angle G=40°$와 $\angle C=\angle H=60°$로 각각 같으므로, 두 삼각형은 합동이다. 따라서 $\triangle ABC \equiv \triangle IGH$다.

(3) $\triangle ABC$와 $\triangle JKL$은 대응하는 세 쌍의 각의 크기가 같으므로 크기가 다른 여러 개의 삼각형이 만들어질 수 있으므로 합동이 아니다.

(4) $\triangle ABC$와 $\triangle MNO$는 $\overline{AB}=\overline{MN}$으로 대응하는 한 변의 길이가 같고, $\angle A=\angle M$, $\angle C=\angle O$로 대응하는 두 각의 크기가 같으므로 남은 한 각 $\angle B$와 $\angle N$의 크기도 같다. 따라서 한 변의 길이와 그 양 끝각의 크기가 같으므로 합동이다.
따라서 $\triangle ABC \equiv \triangle MNO$다.

두 도형이 합동임을 기호 '≡'를 사용하여 나타낼 때는 두 도형의 꼭짓점을 대응하는 차례대로 쓴다.

수업 노하우

• 삼각형의 합동 조건은 이후에 학습하게 되는 작도의 정당성을 밝히는 도구로써 사용된다. 따라서 삼각형의 합동 조건들을 이용하여 삼각형의 합동 여부를 설명해 보는 것은 매우 중요한 활동이며, 이러한 활동은 학생들에게 삼각형의 합동 조건이 무엇인지를 정확히 인지하게 하는 데에도 도움이 된다.
• 모두 비슷한 크기와 모양의 두 삼각형을 짝지어 제시하였으므로, 주어진 조건들을 유심히 살펴보지 않는 경우에는 모두 합동이라고 판단할 수도 있다. 따라서 크기와 모양만을 보고 합동 여부를 판단하지 않도록 주의를 주어야 한다. 두 삼각형이 합동인지 아닌지에 대해서는 반드시 수학적인 조건을 가지고 설명해야 함을 강조하고, 수학적인 표현이 서툰 학생들이 있는 경우에는 그림으로 표현해 보도록 안내한다.
• 두 삼각형이 합동인지 아닌지를 직접 확인하는 과정이 필요하다고 판단되면 학생들에게 자, 각도기, 컴퍼스를 나누어 주고 제시된 조건과 같은 경우의 삼각형들을 그려 보게 할 수도 있다.

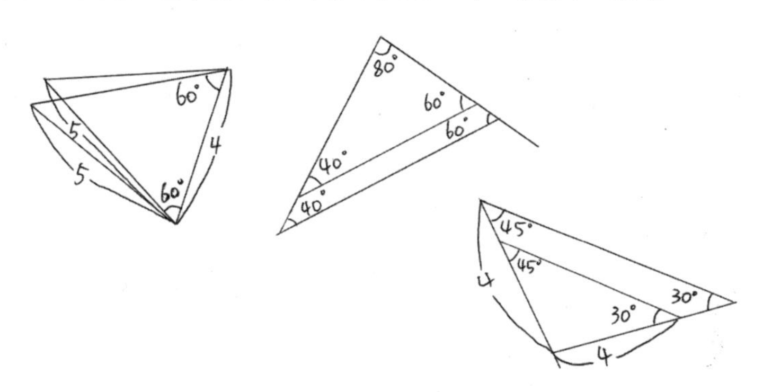

• (1)에 대해서는 △ABC를 오른쪽 그림과 같은 이등변삼각형이라고 생각하여 합동이 될 수 있다고 주장하는 학생이 있을 수 있다. 이때에는 합동이 되지 않는 경우를 그린 학생의 그림을 보여 주고 단 하나의 반례만 있으면 합동이라고 할 수 없다는 사실을 설명해 준다.

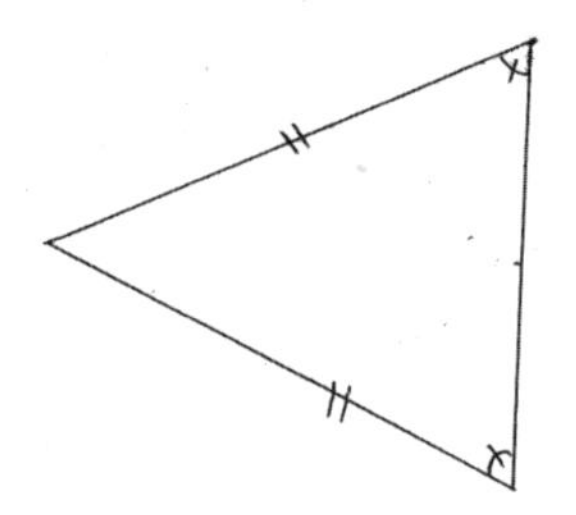

/2/ 눈금 없는 자와 컴퍼스로 할 수 있는 일

학습목표

1 눈금 없는 자와 컴퍼스를 이용하여 여러 가지 문제를 해결함으로써 작도의 가치와 필요성을 이해한다.

2 각의 이동 등 여러 가지 도형을 작도하는 과정을 발견하게 함으로써 논리적으로 추론하는 힘을 기를 수 있다.

3 제시된 삼각형과 합동인 삼각형을 작도할 수 있다.

2015 개정 교육과정 성취기준

삼각형을 작도할 수 있다.

핵심발문

주어진 삼각형과 합동인 삼각형을 작도했을 때 작도 결과가 처음 삼각형과 합동인지를 어떻게 설명할 수 있을까?

 개념과 원리 탐구하기 6 _ 작도

교과서(하) 53쪽

탐구 활동 의도

- 눈금 없는 자와 컴퍼스를 이용하여 착시 현상에서 일으킬 수 있는 오류를 직접 확인해 봄으로써 두 도구의 역할을 알게 한다.
- 학생들은 이미 초등학교에서의 경험을 통해 자와 컴퍼스의 사용이 익숙한 상태다. 그러나 초등학교에서 사용한 자는 눈금이 있는 자로, 그리는 도구라기 보다는 측정의 도구로 인식되어 있다. 이러한 이유로 눈금 없는 자와 컴퍼스만을 사용하여 그리는 작도의 개념은 학생들 입장에서 다소 생소할 수 있다. 따라서 이번 탐구활동에서는 착시를 소재로 하여 학생들이 작도에 흥미롭게 접근할 수 있도록 하였다.

예상 답안

1 ①을 연장하면 ③과 직선으로 이어질 것 같아 보이지만 실제로 자로 그어 보면 ①은 ②와 직선으로 연결된다. 마찬가지로 ④도 ⑥과 직선으로 이어질 것 같아 보이지만 실제로 ④를 연장하면 ⑤와 ⑥ 사이로 지나가므로 두 직선 모두와 만나지 않는다.

2 (1) 두 그림 모두 오른쪽에 있는 빨간 선이 더 길어 보인다. 하지만 각각의 그림에 있는 두 선분의 길이를 컴퍼스를 이용하여 비교하면 길이가 서로 같음을 알 수 있다.

(2) 자에는 눈금이 그려져 있지 않기 때문에 선분의 길이를 비교하는 것은 어렵다. 만약 자에 눈금을 그려서 비교한다고 하더라도 정확한 눈금을 그리기는 것이 쉽지 않으므로 정확한 비교는 어렵다. 하지만 컴퍼스를 이용하면 어떤 길이가 더 긴지 짧은지 비교할 수 있다.

3 (1) 자는 두 점 사이를 연결하여 선분을 그리거나 선분을 직선 또는 반직선으로 연장할 때 사용한다.
(2) 컴퍼스는 원을 그리거나 주어진 선분의 길이를 재어 다른 직선 위로 옮길 때 사용한다.

수업 노하우

- 학생들은 초등학교에서 컴퍼스는 원을 그릴 때 사용하는 도구로, 자는 길이를 재거나 두 점을 잇는 직선을 그을 때 사용하는 도구로 배웠을 뿐만 아니라 이러한 기능을 활용하여 여러 도형을 그려 보는 활동을 하였다. 따라서 이러한 기능에만 익숙할 수 있으므로 작도에서의 두 도구의 역할이 무엇인지를 활동을 통해 파악하게 해야 한다.
- 특히 눈금 없는 자를 사용하는 것은 생소할 수 있다. 따라서 눈금 없는 자와 컴퍼스를 이용한 충분한 활동을 통해 초등학교에서 배운 두 도구의 기능과 비교할 수 있는 시간을 마련하고, 작도에서는 어떤 필요에 의해 두 도구가 사용되는지를 생각해 보게 한다.
- 선분의 길이 비교, 그리고 **탐구하기 7**에서 다루게 되는 같은 크기의 각의 작도에는 학생들에게 친숙한 눈금 있는 자나 각도기가 사용되지 않는다. 그 이유는 바로 컴퍼스 때문인데, 이러한 사실을 학생들이 충분히 생각하고 이해하게 하는 것이 필요하다. 즉, 눈금이 있는 자를 사용하여 선분을 옮겨 그리거나 각도기를 사용하여 각을 그리면 오차가 생길 수 있으므로 정확한 도형을 그릴 수 없음을 이해시켜야 한다.

개념과 원리 탐구하기 7 _ 크기가 같은 각의 작도

교과서(하) 55쪽

탐구 활동 의도

- 이 활동은 삼각형의 합동을 이용하여 크기가 같은 각의 작도 방법을 고안하는 것이다. 기존에는 길이가 같은 선분, 주어진 각과 크기가 같은 각의 작도 방법을 알려주고 따라하도록 했다. 기계적으로 주어진 방법을 따라하지 않고 크기가 같은 각을 작도하는 방법을 스스로 발명해 내도록 한다.
- 작도한 두 각의 크기가 같음은 삼각형의 합동 조건(SSS 합동)으로 설명할 수 있다.
- 1 에서 예각을 작도한 후 2 에서 학생들은 각의 작도 방법이 전통적인 각의 작도법 외에도 삼각형의 세 변의 길이를 이동하는 방식으로 작도가 가능함을 발견할 수 있다. 이를 둔각의 작도에도 적용해 보고 앞에서 발견한 방법을 일반화해 보는 활동이다.

예상 답안

1 (1) 방법 1 ❶과 같이 변을 그린 후, ❷~❹와 같이 주어진 삼각형의 세 변의 길이가 각각 같은 삼각형을 작도할 수 있다. 두 삼각형은 대응하는 세 변의 길이가 같으므로 합동이고, 합동인 두 삼각형에서 대응하는 각의 크기가 같다.

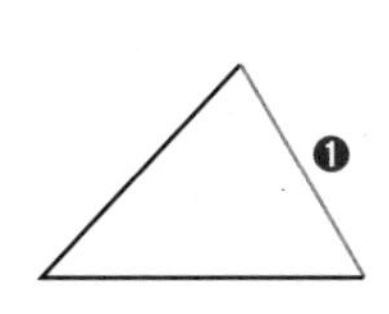

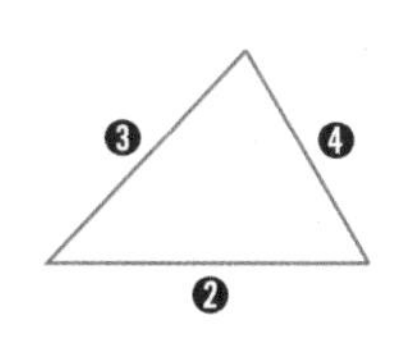

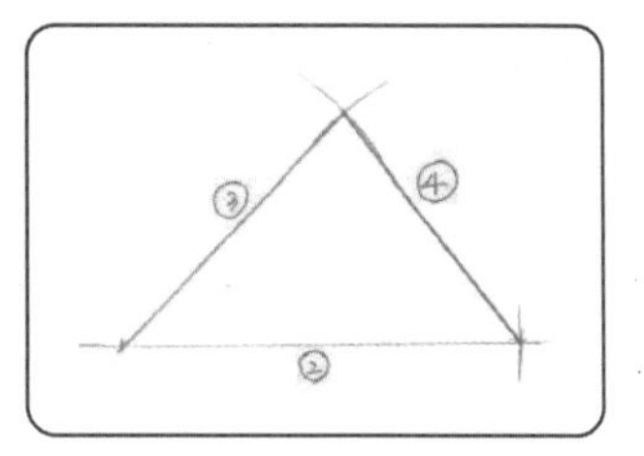

방법 2 아래와 같이 작도할 수도 있다.

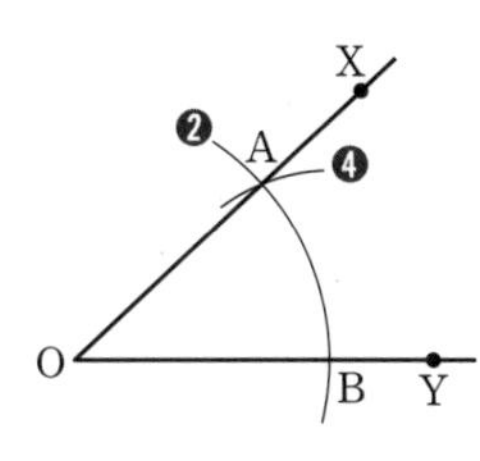

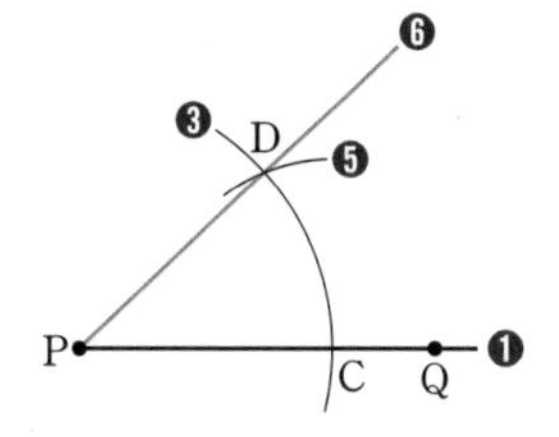

❶ 반직선 PQ를 긋는다.

❷ 점 O를 중심으로 하는 원을 그려서 반직선 OX와 만나는 점을 A, 반직선 OY와 만나는 점을 B라고 한다.

❸ 점 P를 중심으로 하고 선분 OA의 길이를 반지름의 길이로 하는 원을 그려 반직선 PQ와 만나는 점을 C라고 한다.

❹ 컴퍼스로 선분 AB의 길이를 잰다.

❺ 점 C를 중심으로 하고 선분 AB의 길이를 반지름의 길이로 하는 원을 그려 ③의 원과 만나는 점을 D라고 한다.

❻ 반직선 PD를 긋는다.

(2) 방법 1 과 방법 2 모두 삼각형의 합동 조건을 이용하여 각이 같음을 설명할 수 있다.
두 가지 방법 모두 대응하는 세 변의 길이가 같은 두 삼각형은 합동이므로 대응하는 각의 크기가 같음을 이용하여 크기가 같은 각을 작도하였다. 1 의 방법 1 은 각의 변을 이어 삼각형을 만들고 그와 합동인 삼각형을 작도한 것이다.
방법 2 는 작도의 단계를 줄이고자 이등변삼각형을 새로 만들고 이것과 합동인 삼각형을 작도한 것이다.

2 학생들은 1 에서 논의한 방법 1 과 방법 2 를 이용하여 작도할 수 있다. 다음은 학생이 그린 예시다.

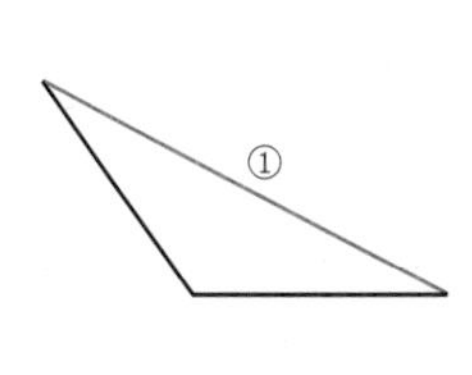

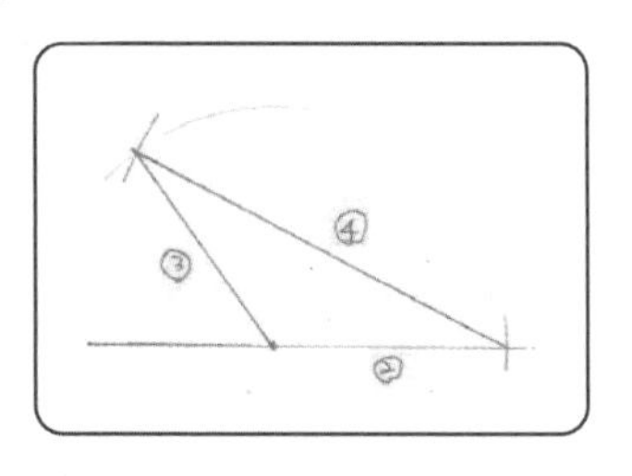

또한, 예각과 달리 둔각을 작도할 때는 둔각의 꼭짓점에서 호를 그리면서 호의 길이를 길게 그려야 교점을 찾을 수 있다.

수업 노하우

- 사실 이미 학습한 내용들을 충분히 이해하고 인지하고 있다고 해서 작도를 이용하여 [1]을 해결하는 방법이 쉽게 떠오르지는 않을 수 있다. 또한 각도기가 주어지지 않고 작도만으로 각의 크기를 비교해야 하므로, 작도를 이용하는 방법을 고민하는 데에는 다소 많은 시간을 필요로 할 수 있다.
  그러므로 교사는 학생들이 모둠활동을 통해 서로의 생각을 나누고 방법을 함께 찾아보도록 안내한다.
- 작도에 방해가 될 수도 있는 기호, 점 X, O, Y 등은 일부러 표시하지 않았다. 이런 점들이 있을 경우 작도 방법을 고안하는데 영향을 줄 수 있다고 판단했다.
- 대부분의 교과서에서는 삼각형의 합동 조건을 학습하기 전에 작도를 다룬다. 하지만 삼각형의 합동 조건을 이용하지 않으면 크기가 같은 각의 작도 원리를 설명하는 것은 쉽지 않으며, 학생들 또한 원리를 이해하기 보다는 단순히 작도 방법을 외우는 데에 그치는 경우가 많다. 따라서 여기에서는 학생들 스스로 삼각형의 합동 조건을 이용하여 각의 크기가 같음을 설명할 수 있도록 유도하고, 삼각형의 합동 조건으로 크기가 같은 각의 작도 원리가 설명됨을 확인시켜야 한다.
- 둔각을 작도할 때는 호의 길이를 더 길게 그려야 한다. 둔각은 예각보다 각의 두 변이 서로 벌어지는 정도가 크기 때문에 호의 길이가 더 길어야 한다는 것을 작도를 하면서 깨닫게 된다. 거꾸로 둔각의 작도를 통해 각의 크기와 호의 길이가 정비례한다는 것을 체험할 수 있다.

개념과 원리 탐구하기 8 _ 합동인 삼각형의 작도

교과서(하) 56쪽

탐구 활동 의도

- 제시된 삼각형과 합동인 삼각형을 작도해 보는 활동이다. 학생들 스스로 삼각형을 작도하는 데에 필요한 조건들이 무엇인지 생각해 보고 이 조건을 이용하여 합동인 삼각형을 작도하게 한다.
- 이번 활동은 합동인 삼각형을 작도하는 데에서 그치는 것이 아니라 작도의 과정을 설명해 보도록 하고 있다. 따라서 학생들은 작도의 과정을 설명하면서 삼각형의 합동 조건을 한 번 더 되새기게 될 뿐만 아니라 작도의 방법에 대해서도 다시 한번 확인하는 기회를 갖는다.

예상 답안

다음과 같은 세 가지 방법으로 주어진 삼각형 ABC와 합동인 삼각형을 작도할 수 있다.

[방법 1] 삼각형의 세 변의 길이를 이용한 작도

❶ 직선 l을 긋고, 그 위에 길이가 a인 선분 EF를 작도한다.

❷ 점 E를 중심으로 하고 반지름의 길이가 c인 원을 그린다.

❸ 점 F를 중심으로 하고 반지름의 길이가 b인 원을 그리고, ②의 원과의 교점을 D라고 한다.

❹ 두 점 D, E와 두 점 D, F를 각각 이어서 만든 삼각형 DEF는 주어진 삼각형 ABC와 합동이다.

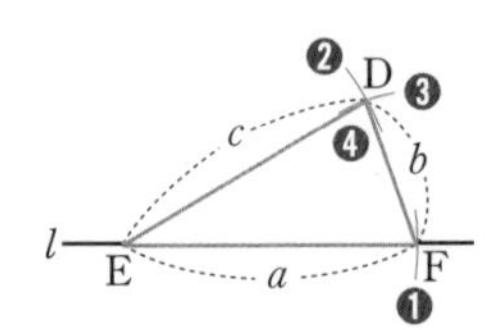

방법 2 두 변의 길이와 그 끼인각의 크기를 이용한 작도

❶ ∠B와 크기가 같은 ∠PEQ를 작도한다.

❷ 점 E를 중심으로 하고 반지름의 길이가 a인 원을 그려 반직선 EQ와의 교점을 F라고 한다.

❸ 점 E를 중심으로 하고 반지름의 길이가 c인 원을 그려 반직선 EP와의 교점을 D라고 한다.

❹ 두 점 D, F를 이어서 만든 삼각형 DEF는 주어진 삼각형 ABC와 합동이다.

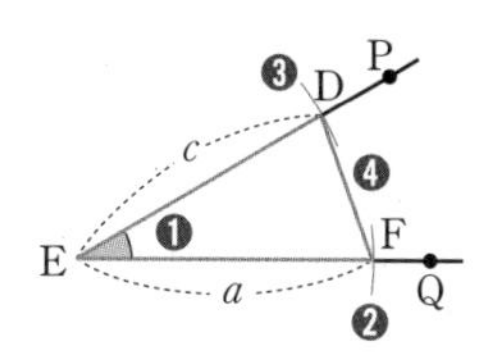

방법 3 한 변의 길이와 그 양 끝각의 크기를 이용한 작도

❶ 직선 l을 긋고, 그 위에 길이가 a인 선분 EF를 작도한다.

❷ ∠B와 크기가 같은 ∠PEF를 작도한다.

❸ ∠C와 크기가 같은 ∠QFE를 작도한다.

❹ 두 반직선 EP와 FQ의 교점을 D라고 하면 삼각형 DEF는 주어진 삼각형 ABC와 합동이다.

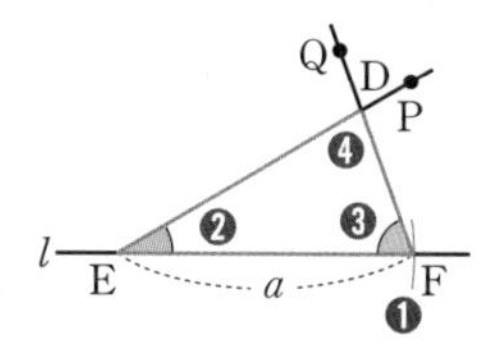

참고 방법 2의 경우 예시 답안으로 각 → 변 → 변의 순서로 작도하는 과정을 제시했으나, 이 과정은 변 → 각 → 변으로 바뀌어도 상관없다. 마찬가지로 방법 3의 경우에도 변 → 각 → 각의 순서로 작도하는 과정을 제시했으나, 이 과정은 각 → 변 → 각으로 바뀌어도 상관없다.

수업 노하우

- 같은 크기의 각을 작도하는 것이 쉽지 않다고 느끼는 학생들은 대부분 세 변의 길이를 이용한 작도 방법을 선택할 것이다. 따라서 문제에도 제시되어 있듯이 모둠 친구들끼리 서로 다른 방법을 택하여 삼각형을 작도해야 함을 안내해 준다.
- 삼각형의 작도는 가능한 모든 조건들을 살핀 후에 하나로 결정되는 논리적인 조건들을 찾아가는 과정이라고 할 수 있다. 충분한 시간을 제공하여 학생들 스스로 삼각형의 작도를 완성하고 과정을 이해하도록 하는 것은 그들에게 문제를 체계적으로 구분하는 힘과 논리적인 추론을 할 수 있는 힘을 기르게 할 것이다.
- 학생들 중에는 삼각형의 합동 조건을 정확히 기억하지 못하고 합동인 삼각형을 작도하는 과정에서 두 변의 길이와 그 끼인각이 아닌 한 각의 크기를 이용하거나 한 변의 길이와 양 끝각이 아닌 두 각의 크기를 이용하는 경우도 있다. 이러한 경우에는 주어진 삼각형과 합동이 아닌 삼각형이 작도될 수 있는데, 이와 같은 문제를 나타내는 학생이 있다면 학생 스스로 문제를 해결하게 하기 보다는 모둠원이 함께 해결하게 하거나 학급 전체가 작도의 문제점을 찾아보고 해결하도록 지도하는 것이 좋다.

탐구 되돌아보기 예상 답안

교과서(하) 57~63쪽

1 개념과 원리 탐구하기 1, 2

아래의 그림과 같이 삼각형의 가장 긴 변의 길이가 나머지 두 변의 길이의 합과 같거나 클 때에는 삼각형이 만들어지지 않는다. 즉, 삼각형의 가장 긴 변의 길이가 나머지 두 변의 길이의 합보다 작을 때에만 삼각형이 만들어진다.

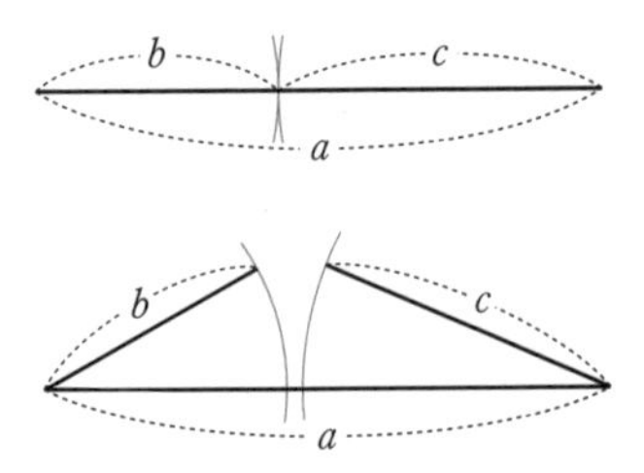

따라서 6 cm, 4 cm, 2 cm의 세 종이테이프를 가진 마루는 삼각형을 만들 수 없다.

2 개념과 원리 탐구하기 3

(1)

㉠

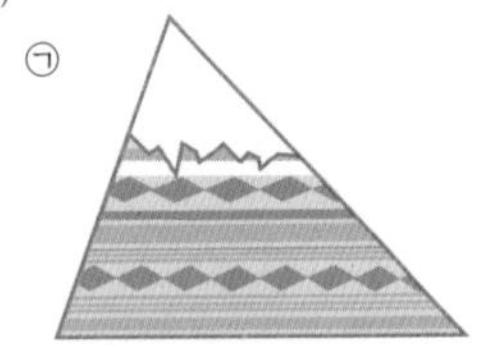

㉡

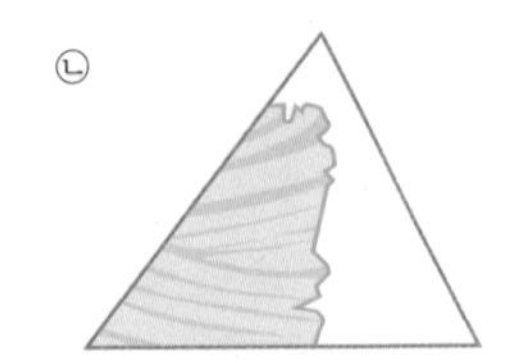

㉢

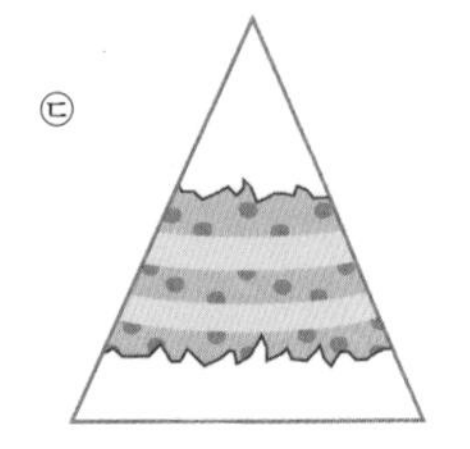

(2) 본래의 삼각형 모양을 정확히 복원할 수 있는 유물은 ㉠이다. 왜냐하면 ㉠ 유물의 경우 삼각형의 한 밑변의 길이와 양 끝각의 크기를 측정할 수 있으므로, 이 유물의 원래의 삼각형 모양과 합동인 삼각형을 그릴 수 있어 복원이 가능하다. 실제로 ㉡과 ㉢의 경우에는 다음과 같이 여러 개의 삼각형이 그려질 수 있으므로, 본래의 삼각형 모양대로 정확히 복원할 수 없음을 알 수 있다.

㉡

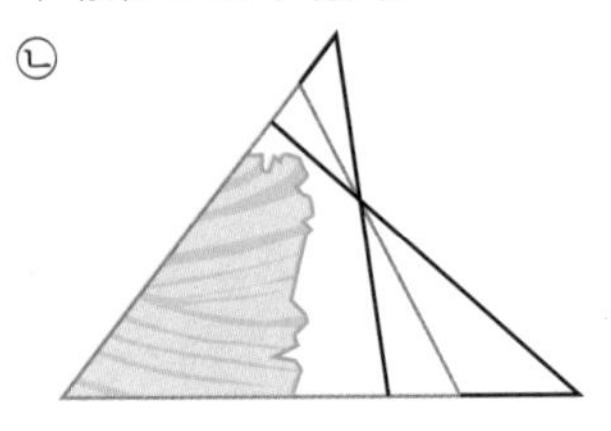

㉢

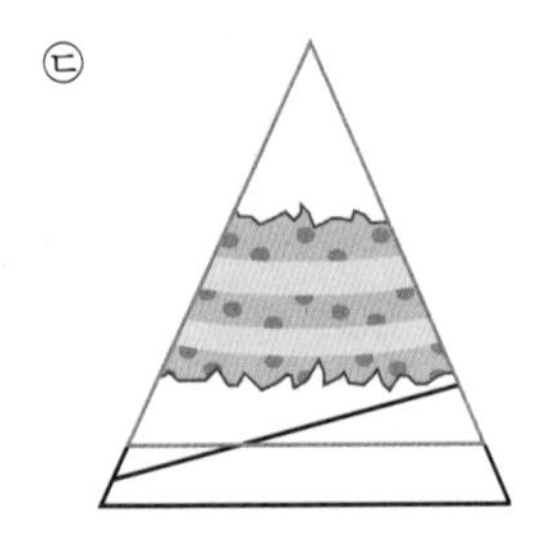

(3) 틀린 주장이다.

파악이 가능한 세 요소가 삼각형의 세 각의 크기일 경우 또는 삼각형의 두 변의 길이와 그 끼인각이 아닌 각의 크기일 경우 또는 삼각형의 한 변의 길이와 그 양 끝각이 아닌 두 각의 크기일 경우에는 세 각의 크기가 같은 삼각형이 여러 개 존재하므로 유물의 원래 모양과 합동인 삼각형으로 정확하게 복원할 수 없다.

3 개념과 원리 탐구하기 4

삼각형 AOB와 삼각형 COD는 합동이다.

각 AOB와 각 COD는 서로 맞꼭지각이므로 그 크기가 서로 같다. 따라서 두 삼각형 AOB와 COD는 대응하는 두 변의 길이가 각각 같고 그 끼인 각의 크기가 같으므로 서로 합동이다.

4 개념과 원리 탐구하기 5

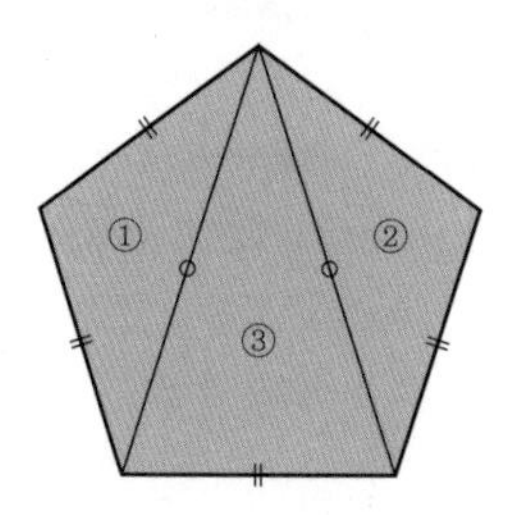

두 대각선으로 인해 생긴 세 개의 삼각형은 모두 이등변삼각형이다.
그 이유는 다음과 같다.
정오각형의 모든 변의 길이는 같으므로 삼각형 ①과 ②는 이등변삼각형임을 알 수 있다. 또한 정오각형의 모든 내각의 크기는 같으므로 삼각형 ①과 ②는 '대응하는 두 변의 길이가 각각 같고 그 끼인 각의 크기가 같다'라는 삼각형의 합동 조건에 의해 서로 합동이다.
두 삼각형 ①과 ②가 서로 합동이므로, 두 삼각형에서 정오각형의 변이 아닌 나머지 한 변의 길이도 서로 같다. 따라서 삼각형 ③도 이등변삼각형이다.

5 개념과 원리 탐구하기 5

이 학생의 주장은 옳지 않다.
왜냐하면 두 삼각형의 넓이가 같다고 해서 두 삼각형이 합동이 되는 것은 아니기 때문이다.
예를 들어 아래의 두 삼각형은 모두 넓이가 $2\,\mathrm{cm}^2$로 서로 같지만 합동은 아니다. 이렇게 성립하지 않는 예를 반례라고 한다.

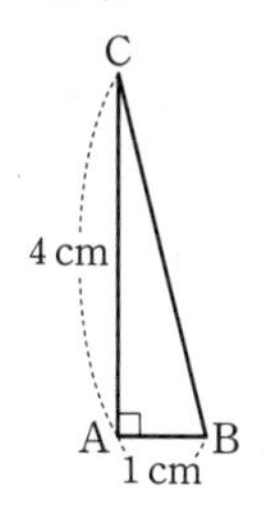

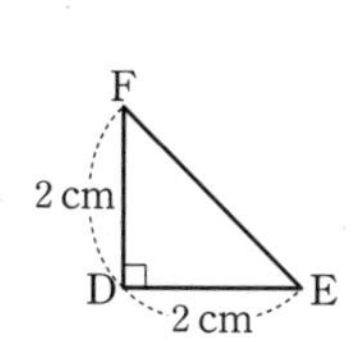

6 개념과 원리 탐구하기 6

북극성의 위치를 찾는 작도의 과정은 다음과 같다.

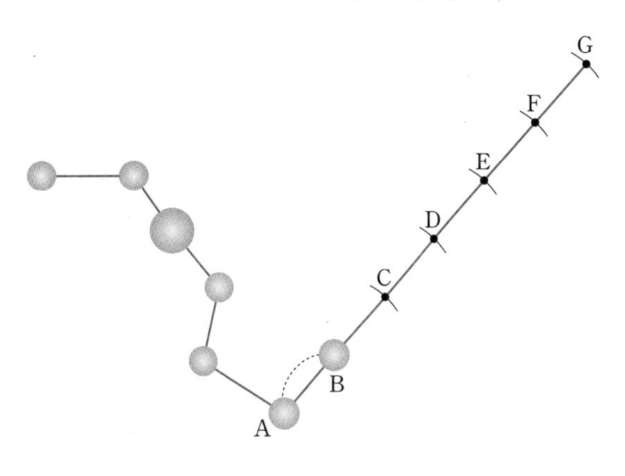

① 눈금 없는 자를 사용하여 반직선 AB를 길게 연장한다.
② 컴퍼스를 사용하여 $\overline{AB}$의 길이를 잰다.
③ 점 B를 중심으로 하고 반지름의 길이가 $\overline{AB}$인 원을 그린 후 점 A가 아닌 반직선 AB와 원의 교점을 C라고 한다.
④ 점 C를 중심으로 하고 반지름의 길이가 $\overline{AB}$인 원을 그린 후 점 B가 아닌 반직선 AB와 원의 교점을 D라고 한다.
⑤ ③, ④와 같은 방법으로 점 E, F와 G를 찾는다. 마지막으로 찾은 점 G가 구하는 북극성의 위치다.

수업 노하우

작도 순서에서 선분의 길이를 직선 위에서 컴퍼스로 이동한 후에 직선을 연장하는 경우가 다수 나타난다. 먼저 직선을 연장한 후에 컴퍼스로 길이를 옮기도록 지도한다.

7 개념과 원리 탐구하기 6

(1) 컴퍼스를 이용하여 점 C를 중심으로 하고 세 선분 AC, BC, SC 중 하나의 길이를 반지름의 길이로 하는 원을 그려 보면 된다. 예를 들어 선분 AC의 길이를 반지름의 길이로 하는 원을 그려 보면, 두 점 B와 S가 모두 같은 원 위에 있음을 확인할 수 있다.
따라서 비교하는 세 개의 거리는 모두 같다.

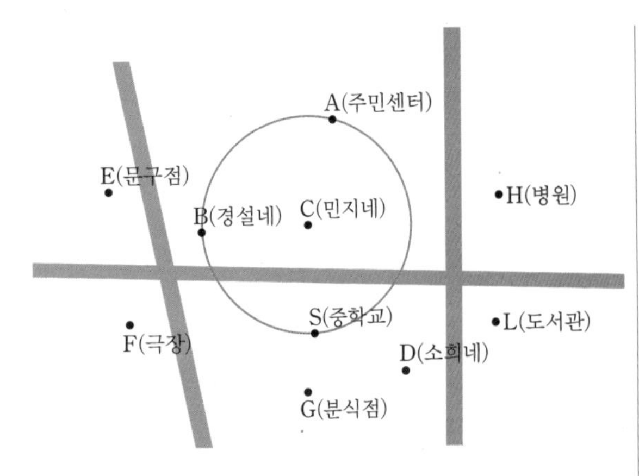

(2) 먼저 소희네 집을 중심으로 하고 중학교까지의 거리를 반지름의 길이로 하는 원을 그린다. 그리고 눈금 없는 자를 사용하여 중학교와 소희네 집을 나타내는 두 점을 잇는 직선을 그리고, 직선이 원과 만나는 점을 편의점으로 표시하면 된다.

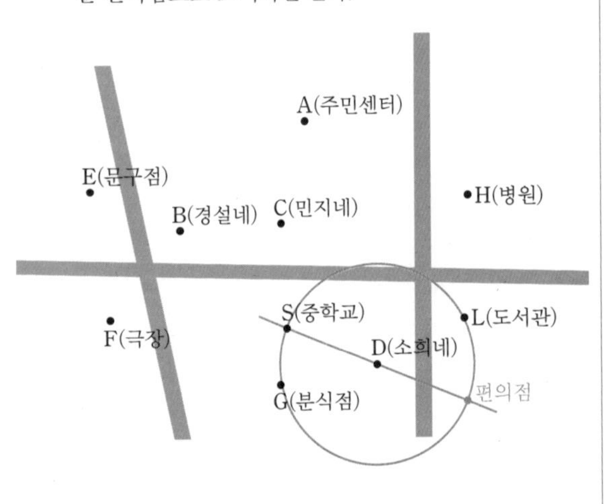

8 개념과 원리 탐구하기 6, 7, 8

(1) 점 A를 중심으로 하는 원과 점 B를 중심으로 하는 원은 같은 길이의 반지름을 갖는 원이므로 $\overline{PA}=\overline{PB}$, $\overline{QA}=\overline{QB}$이고, $\overline{PQ}$는 두 삼각형의 공통 변으로 길이가 같다.
따라서 두 삼각형은 대응하는 세 변의 길이가 각각 같으므로 서로 합동이다.

(2) $\triangle PAQ \equiv \triangle PBQ$이므로 $\angle APO=\angle BPO$이다.
또한 $\overline{PA}=\overline{PB}$이고 $\overline{PO}$는 공통인 변이므로, 두 삼각형 PAO와 PBO는 대응하는 두 변의 길이가 각각 같고 그 끼인 각의 크기가 같아서 서로 합동이다.

(3) $\triangle PAO \equiv \triangle PBO$이므로 대응변인 $\overline{AO}$와 $\overline{BO}$의 길이는 서로 같다. 또한 대응각의 크기는 같으므로 $\angle AOP=\angle BOP$이고, 평각의 크기는 $180°$이므로 $\angle AOB=180°$다.
따라서 $\angle AOP=\angle BOP=90°$이고 $\overline{AO}=\overline{BO}$이므로, 직선 PQ는 선분 AB의 수직이등분선이다.

9 개념과 원리 탐구하기 6, 7, 8

① 색종이의 가운데에 적당한 크기의 원 O를 그린다.
② 원의 중심 O를 지나는 직선을 긋고, 그 직선과 원이 만나는 두 점을 각각 A, B라고 한다.
③ 선분 AB의 수직이등분선을 작도하고, 선분 AB의 수직이등분선과 원이 만나는 두 점을 각각 C, D라고 한다.
④ 선분 AC와 선분 BC의 수직이등분선을 각각 작도한 후, 각각의 수직이등분선과 두 선분 AC, BC와의 교점을 각각 P, Q라고 한다.
⑤ 선분 AC와 선분 BC 위에 점 P와 점 Q를 중심으로 하고 반지름의 길이가 $\overline{AP}$, $\overline{BQ}$인 반원을 각각 그린다.

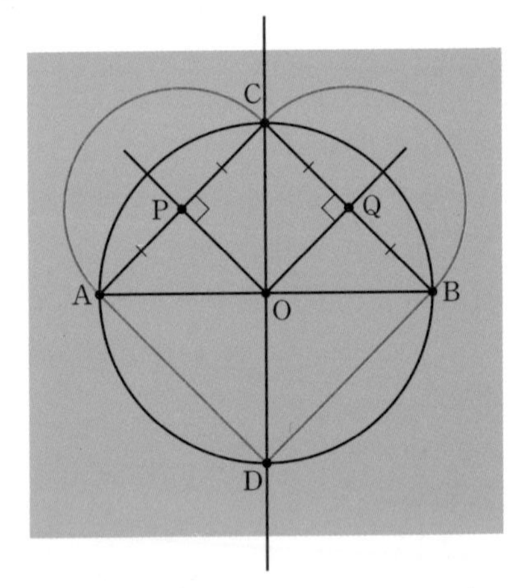

따라서 반원의 호 AC, BC와 두 선분 AD, BD로 이루어진 도형이 하트 모양이 된다.

10 내가 만드는 수학 이야기

학생 답안 1

제목 두 개의 케이크

오늘은 희주의 생일 입니다. 그래서 오늘은 가족 모임을 하였지요.
그래서 희주는 육각형 모양의 케이크를 먹으면서 축하를 받았어요.
희주 엄마는 육각형 모양의 케이크를 자르고
육각형 중심으로의 꼭짓점으로 부터 육각형 꼭짓점의 선분으로 잘라 케이크 조각을
가족에게 나누어주었어요. 그리고 희주는 엄마가 주신 케이크가
삼각형으로 이루어져 있다는 것을 관찰하였어요. 그리고 케이크 조각인 삼각형을
서로 맞대어보았을 때 딱 맞아떨어지는 합동 도형인지 알고 싶어하였어요.
그래서 희주는 세 변의 길이가 각각 같은지
두 변의 길이와 그 끼인 각의 크기가 같은지
한 변의 길이와 그 양 끝각의 크기가 같은지
두 삼각형이 삼각형 합동 조건에 맞아떨어지는 지 확인하였어요.
그런데 그 결과 삼각형 합동 조건이 맞아 떨어졌죠.
그래서 희주는 두 삼각형 조각 케이크는 삼각형 조건에 맞기 때문에
서로 합동이며, 삼각형을 작도할 수 있겠다고 생각이 들었어요.
그리고 희주는 서로 합동하는 두 삼각형에 대변과 대각을 표시해보고 싶었어요.
그래서 희주는 먼저, 두 삼각형에 이름을 주었어요.
한 삼각형은 △ABC, 다른 하나의 삼각형은 △DEF라고 이름을 주었죠.
그리고 희주는 직접 대변과 대각을 찾아보았죠.
그래서 희주는 직접 활동을 하면서
삼각형 합동에 대해 무언가를 알게 되거나
무언가를 깨닫게 되었죠.

$\overline{AB}$의 대변 : $\overline{DE}$ ∠A의 대각 : ∠D
$\overline{BC}$의 대변 $\overline{EF}$ ∠B의 대각 : ∠E
$\overline{AC}$의 대변 : $\overline{DF}$ ∠C의 대각 : ∠F

학생 답안 2

제목 시마자 가문의 쌍둥이 삼각형

시마자 가문에 쌍둥이 삼각형 형제가 살고 있었다. 형은 활을 잘쏘고 매우 똑똑하였지만 반대로 동생은 놀기만 하고 전혀 똑똑하지 않았다. 그러다가 어느 날 시마자 가문의 수장이자 쌍둥이 삼각형의 아버지가 갑작스럽게 죽음을 맞이하게 된다. 아버지의 뒤를 이어 시마자를 다스리게 된 형은 사고 뭉치인 동생을 바로 잡아 같이 시마자를 다스리려고 하였다. 그러나 동생은 이를 거절하고 형은 동생의 이러한 태도 때문에 분노하여 쌍둥이간의 목숨을 건 살육전이 벌어지고 만다. 이 싸움에서 동생은 거의 죽음의 문턱에 이르렀고 결국 형이 승리하게 된다. 그 이후 동생은 앙겔라 치클러 삼각형 박사에 의해 가까스로 목숨을 부지하였고 시계 조직에 협력을 한다는 조건 하에 사이보그 화가 되고 만다. 그리고 동생은 자신의 쌍둥이 형을 찾아간다. 형은 뒤에서 인기척을 느끼고 바로 활을 쐈지만 동생은 사이보그 힘으로 그 화살을 반으로 베었다. 형이 먼저 말했다. "나를 대적할 상대는 처음 봤군. 그럼 삼각형은 어떻게 작도하는지 알겠지! 묻겠다. 삼각형은 몇 개의 변과 몇 개의 각으로 이루어져 있지?" 동생은 사이보그 화가 된 이상 멍청하지 않았다. "3개의 변과 3개의 각으로 이루어져 있지. 그 다음은 내가 묻겠다. △ABC에서 ∠A와 마주보는 변은 무엇이지?" 형은 흠칫 놀랐다. 이렇게 강하다고 생각한 적은 처음이였기 때문이다. 형은 바로 답했다. "∠A와 마주보는 변은 $\overline{BC}$다. 이를 A의 대변이라 하지. 그럼 △ABC에서 대각은 무엇이지?" 동생 또한 질 수 없다는 듯이 바로 답하였다. "∠A를 변 BC의 대각이라고 하지." 마지막으로 결판을 지어야 한다고 생각한 형은 활을 쏘며 "류오 와카 테키오 쿠라에!" 동생 또한 맞서기 위해 칼을 들며 "류진노 켄오 쿠라에!" 서로의 용이 부딪혔다. 형은 눈을 떴다. "...!" 눈 앞에 보인 것은 자신의 목에 대고 있는 칼이였다. "..죽여라" 그러자 동생은 칼을 거두고 사이보그 가면을 벗었다. "..형" "..겐지..!" 겐지는 다시 가면을 쓰고 지붕 위로 뛰어올랐다. "난 형을 용서 했어. 형도 자신을 용서해. 다음에 올 때는 우리 쌍둥이 형제가 왜 합동인지 알려줘. 형을 믿어." 그리고선 겐지는 사라졌다. 한조는 활을 거두고 겐지가 떠난 그 자리를 한참동안 쳐다보았다.

개념과 원리 연결하기 예상 답안

교과서(하) 64~65쪽

1

나의 첫 생각

- 본래 작도의 정의가 눈금 없는 자와 컴퍼스를 이용하여 도형을 그리는 것이니까 당연히 별 문제가 없을 것이다.
- 합동인 삼각형을 그릴 때 세 변의 길이를 정확히 알지 않아도 컴퍼스로 길이를 똑같이 재서 나타낼 수 있으므로 그릴 수 있다. 삼각형은 세 변의 길이가 각각 같기만 하다면 합동이기 때문이다.

다른 친구들의 생각

눈금이 있는 자로 길이를 재는 역할을 이제 컴퍼스가 하므로 자에 눈금이 없어도 길이를 재는 것에 문제가 없다. 오히려 눈금이 있다고 하더라고 자로 길이를 재는 것은 부정확할 수 있다.
따라서 눈금이 없는 자와 컴퍼스만을 이용해도 합동인 삼각형을 그리는데 별 문제가 없다.

정리된 나의 생각

- 눈금이 없는 자와 컴퍼스로 합동인 삼각형을 그릴 수 있다.

학생 답안 1

나의 첫 생각

자는 두점을 연결하는 선분을 그린다.
또한, 주어진 선분을 연결한다
그리고 주어진 선분의길이를 옮기는 것은 컴퍼스가 한다
즉, 주어진 선분의 길이를 옮기는 것은 컴퍼스가 하며, 자는 선분을 긋거나 선분을 연장하는 도구이기 때문에 눈금이 필요없다

학생 답안 2

나의 첫 생각	다른 친구들의 생각	정리된 나의 생각
각을 알 수 있고 컴퍼스로 길이는 알 수 있으면 그릴 수 있다. 눈금없는 자 대신 컴퍼스로 길이를 옮길 수 있다.	컴퍼스로 각을 잴 수 있음	컴퍼스로 길이와 각을 옮길 수 있으니 눈금없는 자와 컴퍼스 만으로도 삼각형을 작도할 수 있다.
정리	정리	
컴퍼스로 길이를 옮길 수 있다.	컴퍼스로 각을 옮길 수 있다.	

학생 답안 3

정리된 나의 생각

초등학교 때 처럼 눈금있는 자로 길이를 측정하는 대신, 컴퍼스의 벌어진 길이로 측정하면 되기 때문에.

다만 정확한 cm와 각으로 표현하기는 힘들다.

2 (1)

[삼각형의 합동 조건]

두 삼각형은 다음의 각 경우에 서로 합동이다.

1. 대응하는 세 변의 길이가 각각 같을 때

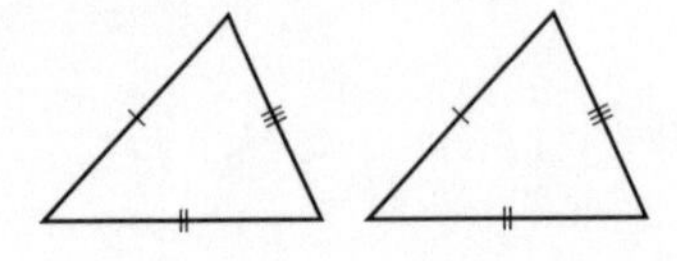

2. 대응하는 두 변의 길이가 각각 같고, 그 끼인 각의 크기가 같을 때

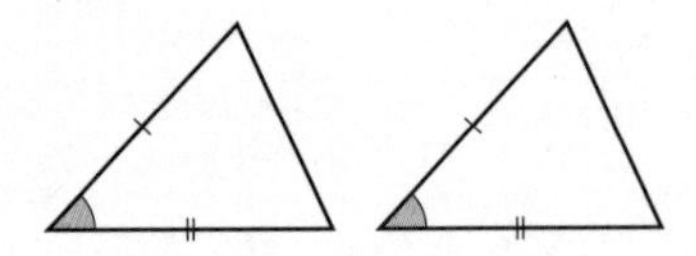

3. 대응하는 한 변의 길이가 같고, 그 양 끝각의 크기가 각각 같을 때

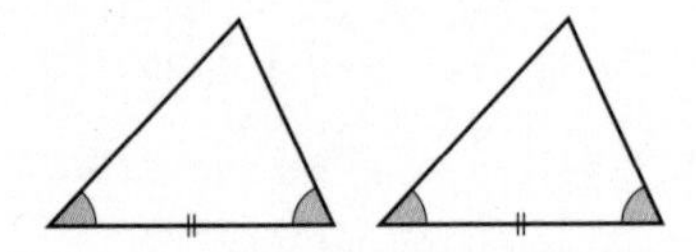

(2)

각 개념의 뜻과 삼각형의 합동 조건의 연결성

- 모양과 크기가 같아서 포개었을 때 완전히 겹치는 두 도형을 서로 합동이라고 한다. 삼각형의 합동도 포개었을 때 완전히 겹치게 된다.
- 도형을 움직이는 방법은 밀기, 뒤집기, 회전하기 등이 있는데 어떻게 이동하든지 간에 처음 도형과 움직인 도형은 서로 합동이다. 삼각형을 밀거나 뒤집거나 회전해도 처음 도형과 합동이 된다.
- 서로 합동인 두 도형을 똑같이 포개었을 때 겹치는 점을 대응점, 겹체는 변을 대응변, 겹치는 각을 대응각이라고 한다. 이때 대응변의 길이가 모두 같고, 대응각의 크기가 모두 같다. 두 삼각형이 합동이면 두 삼각형의 대응각의 크기와 대응변의 길이는 각각 서로 같다.

학생 답안

삼각형의 합동 조건: 두 삼각형을 서로 맞대었을 때 딱 떨어지는 두 삼각형을 서로 합동한다고 한다.

삼각형 합동 성질: 합동하는 삼각형은 각각 대변의 길이나 대각의 각의 크기는 서로 같다.
합동하는 삼각형의 넓이, 둘레가 같다.

삼각형의 합동: 삼각형의 합동 조건
①세 변의 길이가 주어질 때
②두 변의 길이와 그 끼인 각의 크기가 주어질 때
③한 변의 길이와 그 양 끝 각의 크기가 주어질 때

수학 학습원리 완성하기 예상 답안

교과서(하) 66~67쪽

학생 답안 1

내가 선택한 탐구 과제

탐구활동3. 다음 그림에서 두 삼각형의 합동 조건을 찾아보자.

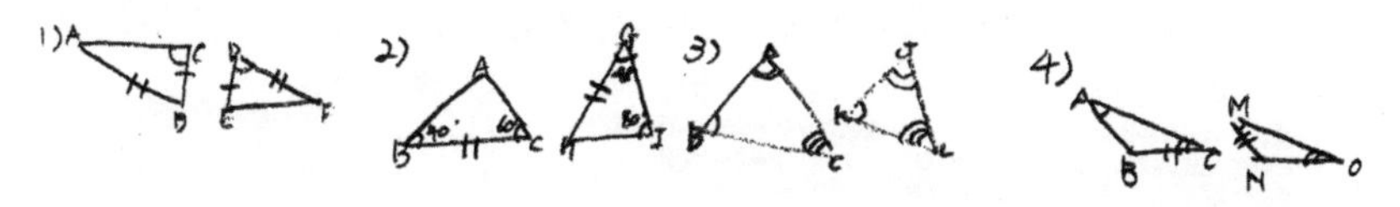

나의 깨달음

먼저 합동조건이란, 두 삼각형이 다음의 각 경우에 서로 합동인 것이다.
첫번째, 세 변의 길이가 각각 같을 때인데 이 것을 SSS 합동이라고도 한다.
두번째, 두 변의 길이가 각각 같고 그 끼인각의 크기가 같을 때, 이 것도 SAS 합동이라고 불리기도 한다. 마지막으로 세 번째, 한 변의 길이가 같고 그 양끝각의 크기가 각각 같을 때, 이 것 또한 ASA 합동이라고 불리기도 한다. 그래서 위 문제에 1번은 어떤 합동조건을 가지고 있는지 확인해보았다. 두 변의 길이가 주어졌지만 그 끼인각의 크기가 같지 않으므로 1번 두 삼각형은 합동이 아니라고 생각할 수 있었다. 2번은 한 변의 길이와 양끝각이 주어진 것을 보고 한 변의 길이가 같고 그 양끝각의 크기가 각각 같을 때로 합동이라는 것을 알 수 있었다. 그리고 2번은 삼각형이 180°라는 것을 통해 나머지 한 각까지 구하여도 알 수 있다. 3번은 세 각만 주어져있기에 세 각이 같다는 조건은 합동조건에 없으므로 3번 또한 합동이 아니라고 생각할 수 있었다. 마지막으로 4번은 각각 한 변의 길이와 양끝각이 주어져 있다. 그러나 양끝각의 크기가 서로 다르기 때문에 4번도 마찬가지로 합동이 아니라고 할 수 있었다. 그리고 합동이 맞아 기호로 표현할 때 예로 $\triangle ABC \equiv \triangle IGH$ 이와 같이 표현하는데 여기서 겹치는 것끼리 순서를 같이 해야 한다는 것을 알 수 있었다. 이렇게 배운 조건들로 합동조건을 찾는 활동을 해보니 삼각형의 합동조건에 대해 더 확실히 알 수 있었던 것 같다.

수학 학습원리

3. 수학적 추론을 통해 자신의 생각을 설명하기.

학생 답안 2

내가 선택한 탐구 과제

하늘이와 이누는 아래와 같이 길이가 각각 다른 6개의 종이테이프 중에서 세개를 각각 골라 삼각형을 만드는 작업을 했다
삼각형을 만들수 없는 사람이 누구인지 말하고 그 이유를 설명하세요

7cm / 하늘
6cm / 이누
5cm / 하늘
4cm / 이누
3cm / 이누
2cm / 하늘

나의 깨달음

처음 문제풀때 하늘이가 잰 길이 따로 (7cm, 5cm, 2cm)
이누가 잰 길이 따로(6cm, 4cm, 3cm) 이렇게 분류를 했다
나는 처음에 하늘이, 이누 다 삼각형을 만들수 있다고 생각했다 왜냐하면
세변의 길이가 주어져서 만들수 있다고 생각했다 그런데 내가 생각
한게 틀렸다 꼭 세변의 길이가 나와있어도 못만드는 있는 삼각형이
있다는걸 알았다 그래서 두번째 방법은 (7cm, 5cm, 2cm) 중에서 제일 긴변을
찾는다 (7cm) 그럼 그나머지(5cm, 2cm)를 더한다. 그럼 7cm가 된다
그런가장 긴변이랑 7cm로 똑같다 그래서 하늘이는 삼각형을 못만든다 그럼 이누는
가장긴변(6cm), 나머지 (4cm, 3cm)는 더한다 그럼 7cm가 나온다 그럼 나머지
변들이 더 길다 (7cm로) 그래서 이누는 삼각형을 만들수 있다
세변의 길이가 주어졌을때 삼각형이 되는조건은 가장 긴변의 길이가
나머지 합보다 작아야지 삼각형을 만들수 있다는걸 알았다

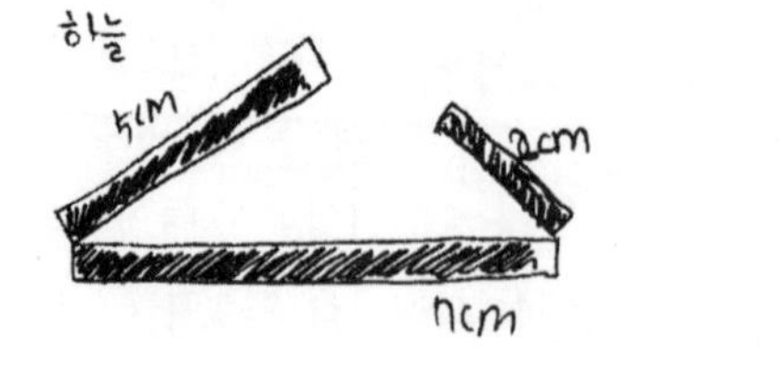

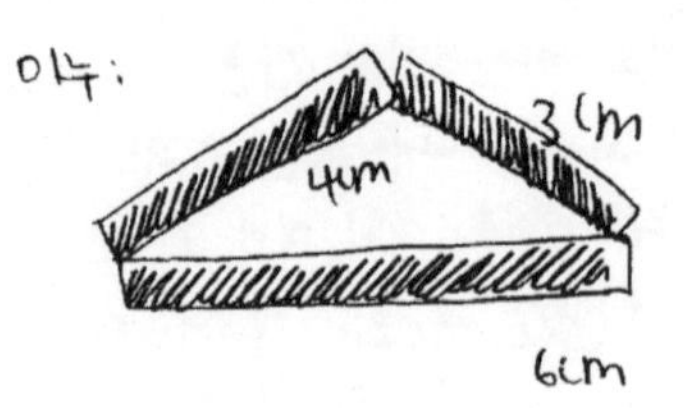

수학 학습원리

끈기있는 태도 기르기 이다
왜냐하면 여러가지 방법으로 해결했기 때문에
끈기있는 태도 기르기 이다

STAGE 9

그림 속에서 약속을 찾아보자

– 다각형

이 단원의 핵심 지도 방향

이 단원에서는 평면도형의 성질을 추론하고, 정당화하는 활동에 초점을 둡니다. 도형의 알려진 성질을 적용하여 각의 크기, 선분의 길이를 구하는 문제 풀이보다 평면도형에서 일반적으로 성립하는 성질을 발견하고 정당화하는 활동에 집중합니다. 다각형의 뜻을 무엇이라고 정의할지, 다각형에서 관찰해야 할 점은 무엇인지를 학생들이 먼저 발견해야 합니다. 그리고 모든 다각형에서 성립하는 일반적인 성질을 만들어 갑니다.
원과 부채꼴에서는 비례 관계에 주목하여 부채꼴이라는 새로운 도형의 특징을 원의 성질과 연결하여 발견하고 정당화합니다. 각각의 공식을 암기하는 것보다 비례 관계에 주목하여 부채꼴의 성질을 추론할 수 있도록 안내합니다.

1 딱딱한 도형

단원 지도 계획

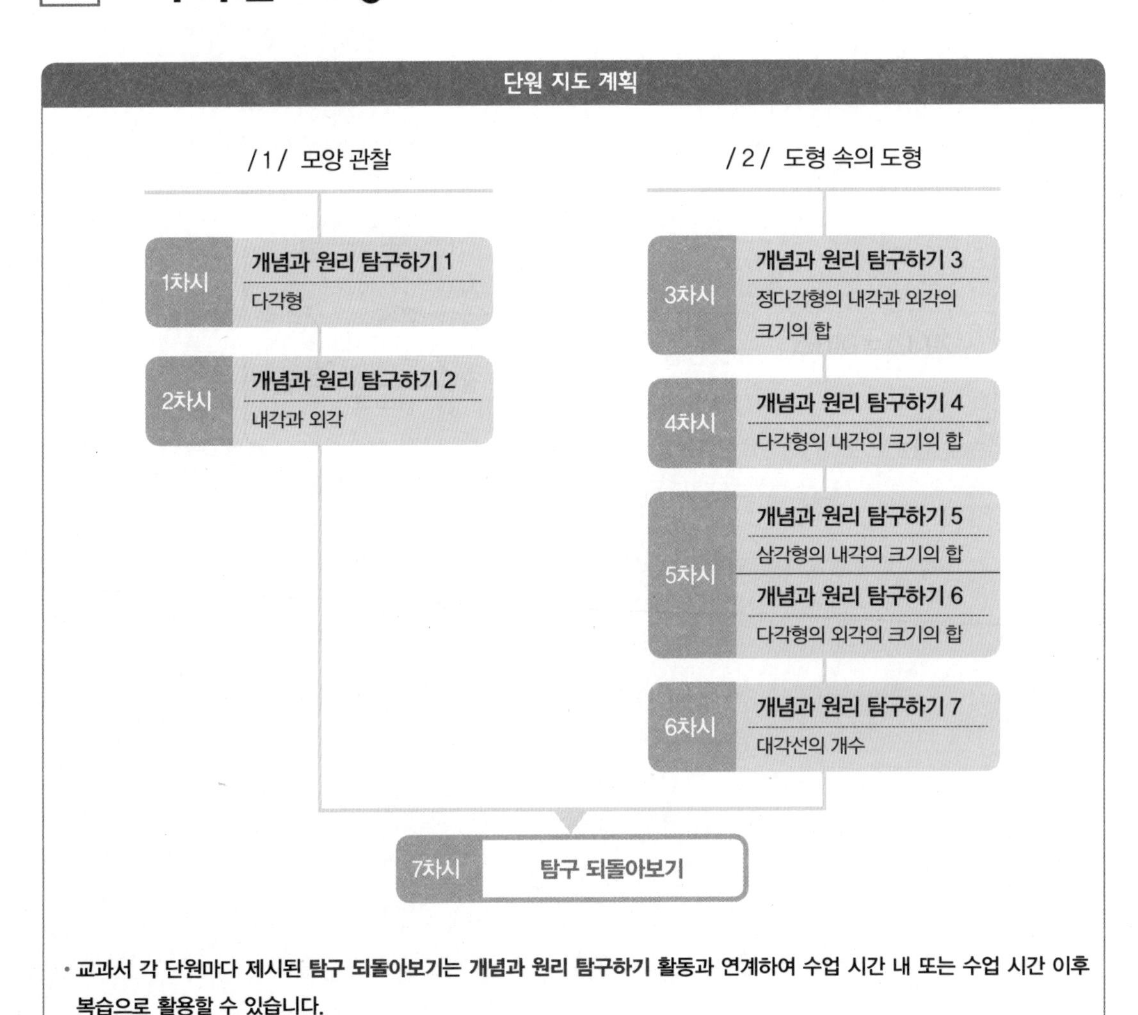

• 교과서 각 단원마다 제시된 탐구 되돌아보기는 개념과 원리 탐구하기 활동과 연계하여 수업 시간 내 또는 수업 시간 이후 복습으로 활용할 수 있습니다.

/1/ 모양 관찰

학습목표

1 주변의 다양한 물체들을 도형화하여 평면도형이나 입체도형의 조합으로 표현할 수 있음을 안다. 그리고 이 과정에서 다각형의 뜻을 복습한다.

2 다각형에서 내각과 외각의 뜻을 이해하고 이와 관련된 여러 가지 성질을 발견할 수 있다.

2015 개정 교육과정 성취기준

다각형의 성질을 이해한다.

핵심발문

다각형의 내각과 외각의 뜻과 성질은 무엇인가?

개념과 원리 탐구하기 1 _ 다각형

교과서(하) 71쪽

탐구 활동 의도

- 기존 교과서에서 도형을 주고 분류하라고 하는 것은 도형을 왜 분류해야 하는지 명확한 동기가 생기지 않는다. 〈분류 하기〉보다는 다양한 주변 물체들을 단순하게 〈도형화 하기〉가 선행되어야 한다. 주변의 모든 물건들이 단순한 평면도형이나 입체도형의 조합으로 표현된다는 것을 인식하면 도형을 공부하는 동기가 생길 것이다.
- 집을 상상하고 그것을 구성하여 도형을 추출하는 활동이다.
- 교과서에서 주어진 도형 또는 타인이 구성해 준 도형을 수동적으로 분류하기보다 내가 직접 그리고 구성한 것을 가지고 분류하는 활동은 자기 주도성을 키워줄 수 있다.
- 2 (1)은 평면도형에 대한 학습 준비를 위한 활동으로 초등에서 배운 다각형의 정의를 복습 및 확인하게 한다.
- 2 (2)는 다각형과 다각형이 아닌 것을 분류함으로써 다각형의 정의를 발견한 후, 자신들이 찾은 도형에 적용해 보는 활동이다.
- 표지판을 이용하여 생활 주변에서 다양하게 평면도형이 실제로 사용되고 있다는 것을 느낄 수 있도록 하였다.
- 4는 정답이 없는 문제로 학생들의 상상력과 자기 주도성을 위한 것이다. 멋진 디자인을 하도록 격려한다.

예상 답안

1 (1) 각자 그림을 그린다.

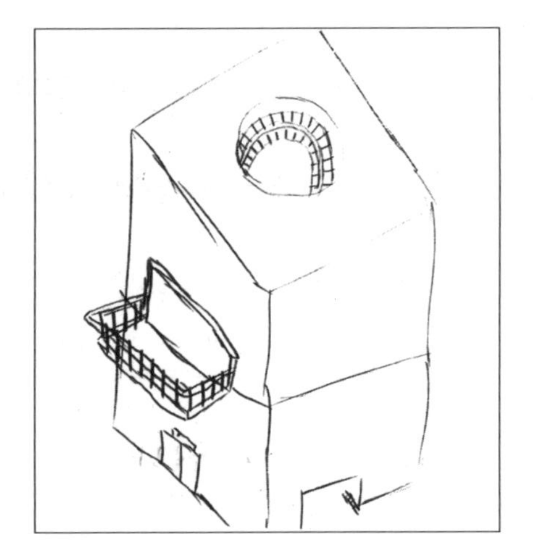

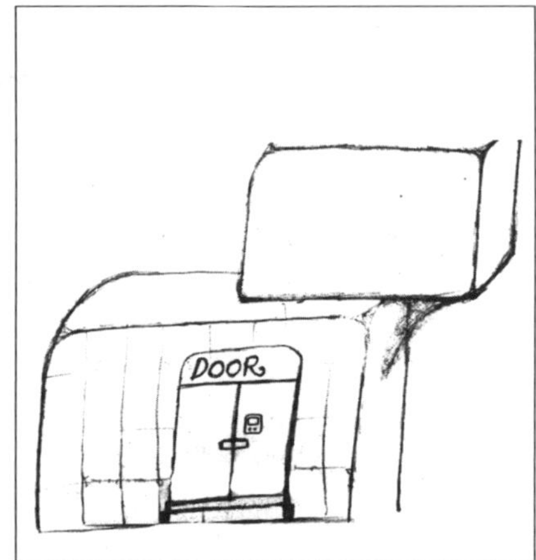

(2) 그림 속의 도형을 다양하게 그릴 수 있으며, 자기가 그린 그림 속에서 도형들을 추출하여 그린다.

▭	◎	R
△	⊓	○

2 (1) 다각형은 곡선이 없고, 뚫린 부분이 없이 닫혀 있어야 하므로 '선분(직선)으로 둘러싸인 도형'이라고 할 수 있다.

> ☆ 선분이 여러개 있을 때 둘러싸인 도형
> 선분이 휘어지지 않고 있고, 선분이 서로 이어져 있는 선분으로 둘러싸인 것.

(2) 1 (2)에서 각 모둠별로 찾은 도형을 다각형과 다각형이 아닌 것으로 분류한다.

다각형	다각형이 아닌 예
▭ △ ○	◎ R ⊓

3 ③ 정삼각형 ④ 정팔각형 ⑧ 정사각형 ⑩ 정삼각형 ⑪ 정사각형 ⑮ 정사각형(또는 마름모)

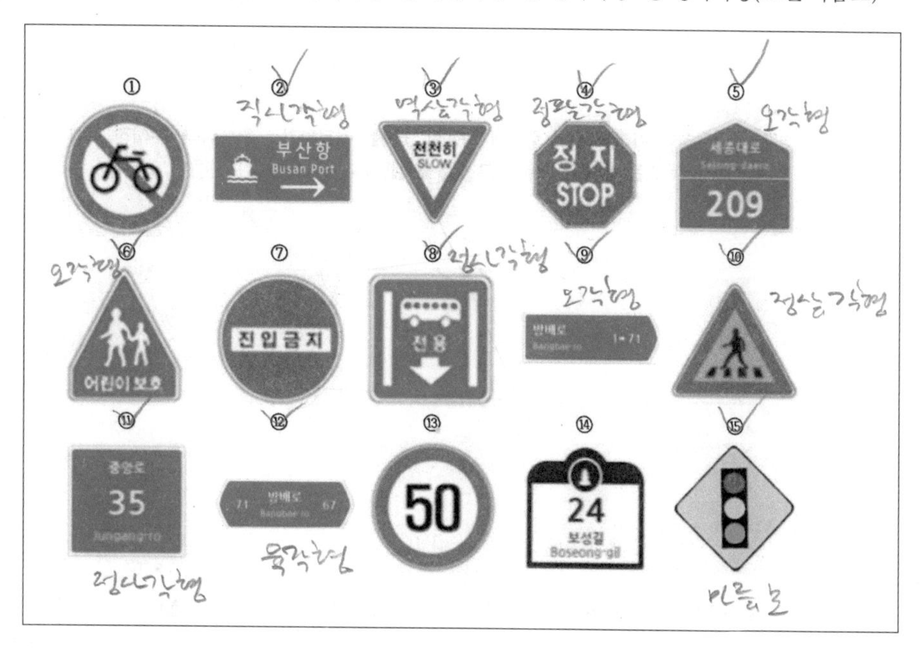

4 여러 가지 디자인이 나올 수 있다.

- 비행금지구역
- 유인 자동차 배려 안내
- AI 전용쉼터

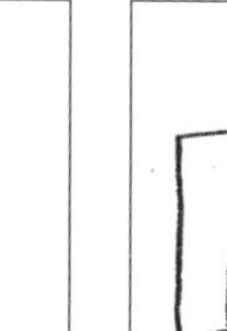

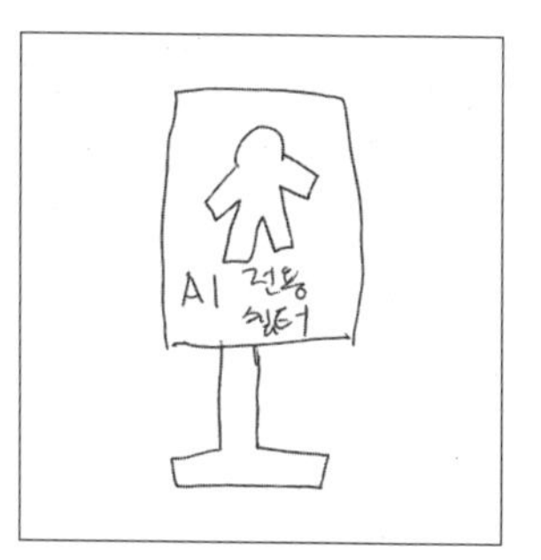

수업 노하우

- 1 (1)은 가급적 개별 활동으로 진행한다. 시간을 주고 기다리면 다양한 집 모양이 나타날 것이다. 집 모양이 다양해야 1 (2)에서의 도형도 다양하게 나온다.
- 1 (2)는 각자의 도형을 모으는 그룹 활동이지만, 토론보다는 다양한 도형을 수합하는데 중점을 둔다. 각자 찾은 도형은 서너 개 정도일 것이지만 4명의 그룹 활동에서 수합하면 보통은 2~3배 정도의 도형이 모아진다. 이 정도가 되어야 분류 활동이 원활할 수 있다.
- 전체 공유 활동은 2 (2)에서 하는 것이 좋다. 1 (2)의 그룹 활동은 2 (2)를 위한 것이니 1 (2)에서는 다양한 도형을 모으는 것에 집중한다.
- 2 (1)에서 다각형의 정의는 왼쪽 도형들의 공통점을 찾으면서 오른쪽 도형들과 차이점을 생각하면 보다 손쉽게 해결할 수 있다. 예를 들면 '곡선이 없다.', '열리지 않았다.' 등의 차이점을 생각하면 다각형은 '선분으로 둘러싸인 도형'이라고 정의할 수 있다.

- 2 (2)에서는 본래 다양한 분류 활동이 가능하지만 2 (1)의 활동을 통해서 다각형과 다각형이 아닌 것으로 분류하도록 안내하고 있다.
- 다각형을 분류할 때는 2 (1)에 예시된 도형으로 분류하는 것이 아니라 1 (2)에서 모둠별로 찾은 도형으로 분류를 한다.
- 3 에 제시한 표지판에서 다각형이 정확하지 않다는 지적이 나올 수 있지만 다각형으로 인정하기로 한다.
- 4 에서는 멋있는 것을 공유하는 활동으로 끝맺는다. 이 활동은 개별 활동을 진행하는 동안 교사가 학생들의 활동을 점검하는 과정에서 발표할 학생을 선정하여 개별 활동이 마무리 되는 순간 모둠 활동으로 넘어가지 않고 전체 공유 활동으로 바로 이어지도록 하는 것이 바람직하다.

개념과 원리 탐구하기 2 _ 내각과 외각

교과서(하) 74쪽

탐구 활동 의도

- 이 활동은 다각형의 내각과 외각을 정의하고 그 관계를 이해하는 것이다.
- 1 에서는 특정 성질을 제시하는 기존의 과제 제시 방식을 벗어나 과감하게 모든 성질을 찾으라고 질문을 열어 놓았다. 학생들은 특정 성질을 제시하지 않아도 이 활동에서 원하는 성질 이외에 더 많은 성질을 발견할 수 있다.
- 2 에서는 내각과 외각을 정의하고 스스로 내각과 외각을 찾아서 표시하도록 했다.
- 3 은 2 에서 정의한 외각의 크기를 구해 보는 활동이다.

예상 답안

1 $\angle a+\angle b=180°$, 맞꼭지각의 크기가 같다.

마주보는 각은 크기가 같다.
한 선분위에 두 각의 합은 180°다.
한 지점에 모인 각의 크기는 360°다

2 (1) $\angle c, \angle h, \angle i, \angle n$

(2) 내각 $\angle c$에 대한 외각은 $\angle b$ 또는 $\angle d$이고, $\angle h$에 대한 외각은 $\angle e$ 또는 $\angle g$이다.
$\angle i$에 대한 외각은 $\angle j$ 또는 $\angle l$이고, $\angle n$에 대한 외각은 $\angle m$ 또는 $\angle o$이다.

3 한 꼭짓점에서 (내각의 크기)+(외각의 크기)=180°임을 이용하면 각 도시의 번지 수는 외각의 크기이므로 A : 65, B : 70, C : 105, D : 120

수업 노하우

- [1]에서 특정 성질을 제시하지 않은 것은 스스로 도형의 성질을 발견하도록 하려는 의도다. 스스로 발견한 성질은 그것이 본인이 발견했기 때문에 그 성립 여부를 스스로 밝히고 싶은 동기를 유발할 수 있다. (Fawcett의 〈증명의 본질〉 참고)
- 내각은 외각에 비해 상대적으로 쉽게 찾을 수 있다.
- 외각은 내각에 비해 한번에 이해하지 못할 수도 있다. 외각이 왜 2개냐고 학생들이 물을 수도 있고, 어느 변을 연장하느냐를 물을 수도 있다. 학생들이 찾은 후, 답을 확인하면서 학생들이 스스로 질문할 수 있도록 할 수 있다. 처음부터 두 각이 모두 외각이라고 하기보다는 그 답을 비교하며, [1]의 결과를 이용하여 모두 외각이 됨을 확인할 수 있도록 안내한다.
- 다음 사진은 내각의 맞꼭지각을 외각이라고 한 학생의 답이다.

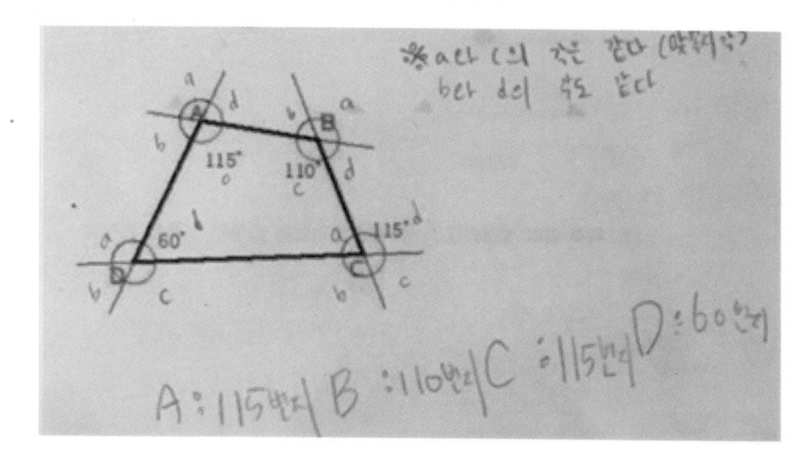

- 어느 변을 연장하는지, 연장해서 생긴 두 각 중 무엇이 외각인지 설명하지 않고, 학생들이 일단 먼저 정의를 적용하여 찾도록 한다.

수업 연구

학생들은 외각을 내각의 반대 개념으로 이해하고 360°를 기준으로 남은 각을 의미하는 것은 아닐까? 왜 귀찮게 연장선을 그을까? 등의 의문을 제기할 수 있다. 혹자는 외각을 정의한 것에 대해 의문을 제기하는 자체를 부정하는 경우도 있다. 하지만 정의에 대한 이해를 깊게 하기 위해서는 정의에 주어진 조건에 대해 따져 보는 과정이 필요하다.

초등학교에서는 직각을 기준으로 그 크기가 작은지, 큰지에 대하여 비교하면서 예각, 둔각을 배웠지만 보각에 대해서는 배우지 않았다. 다음 2015 개정 수학과 3~4학년군 교육과정의 성취기준을 참고하자.

> [4수 02-02] 각과 직각을 이해하고, 직각과 비교하는 활동을 통하여 예각과 둔각을 구별할 수 있다.

하지만 10의 보수처럼 내각과 외각의 관계가 평각에 대한 보각 관계라는 것을 이해하면 외각을 찾기 위해서 왜 연장선을 그어야 하는지 알 수 있을 것이다. 또한 이렇게 외각의 정의에 대해 추측하거나 따져 보는 활동은 명확한 결론을 내지 못하더라도 그 자체가 외각에 대한 보다 충분한 이해를 도와주기 때문에 학습자에게 주는 학습 효과는 매우 클 것이다.

/2/ 도형 속의 도형

학습목표

1 다각형의 내각과 외각의 성질을 여러 가지 방법으로 정당화할 수 있다.

2 다각형에서 대각선의 개수 구하는 식을 일반화할 수 있다.

2015 개정 교육과정 성취기준

다각형의 성질을 이해한다.

핵심발문

다각형의 성질은 무엇인가?

개념과 원리 탐구하기 3 _ 정다각형의 내각과 외각의 크기의 합

교과서(하) 76쪽

탐구 활동 의도

- 정다각형을 먼저 소재로 잡은 것은 일반 다각형에 비하여 정다각형에서 각의 크기를 구하는 것이 보다 직관적이고 쉽기 때문이다.
- [1]에서 정삼각형과 정사각형의 한 내각의 크기와 그 합은 초등학교에서 학습한 내용이고, 정오각형과 정육각형에 대해서는 중학교에서 처음 학습하는 내용으로 관찰이나 실험, 즉 측정에 의한 정당화 과정을 경험하도록 하였다.
- [1] (2)에서는 변의 개수에 따른 내각의 크기의 합의 변화 규칙을 살피고, 외각의 크기의 합은 항상 일정하다는 사실을 발견하게 한다.
- [1] (3)은 일반화를 위한 준비 과정으로 만들었다.
- [2]에서는 [1]에서 활동한 결과를 문자를 사용한 식으로 일반화하는 과정만 다루고 있으며, 구체적인 증명은 일반 다각형을 이용한다.

예상 답안

[1] (1)

	한 내각의 크기	한 외각의 크기	내각의 크기의 합	외각의 크기의 합
정삼각형	$60°$	$120°$	$180°$	$360°$
정사각형	$90°$	$90°$	$360°$	$360°$
정오각형	$108°$	$72°$	$540°$	$360°$
정육각형	$120°$	$60°$	$720°$	$360°$

(2) ① 정삼각형, 정사각형, …변의 개수가 하나씩 늘어날수록 내각의 크기의 합은 180°씩 커진다.

② 외각의 크기의 합은 정다각형의 변의 개수와 관계없이 항상 360°이다.

학생들은 변의 개수가 늘어나면 내각의 크기의 합은 커지고, 변의 개수가 늘어나면 외각의 크기는 작아진다고 다음과 같이 쓰기도 했다.

> 내각의 크기의 합과 외각의 크기의 합은 변의 개수의 배수이다.
> 내각의 크기의 합 = 780 × 변의 개수 - 180 × 2
> 외각의 크기의 합 = (360 - 내각의 크기의 합 ÷ 변의 개수) × 변의 개수
> 변의 개수와 내각의 크기의 합과 외각의 크기의 합이 늘어날 때마다
> 한 내각의 크기는 50°씩 늘어나고 내각의 크기 합은 180°씩
> 외각의 크기는 180°씩 늘어 난다.

> ※ 변의 개수가 늘어나면
> 내각의 크기의 합은 커지고 변의 개수가
> 외각의 크기가 작아져 많아지면 원에 가까워짐.

(3) 정삼각형의 내각의 크기의 합이 180°이고, 변이 하나씩 늘어날수록 내각의 크기의 합이 180°씩 커지므로 14번 늘어나면 $180° \times 14 = 2520°$가 커지므로 정십칠각형의 내각의 크기의 합은 $180° + 2520° = 2700°$이다.

외각의 크기의 합은 변의 개수와 관계 없으므로 360°이다.

2 (1) 삼각형, 사각형, 오각형의 내각의 크기의 합이 각각 180°, 360°, 540°이고,

$180° = 180° \times 1$, $360° = 180° \times 2$, $540° = 180° \times 3$

인 규칙이 있으므로 정n각형의 내각의 크기의 합은 $180° \times (n-2)$가 된다.

(2) 정n각형은 n개의 내각의 크기가 모두 같으므로 한 내각의 크기는 $\frac{180° \times (n-2)}{n}$다.

수업 노하우

- 1 에서 외각을 구하기 위해 외각의 정의를 되살리는 과정에서 연장선을 그어야 하는 활동이 상기될 수 있다. 그림에는 일부러 연장선을 주지 않고 스스로 그리도록 해서 외각의 정의를 되살리도록 했다.
- 1 (2)에서 한 내각과 그 외각의 크기의 합은 180°라는 사실을 추측하는 것도 가능하다.
- 2 에서 정다각형인 경우에 그 내각의 크기의 합을 논리적으로 설명하여 일반화하는 작업은 피하고 가볍게 넘어가는 것이 좋다. 왜냐하면 이 작업은 모든 다각형에 대하여 일반화하기 어렵기 때문이다. 이후에 이루어지는 일반 다각형에서의 내각의 크기의 합을 논리적으로 도출하면 그 결과는 당연히 정다각형에도 적용될 수 있다.

개념과 원리 탐구하기 4 _ 삼각형의 내각의 크기의 합

교과서(하) 78쪽

탐구 활동 의도

- 초등학교에서 직관적으로 배운 내용과 연결하여 논리적인 설명을 하는 활동이다.
- [1]에서는 잘라서 붙이는 활동이 완벽하지 않음을 설명하게 한다.
- [2]에서는 평행선임을 제시하지 않고 동위각과 엇각의 크기가 같음을 제시하였다. 평행선을 보조선으로 고안하여 긋는 활동이 어렵기 때문에 각으로 제시하는 것이 보다 설득력이 있을 것이다.
- [3]의 활동을 통해 한 외각의 크기는 이웃하지 않는 두 내각의 크기의 합과 같다는 사실을 확인한다. 이 내용이 잘 익혀지도록 간단한 예를 제시하는 것이 필요하다.

예상 답안

[1] 여러 가지 반응이 나올 수 있다.

- 하나의 삼각형을 잘라 붙였다고 해서 모든 삼각형의 세 내각의 크기의 합이 180°라고 말하기는 어렵다. 그리고 자른 부분이 꼭 맞지 않을 수도 있다.
- [3단계]에서 평각처럼 보일 수도 있지만 정확히 180°라고 할 수 없다.
- 실험은 오차가 생길 수도 있다.

[2]

- $\angle ABC = \angle ECD$이고 $\angle BAC = \angle ACE$이므로 직선 CE는 직선 AB와 평행하다.
  이때 삼각형 ABC의 세 내각의 크기의 합은 꼭짓점 C에 모인 세 각의 크기의 합과 같으므로 180°임을 알 수 있다.
- 다음은 이를 설명한 학생의 답안이다. 직선 CE와 직선 AB의 기호를 $\overrightarrow{CE}$, $\overline{AB}$라고 쓴 부분은 추후에 수정하도록 안내한다.

$\overline{AB}$와 $\overrightarrow{CE}$는 평행하므로
∠A와 ∠ACE는 같고
∠B는 ∠ECD와 같다.
따라서 ∠ACB를 ∠A와 ∠B
랑 합치면 ∠BCD로 180°가 된다.

- 다음은 엇각의 크기가 같을 때 $\overleftrightarrow{AB}$와 $\overleftrightarrow{CE}$가 서로 평행함을 알아내고 설명을 전개한 학생의 답안이다.

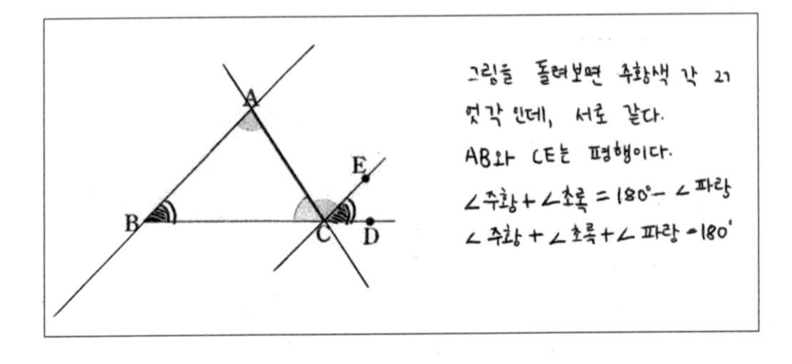

3 삼각형의 세 내각의 크기의 합은 180°임과 $\angle C$의 내각과 외각의 크기의 합이 180°임을 이용한다.
즉, $\angle A+\angle B+\angle C=180^\circ$, $\angle ACB+\angle ACD=180^\circ$이므로
$\angle A+\angle B=\angle ACD$
따라서 $\angle C$의 외각의 크기는 다른 두 내각의 크기의 합과 같다.

수업 노하우

- 설명하는 방법은 여러 가지가 있다. 2015 개정 교육과정에서는 정당화라고 하여 도형의 성질을 이해하고 설명하는 활동은 관찰이나 실험을 통해 확인하기, 사례나 근거를 제시하며 설명하기, 유사성에 근거하여 추론하기, 연역적으로 논증하기 등과 같은 다양한 정당화 방법을 학생 수준에 맞게 활용할 수 있도록 했다.
- 1 은 모둠 활동을 하지 않고 각자의 생각을 표현하도록 많은 학생들에게 발표시킬 수 있다.
- 2 는 개별 활동 후 모둠 활동을 통해 정교화하도록 한다.
- 3 에서는 삼각형의 내각의 크기의 합이 180°라는 사실을 이용하여 기존에 알고 있는 삼각형의 외각의 크기에 대한 성질을 논리적으로 설명하도록 한다. 즉, 논리적인 설명의 한 방법을 경험하도록 한다.

수업 연구

삼각형의 세 내각의 크기의 합이 180°임을 설명하는 것은 그림을 통해서도 학습이 가능하지만 체험함으로써 시행착오를 통해 보다 확실하게 할 수 있다.

(1) 삼각형을 잘라서 세 각을 한 꼭짓점에 모으는 활동
이 활동의 결과로 다수의 친구들은 세 각을 한 꼭짓점에 모아서 평각을 이루는 것을 확인할 수 있지만 몇몇 친구들은 각이 넘치거나 빈 곳이 발생한다. 이런 사례로 180°가 아닌 예외가 존재함을 발견하고 잘라서 붙이는 방법의 한계를 실감하게 한다.

(2) 각도기로 삼각형의 세 각을 측정하는 활동
이 활동은 각을 재는 과정에서 눈금을 반올림하게 되는데 경우에 따라서는 179°나 181°가 나오게 된다. 각을 측정하는 활동으로는 삼각형의 세 내각의 크기의 합이 180°라는 주장이 점점 힘을 잃게 된다.

(1) 또는 (2)의 활동을 통해서 직접적인 작업이 오류일 수 있다는 것을 경험하면 학생들은 보다 논리적이고 정확한 방법을 찾아야겠다는 필요성을 느낀다.

개념과 원리 탐구하기 5 _ 다각형의 내각의 크기의 합

교과서(하) 79쪽

탐구 활동 의도

- 다양한 방법으로 다각형의 내각의 크기의 크기의 합을 구해서 일반화에 이르는 과정을 학습하는 활동이다.
- 1 (1), (2)에서는 주어진 오각형의 내각의 합을 구하는 방법을 고안하고, 그 방법으로 n각형의 내각의 크기의 합도 구할 수 있는지 일반화해 보도록 한다.
- 1 (3)~(5)는 내각의 크기의 합을 구한 과정과 식으로의 표현을 연결하는 활동이다. 오각형에서 구한 여러 가지 방법을 일반화한 식을 주고 그 과정을 유추하도록 하고 있다.

예상 답안

1 (1) [방법1] 삼각형과 사각형으로 나누면

(삼각형의 내각의 크기의 합)+(사각형의 내각의 크기의 합)

$=180^\circ+360^\circ=540^\circ$이다.

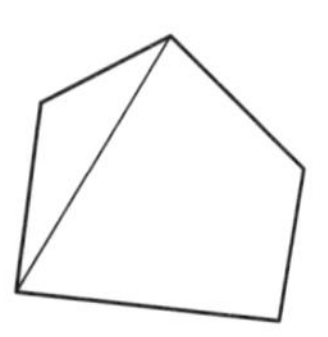

[방법 2] 오각형의 한 꼭짓점에서 다른 꼭짓점으로 대각선을 그으면 오각형은 세 개의 삼각형으로 나누어지므로 오각형의 내각의 크기의 합은 $180^\circ\times 3=540^\circ$이다.

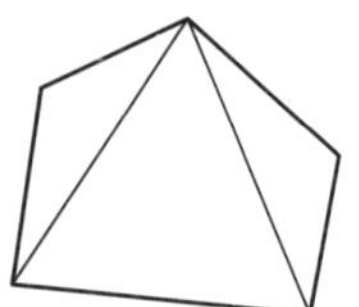

[방법 3] 오각형 내부의 한 점에서 각 꼭짓점을 이어서 만들어지는 삼각형은 5개이므로 5개의 삼각형의 내각의 크기의 합은 $180^\circ\times 5$이다. 그런데 오각형의 내부에 생기는 각이 360°이므로 오각형의 내각의 크기의 합은 $180^\circ\times 5-360^\circ=540^\circ$이다.

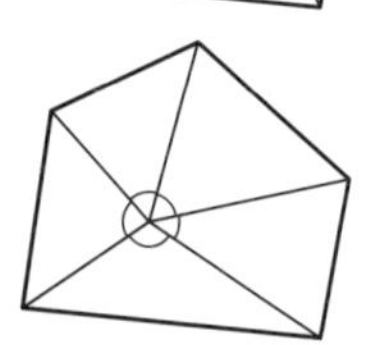

[방법 4] 오각형의 변에 있는 한 점에서 꼭짓점을 이어서 만들어지는 삼각형은 4개이므로 $180^\circ\times 4$이다. 오각형의 한 변에 생기는 4개의 각의 크기의 합은 180°이므로 오각형의 내각의 크기의 합은 $180^\circ\times 4-180^\circ=540^\circ$이다.

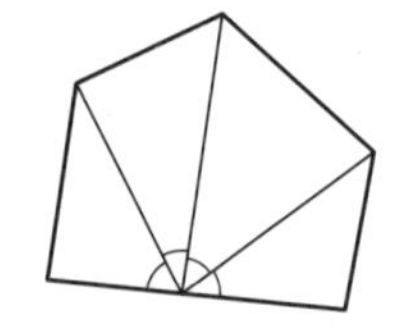

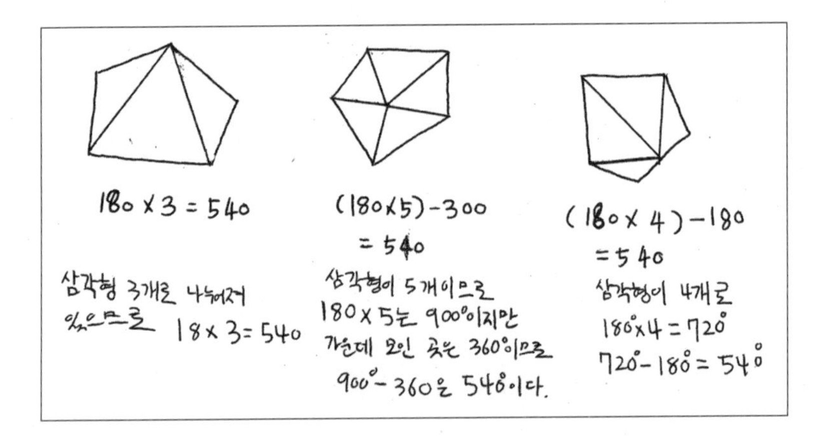

(2) [방법1]은 내각의 크기의 합을 구할 수 있지만 n각형일 때로 일반화하기 어렵다. [방법 2], [방법 3], [방법 4]는 n각형일 때로 일반화할 수 있다.

(3) ㉠ $180^\circ\times n-360^\circ$는 (1)에서 [방법 3]을 생각할 수 있다.

n각형의 내부의 한 점에서 각 꼭짓점을 이어 삼각형을 만들면 n개의 삼각형으로 나누어진다. 그러므로 이들의 총합은 $180^\circ\times n$이고, n각형의 내부에 생기는 각의 크기는 360°이므로 n각형의 내각의 크기의 총합은 $180^\circ\times n-360^\circ$이다.

㉡ $180^\circ\times(n-2)$는 (1)에서 [방법 2]를 생각할 수 있다.

n각형의 한 꼭짓점에서 대각선을 그어 삼각형으로 나누는 경우, 만들어지는 삼각형의 개수가 다각형의 변의 개수보다 2개 적으므로 변의 개수가 n개일 때, n각형의 내각의 크기의 합은 $180^\circ\times(n-2)$가 된다.

㉢ $180° \times (n-1) - 180°$는 (1)에서 [방법 4]를 생각할 수 있다.

n각형의 어떤 변 위의 한 점에서 꼭짓점을 이으면 $(n-1)$개의 삼각형으로 나누어진다. 이때 변에 모인 모든 각의 크기의 합은 180°이므로 n각형의 내각의 크기의 총합은 $180° \times (n-1) - 180°$이다.

다음처럼 $n=5$일 때, 즉 오각형의 경우에 국한하여 설명한 경우도 있다.

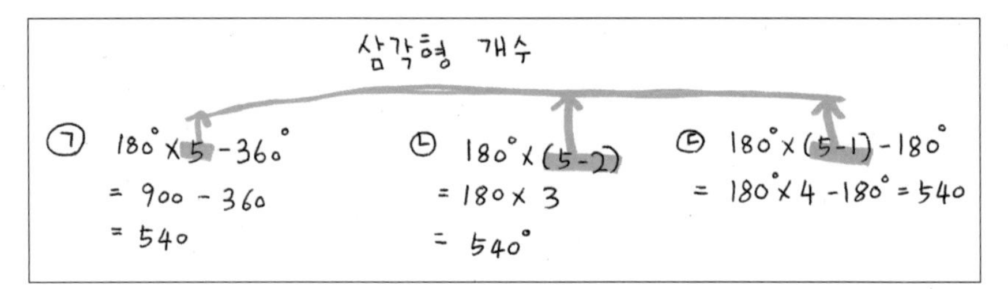

ㄱ= n각형의 아무곳을 중점으로 잡고 선분 n개가 중점과 n각형의 각을 각각 잇게 해서 삼각형들의 내각을 구한 후 중점은 360° 이므로 360을 빼면 된다.

ㄴ= n-2는 n각형의 대각선의 개수 이므로 삼각형이 만들어지니 180×(n-2)를 하면 내각의 크기가 나옴.

ㄷ= n각형을 둘러싼 선분을 무작위로 골라 점을 잡고, 그 점을 기준으로 다른 각에 선분을 그린다. 그리고 삼각형의 개수만큼 180을 곱한 후, 180°를 뺀다.

(4) ㉡과 ㉢에 분배법칙을 이용하여 곱하면 ㉠이 나오므로 ㉠~㉢의 결과는 모두 같다.

㉡ $180° \times (n-2) = 180° \times n - 360°$

㉢ $180° \times (n-1) - 180° = 180° \times n - 180° - 180° = 180° \times n - 360°$

(5) ㉠ $180° \times n - 360°$는 (1)의 [방법 3]에 해당한다. [방법 3]에서 180°는 삼각형 한 개의 내각의 크기의 합이고, 360°는 다각형의 각이 아닌 내부의 한 점을 찍어서 생기는 각의 크기의 합이다.

다음과 같이 답한 친구들도 있다.

(2)
180° ⇒ 삼각형의 내각의 합　　360° ⇒ 점에 모인 각의 합
⇒ 외각의 크기의 합

수업 노하우

- (2)에서 각자 다른 방법으로 식을 발견한 학생들이 발표를 통해 서로의 식을 공유하고 그 결과는 같다는 것을 알도록 한다.

• (5)는 (1)에서 [방법 3]의 각 과정을 설명하도록 요구하는 문제로 연결하면 그 의미를 이해할 수 있다.
• (3)~(5)에서 어려움을 겪는 학생들은 (1)의 활동을 통해 발견할 수 있는 사실이 무엇인지 설명하도록 하고, 이를 바탕으로 진행할 수 있도록 한다.

수업 연구

(1)에서 다양한 방법을 스스로 찾도록 한다. 오각형을 삼각형으로 분할할 때, 학생들이 다양한 방법으로 시도할 수 있도록 격려한다. 단, 분할하기 위한 보조선을 그을 때, 그림과 같이 임의의 오각형의 대각선은 한 점에서 만나지 않는 경우가 존재하기 때문에 삼각형이 아닌 도형이 생길 수 있음을 학생들에게 주의시킨다.

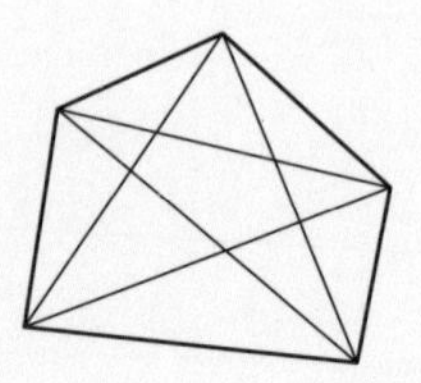

 개념과 원리 탐구하기 6 _ 다각형의 외각의 크기의 합

교과서(하) 80쪽

탐구 활동 의도

- 앞에서 정다각형의 외각의 크기의 합에 대해 추측을 했는데, 이번에는 일반 다각형에 대해서도 그 성질이 성립한다는 것을 활동을 통하여 발견하도록 한다.
- 2 에서 각의 크기를 일부 누락한 것은 내각의 크기의 합에 대한 고려도 함께 하는 것이 필요하다고 판단한 것이다.
- 3 에서는 학생들의 수준에 따라 다양한 답을 할 수 있도록 질문을 열어 놓았다.

예상 답안

1 삼각형에서 크기가 105°인 외각에 대한 내각의 크기는 75°이므로 나머지 한 각의 크기는 60°가 된다. 따라서 각 변의 연장선을 그어 외각의 크기를 구하면 그 합은

$105°+135°+120°=360°$

자동차가 삼각형 모양의 도로를 한 바퀴 도는 동안 회전한 각의 크기는 삼각형의 외각의 크기의 합과 같으므로 자동차는 360°만큼 회전한 것이다.

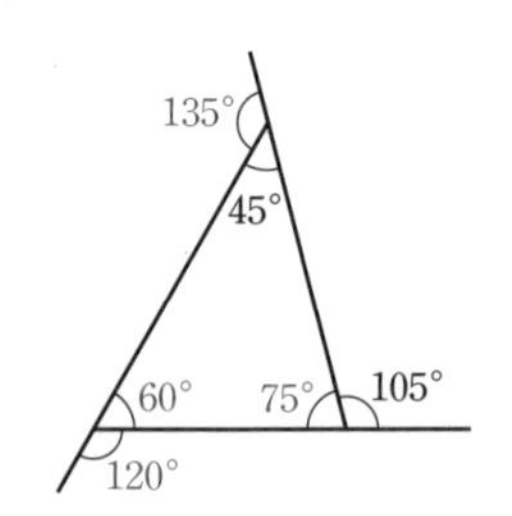

2 (1) 사각형에서 크기가 135°인 외각에 대한 내각의 크기는 45°이므로 나머지 한 각의 크기는 100°가 된다. 따라서 각 변의 연장선을 그어 외각의 크기를 구하면 그 합은

$135°+90°+80°+55°=360°$

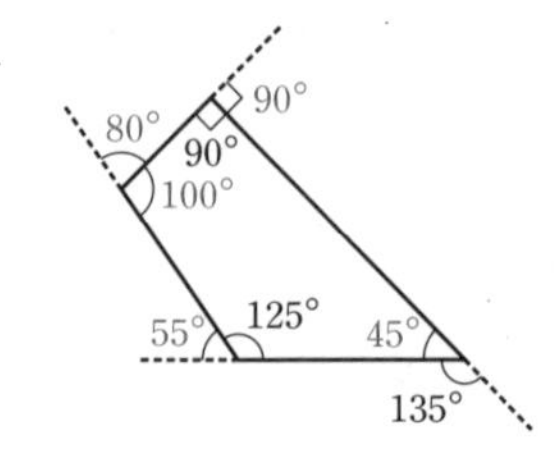

(2) 정오각형의 한 내각의 크기는 108°이므로 한 외각의 크기는 72°이다. 따라서 정오각형의 외각의 크기의 합은

$72° \times 5 = 360°$

이다.

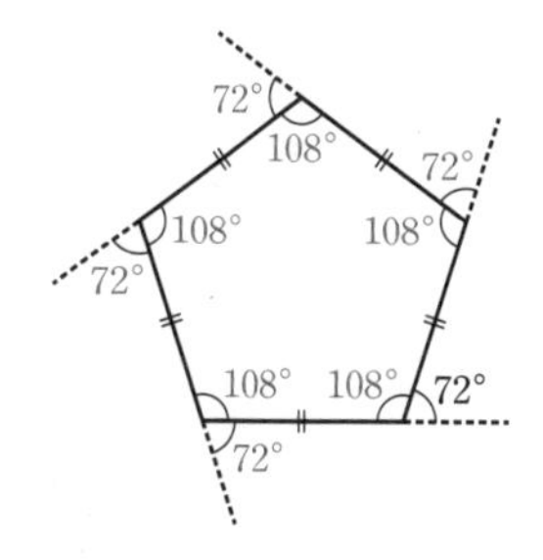

(1)

90° 90° 90 80° 100° 55° 125° 45° 135° 135°

$80° + 55° + 135° + 90°$
$= 360°$

(2)

72°

$72 \times 5 = 360°$
$180 \times 5 = 540°$

3 한 꼭짓점에서 내각과 외각의 크기의 합은 180°이다.
외각의 크기의 합은 도형에 관계없이 항상 360°이다.
다음과 같이 '(내각의 크기)=(외각의 크기)'라고 답하는 학생들도 있었다. 이 경우는 외각을 내각의 맞꼭지각이라고 생각한 결과이다.

내각의 크기= 외각의 크기

각은 두 선이 벌어진 정도의 크기인데 두 선중 한 선을 선택해 직선을 그으면 180°가 된다. 이때 180-(내각의 크기)를 구하면 외각의 크기를 구할 수 있는데 내각의 크기와 외각의 크기는 서로 반비례 하므로 내각이 어떻든 외각은 항상 똑같다.

다음과 같이 설명하기도 하였다.

외각합 $= 180 \times n - 180 \times (n-2)$ (내각합)
$= 180n - 180n + 360$
$= 360$

수업 노하우

- [1]에서 외각의 표시를 꼭 필요한 부분에만 준 것은 외각 표시하는 방법을 익히도록 하려는 의미다. 외각은 꼭 변의 연장선을 그어야 한다는 것을 발견하게 한다.
- [1]에서 각 꼭짓점에 외각과 내각의 크기를 동시에 기록하면 내각의 크기와 그 외각의 크기의 합이 $180°$인 것을 발견할 수 있다.

  삼각형은 그 내각과 외각이 세 쌍 있으므로 그 합은 $180° \times 3 = 540°$이고, 삼각형의 내각의 크기의 합은 $180°$이므로 둘 사이의 차 $360°$가 외각의 크기의 합이 됨을 설명할 수 있다. 마찬가지로 사각형에서 내각과 외각 네 쌍의 합 $180° \times 4 = 720°$에서 사각형의 내각의 크기의 합 $360°$를 뺀 값인 $360°$가 외각의 크기의 합이다. 오각형에서 내각과 외각 다섯 쌍의 합 $180° \times 5 = 900°$에서 오각형의 내각의 크기의 합은 $540°$이므로 둘 사이의 차 $360°$가 외각의 크기의 합이다.

  정리하면 삼각형인 경우 $180° \times 3 - 180° = 360°$, 사각형인 경우 $180° \times 4 - 360° = 360°$, 오각형인 경우 $180° \times 5 - 540° = 360°$로 다각형의 외각의 크기의 합이 $360°$로 일정함을 볼 수 있다.
- [3]에서는 외각의 성질을 일반화할 수 있다. n각형의 각 꼭짓점마다 내각과 외각의 크기의 합은 $180°$이므로 내각과 외각의 크기의 총합은 $180° \times n$이다. 그런데 n각형의 내각의 크기의 합은 $180° \times (n-2)$, 즉 $180° \times n - 360°$이므로 둘 사이의 차인 $360°$가 외각의 크기의 합이다.
- [3]에서 학생들에게 외각의 크기의 합이 $360°$임을 논리적으로 설명하게 하면 처음에는 어려워 하겠지만, 이 과정 속에서 다각형의 내각의 크기의 합이 다시 활용되므로 다각형의 외각의 크기의 합에 대해 논리적으로 설명하는 활동은 수학적으로 좋은 경험이 될 수 있다.

개념과 원리 탐구하기 7 _ 대각선의 개수

교과서(하) 81쪽

탐구 활동 의도

- 대각선에 대한 학습을 맨 뒤로 미룬 것은 대각선이 다른 학습 요소와 관련성이 적기 때문이다.
- 대각선은 초등에서 정의되었으므로 여기서 별도로 정의할 필요는 없지만 상기하는 차원에서 정의를 짚고 넘어갔다.
- [1] (1)의 질문은 학생들 스스로 발견하게 하기 위함이다.
- [1] (2)에서 칠각형을 선택한 이유는 대각선을 실제로 그릴 수 있지만 세기는 쉽지 않은 다각형이기 때문이다.
- [1] (3)에서 식을 제시한 것은 2로 나누는 것에 대한 추측과 논리적 사고를 유발하기 위함이다.
- [2]에서는 대각선의 개수 구하는 식을 일반화하는 데까지 유도하기 위한 과제이다.

예상 답안

1 (1) 삼각형의 대각선은 없다. 삼각형은 세 꼭짓점으로 이루어져서 이웃하지 않은 두 꼭짓점이 없다.

(2) 칠각형의 모든 대각선은 오른쪽 그림과 같다.

칠각형의 대각선의 개수는 14이다.

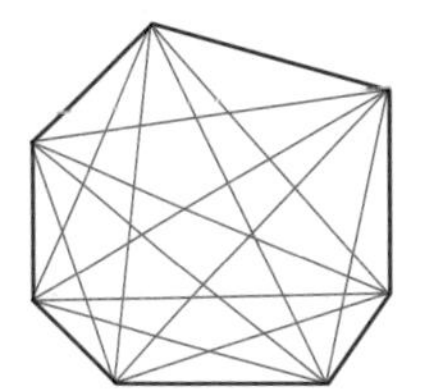

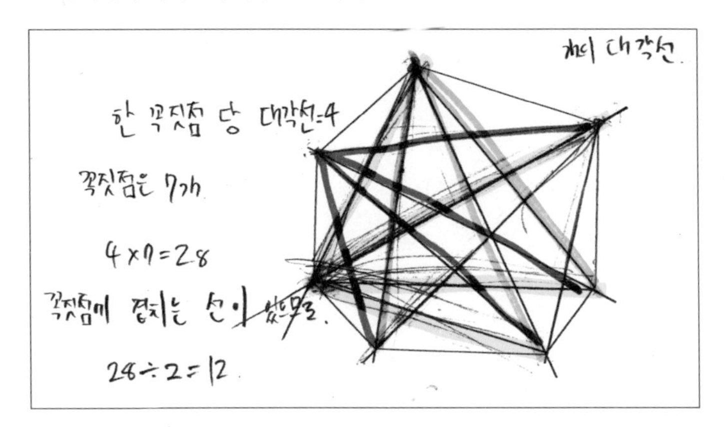

(3) 칠각형의 한 꼭짓점에서 그을 수 있는 대각선은 자기 자신과 이웃하는 두 꼭짓점을 제외하면 4개다. 각 꼭짓점마다 4개씩 대각선을 그을 수 있으므로 총 (4×7)개가 있지만 각각의 대각선은 선분의 양 꼭짓점에서 한 번씩만 그리게 되므로 실제의 개수는 $\frac{4\times7}{2}$이다.

2 n각형에서도 한 꼭짓점에서 그을 수 있는 대각선은 자기 자신과 이웃하는 두 꼭짓점을 제외하면 $(n-3)$개다. 각 꼭짓점마다 $(n-3)$개씩 대각선을 그을 수 있으므로 총 $n(n-3)$개가 있지만 각각의 대각선은 선분의 양 꼭짓점에서 한 번씩 그리게 되므로 실제의 개수가 $\frac{n(n-3)}{2}$이다.

7개의 꼭짓점 당 대각선은 4개인데 7개의 꼭짓점 모두 이웃하는 2점과 겹치지 않기 때문에 28이 올바른 식이다.

수업 노하우

- 1 (2)에서 칠각형의 대각선을 모두 그려 보는 노작(勞作) 경험을 하는 과정에서 끝까지 아무 생각이 들지 않고 무작정 그리기만 한다면 그 작업은 무의미할 수 있다. 한 꼭짓점에서 시작하여 그을 수 있는 모든 대각선을 그은 다음 다른 꼭짓점으로 옮기면서 한 꼭짓점마다 그을 수 있는 대각선의 개수는 $7-3=4$라는 규칙을 발견해야 하고, 나중에는 모든 대각선이 왔다갔다 두 번씩 그려진다는 것을 발견해야 한다. 그래서 4×7을 구한 다음 다시 중복성을 고려하여 2로 나누는 계산이 가능해진다. 이 생각이 결국 1 (3)으로 이어져야 한다.

수업 연구

우리나라 수학 교과서에 실린 거의 대부분(90% 이상)의 문제가 공식을 단순 암기하거나 대입하는 것을 요구하고 있다는 연구 논문이 계속 나오고 있다. 그것은 교과서가 공식을 유도하는 과정에서 많은 과제를 제시하고 학습하도록 하기보다는 공식을 일방적으로 설명해 버리기 때문에 그 이후에 질문할 수 있는 문제는 그 공식을 이용하는 것이 주를 이룰 수밖에 없는 것이다. 그런 의미에서 2 에서 대각선의 개수 구하는 식을 구하는 데까지만 학습이 이루어지도록 그 식을 이용하여 문제 푸는 것을 가급적 학습하지 않도록 한다. 즉, 교과서에 일반화된 식을 구한 이후에 그 식을 이용하는 문제를 주는 것은 그 공식을 외우라는 암시가 될 수 있으므로 주의해야 한다.

탐구 되돌아보기 예상 답안

교과서(하) 82~85쪽

1 개념과 원리 탐구하기 1

(1) ○

ㄴ자 모양의 오목육각형이지만 선분으로 둘러싸인 도형이므로 다각형이다.

(2) ○

선분으로 둘러싸인 도형이므로 다각형이다.

(3) ×

일부가 선분이 아닌 곡선으로 둘러싸인 도형이므로 다각형이 아니다.

(4) ×

선분으로 이루어졌지만 둘러싸인 도형이 아니므로 다각형이 아니다.

2 개념과 원리 탐구하기 3

정십각형을 한 꼭짓점에서 대각선을 모두 그으면 8개의 삼각형으로 나누어진다. 그러므로 정십각형의 내각의 크기의 합은 $180° \times 8 = 1440°$이다.
정십각형은 모든 내각의 크기가 같으므로 한 내각의 크기는 $1440° \div 10 = 144°$이다.

3 개념과 원리 탐구하기 3, 5

(1) 칠각형의 한 꼭짓점에서 대각선을 그어 칠각형을 쪼개면 5개의 삼각형이 만들어지므로 칠각형의 내각의 크기의 합은 $180° \times 5 = 900°$이다.

(2) 오목오각형의 대각선을 그림과 같이 그으면 오각형은 삼각형과 사각형으로 나누어지므로 구하는 내각의 크기의 합은

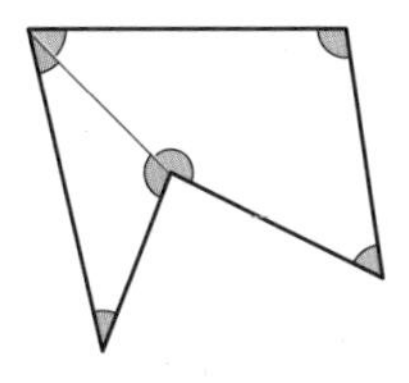

$180° + 360° = 540°$

이다. 또 주어진 도형을 3개의 삼각형으로 쪼개어 $180° \times 3 = 540°$로 구할 수도 있다.

4 개념과 원리 탐구하기 4

- 그림에서 보면 카메라의 조리개는 정육각형 모양이고, 한 외각의 크기는 60°이므로 정육각형의 외각의 크기의 합은 $60° \times 6 = 360°$임을 알 수 있다.
- 정육각형의 외각의 크기의 합은 조리개가 완전히 닫혔을 때, 모든 외각은 한 점에서 모인다. 따라서 정육각형의 외각의 크기의 합은 360°이다.

5 개념과 원리 탐구하기 3, 5, 6

(1) ○

변의 개수의 차가 2이면 다각형을 삼각형으로 쪼갰을 때 생기는 삼각형의 개수의 차도 2가 되므로 내각의 크기의 합은 삼각형 2개의 내각의 크기의 합인 360° 차이가 난다.

(2) ×

모든 다각형의 외각의 크기의 합은 항상 360°이므로 두 다각형의 외각의 크기의 합은 차이가 나지 않는다.

6 개념과 원리 탐구하기 4, 5, 6

n각형의 각 꼭짓점마다 내각과 외각의 크기의 합은 180°이므로 내각과 외각의 크기의 총합은
$180° \times n$이다. 그런데 n각형의 내각의 크기의 합은
$180° \times (n-2)$, 즉 $180° \times n - 360°$
이므로 둘 사이의 차인 360°가 외각의 크기의 합이다.

7 개념과 원리 탐구하기 6

n각형의 각 꼭짓점마다 내각과 외각의 크기의 합은 180°이므로 내각과 외각의 크기의 총합은 $180° \times n$이나. 그런데 n각형의 외각의 크기의 합은 360°이므로 내각의 크기의 합은 $180° \times n - 360°$이다.
이 식은 $180° \times (n-2)$와 같다.

8 개념과 원리 탐구하기 7

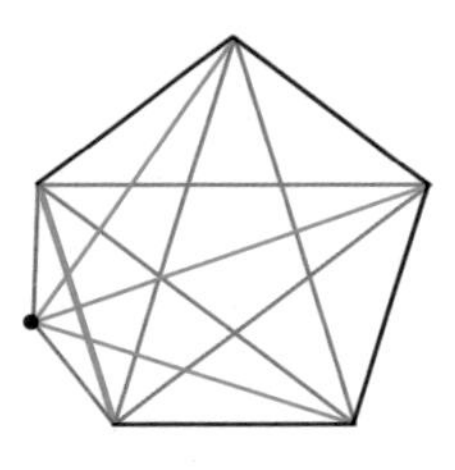

오른쪽 그림과 같은 오각형에 한 꼭짓점을 더하여 육각형을 만들자. 새로 생긴 꼭짓점으로 만들어지는 대각선은 이 꼭짓점과 이웃하는 오각형의 두 꼭짓점을 제외한 나머지 세 꼭짓점을 연결하는 녹색 대각선 3개와 본래 오각형에서는 변이었던 굵은 녹색선이 새로 생긴 꼭짓점으로 인해 대각선으로 바뀌어 1개가 더 생겼다. 그래서 오각형이 육각형으로 될 때 늘어나는 대각선의 개수는 4이다.

9 내가 만드는 수학 이야기

제목 : 삼각형의 고민
삼각형이 고민을 하고 있어요. "난 너무 뾰족해."
사각형이 "내각을 더 크게 만들어봐."
"맞아. 내각을 크게 만들어야지, 둔각이 되도록."
삼각형이 한 내각을 90°보다 커지도록 늘렸더니 아뿔사, 다른 두 내각이 더 표족해지면서 예각이 되는 거에요.
"왜 이러지?"
사각형이 이 모습을 보더니
"너 내각의 크기의 합이 얼마야?"
"나 180°인데….
그래서 한 내각이 90°보다 커지면 다른 두 내각의 크기의 합이 90°보다 작아지니까 예각이 되는거구나.
에이참, 난 뾰족할 수 밖에 없나봐…."

학생 답안

제목 넌 n각형?

삼각형, 사각형, 오각형, 육각형, 칠각형…
무수히 많다. 이런 도형들을 다각형이라고 하면
뭐가 뭔지 모르니 n각형이라 하자.
n각형이라고 하면 이 "n"에 따라 뭐가 무엇인지 구분할 수 있다.
n이 있으면 다각형의 내각의 합도
쉽게 표현할 수도 있고 말이다.
3각형은 180×(3−2)
4각형은 180×(4−2)
5각형은 180×(5−2)
이걸 한꺼번에 표현하면 180×(n−2).
"n"은 편리하다고, 누구나 생각할 것 같다.

2 부드러운 도형

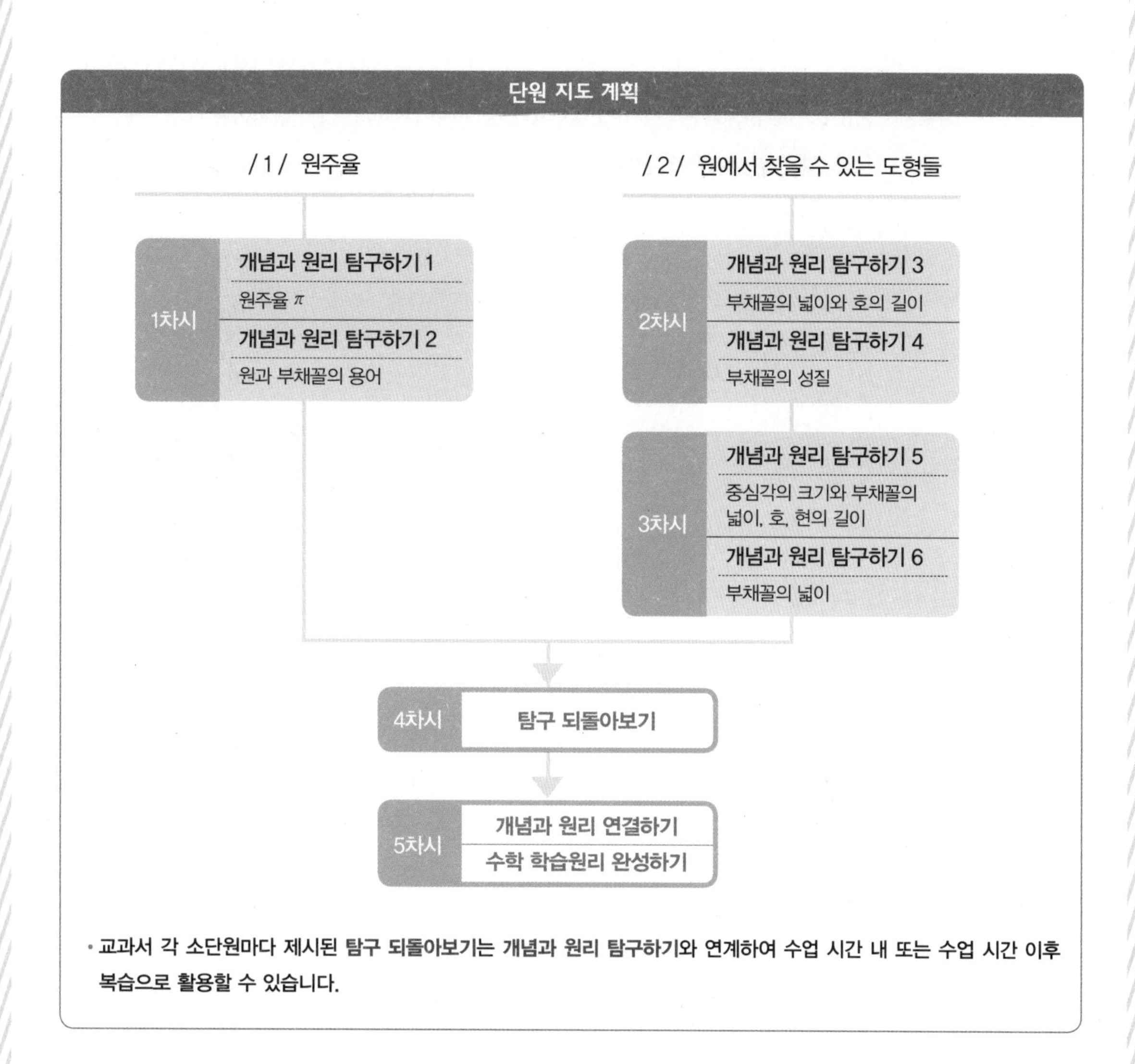

• 교과서 각 소단원마다 제시된 탐구 되돌아보기는 개념과 원리 탐구하기와 연계하여 수업 시간 내 또는 수업 시간 이후 복습으로 활용할 수 있습니다.

/1/ 원주율

학습목표

1 원주율의 값이 소수점 아래로 무한히 반복되는 사실을 알고, 원주율에 얽힌 수학의 역사를 이해한다.

2 원주율의 기호 π를 이용하여 원주의 길이와 원의 넓이를 표현할 수 있다.

[초등] 2015 개정 교육과정 성취기준

1 여러 가지 둥근 물체의 원주와 지름을 측정하는 활동을 통하여 원주율을 이해한다.

2 원주와 원의 넓이를 구하는 방법을 이해하고, 이를 구할 수 있다.

핵심발문

원주의 길이와 원의 넓이를 원주율 π를 이용하여 어떻게 나타낼 수 있을까?

개념과 원리 탐구하기 1 _ 원주율 π

교과서(하) 87쪽

탐구 활동 의도

- 초등에서 배운 원주율을 복습하면서 π라는 새로운 기호를 익힌다.
- 1에서는 원주율의 초기 역사를 간략하게 소개하고 초기에 발견한 과정을 정리하도록 했다.
- 2에서는 초등에서 배운 원주와 원의 넓이를 π를 사용하여 식으로 나타낼 수 있도록 하였다.

예상 답안

1 (1)

인물	발견 시기	사용한 원주율의 값	계산기로 구한 값과 소수점 아래 몇 째 자리까지 같은가?
아르키메데스	B.C. 250년 경	$\frac{223}{71}<\pi<\frac{22}{7}$	소수점 아래 둘째 자리
조충지	480년 경	$\frac{355}{113}$	소수점 아래 여섯째 자리

참고 아르키메데스에 대해서는 발견 시기가 정확히 주어지지 않았지만 대략 30세 정도를 생각하여 B.C. 250년 경이라고 했다.

(2) 원주율의 값은 소수점 이하의 수가 순환하지 않고 무한히 반복되는 특성을 가졌기 때문에 컴퓨터든 누구든 원주율의 정확한 값을 구할 수는 없을 것이다.

(3) 3.14159265358979323846264338327950(컴퓨터나 기기마다 차이가 날 수 있음)

2 (1) $l=2\pi r$, $S=\pi r^2$

(2) 원주의 길이는 $2\pi\times10=20\pi(\text{cm})$

원의 넓이는 $\pi\times10^2=100\pi(\text{cm}^2)$

(원주) = 2×(반지름)×(원주율) (지름 = 2×(반지름))　원주의 길이는 지름이기 때문에 2r이 된다.

(원의넓이) = (반지름)^2 × (원주율)　그리고 원의 넓이 S는 $r^2\times\pi$인데 $\pi=\frac{l}{2r}$이다.

수업 노하우

- 실험을 통해서 원주율의 근삿값이 3.14 정도임을 발견하게 하는 일은 초등학교 교과서에 자세히 실려 있으므로 굳이 중학교에서 똑같은 과정을 반복할 필요는 없을 것이다.
- 컴퓨터에서 공학용 계산기를 찾아 π의 값을 누르면 화면의 제한으로 다음과 같은 수가 소수점 아래 34번째 자리까지 나오지만 이들 안에서 반복되는 것을 찾을 수 없다. π의 값은 화면의 제한이 없다면 끝없이 계속되지만 결코 반복되지 않는 수라는 것을 알려주며 이런 수를 무리수라고 설명할 수 있다.

  3.1415926535897932384626433832795
- 1 (1)에서 아르키메데스와 조충지의 원주율의 정확도를 비교할 수 있도록 한다. 세월이 흐름에 따라 갈수록 근삿값이 더 정확해짐을 느낄 수 있도록 유도한다. 아르키메데스 이전의 기록으로는 구약성경에 기둥의 둘레의 길이가 지름의 3배 정도로 나와 있다는 사실로부터 더 오래 전의 원주율은 3이었음을 추측하게 할 수 있다.

개념과 원리 탐구하기 2 _ 원과 부채꼴의 용어

교과서(하) 90쪽

탐구 활동 의도

- 이 활동은 원과 부채꼴 등에서 나오는 다양한 용어를 일방적으로 설명하는 것을 피하기 위해 만든 활동이다.

예상 답안

1

태윤

A B 호 O

도윤

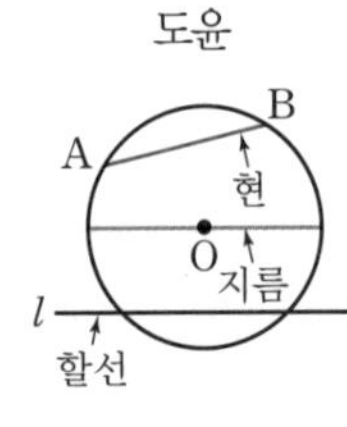

지호

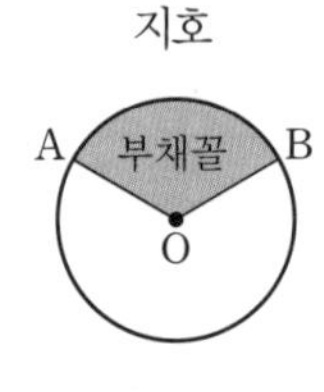

상훈

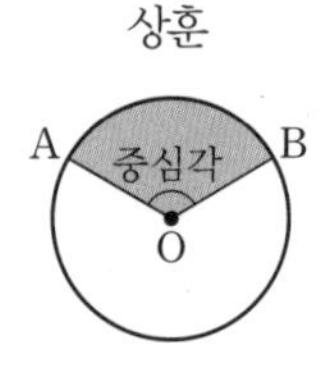

연재

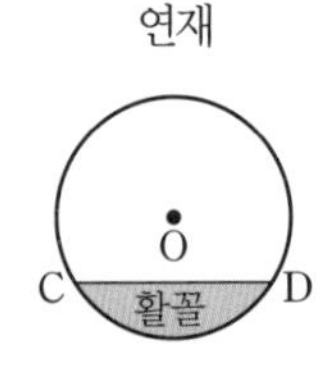

2

- 부채꼴 OAB의 중심각의 크기는 30°이고, 호 AB의 길이는 4 cm이다.
- 부채꼴 OCD의 중심각의 크기는 60°이고, 호 CD의 길이는 8 cm이다.
- 부채꼴 OEF의 중심각의 크기는 100°이고, 넓이는 15 cm^2이다.
- 부채꼴 OIJ의 중심각의 크기는 40°이고, 넓이는 6 cm^2이다.
- 현 GH와 호 GH로 이루어진 도형은 활꼴이다.

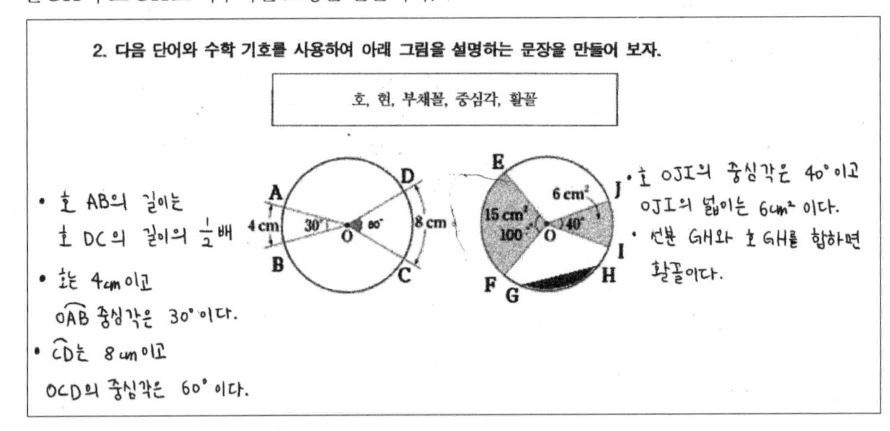

2. 다음 단어와 수학 기호를 사용하여 아래 그림을 설명하는 문장을 만들어 보자.

호, 현, 부채꼴, 중심각, 활꼴

- 호 AB의 길이는 호 DC의 길이의 $\frac{1}{2}$배
- 호는 4 cm이고 OAB 중심각은 30°이다.
- CD는 8 cm이고 OCD의 중심각은 60°이다.

- 호 OJI의 중심각은 40°이고 OJI의 넓이는 6 cm² 이다.
- 선분 GH와 호 GH를 합하면 활꼴이다.

수업 노하우

- 1 에서는 학생들이 여러 가지 용어의 설명을 보고 그것을 그림에 나타내는 것이다. 기존의 교과서는 대부분 용어 설명은 물론 그림까지 교과서 몫이었고 학생들은 그저 설명을 수동적으로 듣는 것뿐이었다.
- 제시된 글을 읽고 주어진 원에 해당하는 도형을 나타내도록 함으로써 도형의 모양, 의미, 기호를 통합적으로 배울 수 있도록 한다. 학생들이 발견한 사실을 최대한 듣고 그것을 수식으로 표현할 수 있도록 수업을 진행한다. 한 학생이 많은 내용을 이야기하게 하지 말고 많은 학생들이 서로 다른 한 가지의 내용을 말하고 수식으로 나타낼 수 있도록 수업을 구성한다.
- 2 에서는 수학 기호를 사용하여 표현하도록 장려할 수 있다.

  $\angle AOB=30°$, $\angle COD=60°$, $\overset{\frown}{AB}=4\,cm$, $\overset{\frown}{CD}=8\,cm$ 등

수업 연구

21세기 4차 산업혁명시대에도 여전히 학생들을 지식의 수용자 역할에 머물게 해서는 안 된다. 이제 학생들이 지식의 생산자의 역할을 수행할 수 있도록 교과서와 수업 진행을 동시에 바꿔야 한다. 교과서가 일방적으로 수학 개념을 제시하고 이를 전달하는 방식의 수업이 20세기를 지배했다면 21세기의 교육은 수학 개념을 자기 주도적으로 발견 또는 발명할 수 있도록 교과서 구성을 바꿔야 하고, 이에 걸맞게 학생의 배움 중심의 수업 진행이 이루어져야 한다.

/2/ 원에서 찾을 수 있는 도형들

학습목표

1 원과 부채꼴에 관련된 여러 용어와 기호를 정확히 사용하여 의사소통할 수 있다.

2 부채꼴의 중심각의 변화에 따른 여러 가지 변화 관계를 발견하고, 이를 이용하여 여러 가지 문제를 해결할 수 있다.

2015 개정 교육과정 성취기준

부채꼴의 중심각과 호의 관계를 이해하고, 이를 이용하여 부채꼴의 넓이와 호의 길이를 구할 수 있다.

핵심발문

부채꼴의 넓이와 호의 길이를 구하는 원리는 무엇일까?

개념과 원리 탐구하기 3 _ 부채꼴의 넓이와 호의 길이

교과서(하) 91쪽

탐구 활동 의도

- 원과 부채꼴에서 호의 길이와 넓이를 추측해 보도록 하는 과제이다.
- 정다각형을 원에 내접시켜 원의 중심을 기준으로 정확히 등분되도록 하여 직관적으로 부채꼴의 중심각의 크기를 구할 수 있도록 했다.

예상 답안

1 (1) 정삼각형이 원에 내접하므로 색칠한 부채꼴의 넓이는 전체 원의 넓이의 $\frac{1}{3}$이고, 호의 길이도 원주의 $\frac{1}{3}$이다.

(2) 정사각형이 원에 내접하므로 색칠한 부채꼴의 넓이는 전체 원의 넓이의 $\frac{1}{4}$이고, 호의 길이도 원주의 $\frac{1}{4}$이다.

(3) 정오각형이 원에 내접하므로 색칠한 부채꼴의 넓이는 전체 원의 넓이의 $\frac{1}{5}$이고, 호의 길이도 원주의 $\frac{1}{5}$이다.

원의 반지름의 길이를 알면 세 부채꼴의 넓이와 호의 길이를 구할 수 있다.

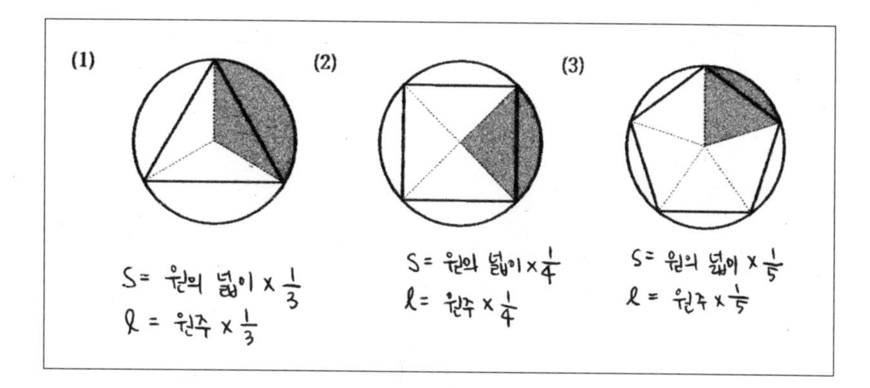

2 반지름의 길이가 3 cm이므로 원주는 $2\pi\times3=6\pi$(cm)이고, 원의 넓이는 $\pi\times3^2=9\pi$(cm²)이다.

(1) 호의 길이 : $6\pi\times\frac{1}{3}=2\pi$(cm), 부채꼴의 넓이 : $9\pi\times\frac{1}{3}=3\pi$(cm²)

(2) 호의 길이 : $6\pi\times\frac{1}{4}=\frac{3\pi}{2}$(cm), 부채꼴의 넓이 : $9\pi\times\frac{1}{4}=\frac{9\pi}{4}$(cm²)

(3) 호의 길이 : $6\pi\times\frac{1}{5}=\frac{6\pi}{5}$(cm), 부채꼴의 넓이 : $9\pi\times\frac{1}{5}=\frac{9\pi}{5}$(cm²)

수업 노하우

- 이 과제를 해결하면서 원에서 부채꼴의 중심각의 크기와 호의 길이, 부채꼴의 중심각의 크기와 넓이의 관계를 추측하는 실마리를 얻을 수 있다.

 개념과 원리 탐구하기 4 _ 부채꼴의 성질

교과서(하) 92쪽

탐구 활동 의도

- 합동인 부채꼴들의 성질을 탐구하는 과제로 중심각의 크기, 호의 길이, 부채꼴의 넓이, 현의 길이가 모두 같음을 관찰을 통해 발견하고 설명하게 하는 활동이다.

예상 답안

1 (1) 여러 가지 다양한 성질을 발견할 수 있다.
중심각의 크기가 2배, 3배, … 늘어날 때 호의 길이도 2배, 3배, … 늘어나고 부채꼴의 넓이도 2배, 3배, … 늘어난다.

(2) 중심각의 크기를 관찰해야 한다. 왜냐하면 중심각의 크기가 정해지면 부채꼴의 모양과 크기가 정해지기 때문이다.

수업 노하우

- (1)에서 세 번을 접은 부채꼴의 중심각의 크기가 45°라는 사실보다는 크기와 모양이 모두 같다는 사실에 집중하게 한다. '왜 같을까?' 생각해 보게 하고 단순히 '합동이라서 같다.'라기 보다는 '반지름의 길이가 같아서', '중심각의 크기가 같아서' 등의 이유를 나름대로 생각하고 설명해 보게 한다.

• 부채꼴을 관찰하기에 앞서 무엇을 관찰할 것인지 정해 보는 활동으로 학생들이 부채꼴의 개수 이야기만 할 수도 있다. '틀렸다'라고 하기 보다는 부채꼴의 일반적인 특징을 발견할 수 있도록 의견을 조율한다.

> 1번 더 접을 때마다 부채꼴의 조각은 두 배도 늘어난다.
> 부채꼴의 크기가 반으로 줄어들 때마다 수가 두배로 늘어난다.

아래는 위의 학생보다는 보다 일반적인 의견이라고 할 수 있다.

> 부채꼴은 원을 조각낸 것이다.
> 부채꼴의 중심각은 최대 360° 이다

> 8개의 부채꼴에 색칠한 부분을 분수로 나타내면 $\frac{1}{8}$이다.

여러 의견을 종합하면 아래와 같은 것을 탐구할 수 있음을 발견할 수 있다.

> • 부채꼴의 호의 길이와 중심각의 관계
> • 부채꼴의 넓이와 중심각의 관계
>
> 이유: 알면 원의 넓이를 구할 때와 원주를 구할 때 수월하기 때문

• 아래와 같이 처음 배우는 용어들에 대한 사용이 부정확할 수 있다. 이때 직접 어떤 뜻인지 표현하도록 하고, 학생들과 함께 수정해 가며 발견한 자기 생각을 정교화할 수 있도록 한다.

> - 원에 생기는 부채꼴의 크기는 모두 같다.
> - 원에 있는 호의 크기는 모두 같다.
> - 부채꼴의 크기가 다양하다.

개념과 원리 탐구하기 5 _ 중심각의 크기와 부채꼴의 넓이, 호, 현의 길이 교과서(하) 93쪽

탐구 활동 의도

- 지금까지의 탐구하기 활동을 통해 부채꼴에서 발견한 사실을 명확히 설명하는 활동이다.
- 1 에서는 부채꼴에서 중심각의 크기에 정비례하는 호의 길이와 넓이뿐만 아니라 정비례하지 않는 현의 길이까지 같이 묶어서 질문하였다.

예상 답안

1 (1) 한 원에서 부채꼴의 넓이는 중심각의 크기에 정비례한다. (○)
한 원에서 부채꼴의 중심각의 크기가 2배, 3배, …로 커지면 부채꼴의 넓이도 각각 2배, 3배, …로 커지기 때문이다.

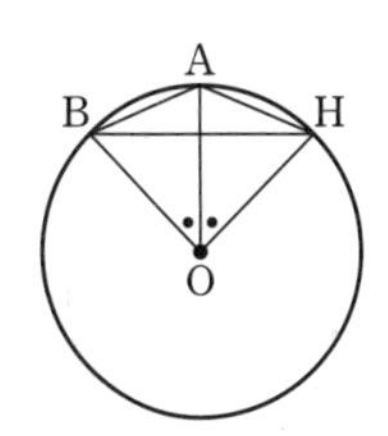

(2) 한 원에서 호의 길이는 중심각의 크기에 정비례한다. (○)
한 원에서 부채꼴의 중심각의 크기가 2배, 3배, …로 커지면 부채꼴의 호의 길이도 각각 2배, 3배, …로 커지기 때문이다.

(3) 한 원에서 현의 길이는 중심각의 크기에 정비례한다. (×)
한 원에서 중심각 $\angle$BOH의 크기는 $\angle$AOB의 크기의 2배이다. 하지만 그 현 BH는 현 AB의 길이의 2배보다 짧다. 왜냐하면 삼각형 ABH에서 두 변의 길이의 합은 나머지 한 변의 길이보다 항상 크기 때문이다.

1. (1) 한 원에서 부채꼴의 넓이는 중심각의 크기에 정비례하나요? (○ ×)

부채꼴의 중심각이 360° 일때 (원) 넓이가 1이라고 하면 180° 일때는 반구이므로 넓이가 똑같이 ½로 줄어든다. 그러므로 부채꼴의 넓이는 중심각과 정비례 한다.

(2) 한 원에서 호의 길이는 중심각의 크기에 정비례하나요? (○ ×)

부채꼴의 중심각이 360°일때 (원) 원주가 1이라고 치면 180° 일때는 반구가 되어 원주도 반으로 줄어 ½이된다. 따라서 호의 길이는 중심각의 크기와 정비례한다.

(3) 한 원에서 두 현의 길이는 중심각의 크기에 정비례하나요? (○ ×)

현은 원주안에 두점을 잇는 가장 짧은 선분이므로 중심각의 끝점을 짧게 잇는다.

2 중심각의 크기가 $\frac{5}{2}$배로 커졌으므로 부채꼴의 호의 길이와 넓이도 $\frac{5}{2}$배로 커진다. 그러므로 중심각의 크기가 $\frac{5}{2}a°$인 부채꼴의 호의 길이와 넓이는 각각 $\frac{5}{2}l$, $\frac{5}{2}S$라고 할 수 있다.

다음과 같이 정비례와 연결하여 표현한 학생도 있다.

$a°$ l S
$\downarrow$ $\downarrow$ $\downarrow$
$\frac{5}{2}a$ $\frac{5}{2}l$ $\frac{5}{2}S$

수업 노하우

- [1]에서 부채꼴의 중심각의 크기에 정비례하는 호의 길이와 넓이를 별도로 질문하고, 중심각의 크기에 정비례하지 않는 현의 길이를 따로 질문하면 어떻게 될까를 생각해 보자. 그럴 경우 현의 길이는 당연하게 정비례하지 않는다는 것을 눈치챌 수 있다. 그래서 한꺼번에 묶어서 물어보는 문제를 제시하였다.
- [2]의 핵심은 공식을 유도하고 이를 이용한 문제 풀이가 아니다. 일단 부채꼴의 호의 길이와 넓이가 주어진 상태에서 중심각의 크기가 변함에 따라 이들의 변화를 식으로 나타내고자 한 것이다.
- 아래와 같이 표현한 학생도 있다. 정비례의 정의와 연결하여 설명해 볼 수 있도록 모둠에 수정해 볼 수 있는 기회를 줄 수도 있다.

한쪽이 커지면 다른 한쪽도 커지고 한쪽이 작아지면 다른 한쪽도 작아지는 관계.

1. (1) 한 원에서 부채꼴의 넓이는 중심각의 크기에 정비례하나요? (◯, ×)

부채꼴의 넓이가 커질수록 중심각의 크기도 덩달아 커지기 때문이다.

수업 연구

기존의 교과서에서는 비례식을 이용하여 부채꼴의 호의 길이와 넓이를 구하는 공식을 유도하고 있지만 이 교과서에서는 공식을 이용해 부채꼴의 호의 길이와 넓이가 얼마인지 묻는 문제는 다루지 않고 있다. 더 중요한 개념은 비례식이며 그런 문제는 부채꼴의 성질을 비례식을 세워 해결할 수 있다. 탐구하는 과정에 보다 집중해 보자.

개념과 원리 탐구하기 6 _ 부채꼴의 넓이

교과서(하) 94쪽

탐구 활동 의도

- [1]에서는 초등학교에서 배운 원의 넓이를 직사각형으로 바꾼 아이디어를 상기시키도록 했다. 이 아이디어는 [2]에서 부채꼴의 넓이 구하는 식을 이해하는데 바탕이 된다.
- [2]에서는 부채꼴의 넓이를 중심각의 크기나 호의 길이를 이용하여 구하는 공식적인 방법보다 넓이를 잘게 나누는 방법을 사용하여 보다 손쉽게 부채꼴의 넓이 구하는 방법을 발견한다.

예상 답안

[1] 원을 부채꼴 모양으로 갈수록 잘게 잘라서 악어 이빨 모양으로 위아래로 붙이면 점점 직사각형에 가까워진다. 원의 넓이는 직사각형의 넓이와 같으므로 원의 넓이를 직사각형의 넓이를 구하는 방식으로 구할 수 있다.

직사각형의 가로의 길이는 원주의 $\frac{1}{2}$인 πr이고, 직사각형의 세로의 길이는 원의 반지름의 길이 r와 같다. 따라서 원의 넓이는 $\pi r \times r = \pi r^2$이다.

[2] 원과 마찬가지로 부채꼴도 중심각을 잘게 나누어 잘라서 악어 이빨 모양으로 위아래로 붙이면 직사각형이 된다.

직사각형의 가로의 길이는 부채꼴의 호의 길이의 절반이므로 $\frac{1}{2}l$이고, 직사각형의 세로의 길이는 부채꼴의 반지름의 길이 r와 같다. 따라서 부채꼴의 넓이는 $2l \times r = \frac{1}{2}rl$이다.

수업 노하우

- [2]에서 대수적인 방법, 즉 비례식을 이용하는 방법도 가능하다.
- 부채꼴의 호의 길이와 넓이 구하는 공식을 암기하는 것을 강조하지 않으려면 공식을 단순 적용하여 푸는 문제를 출제하지 않아야 한다. 공식을 만드는 과정을 중시하려면 그 과정 속에서 여러 가지 사고를 요하는 문제를 만들 수 있다.

탐구 되돌아보기 예상 답안

교과서(하) 96~99쪽

1 개념과 원리 탐구하기 3

(1)

각	∠AOB	∠BOC	∠DOE	∠DOA	원 O
각의 크기 (°)	30	90	150	180	360

원의 중심각의 크기를 12등분하면 $\frac{360°}{12}=30°$이므로 12등분된 부채꼴 1개의 중심각의 크기는 30°이다.
따라서 ∠AOB=30°이다.
∠BOC는 12등분된 부채꼴 3개를 합한 중심각이므로 ∠BOC=90°이다. 마찬가지로
∠DOE=5∠AOB=150°,
∠DOA=6∠AOB=180°이다.

(2)

중심각	∠AOB	∠BOC	∠DOE	∠DOA	원 O
호의 길이 (cm)	$\frac{5\pi}{3}$	5π	$\frac{25\pi}{3}$	10π	20π
넓이 (cm^2)	$\frac{25\pi}{3}$	25π	$\frac{125\pi}{3}$	50π	100π

(i) 반지름의 길이가 10 cm인 원 O의 둘레의 길이는 20π(cm)이므로

부채꼴 AOB의 호의 길이는

$$20\pi\times\frac{1}{12}=\frac{5\pi}{3}(\text{cm})$$

부채꼴 BOC의 호의 길이는

$$20\pi\times\frac{3}{12}=5\pi(\text{cm})$$

부채꼴 DOE의 호의 길이는

$$20\pi\times\frac{5}{12}=\frac{25\pi}{3}(\text{cm})$$

부채꼴 DOA의 호의 길이는

$$20\pi\times\frac{6}{12}=10\pi(\text{cm})$$

(ii) 반지름의 길이가 10 cm인 원 O의 넓이는 $\pi\times10^2=100\pi(\text{cm}^2)$이므로

부채꼴 AOB의 넓이는

$$100\pi\times\frac{1}{12}=\frac{25\pi}{3}(\text{cm}^2)$$

부채꼴 BOC의 넓이는

$$100\pi\times\frac{3}{12}=25\pi(\text{cm}^2)$$

부채꼴 DOE의 넓이는

$$100\pi\times\frac{5}{12}=\frac{125\pi}{3}(\text{cm}^2)$$

부채꼴 DOA의 넓이는

$$100\pi\times\frac{6}{12}=50\pi(\text{cm}^2)$$

2 개념과 원리 탐구하기 3

호 AB는 원주의 $\frac{4}{4+5+3}=\frac{4}{12}$, 즉 $\frac{1}{3}$

따라서 중심각의 크기는 360°의 $\frac{1}{3}$인 120°이다.

3 개념과 원리 탐구하기 4

(1)

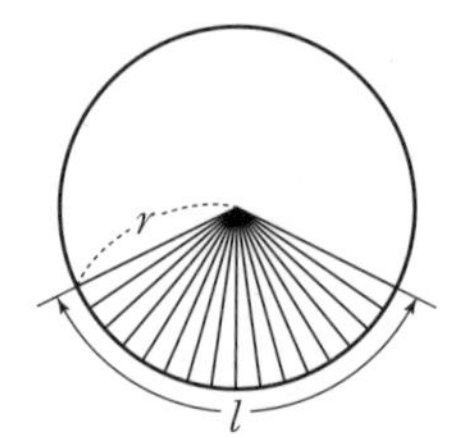

(2) 주어진 부채꼴에는 작은 부채꼴이 16개가 있고, 작은 부채꼴 한 조각의 넓이는 $3\pi\text{ cm}^2$이므로, 주어진 부채꼴의 넓이는 $48\pi\text{ cm}^2$이다.

부채꼴은 원에서 $\frac{1}{3}$을 차지하므로 원의 넓이는 부채꼴의 넓이의 3배인 $144\pi\text{ cm}^2$이다.

따라서 $12^2=144$이므로 원의 반지름의 길이는 12 cm이다.

4 개념과 원리 탐구하기 4

교통비를 나타내는 부채꼴의 중심각의 크기가 80°이고 비용이 4,000원이므로 1° 당 500원의 비용이 들었다. 도서구입비를 나타내는 부채꼴의 중심각의 크기는 60°이므로 도서구입비는 3,000원이다.

5 개념과 원리 탐구하기 5

와이퍼가 지나가는 자리는 다음 그림의 색칠한 부분이다.

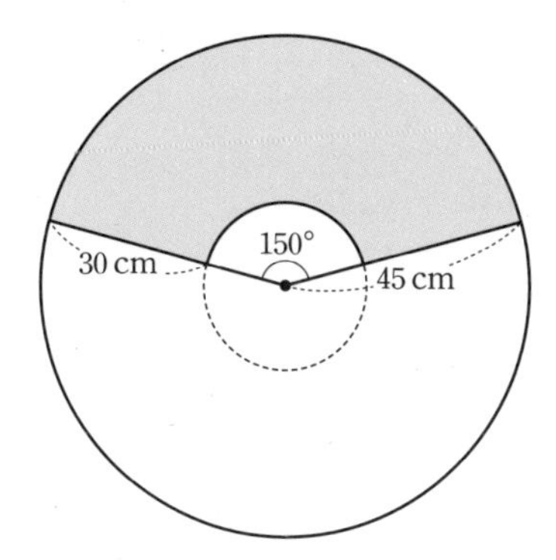

두 동심원의 사이 부분의 넓이가

$\pi \times 45^2 - \pi \times 15^2 = 1800\pi(\text{cm}^2)$

이고 부채꼴의 넓이는 중심각의 크기에 정비례하므로 색칠한 부분의 넓이는

$1800\pi \times \frac{150}{360} = 750\pi(\text{cm}^2)$

6 개념과 원리 탐구하기 3, 4, 5

360과 100의 최대공약수는 20이다.

두 수의 공약수인 중심각이 나오도록 원을 등분해야 중심각의 크기가 100°인 부채꼴을 그릴 수 있고, 두 수의 공약수는 두 수의 최대공약수의 약수이므로 20의 약수인 1°, 2°, 4°, 5°, 10°, 20°가 나오도록 원을 등분해야 한다. 다음과 같이 등분하면 중심각의 크기가 100°인 부채꼴을 그릴 수 있다.

부채꼴 하나의 중심각의 크기(°)	등분	100°가 차지하는 부채꼴의 개수
1	360	100개
2	180	50개
4	90	25개
5	72	20개
10	36	10개
20	18	5개

7 개념과 원리 탐구하기 1

자신의 생일을 찾아본다.

자신의 생일을 찾으라고 하는 과제는 학생들이 열광적으로 집중하는 경향을 보인다. 단순한 작업 같지만 자신과 관계된 일이기 때문이다. 자신의 생일을 일찍 찾은 학생에게는 부모님이나 가족의 생일을 찾는 것을 권할 수 있다. 아마도 집에 가서 부모님이나 가족에게 이 사실을 알려주고 신기하다고 자랑을 할 수도 있을 것이다.

8 내가 만드는 수학 이야기

제목 : 피자 주문하던 날

엄마께서 늦으신다며 피자를 시켜서 저녁으로 먹으라고 하셨다. 피자가게에 전화로 주문해야 하는데 동생이

"나 세 조각 줘야 해."

라고 말하는 것이다.

난 다섯 조각은 먹어야 하니까 원을 8등분해야 한다.

그러니까 부채꼴의 중심각의 크기는

360÷8=45°가 되어야 해.

"파인애플 피자 한판 주시는데요. 지름이 30 cm보다 큰 걸로 주세요. 그리고 중심각의 크기가 45°가 되는 부채꼴로 잘라주세요. 또 원의 호를 따라 치즈를 더 넣어서 만들어 주세요."

학생 답안

제목 부채꼴 연필

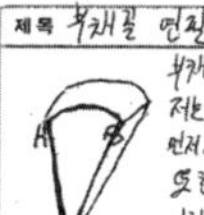

부채꼴 모양의 연필을 소개합니다.
저는 부채꼴 모양의 연필을 소개하려고 합니다.
먼저, 중심각의 크기는 5°이며 호 AB로 $\widehat{AB}$의 길이는 6cm 입니다.
또한 반지름의 길이는 9cm입니다.
이렇게 부채꼴 연필은 길고 좁은 모양 입니다.
그러므로 손에 잡기 편안하며, 필통이나 연필 꽂이에 넣었을 때
부채꼴 연필을 알아보기 쉽고, 생각보다 부피도 많이 차지하지 않습니다.
저는 이와 같은 이유로 부채꼴 연필을 디자인을 하였습니다.

개념과 원리 연결하기 예상 답안

교과서(하) 100~101쪽

1

나의 첫 생각

내각과 외각의 크기만 가지고는 다각형의 이름을 알 수 없다. 왜냐하면 같은 다각형이라도 그 모양이 다양하기 때문이다.

다른 친구들의 생각

다각형의 모양은 다양하지만 같은 다각형은 모양에 관계없이 내각의 크기의 합이 같으므로 내각의 크기의 합을 알면 n의 일차방정식을 풀어서 n의 값을 알아낼 수 있다. 따라서 n각형의 이름, 즉 그 다각형의 이름을 알 수 있다. 그런데 다각형의 외각의 크기의 합은 다각형의 모양에 관계없이 항상 360°이므로 외각의 크기의 합을 안다고 해서 그 다각형의 이름을 알 수는 없다.

정리된 나의 생각

다각형의 이름은 삼각형, 사각형, 오각형, …으로 변의 개수에 따라 붙여진다. 그런데 n각형의 내각의 크기의 합은 $180° \times (n-2)$이므로 내각의 크기를 알면 그 다각형의 이름을 알 수 있다. 외각의 크기의 합으로는 그 다각형의 이름을 알 수 없다.

학생 답안 1

나의 첫 생각

다각형의 내각의 크기의 합은 다각형마다 각의 크기가 다르기 때문에 다각형의 이름을 알 수 있다.
하지만 다각형의 외각의 크기의 합은 모든 다각형이 360°로 같기 때문에 다각형의 이름을 알 수 없다.

다각형의 내각의 크기의 합을 알면 그 다각형의 이름을 알 수 있다. 예를 들어 내각의 크기의 합이 720°라고 하였을 때 삼각형이 180°라는 것을 통해 720에 180을 나누면 4로 그 다각형에 들어간 삼각형의 개수를 알 수 있어 이를 보고 그 다각형의 이름 또한 알 수 있다. 그러나 외각의 크기의 합은 360°로 모두 같기 때문에 그 다각형의 이름을 알 수 없다.

학생 답안 2

나의 첫 생각

다각형의 내각의 크기의 합은 안다면 그 다각형의 이름을 알 수 있겠지만 다각형의 외각의 크기의 합을 알아도 다각형의 외각의 크기의 합은 모두 360°이기 때문에 알 수 없을 것이다.

다각형의 내각의 크기의 합을 알면
그 다각형의 이름을 알 수 있다.
(다각형 내각의 합 ÷ 180) + 2
예) 1. 내각의 합이 540°일 경우 ⇒ 540 ÷ 180 + 2 = ⑤ → 오각형
2. 내각의 합이 900°일 경우 ⇒ 900 ÷ 180 + 2 = ⑦ → 칠각형

학생 답안 3

나의 첫 생각

내각의 크기의 합은 알았을 때만 가능하다.
외각의 크기의 합은 항상 360°라서

다른 친구들의 생각

외각의 크기의 합은 항상 360°라서 외각의 크기의 합만 보고서는 그 다각형의 이름은 알 수 없다.

정리된 나의 생각

내각의 크기의 합은 삼각형부터 180°씩 늘어나기 때문에 그 다각형의 이름은 알 수 있고
외각의 크기의 합은 360°로 항상 같기 때문에 그 다각형의 이름은 알 수 없다.

2 (1)

[부채꼴의 뜻] 한 원에서 두 반지름과 호로 이루어진 도형

[부채꼴의 성질] 한 원에서 부채꼴의 넓이와 호의 길이는 중심각의 크기에 정비례한다.

한 원에서 현의 길이는 중심각의 크기에 정비례하지 않는다.

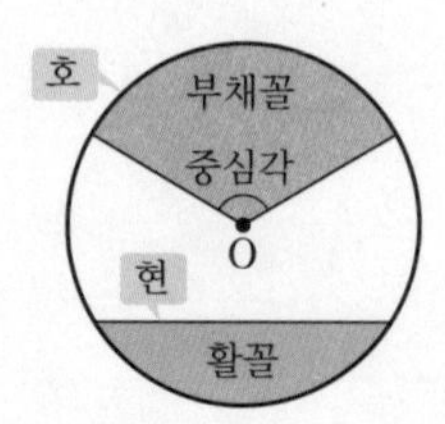

학생 답안

부채꼴의 뜻: 원에서 두 반지름과 하나의 호로 이루어진 원의 일부분

부채꼴의 성질: 두 개의 반지름을 가진다. 평면 도형이다.
하나의 곡선을 가진다.

부채꼴의 법칙: 한 원에서 중심각의 크기가 같은 두 부채꼴의 호의 길이와 넓이는 각각 같으며, 부채꼴의 호의 길이와 넓이는 각각 중심각의 크기에 정비례 한다.

반지름의 길이가 r이고, 중심각의 크기가 a°인 부채꼴의 호의 길이를 l, 넓이가 S일 때 ⇒ $l=2\pi r\times\frac{a}{360}$, $S=\pi r^2\times\frac{a}{360}$

(2)

각 개념의 뜻과 부채꼴의 연결성

- $a:b=c:d$와 같이 비율이 같은 두 비를 등식으로 나타낸 식을 비례식이라고 한다. 이때 외항의 곱과 내항의 곱이 같다는 비례식 성질은 부채꼴의 호의 길이와 넓이를 구할 때 사용된다.
- 두 변수 x, y에서 x가 2배, 3배……로 변함에 따라 y도 2배, 3배……로 변하는 관계가 있으면 y는 x에 정비례한다고 한다. 부채꼴의 호의 길이와 넓이는 모두 중심각의 크기에 정비례하므로 중심각의 크기를 알 때 비례식을 이용하면 부채꼴의 호의 길이와 넓이를 구할 수 있다.
- 반지름의 길이가 r인 원의 원주를 l, 넓이를 S라 하면 $l=2\pi r$, $S=2\pi r^2$이다. 이것을 이용하여 부채꼴의 넓이와 호의 길이를 구할 수 있다.

수학 학습원리 완성하기 예상 답안

교과서(하) 102~103쪽

학생 답안 1

나의 깨달음

나는 내각의 크기의 합과 외각의 크기의 합은 서로 관련이 없는 줄 알았다.
내각의 크기의 합을 구할 때는 다각형을 삼각형으로 나누어 구하는 것은 이해가 잘 되었고, 외각의 크기의 합은 그냥 항상 360°라고 알고 있었다.
그런데 내각의 크기의 합을 이용하면 외각의 크기의 합이 항상 360°라는 것을 알아낼 수 있다는 것을 알았다.
또 반대로 외각의 크기의 합이 항상 360°인 것을 이용하면 내각의 크기의 합도 더 쉽게 구할 수 있다. 꼭 n-2가 들어가는 공식을 외우지 않고, 외각의 크기를 이용해서 구하는 것이 더 쉬웠다.

수학 학습원리

여러 가지 수학 개념 연결하기

학생 답안 2

내가 선택한 탐구 과제

51쪽의 4번문제

나의 깨달음

이 문제는 정 오각형안에 대각선 2개를 그려 만들어진 3개의 삼각형이 이등변 삼각형인 이유를 찾는 문제였다. 나는 두 대각선의 길이는 정 오각형이라서 그냥 같을 것이라고 생각했었다 그런데 문제를 풀다보니까 정오각형이면 5개의 변의 길이가 같다는 것을 생각해 내었다. 그리고 애들의 발표와 선생님 말씀을 들으면서 더 이해가 잘되었다. 위 오각형안에 있는 3개의 삼각형이 이등변 삼각형인 이유는 먼저, 정 오각형이기 때문에 5개 변의 길이는 같다. 이렇게 되면 두 삼각형의 끼인각의 크기는 같아지기 때문에 두 삼각형은 합동이 된다. 그리고 두 삼각형이 합동이 되면 다른 한 변의 길이도 같기 때문에 정오각형 안에 그려진 대각선의 길이는 같으며, 삼각형 3개 모두 이등변삼각형 이라는 것도 합동과 '두변이 각각 같고, 끼인각의 크기도 같다' 즉 SAS 합동이라는 것 까지 알수있었다.

수학 학습원리

학습원리. 5 : 여러가지 수학개념을 연결하기

↳ 이 문제를 풀면서 정오각형의 각 변길이는 같다는 것과 SAS 합동조건, 그리고 이등변삼각형이라는 여러가지 개념들을 연결해서 풀었기 때문이다

STAGE 10

튀어나온 물체를 찾아보자
– 입체도형의 성질

이 단원의 핵심 지도 방향

이 단원에서는 입체도형의 성질을 추론하고, 정당화하는 활동에 초점을 둡니다. 먼저 입체도형을 관찰해 보게 하는 활동이 중요합니다. 학생들에게 관찰할 기회를 주면 그 입체도형을 표현하기 위한 요소가 무엇인지 찾아낼 수 있습니다.

그리고 이 단원에서 겉넓이와 부피를 구하는 문제의 풀이보다는 어떤 입체도형의 특징을 나타내는 방법으로서 겉넓이와 부피가 있음을 발견할 수 있도록 안내하고, 어떻게 구하면 좋을지 생각하도록 합니다.

1 우리 주변의 입체도형

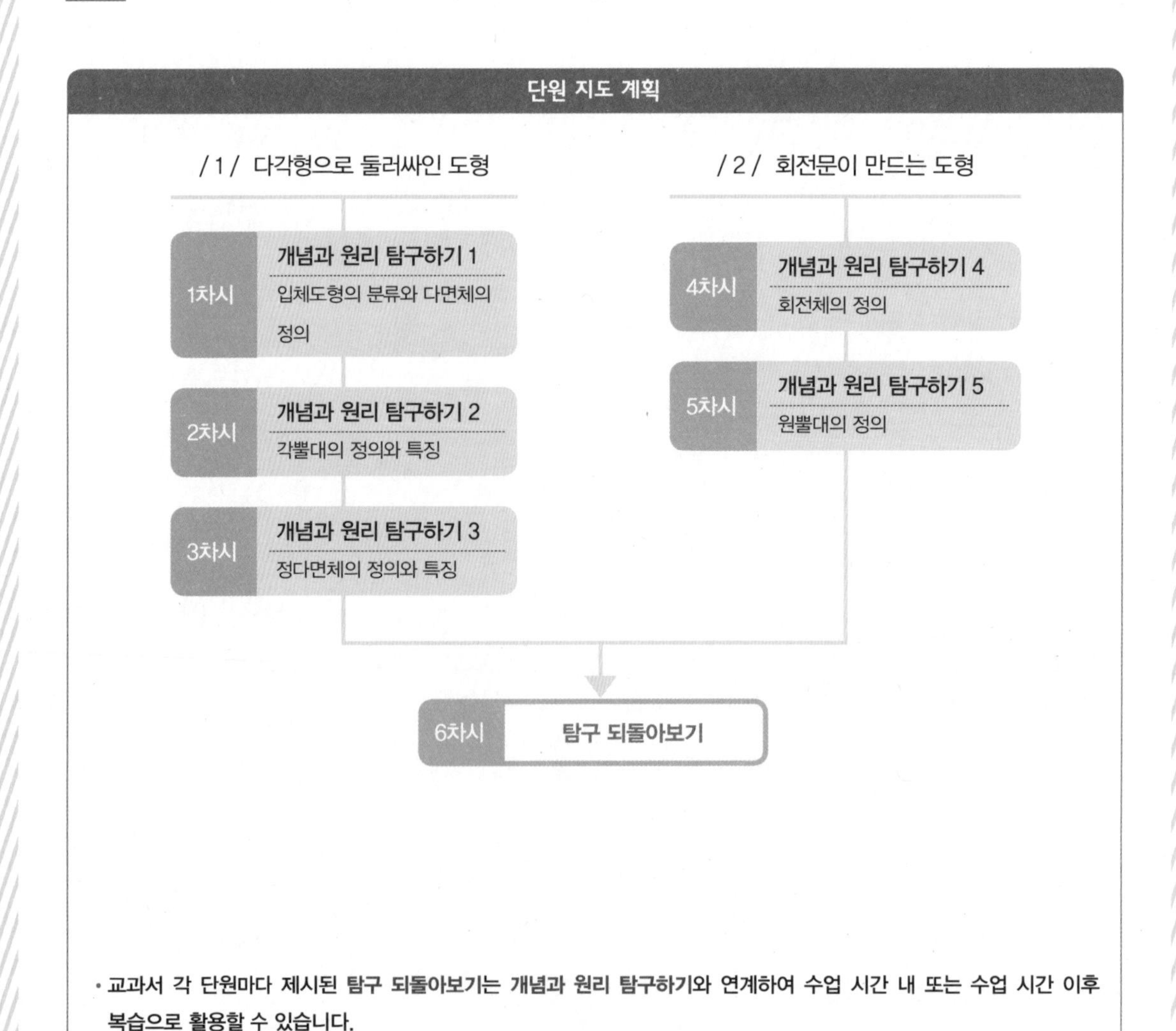

/1/ 다각형으로 둘러싸인 도형

학습목표

1 실생활에 익숙한 물건을 그리는 과정을 통해 입체도형을 추출하고, 이들을 자기 주도적으로 기준을 정해 분류할 수 있다.
2 여러 가지 입체도형의 특징을 발견하는 과정을 통해 주의 깊게 관찰하는 태도와 습관을 기른다.
3 다면체의 꼭짓점, 모서리, 면을 관찰하여 다면체의 뜻을 구성하고, 다면체의 성질을 발견할 수 있다.
4 정다면체의 특징을 관찰하여 그 뜻을 구성하고, 정다면체와 정다면체가 아닌 것을 구별할 수 있다.

2015 개정 교육과정 성취기준

다면체의 성질을 이해한다.

핵심발문

다면체의 특징은 무엇으로 어떻게 설명할 수 있을까?

개념과 원리 탐구하기 1 _ 입체도형의 분류와 다면체의 정의

교과서(하) 107쪽

탐구 활동 의도

- 분류하기보다는 다양한 주변 물체들을 단순화하는 도형화하기가 선행되어야 한다. 주변의 모든 물건들이 단순한 평면도형이나 입체도형의 조합으로 표현된다는 것을 인식하면 도형을 공부하는 동기가 생길 것이다.
- 교과서가 또는 타인이 구성해준 도형을 수동적으로 분류하기보다 내가 구성한 것을 가지고 분류하는 활동은 자기 주도성을 키워줄 수 있다.
- 이 활동은 입체도형의 특징을 설명하기 위해서 관찰해야 하는 요소를 학생들이 발견하게 하는 것이 목적이다.
- [3]은 모양에 상관없이 면의 개수를 기준으로 이름을 붙인 붙일 수 있음을 확인하는 활동이다.

예상 답안

1 답은 다양할 수 있다.

(예 1) 면의 모양	(예 1) 뿔의 존재 여부
• 면의 모양 – 다각형만으로 둘러싸인 것: 삼각 김밥, 네모난 과자, 과자 박스, 라면 박스 등 – 둥근 면을 가진 것: 음료수 캔, 병 우유, 달걀, 컵라면 등	• 뿔의 존재 여부 – 뿔이 없는 것: 과자 박스, 삼각 김밥, 음료수 캔, 병 우유 등 – 뿔을 가진 것: 아이스 콘 등

이외에도 다음과 같은 분류가 가능하다.

1모둠: 거꾸로 세울 때
서는 지 쓰러지는 지 < 기둥, 구 / 뿔

밑면이 각이 있는 지
→ 밑면의 모양 < 다각형 / 그 외

정민: 다각형인 면으로 되어있는가?
준서: 밑면 평행한 단면으로 자를 때 모양
광훈: 위에서 바라본 모양 < 다각형 / 원
성균: 곡면으로 둘러쌓인 입체인가 아닌가?

옆에서 보면 사각형	〃 삼각형	〃 원
사각기둥 삼각기둥	사각뿔 삼각뿔	구

분류기준 = 직각을 포함하는 면이 포함되어 있는가?

포함: 1,2,3,4 불포함: 5,6,7,8

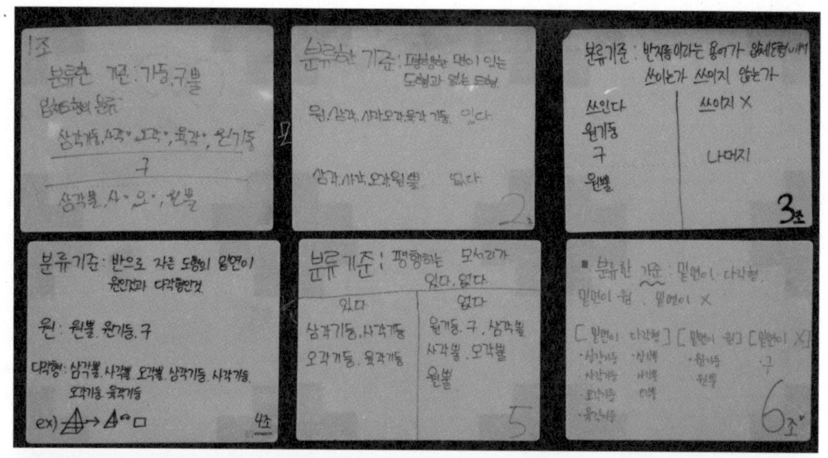

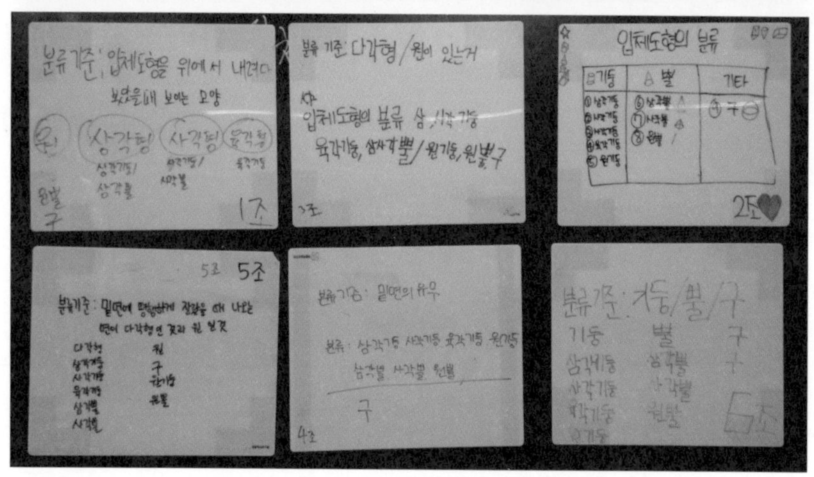

2 답은 다양할 수 있다.

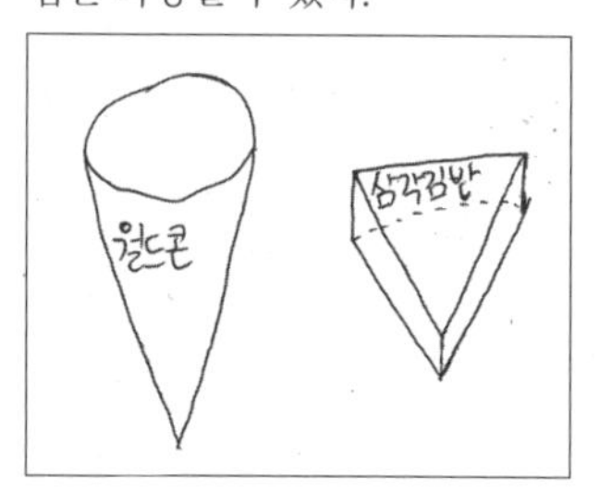

• 콘은 뾰족한 뿔이 있다.
• 삼각 김밥은 삼각기둥 모양이다.

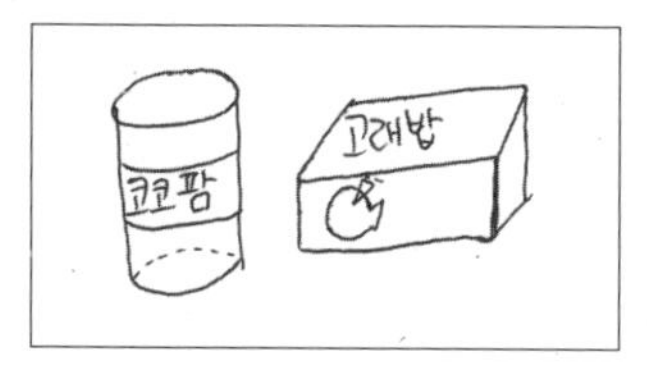

• 캔 음료수는 원기둥 모양이다.
• 과자 상자는 직육면체 모양이다.

3 답은 아래의 예시와 같이 다양할 수 있다.

(1)

- 면이 8개다. 8개 모두 정삼각형으로 보인다.
- 꼭짓점은 6개다.
- 모서리는 12개다.

(2)

- 면이 6개다. 6개 모두 직사각형으로 보인다.
- 꼭짓점은 8개다.
- 모서리는 12개다.
- 직육면체 또는 사각기둥으로 부른다.

(3)

- 면이 6개다. 6개 모두 사각형이다. 직사각형 2개와 사다리꼴 4개다.
- 꼭짓점은 8개다.
- 모서리는 12개다.

(4)

- 면이 7개다. 삼각형이 1개, 사각형과 오각형이 각각 3개씩이다.
- 꼭짓점은 10개다.
- 모서리는 15개다.
- 정육면체의 한 꼭짓점을 평면으로 잘라낸 것이다.

(5)

- 면이 6개다. 오각형이 1개, 삼각형이 5개다.
- 꼭짓점은 6개다.
- 모서리는 10개다.
- 오각뿔이다.

4 면의 개수, 꼭짓점의 개수, 모서리의 개수를 관찰한다.
면의 모양도 입체도형의 중요한 특징이다.

5 주어진 입체도형들은 모두 면의 개수가 7이므로 칠면체라고 할 수 있다.

수업 노하우

- 모둠 활동으로 진행한다. 한 개의 모둠에서 분류한 것이 충분하지 않을 수 있다. 우선 각 모둠에서 찾은 입체도형을 전체 공유 활동에서 다 모으는 일부터 시작하여 전체 입체도형을 대상으로 분류 활동을 한다. 이때는 각 모둠의 결과를 모아서 분류 활동을 해 보자.
- [1]은 가급적 개별 활동으로 진행한다. 시간을 주고 기다리면 다양한 물건이 그려질 것이다. 종류가 다양해야 모둠에서 분류하는 것이 가능해진다. 아래 그림은 단순화해서 그리지 못한 예다. 학생들이 다양한 물건을 단순화하여 그릴 수 있도록 안내한다.

- [2]는 오른쪽 그림과 같이 그릴 수도 있다. 틀렸는지 맞았는지의 여부보다는 학생들이 생각한 모양을 입체로 그릴 수 있도록 안내하는 것이 더 중요하다.

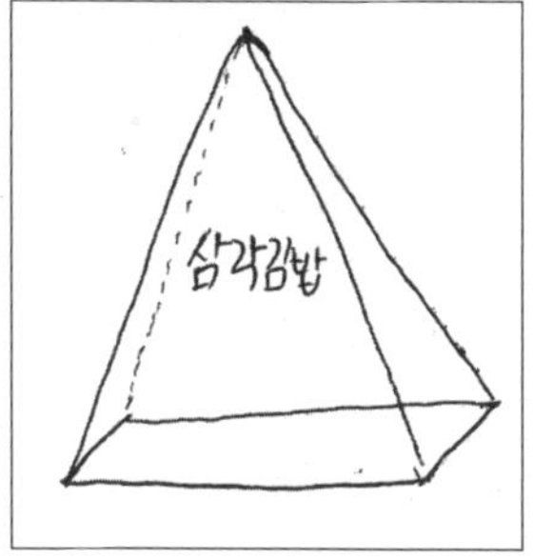

- [3]은 학생들이 쓴 내용을 서로 비교하게 한다. 교사는 학생들이 발견한 것을 정리하고 연결하는 역할로 충분하다.
- [4]에서는 [3]의 관찰 요소 중 중복되는 요소가 입체도형의 주된 관찰 요소임을 깨달을 수 있다.
- [5]에서 다면체를 정의하기 전에 [3]과 [4]를 통해서 입체도형의 특징을 면의 개수로만 한정하지 않는다는 것을 이해하고 [5]로 가서 입체도형의 관찰 특징 중 하나인 면의 개수로 이름 붙이는 것을 실행하도록 한다.

수업 연구

이 탐구활동에서는 교사의 주된 역할이 별로 없다.

〈효과적인 수학적 논의를 위해 교사가 알아야 할 5가지 관행〉이나 〈지금 가르치는 게 수학 맞습니까?〉를 보면 교사의 역할에서 '연결하기'를 강조하고 있다. 학생들의 활동을 중심으로 하는 수업에서는 교사는 수업 초반에는 활동을 조정하고 지휘하는 역할에 머물러 있다가 수업을 마무리 하는 단계에서 수업을 주도하게 되는데, 이 활동이 '연결하기'라는 것이다.

연결하기는 두 가지 차원에서 이루어진다. 하나는 학생들의 활동 결과를 분석하여 그 수학적인 연결성을 만들어주는 차원이고, 또 하나는 학생들의 활동 결과와 그 날의 학습 목표 사이의 갭(gap)을 메우는 연결을 만들어 주는 차원이다.

이 활동에서 각 입체도형의 특징을 조사한 것이 조별로 차이가 나는 부분이 있다면 그것들 사이의 수학적 의미를 연결하는 것이 한 차원이고, 학생들이 만들어낸 결과가 미흡할 경우 그 부분을 교사가 주도로 지도하는 것이 또 한 차원이다.

개념과 원리 탐구하기 2 _ 각뿔대의 정의

교과서(하) 110쪽

탐구 활동 의도

- 각뿔대를 그냥 정의하기보다는 본래 모양을 회복하는 것을 추측하도록 질문을 만들었다. 각뿔대가 어떻게 만들어졌을까를 상상해 보면 각뿔대의 정의를 학생들 스스로 할 수 있게 되는 효과가 있을 것이다.
- 각뿔대는 정의하지만 각뿔대의 구성 요소에 대한 용어는 그림으로만 제시할 뿐 별도의 설명을 하지 않았다. 이는 [2]에서 공통점과 차이점을 설명하여 구성 요소에 대한 용어를 자연스럽게 설명할 수 있도록 하기 위함이다.

예상 답안

[1] 받침대의 본래 모양은 사각뿔이었을 것이다.
사각뿔을 잘라 위쪽을 버리면 남는 것이 받침대가 될 수 있다.

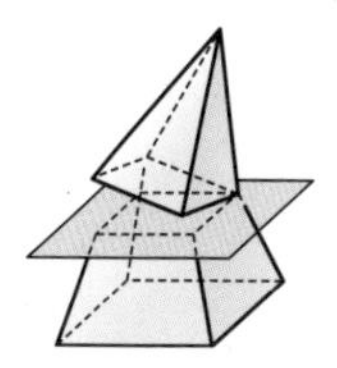

[2]

공통점	차이점
• 아랫면(밑면)이 모두 오각형이다. • 기둥과 뿔대는 윗면과 아랫면이 서로 닮았다.	• 기둥과 뿔과 뿔대의 옆면이 각각 직사각형, 삼각형, 사다리꼴이다. • 뿔은 윗면이 없다.

수업 노하우

- [1]에서 각뿔대의 정의를 추측하는 질문을 할 수도 있다. 각뿔을 잘라 만든다는 점과 받침대에서 '대(臺)'의 역할에 주목하면 '각뿔대'라는 용어를 만들어 내는 기쁨을 맛보게 할 수 있다.
- 입체도형에서 밑면이라는 용어와 아랫면이라는 용어에 혼동이 있을 수 있으니 그 용어 사용에 정확성을 기하는 것이 필요하다.
- [2]를 정리하면서 은근히 각뿔대의 성질을 정리하는 것도 필요하다. 각뿔대의 성질은 옆면이 사다리꼴이라는 점, 두 밑면이 서로 닮음이라는 점 등이 있다.

참고 본래 밑면은 아래에 있는 면을 뜻하는 것은 아니다.
직육면체나 각기둥, 원기둥 등에서 평행한 두 면을 지칭하는 말이다. 두 면을 통칭하여 밑면이라고 한다. 마찬가지로 다각형에서 밑변은 서로 평행한 두 변을 뜻한다.

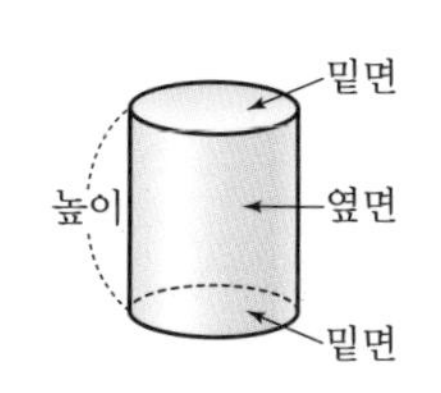

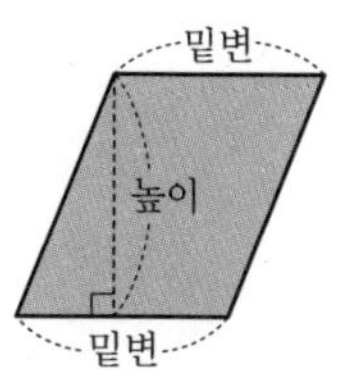

다만 밑면에서 두 면을 구분하고 싶을 때 하나를 윗면, 다른 하나를 아랫면이라고 한다. 밑변도 두 변을 구분하고 싶을 때 하나를 윗변, 다른 하나를 아랫변이라고 한다. 사다리꼴의 넓이를 구하는 공식을 생각하면 이해할 수 있다.

수업 연구

선행학습이 성행하고 있는 것은 큰 문제점이다. 어떻게든 선행학습의 폐해를 널리 알려서 학교 진도나 수업보다 미리 공부하는 것이 실제로는 도움이 되지 않는다는 것을 이해시켜야 한다.

만약 각뿔대를 미리 선행학습으로 외운 학생이 있다면 이 활동은 의미를 찾기 어렵다. 이 활동은 아직 각뿔대를 학습하지 않은 상태를 전제로 만들어졌기 때문이다. 각뿔대를 선행한 학생은 이 활동을 하는 동안 그 심리 상태가 어떠할까를 상상해 보면 선행학습이 몰고 올 폐해를 짐작할 수 있다.

선행한 학생은 질문 1 에서 받침대라는 말에 거부감이 생긴다. 각뿔대라는 멋진 이름이 있는데 무슨 받침대라고 말을 할 필요가 있느냐고 할 것이다. 그러므로 각뿔대의 '대(臺)'라는 용어가 받침대를 뜻한다는 것을 이해하고 받아들일 기회를 놓치고 만다. 선행할 때 이런 의미를 이해했을 리가 만무하기 때문에 두 번에 걸친 학습 기회를 통해서 이 학생은 용어의 진정한 의미를 개념적으로 학습할 수가 없다.

2 에서 각 다면체의 공통점과 차이점 역시 중요한 학습 요소지만 각뿔대의 특징을 암기하고 있는 상태라면 이 문제도 별 재미가 없는 문제이므로 이런 공통점과 차이점을 찾아내는 활동 역시 소홀히 하게 된다.

선행학습으로 문제 풀이 연습 기회가 늘어나는 장점이 있다지만 앞으로 우리나라의 학교 평가가 지금과 같이 결과 중심의 중간 · 기말고사가 주를 이루는 것이 아니라 수업의 모든 과정이 평가되는 과정 중심 평가가 정착되면 선행학습으로 얻은 지식은 크게 쓸 데가 없을 것이다.

개념과 원리 탐구하기 3 _ 정다면체의 정의와 특징

교과서(하) 111쪽

탐구 활동 의도

- 과학 시간에 학습하는 광물의 결정 모양을 수학에 도입함으로써 융합 능력을 기르고자 하였다.
- 1 에서 정다면체의 정의를 일방적으로 주입하지 않고 광물의 결정 모양을 비교 분석하면서 끌어내고자 하였다.
- 정다면체를 그림으로만 보고 학습하는 것을 지양하고자 직접 만드는 활동을 구상하였다. 자기가 만들어 본 경험이 정다면체를 이해하는 데 도움이 될 것이다.
- 3 은 두 가지 조건을 만족하는 입체도형을 상상하는 활동이다.
- 4 는 언뜻 보면 정다면체로 착각하기 쉬운 입체도형을 제시하고 정다면체의 정확한 정의를 떠올리도록 하는 활동이다.

예상 답안

1 (1) 석류석은 다른 것과 달리 꼭짓점이 8개가 아니고 14개다.
석류석은 다른 것과 달리 면이 6개가 아니고 12개다.
석류석은 다른 것과 달리 모서리가 12개가 아니고 24개다.
황철석과 방해석은 꼭짓점에 모인 면의 개수가 모두 3이지만 석류석은 모두 3인 것은 아니고 4인 경우도 있다.
(2) 면의 모양이 정사각형이다. 방해석의 면의 모양은 마름모다.

2 (1) 모둠별로 협력하여 최대한의 정다면체를 직접 만든다.
(2) 종류별로 분류한다.
(3) 정다면체가 모두 만들어지면 다음과 같이 5종류가 나온다.
이유는 한 꼭짓점에 모이는 면의 개수를 기준으로 설명할 수 있다.

면의 모양	각 꼭짓점에 모인 면의 개수	다면체 모양	정다면체의 이름
정삼각형	3		정사면체
정삼각형	4		정팔면체
정삼각형	5		정이십면체
정사각형	3		정육면체
정오각형	3		정십이면체

3 대다수의 학생들이 정육면체라고 답할 것이다.
정육면체 이외에도 여러 가지 입체도형이 있다.

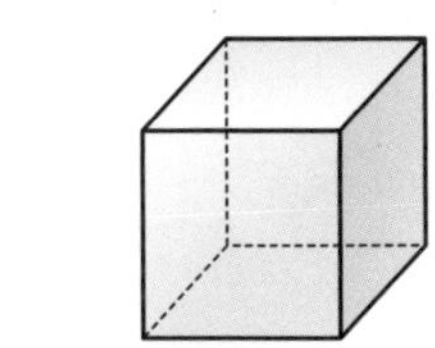

예를 들면, 밑면이 정육각형인 정육각뿔 두 개를 오른쪽 그림과 같이 밑면이 일치하도록 서로 붙이면 모든 면이 이등변삼각형으로 합동이고 꼭짓점이 8개인 입체도형이 된다.

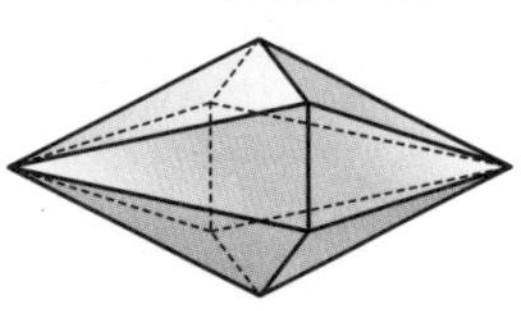

4 (1) 한 꼭짓점에 모인 면의 개수가 3, 4로 다르기 때문에 정다면체가 아니다.
(2) 한 꼭짓점에 모인 면의 개수가 4, 5로 다르기 때문에 정다면체가 아니다.
(3) 각 면이 모두 합동이 아니므로 정다면체가 아니다. 정오각형과 정육각형이 섞여 있다.

참고

정다면체가 다섯 가지뿐인 이유

정다면체가 되려면 적어도 한 꼭짓점에서 3개 이상의 정다각형이 만나야 하며, 한 꼭짓점에 모인 정다각형의 각의 크기의 합은 360°보다 작아야 한다.

정다면체가 되는 경우를 한 꼭짓점에 모인 정다각형의 종류에 따라 살펴보자.

❶ 면이 정삼각형인 경우

한 꼭짓점에 모인 면이 정삼각형이면 다음 그림과 같이 모인 면의 개수가 3, 4, 5인 경우에만 정다면체가 만들어진다. 만약 모인 면의 개수가 6이라면 한 꼭짓점에 모인 각의 크기의 합이 360°가 되므로 정다면체를 만들 수 없다.

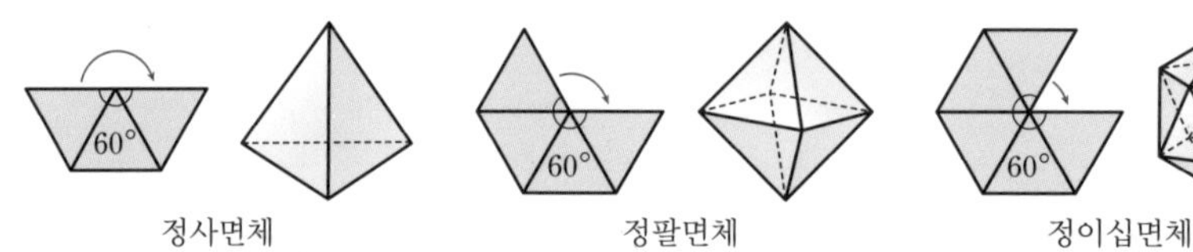

정사면체 정팔면체 정이십면체

❷ 면이 정사각형인 경우

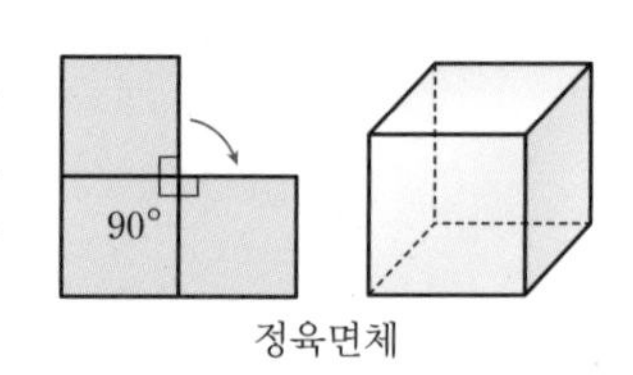

정육면체

한 꼭짓점에 모인 면이 정사각형이면 오른쪽 그림과 같이 모인 면의 개수가 3인 경우에만 정다면체가 만들어진다. 만약 모인 면의 개수가 4라면 한 꼭짓점에 모인 각의 크기의 합이 360°가 되므로 정다면체를 만들 수 없다.

❸ 면이 정오각형인 경우

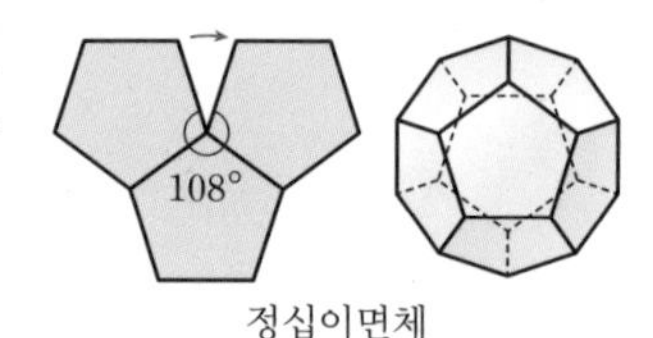

정십이면체

한 꼭짓점에 모인 면이 정오각형이면 오른쪽 그림과 같이 모인 면의 개수가 3인 경우에만 정다면체가 만들어진다. 만약 모인 면의 개수가 4라면 한 꼭짓점에 모인 각의 크기의 합이 360°보다 크게 되므로 정다면체를 만들 수 없다.

면이 정육각형, 정칠각형, 정팔각형, …이면 한 꼭짓점에 모인 면의 개수가 3일 때 한 꼭짓점에 모인 각의 크기의 합이 360° 이상이 되므로 정다면체를 만들 수 없다.

따라서 정다면체의 종류는 정사면체, 정육면체, 정팔면체, 정십이면체, 정이십면체의 다섯 가지뿐임을 알 수 있다.

수업 노하우

- 이 활동을 지도하기 위해서는 정다각형 모양의 조각을 끼워 맞추어서 다면체 모양을 만들 수 있는 교구가 있으면 편리하다. 만일 이러한 교구가 없다면 정다각형 모양을 여러 장 준비한 후 이들을 연결하여 정다면체 모양을 만든다.
- [1]은 두 결정 모양의 차이점을 부각시켜 정다면체의 정의를 자기 주도적으로 발견하게 하는 활동이다. (1)에서는 각 꼭짓점에 모인 면의 개수가 일정하다는 특징을, (2)에서는 면의 모양이 정다각형이라는 특징을 끌어내도록 한다.
- [2] (1)에서는 모둠별로 맘껏 정다면체를 만들어 본다. 정다면체가 아닌 것도 만들어질 수 있다. 다음과 같이 정다면체라고 만든 것들을 놓고, 판단하게 해 볼 수도 있다.

- [2] (3)에서는 정다면체의 정의를 정확히 설명하도록 하는데 중점을 둔다. 그리고 정다면체가 5개밖에 없다는 사실을 논리적으로 정확히 설명하도록 하는 것도 강조해야 한다. 한 꼭짓점에 모인 정다각형의 내각의 크기의 합을 이용하여 정다면체가 5종류 밖에 없다는 것을 직관적으로 이해할 수 있도록 한다. **탐구 되돌아보기**의 **6**번, **7**번 문제를 연결하여 정육각형 이상의 다각형으로는 정다면체가 만들어지지 않음을 설명하게 하는 것도 정다면체가 5개밖에 없음을 이해하는 학습이 될 수 있다.
- 정다면체의 정의에서 어려운 것은 각 꼭짓점에 모인 면의 개수가 모두 같다는 점이다. 이것은 그림으로만 보면 이해할 수 있지만 실제로는 잘 와닿지 않는다.
- 정이십면체는 정삼각형 20개로 만들어진다는 것을 알면서도 막상 만들다 보면 쉽지 않음을 경험할 수 있다. 한 꼭짓점에 정삼각형이 5개씩 모인다는 사실을 이용하지 않으면 결국 엉뚱한 다면체가 만들어져 실패를 거듭하게 된다.
- 5개의 정다면체 중 정십이면체나 정이십면체를 빠뜨릴 가능성이 크다. 이럴 경우 정오각형으로 정십이면체를 만들어 보라는 등의 지도를 할 수 있다. 5종류 중 빠진 게 있으면 되돌리기를 하여 추가로 더 찾도록 모둠 활동을 진행할 수 있다. 이때는 남은 시간을 고려하여 교사가 그냥 보충할 것인지, 되돌리기를 할 것인지, 다음 시간으로 연장할 것인지를 결정한다.
- [3]에서는 한 가지가 아니라 다양한 입체도형을 찾아낼 수 있도록 격려한다.
- 앞에서 정다면체를 학습한 관성으로 학생들은 정다면체에서만 찾으려 할 것이다. 오른쪽 그림과 같은 입체도형을 보여주어 주어진 조건을 만족하면서 정다면체가 아닌 예를 더 찾도록 안내한다.

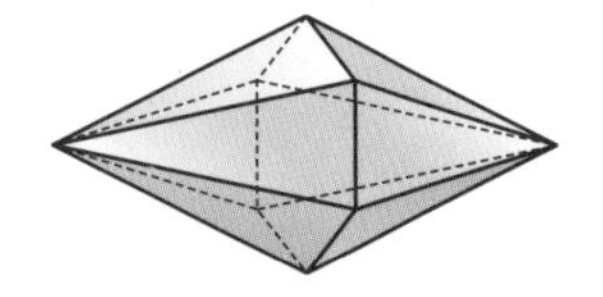

- [3]에서 주어진 조건과 정다면체의 조건의 차이를 발견하게 하는 과정에서 정다면체가 아닌 것도 존재할 수 있음을 이해하도록 한다.

수업 연구

정다면체가 그리 많지 않고 5개뿐이라는 사실은 희귀성에서 대단히 흥미롭다. 그것은 두 가지 조건을 모두 갖추라는 요구가 있기 때문이다. 그런데 수학에서 정의(定義)는 언터처블(untouchable)한 영역에 있다고 믿는 교사들이 있다. 정의는 무조건 믿고 암기하는 것이 정의에 대한 올바른 학습법이라고 생각하는 교사들이다.

정의를 그렇게 했더라도 그것을 이해하려면 왜 그렇게 정했는지를 고민하지 않으면 제대로 이해했다고 볼 수 없다. 정다면체의 두 가지 조건을 생각해 보자.

각 면이 합동인 정다각형이 아니면 어떻게 될까?

이 조건에는 두 가지 요소가 겹쳐져 있다. 각 면이 합동이라는 조건과 모든 면이 정다각형이라는 조건이다. 각 면이 합동이라는 조건을 만족하지 않으면 [2] (3)과 같은 모양도 정다면체가 될 것이다. 모든 면이 정다각형이라는 조건을 만족하지 않으면 위에서 본 정육각뿔 두 개를 붙인 입체도형도 정다면체라고 할 수 있다.

각 꼭짓점에 모인 면의 개수가 모두 같지 않으면 어떻게 될까?

[2] (1), (2)와 같은 수많은 입체도형이 정다면체가 될 것이다.

이런 식으로 정의를 되새기면 그렇게 정의하지 않으면 발생할 문제점들을 파악할 수 있기 때문에 보다 깊이 있는 이해가 가능해진다. 그래서 수학 개념을 맹목적으로 암기하면서 내적인 동기를 갖지 못하는 학생들에게 수학을 공부할 이유를 좀 더 깨닫게 해 준다.

/2/ 회전문이 만드는 도형

학습목표
회전체의 특징을 관찰하여 그 성질을 찾고, 회전체인 것과 회전체가 아닌 것을 구별할 수 있다.

2015 개정 교육과정 성취기준
회전체의 성질을 이해한다.

핵심발문
회전체의 특징은 무엇으로 어떻게 설명할 수 있을까?

개념과 원리 탐구하기 4 _ 회전체의 정의

교과서(하) 114쪽

탐구 활동 의도

- 초등 5~6학년군 수학 〈교수·학습 방법 및 유의 사항〉에 '한 직선을 중심으로 직사각형, 직각삼각형, 반원을 돌리는 활동을 통하여 원기둥, 원뿔, 구를 만들어 보게 한다.'고 되어 있다. 그래서 [1]에서는 초등 수학과의 연결을 위한 준비학습으로 직사각형을 회전한 결과를 추측하도록 제시하였다.
- [2]에서는 초등 수학의 활동을 연결하여 회전한 결과를 제시하고 어떤 도형을 회전한 것인지를 추측하도록 했다. 주어진 질문은 전형적인 것처럼 보이지만 실제로는 회전체가 아닌 것도 있어서 '정답이 없는 문제'라고 볼 수 있다.
- 앞의 탐구활동을 통해 회전체를 정의한다. 회전체의 여러 용어를 문장으로 정리하여 제시하는 것은 지루하기 때문에 그림같이 제시하였다.
- [3]은 회전체가 아닌 것을 이용하여 회전체의 뜻을 명확히 이해하는 활동이다.
- [4]에서는 다른 사람이 그린 회전체를 수동적으로 학습하는 것을 넘어서 자기 주도적인 회전체 그리기 활동이다.

예상 답안

[1]

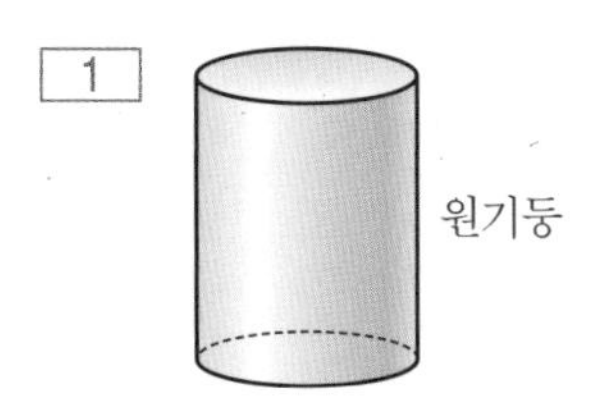

2

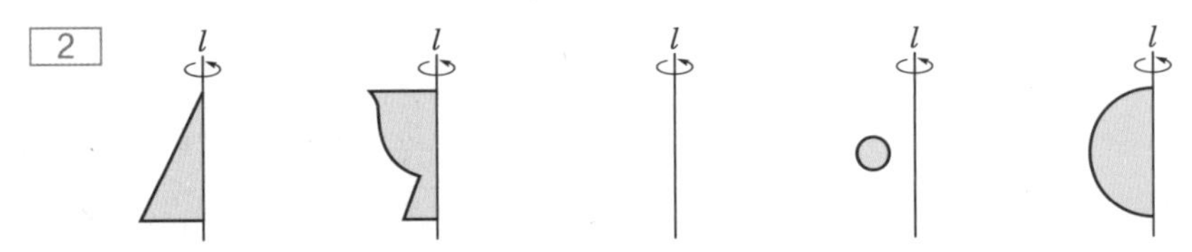

세 번째에 주어진 손잡이가 달린 컵은 회전체가 아니다.

원뿔이나 도우넛, 농구공에 있는 무늬까지 생각하면 이들도 회전체라고 할 수 없다고 한 학생도 있었다. 색깔이나 무늬 등을 무시하고 모양만 본다면 회전체라고 할 수 있다.

컵도 손잡이를 무시하고 회전체를 만든 다음 손잡이를 붙일 수도 있다.

3 회전체가 아니다. 이 도형은 축을 중심으로 원을 1회전해야 하는데 $\frac{1}{2}$만 회전한 도형이다.

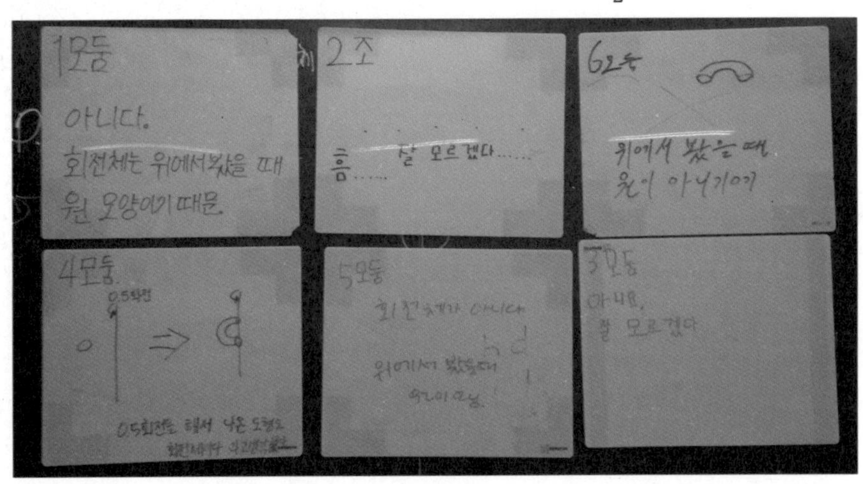

4 다음과 같이 다양하게 그릴 수 있다.

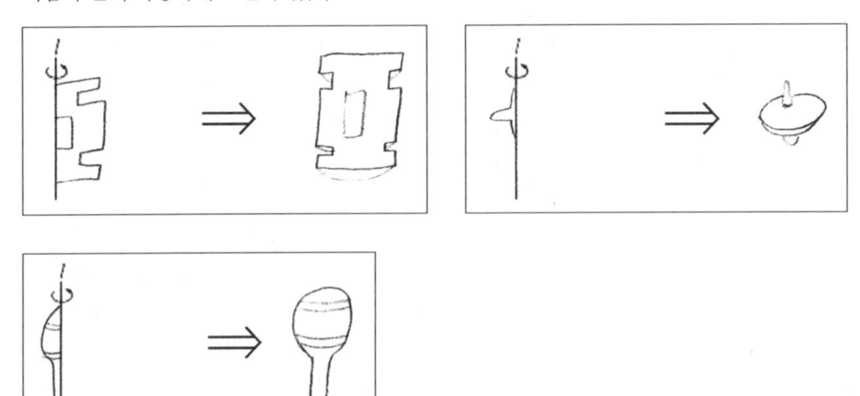

수업 노하우

• 준비학습 과정을 별도로 구분하여 교과서에 제시하면 굳이 하지 않아도 되는 것처럼 여겨서 수업에서 다루지 않을 가능성이 많다. 그래서 1과 같이 본문의 탐구활동 중 하나로 준비학습 과정을 복습을 겸하여

제시함으로써 그냥 넘기지 않도록 했다.

- [2]에 대하여 문제가 틀렸다고 주장할 수 있다. 이런 문제에서의 전형적인 질문은 '다음 중 회전체인 것과 회전체가 아닌 것을 구분하고 회전체인 것은 어떤 것을 회전한 것인지 그려라.' 와 같이 주어졌을 것이다. 하지만 이런 질문은 사고를 제한하고 상당히 많은 힌트를 제공하는 것이나 마찬가지여서 그 학습 효과가 별로 없다.
- 실제 사물을 이용하여 탐구하게 해 보니 다양한 표현이 제안되었다. 이를 고쳐 보도록 할 수 있다.

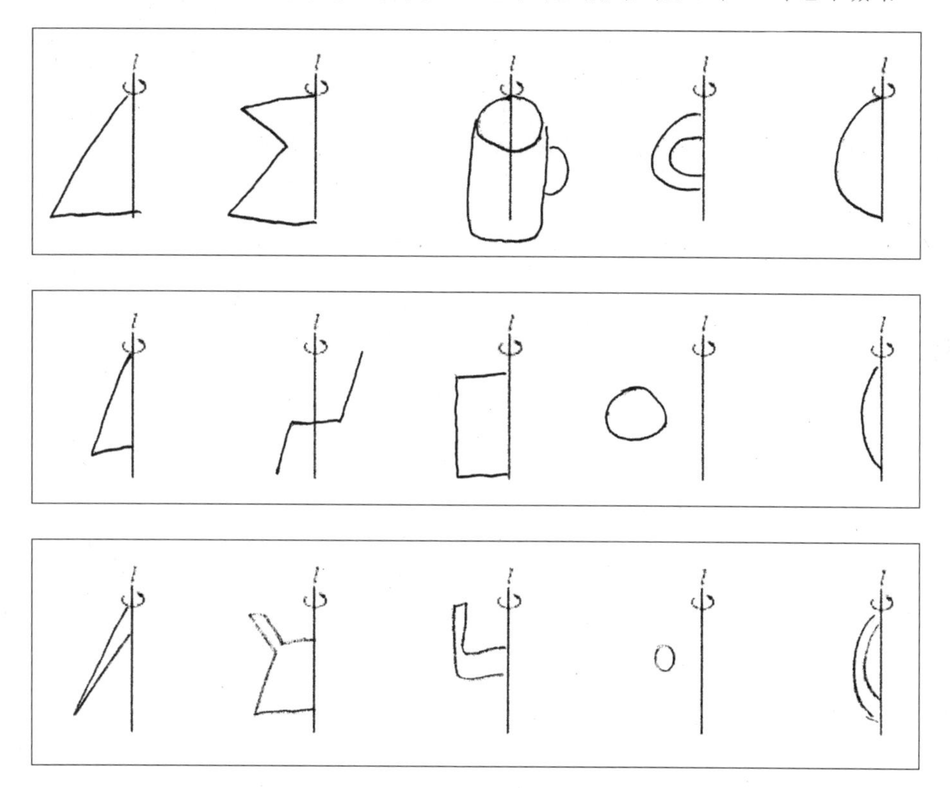

- [3]에서 학생들이 생각보다 잘 답하지 못할 수도 있다. 모둠으로 모여 생각할 시간을 충분히 준다.
- [4]에서 자기 스스로 회전체를 만드는 활동에는 창의적인 아이디어 유발을 위해 충분한 시간을 제시하고 독창성을 발휘하도록 독려한다. [4]는 모둠 활동이 아닌 개별 활동만으로 충분하며, 학생들이 그리는 동안 교사는 점검하기를 충분히 하여 독창적인 아이디어가 최대한 공유되도록 전체 공유 활동으로 바로 넘어간다.
- 아래와 같이 옳게 그리지 못한 경우를 잘 활용하여 학생들이 수정해 보도록 할 수 있다.

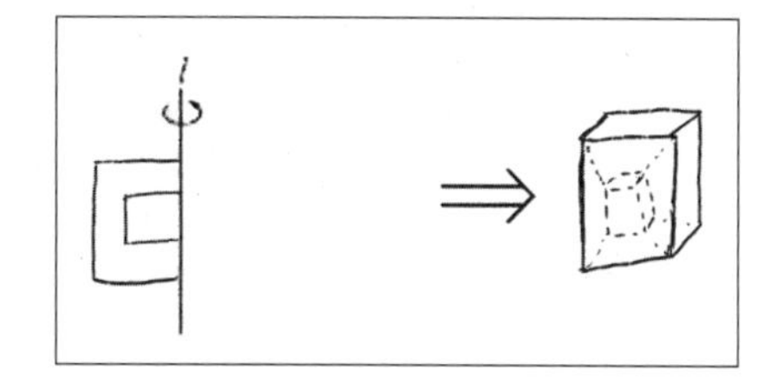

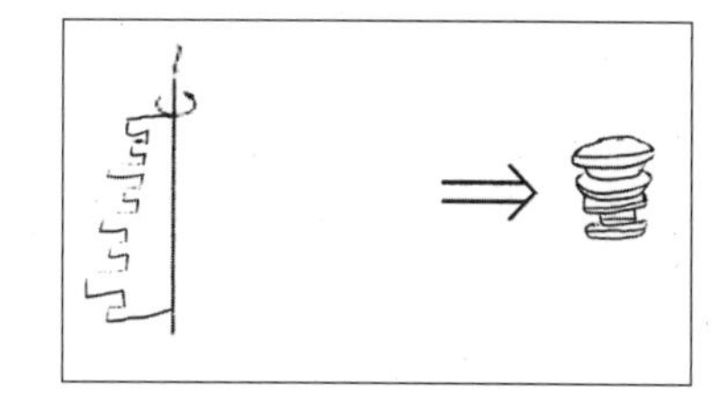

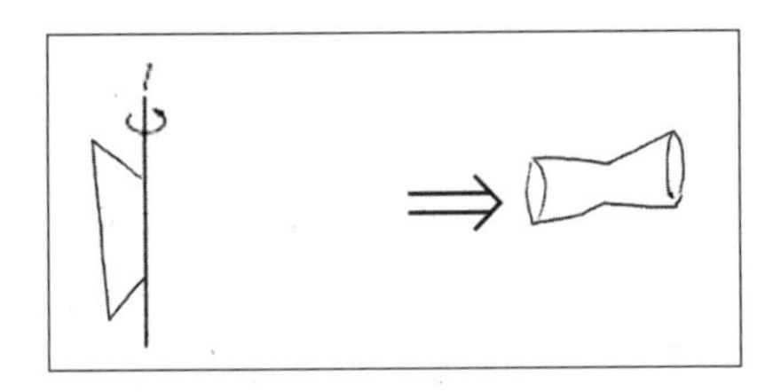

수업 연구

모든 수학 문제는 정답이 있다는 생각을 버려야 한다. 답이 맞다, 틀리다의 이분법적 구분도 벗어나야 한다. 다양한 생각과 풀이가 가능하다고 하면서도 실은 모두 정답만을 얘기하고 있는 실정이다. 지금 이 문제와 같이 정답이 없을 수도 있다는 것을 경험하면서 이후부터 학생들은 질문 자체를 확인하고 정답이 없을 수도 있다는 데까지 사고가 확장될 수 있다. 정답이 없는 문제도 개방형 문제의 일종이다.

개념과 원리 탐구하기 5 _ 원뿔대의 정의

교과서(하) 116쪽

탐구 활동 의도

- 각뿔대와 마찬가지로 원뿔대도 원뿔을 잘라 만든 것이라는 것은 쉽게 받아들일 것이다. 그러나 원뿔대는 회전하여 만들 수도 있다는 점을 발견하도록 하는 활동이다.
- 2 는 원뿔대와 비슷한 입체도형을 제시하여 원뿔대의 정확한 이해를 돕고자 하였다.

예상 답안

1 원뿔대는 아래 그림과 같이 사다리꼴을 회전한 것으로 회전체다.

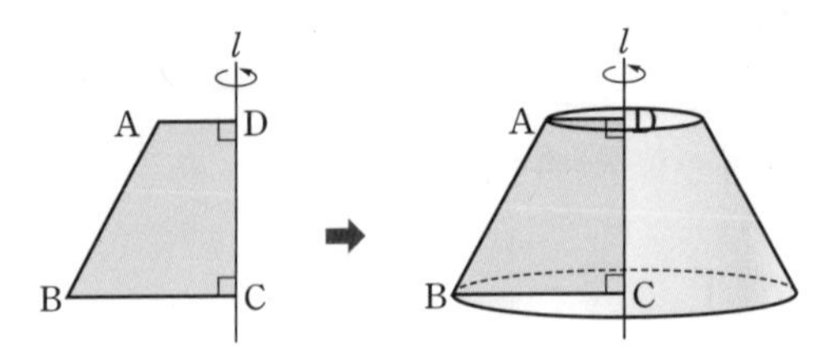

2 (3) 원뿔대이고, (1), (2)는 원뿔대에서 가운데 부분이 파여 있는 도형이다.

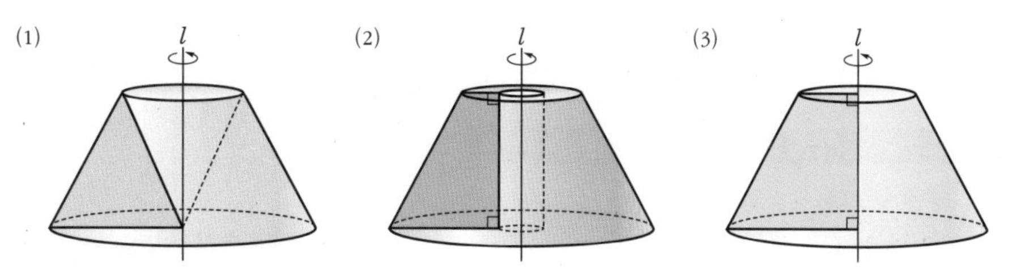

수업 노하우

- 원뿔대와 각뿔대의 차이는 무엇일까? 정의에서는 별다른 차이가 없지만 원뿔대는 각뿔대와 달리 회전체라는 성격을 가지고 있다는 점이 결정적인 차이다. 원뿔대는 원뿔을 자르지 않고 사다리꼴을 회전하여 생성 가능하다는 점이 각뿔대와 중요한 차이다.
- 원뿔대를 이해시키기 위해 원뿔대만 가지고 설명하는 것보다 원뿔대가 되려다만 도형을 가지고 설명하는 것이 더 효과적이다. 비슷비슷 하지만 원뿔대와의 차이를 조사하는 과정에서 원뿔대가 갖춰야 할 조건을 좀 더 주의 깊게 학습할 수 있다.

탐구 되돌아보기 예상 답안

교과서(하) 117~120쪽

1 개념과 원리 탐구하기 1

답은 다양할 수 있다.

(1) 구, 원기둥, 아령, 원뿔, 장구 모양 등

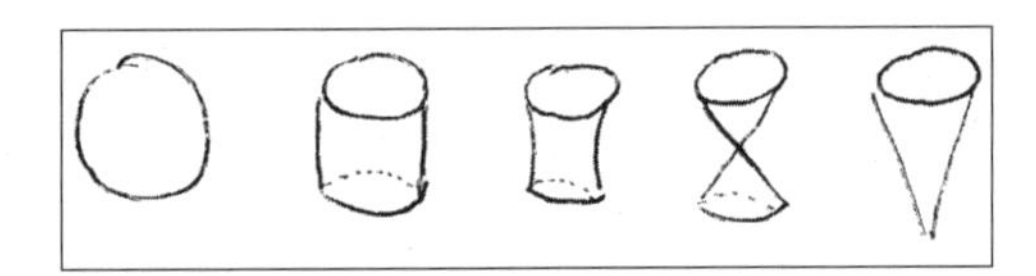

(2) 사각뿔, 정팔면체 등

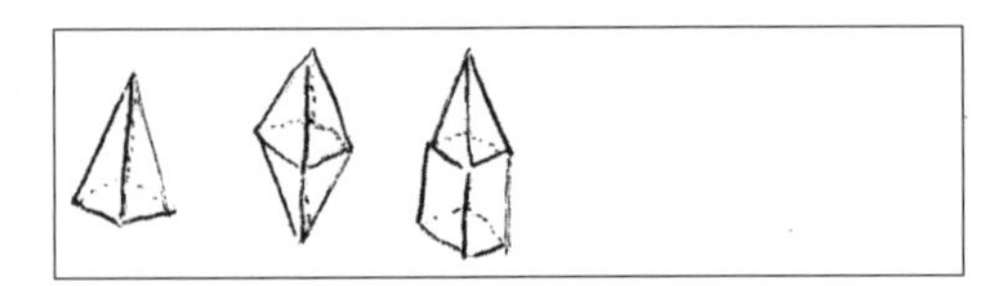

(3) 직육면체, 사각뿔 등

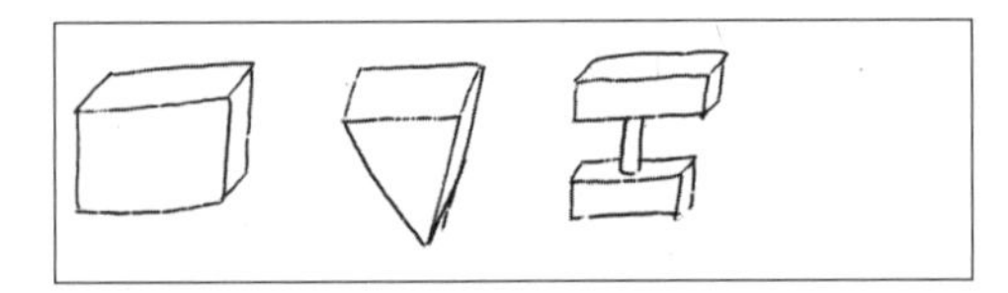

(4) 원뿔 등

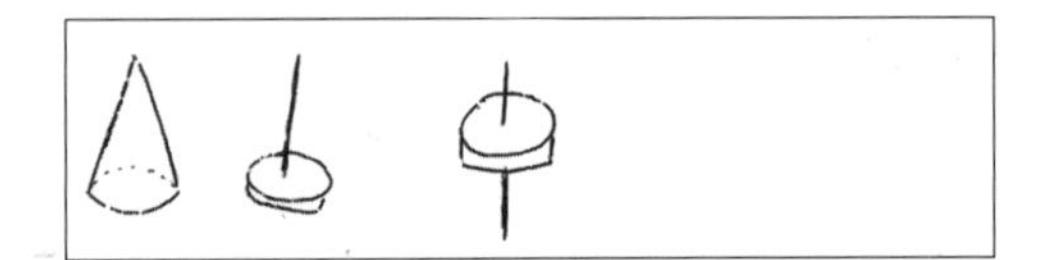

2 개념과 원리 탐구하기 1

(1) 정팔면체

(2) 삼각기둥, 삼각뿔대 뒤집은 것(윗면이 넓은 것) 등

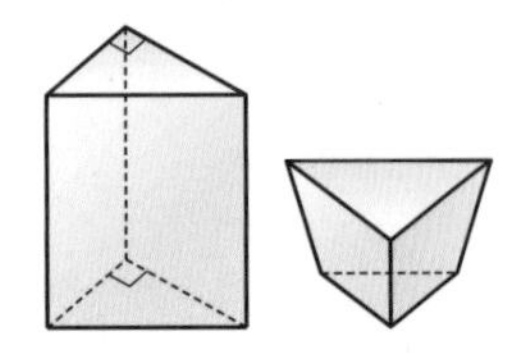

3 개념과 원리 탐구하기 1

(1) 면이 7개이므로 칠면체라고 할 수 있다.
한쪽을 깎은 육면체라고 할 수도 있다.

(2) 꼭짓점은 10개, 모서리는 15개, 면은 7개다.

4 개념과 원리 탐구하기 1

정사면체의 면의 개수가 4이다. 두 정사면체를 붙이면 2개의 면이 겹쳐 있으므로 새로 만들어지는 도형의 면의 개수는

$4+4-2=6$ 또는 $3+3=6$

이다.

참고

이 입체도형은 탐구하기 5 [2] (1)의 입체도형과 같은 것으로 정육면체는 아니다.

5 개념과 원리 탐구하기 3

정사면체가 아니다.

정사면체의 모든 면은 정삼각형인데, 잘라진 입체도형 중 앞쪽의 삼각형(아래 색칠한 연두색 부분)은 직각이등변삼각형으로 정삼각형이 아니기 때문이다.

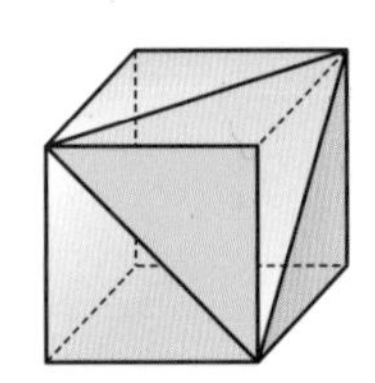

6 개념과 원리 탐구하기 3

정삼각형은 한 내각의 크기가 60°이므로 한 꼭짓점에 6개가 모이면 내각의 크기의 합이 360°가 되어 평면이 된다. 즉, 다면체의 꼭짓점을 만들 수 없다.

정육각형

즉, 정삼각형 6개를 한 꼭짓점에 모을 수 없다.
따라서 5개까지 모으는 것은 가능하지만, 6개 이상을 모아서는 정다면체를 만들 수 없다.

7 개념과 원리 탐구하기 3

정육각형은 한 내각의 크기가 120°이므로 한 꼭짓점에 3개만 모여도 내각의 크기의 합이 360°가 되어 평면이 된다. 즉, 다면체의 꼭짓점을 만들 수 없다. 따라서 정육각형으로는 정다면체를 만들 수 없다.

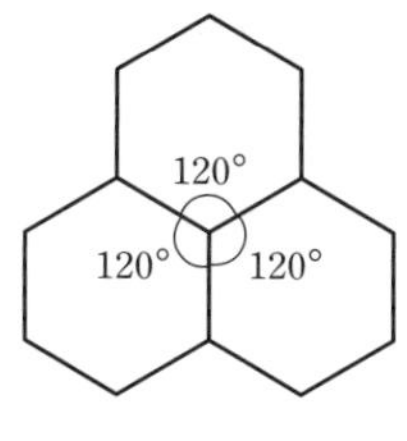

참고

정칠각형 이상은 정육각형보다 한 내각의 크기가 크므로 역시 정다면체를 만들 수 없다.

8 개념과 원리 탐구하기 3

(1) 정이십면체의 한 꼭짓점에 모인 면의 개수가 5이므로 각 모서리를 잘랐을 때 생기는 단면은 오각형이다. 그리고 잘려나가는 각뿔은 밑면이 오각형이므로 오각뿔이다.
정이십면체의 각 모서리를 삼등분하는 단면에서 새로 생기는 모서리는 모두 길이가 같고, 두 모서리 사이의 각의 크기도 모두 같으므로 오각형은 정오각형이다.

(2) 정이십면체의 꼭짓점이 12개이므로 각 꼭짓점을 잘라 만들어지는 정오각형도 12개다.

(3) 정삼각형의 세 변을 삼등분하여 잘라내면 정삼각형의 세 꼭짓점에서 세 개의 작은 정삼각형이 잘려 나가며 남은 도형은 육각형이 된다. 그런데 육각형의 각 변의 길이가 모두 같고, 각의 크기도 모두 같으므로 이 육각형은 정육각형이다.

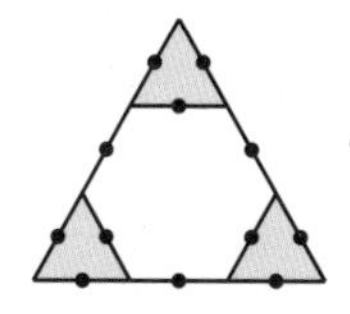

그리고 이 정육각형은 정이십면체의 각 면에 모두 하나씩 생기므로 정육각형은 20개가 생긴다.

9 개념과 원리 탐구하기 4

회전축은 다음과 같다.

(1)

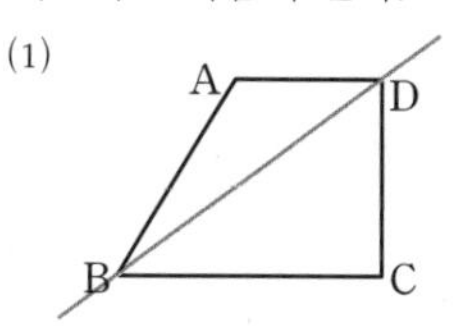

(2)

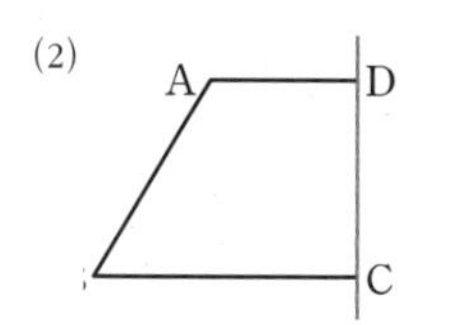

(3)

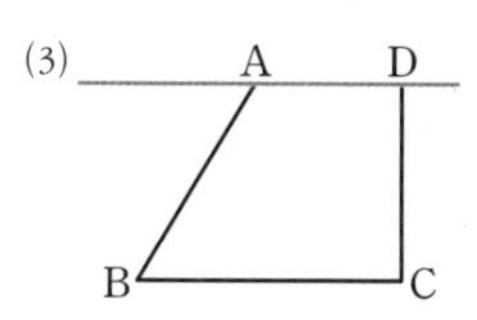

참고

(1)처럼 회전하면 회전체가 다르다고 생각할 수 있다. 회전체는 회전의 폭이 짧은 것이 더 길게 회전하는 것에 묻히기 때문에 A쪽이 회전하여 생기는 부분은 C쪽이 회전하는 부분에 묻혀 겉으로 나타나지 않는다.

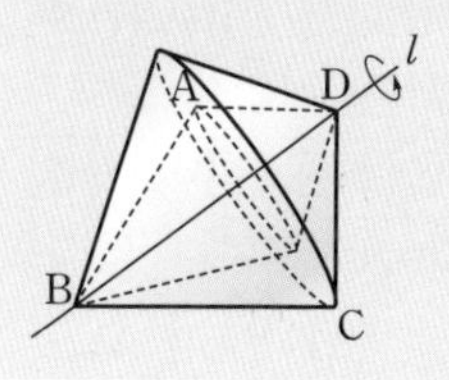

2 겉넓이와 부피

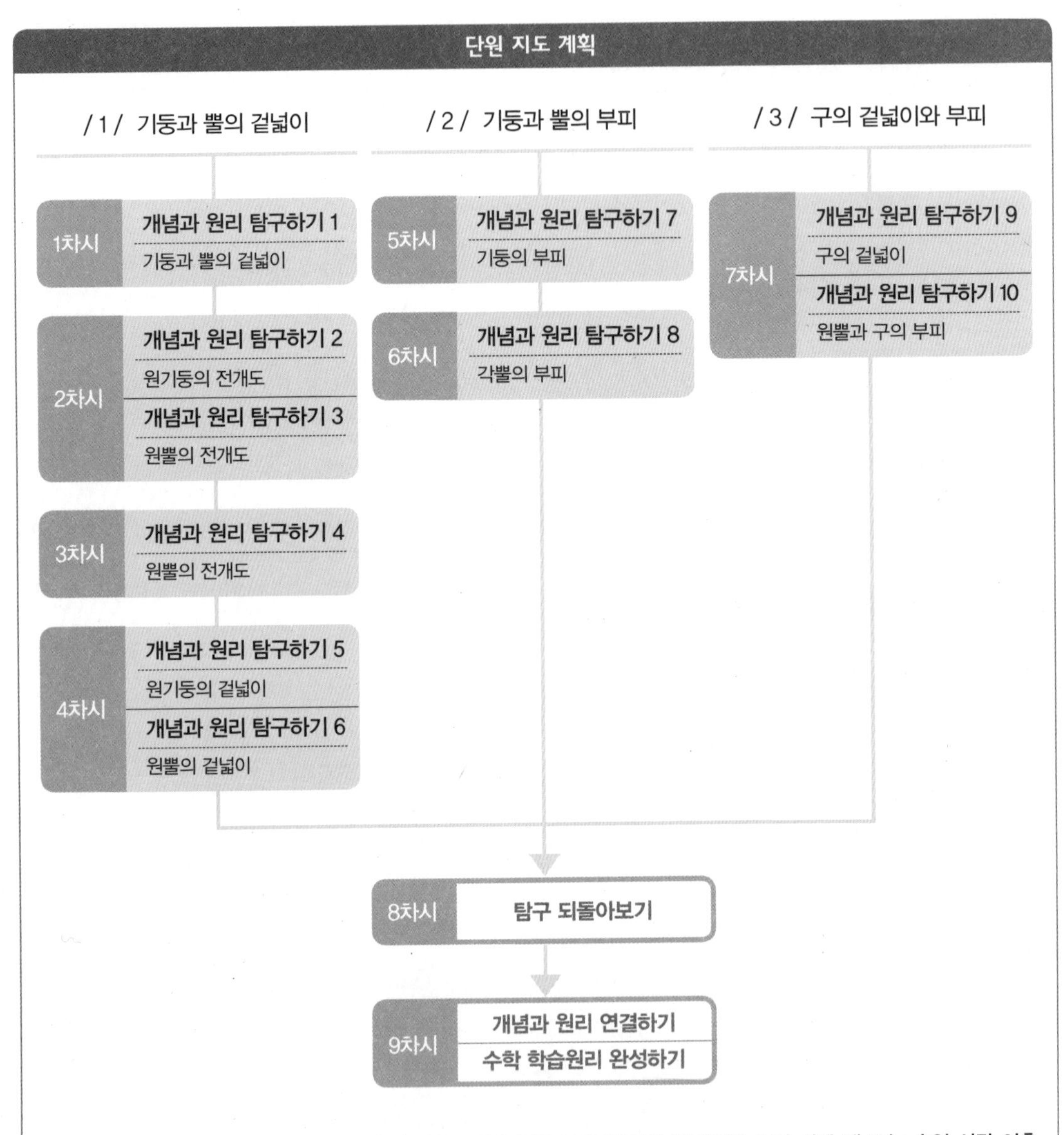

• 교과서 각 소단원마다 제시된 탐구 되돌아보기는 개념과 원리 탐구하기와 연계하여 수업 시간 내 또는 수업 시간 이후 학생들이 배운 탐구활동에 대한 복습으로 활용할 수 있습니다.

/1/ 기둥과 뿔의 겉넓이

학습목표

1 기둥과 뿔, 뿔대의 겉넓이를 구하는 일반적인 방법을 발견하고 이를 설명할 수 있다.
2 원기둥, 원뿔, 원뿔대 모양의 물건을 만들기 위해 전개도에서 필요한 정보가 무엇인지 알고 이들의 겉넓이를 구할 수 있다.

2015 개정 교육과정 성취기준

입체도형의 겉넓이와 부피를 구할 수 있다.

핵심발문

입체도형의 겉넓이와 부피를 어떻게 구할 수 있을까?

개념과 원리 탐구하기 1 _ 기둥과 뿔의 겉넓이

교과서(하) 122쪽

탐구 활동 의도

- [1]은 겉넓이를 구하기 위해 알아야 하는 정보를 파악하기 위한 과제다. 특히 원뿔과 원기둥의 전개도에 대해서 학습하고자 하는 의도를 가지고 있다.
- [2]는 각기둥과 각뿔에 대한 실제 계산 활동이다. 초등에서는 직육면체의 겉넓이를 구했으므로 각기둥이나 각뿔에 대한 겉넓이를 구할 수 있을 것이다. 원기둥과 원뿔은 좀 더 탐구를 해야 하므로 여기서는 제외했다.
- [3]은 겉넓이를 구하는 다양한 아이디어를 모으는 활동이다.

예상 답안

[1] (1) 직육면체는 세 쌍의 면이 평행하고 합동이므로 오른쪽과 같이 세 면의 넓이를 알면 겉넓이를 구할 수 있다.

(2) 삼각뿔의 옆면은 모두 합동인 이등변삼각형이므로 다음과 같이 밑면과 옆면 하나의 넓이를 알면 겉넓이를 구할 수 있다.

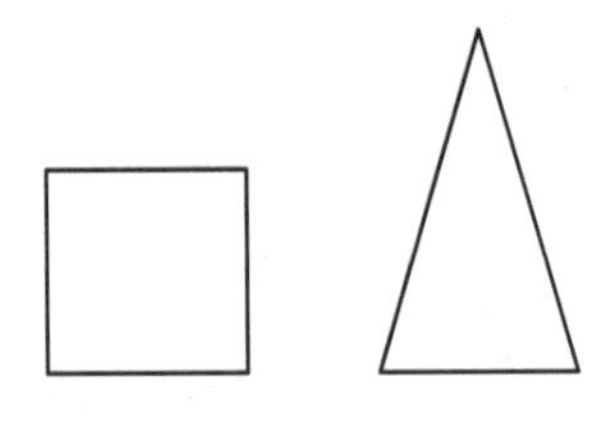

(3) 원뿔의 옆면을 펼치면 부채꼴이므로 부채꼴의 넓이와 밑면인 원의 넓이를 알면 겉넓이를 구할 수 있다.

(4) 원기둥의 옆면을 펼치면 직사각형이므로 직사각형의 넓이와 밑면인 원의 넓이를 알면 겉넓이를 구할 수 있다.

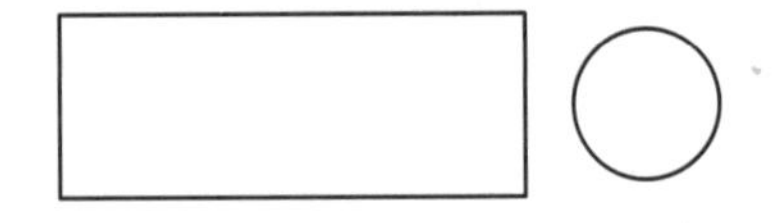

2 (1) 두 밑면의 넓이는 $3\times4\times\frac{1}{2}\times2=12$

옆면 세 직사각형의 넓이는 $6\times3+6\times4+6\times5=72$ 또는 $6\times(3+4+5)=72$

따라서 삼각기둥의 겉넓이는 $12+72=84(\mathrm{cm}^2)$

(2) 밑면인 정사각형의 넓이는 $5\times5=25$

옆면 네 삼각형의 넓이는 $5\times6\times\frac{1}{2}\times4=60$

따라서 사각뿔의 겉넓이는 $25+60=85(\mathrm{cm}^2)$

아래와 같이 꼭 전개도를 그려서 풀지 않아도 된다.

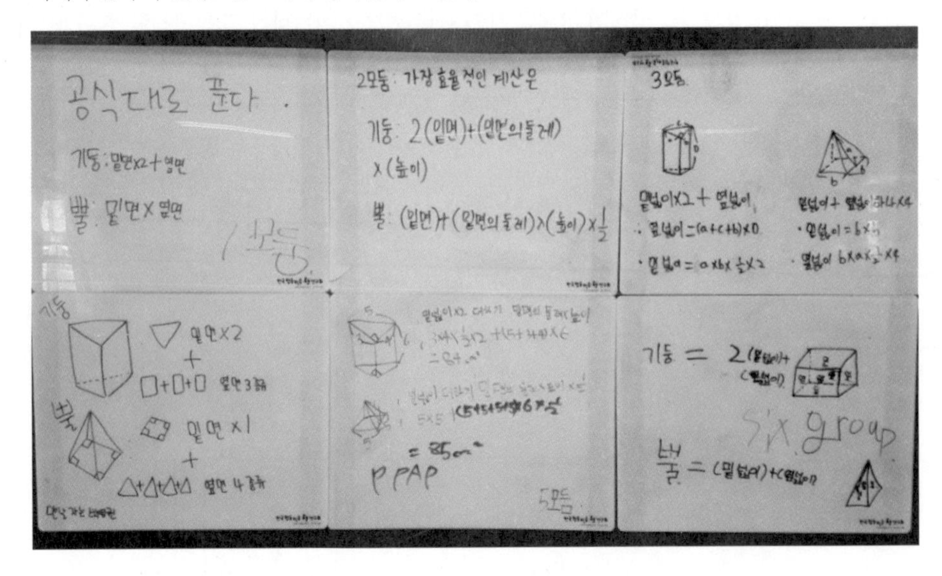

3

내가 생각한 방법	모둠에서 생각한 방법
• 전개도를 그려서 각 면의 넓이를 구해서 더한다. • 각기둥이나 각뿔의 각 면의 넓이를 구해서 더한다.	• 기둥의 전개도를 그리면 옆면이 연결이 되어서 큰 직사각형이 되므로 큰 직사각형의 넓이를 구하면 여러 번 계산을 안 해도 된다. 두 밑면의 넓이의 합은 (밑면의 넓이) × 2로 구한다. • 각뿔은 밑넓이를 구해서 더하고 옆면의 밑변의 길이를 모두 더하면 밑면의 둘레의 길이와 같은 것을 이용한다. 옆면을 이루는 삼각형의 넓이의 합은 $\frac{1}{2}$ × (밑면의 둘레의 길이) × (높이) 로 한번에 구한다.

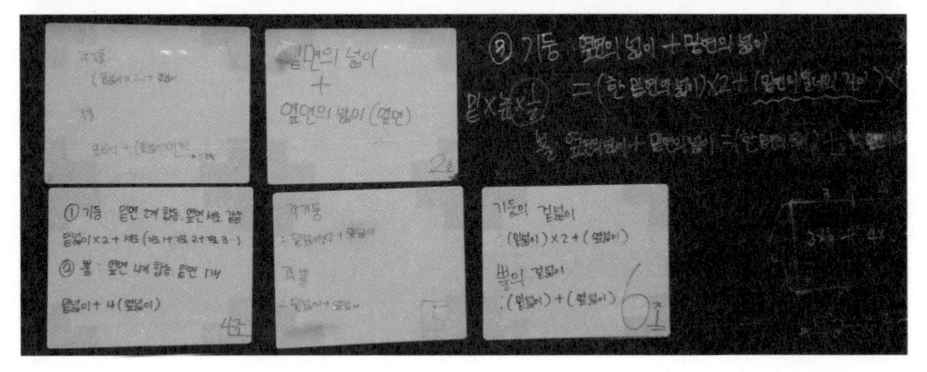

수업 노하우

• 초등에서 원뿔이나 원기둥의 전개도를 학습하지 않았다. 원뿔이나 원기둥은 중1에서 처음 다루는 부분이라서 그 전개도를 추측하는 일이 쉽지 않을 것이다.

• 초등에서는 직육면체의 겉넓이를 구하는 학습을 했다. 그러므로 각기둥은 그 연장선으로 볼 수 있고, 각뿔은 조금 다르긴 하지만 유추할 수 있을 것이다.

- 겉넓이를 구하는 일은 꼭 전개도를 그려서만 가능한 것은 아니므로 전개도를 그리지 않고 각각의 넓이를 따로 구해서 더하는 방법을 무시할 필요는 없다. 전개도를 강요하는 것은 오히려 거부감이 들 우려가 있다.
- 3 에서는 겉넓이를 구하는 특정한 방법을 강요하지 않도록 주의한다. 각자 발견한 방법이 최고임을 인정해 주어야 한다. 각 방법의 장단점을 비교하는 설명을 요구할 수 있다.
- 아래와 같이 정확한 도형을 그리지 못할 수도 있다. 친구들의 답안과 비교하여 생각해 볼 수 있는 기회로 삼는다. 원뿔과 원기둥의 전개도는 **탐구하기 2, 3**에서 구체적으로 다루므로 여기서는 '입체를 평면으로 생각한다.' 정도로만 다루어도 좋다.

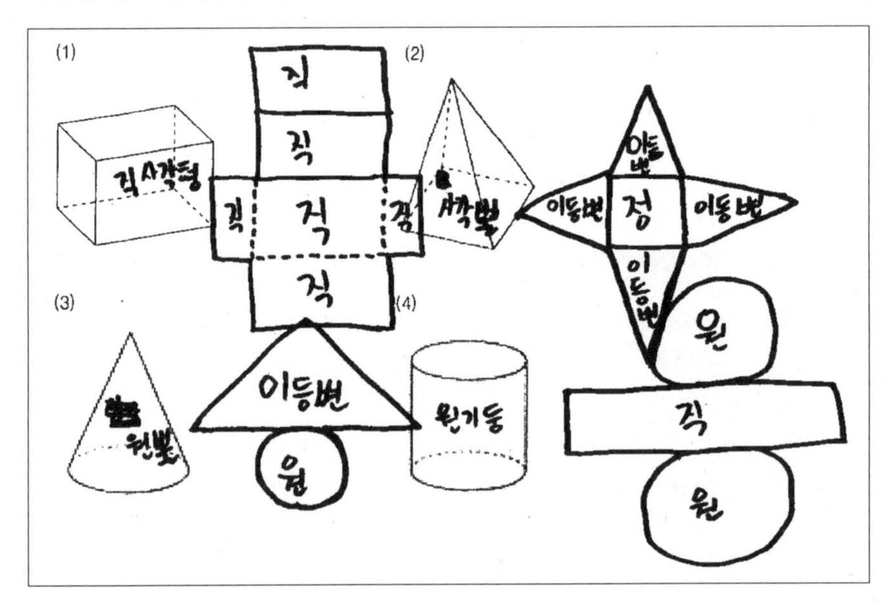

개념과 원리 탐구하기 2 _ 원기둥의 전개도

교과서(하) 124쪽

탐구 활동 의도

- 시행착오를 통하여 원기둥의 전개도를 학습하고자 하였다. 주어진 전개도를 오려서 직접 원기둥을 만들어 보려는 시도에서 문제점을 발견할 수 있을 것이다.
- 그럴듯한 전개도를 주고서 원기둥을 만들도록 하고 원뿔의 전개도를 추측해 보게 하는 활동이다.

예상 답안

1 (1) 만들어지지 않는다. 원기둥의 윗면이나 아랫면에 있는 원의 크기가 같으므로 전개도의 옆면의 위와 아래의 길이가 원주와 같아야 한다.

(2) 만들어지지 않는다. 전개도의 옆면이 직사각형이라고 보인다. 그런데 옆면의 윗변과 아랫변의 길이도 같아야 하지만, 밑면인 원의 원주와 옆면의 가로의 길이도 같아야 하는데 옆면의 가로의 길이가 매우 길어 보인다.

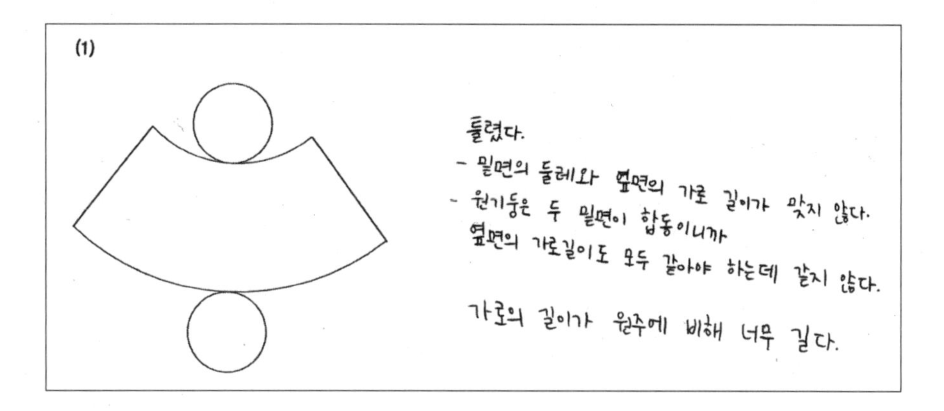

2 **내가 생각한 방법**

밑면의 모양은 원, 옆면의 모양은 직사각형이다. 이때 주의할 점이 있다.

모둠에서 생각한 방법

원기둥의 옆면을 펼친 사각형의 윗변과 아랫변의 길이가 밑면인 원의 둘레의 길이와 같은데 두 밑면인 원이 합동이므로 사각형의 윗변과 아랫변의 길이는 같다. 그리고 원기둥의 높이가 일정하고 밑면에 수직이므로 옆면을 펼친 사각형은 직사각형이다.

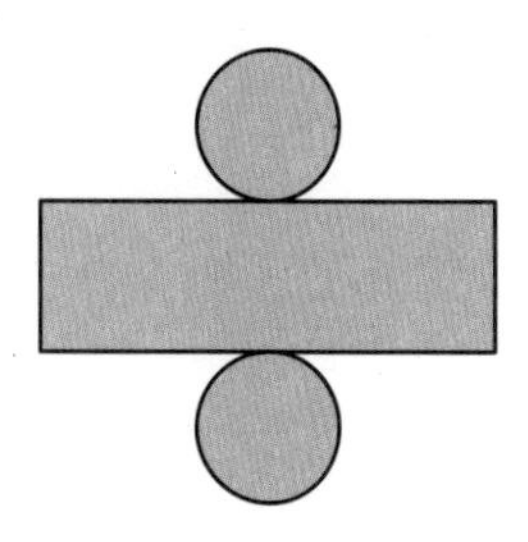

수업 노하우

- 전개도를 오려서 원기둥을 만드는 과정에서 문제점을 발견하도록 진행한다.
- 제시된 글을 읽고 주어진 원에 해당하는 도형을 나타내도록 함으로써 도형의 모양, 의미, 기호를 통합적으로 배울 수 있도록 한다.

개념과 원리 탐구하기 3 _ 원뿔의 전개도

교과서(하) 125쪽

탐구 활동 의도

- 시행착오를 통하여 원뿔의 전개도를 학습하고자 하였다. 주어진 전개도를 오려서 직접 원뿔을 만들려는 시도에서 문제점을 발견할 수 있을 것이다.
- 그럴듯한 전개도를 주고서 원뿔을 만들도록 하고 원뿔의 전개도를 추측해 보게 하는 활동이다.

예상 답안

1 (1), (2) 만들어지지 않는다. 원뿔의 옆면에서 꼭짓점과 밑면의 원주까지의 거리가 모두 같으므로 옆면의 전개도는 삼각형이 아니라 부채꼴이 되어야 한다.

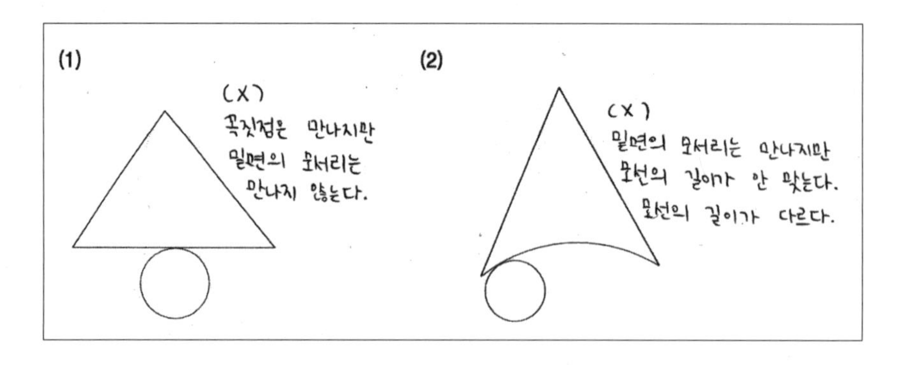

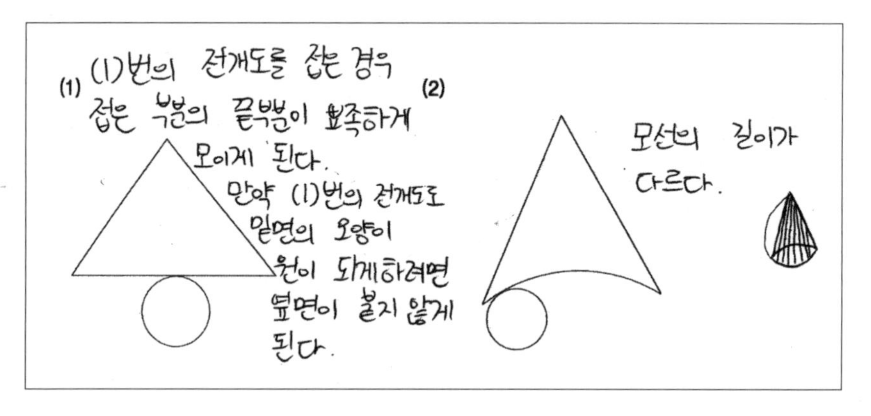

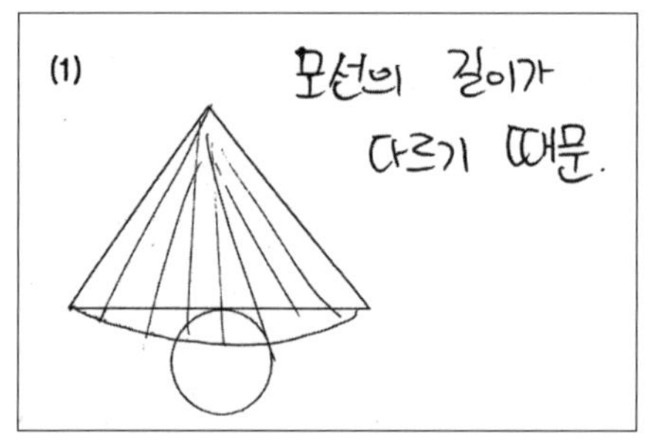

2 원뿔의 옆면의 모선의 길이가 모두 같으므로 옆면을 펼치면 원의 일부인 부채꼴이 되어야 한다. 종이컵을 잘라 보면 이것을 직접 확인할 수 있다. 단, 이 부채꼴의 호의 길이는 밑면인 원의 둘레의 길이와 같다.

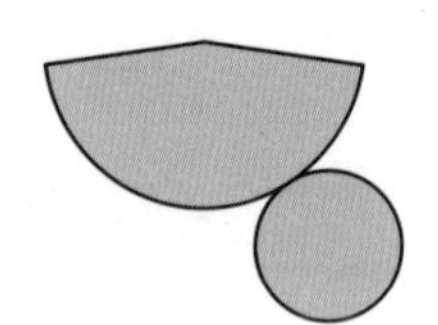

수업 노하우

- 학생들이 그린 여러 가지 전개도와 실제 원뿔 종이컵을 자른 것과 비교하여 원뿔의 전개도를 그리는 방법을 탐구할 수 있도록 한다.

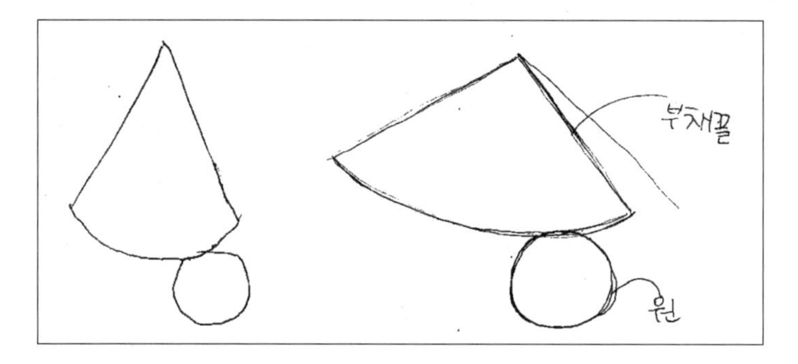

- 주어진 전개도를 오려서 원뿔을 만드는 과정에서 문제점을 구체적으로 발견하도록 진행한다.
- 평면도형에서 배운 부채꼴에 대한 준비학습이 필요하다고 판단되면 이 탐구활동 직전에 부채꼴을 다룰 수 있다. 특히 원뿔의 전개도에서 나오는 부채꼴의 중심각이 생각보다 크다는 것을 경험하면 고등학교에서 호도법을 학습한 후에 보다 정확하게 중심각의 크기를 찾을 수 있을 것이다.

 개념과 원리 탐구하기 4 _ 원뿔의 전개도

교과서(하) 126쪽

탐구 활동 의도

- 학생들이 원뿔의 전개도를 그릴 때 옆면인 부채꼴의 호의 길이와 밑면인 원의 둘레의 길이가 일치해야 한다는 사실을 확인하는 것이 중요하다.
- 부채꼴의 중심각의 크기가 180도를 넘을 수 있음을 스스로 그려 보고 경험을 통해 발견하도록 지도한다. 특히 부채꼴의 중심각의 크기에 따라 원뿔의 모양이 달라질 수 있음을 경험하게 하는 활동이다.
- 원뿔의 전개도를 그릴 때 모선의 길이와 부채꼴의 중심각의 크기, 그리고 밑면을 이루는 원의 반지름의 길이 사이에 밀접한 연관성이 있음을 깨닫도록 한다. 부채꼴의 중심각의 크기가 독립적이지 않음을 자연스럽게 이해하게 한다.

예상 답안

1

	고깔 A	고깔 B
	밑면인 원의 둘레의 길이는 8π cm다. 옆면의 부채꼴의 반지름의 길이가 6 cm이므로 중심각의 크기를 $\theta°$라고 하면 $12\pi\times\frac{\theta°}{360°}=8\pi$에서 $\theta=240$	밑면인 원의 둘레의 길이는 6π cm다. 옆면의 부채꼴의 반지름의 길이가 6 cm이므로 중심각의 크기를 $\theta°$라고 하면 $12\pi\times\frac{\theta°}{360°}=6\pi$에서 $\theta=180$
전개도	6 cm 240° 4 cm	6 cm 180° 3 cm

학생들이 부채꼴의 전개도를 옳게 그리지 못한 경우가 더 많았다. 이 경우 우선 전개도를 어떻게 그렸는지 점검하고, 옳게 그리기 위해 어떤 것을 수정해야 하는지 논의하면서 필요한 정보를 찾아가도록 한다.

– 아래는 부채꼴의 중심각의 크기를 고려하지 않은 예다.

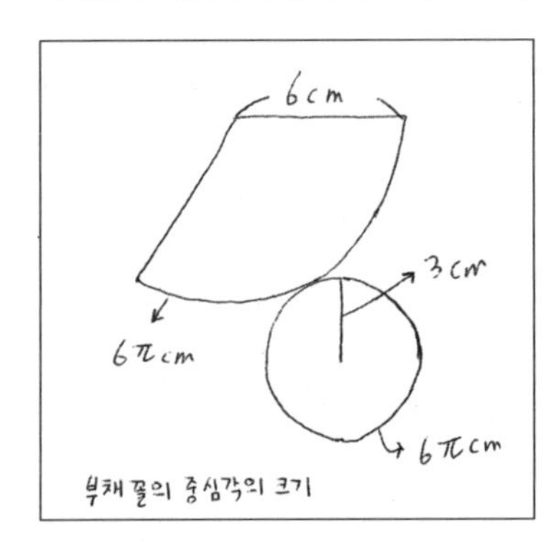

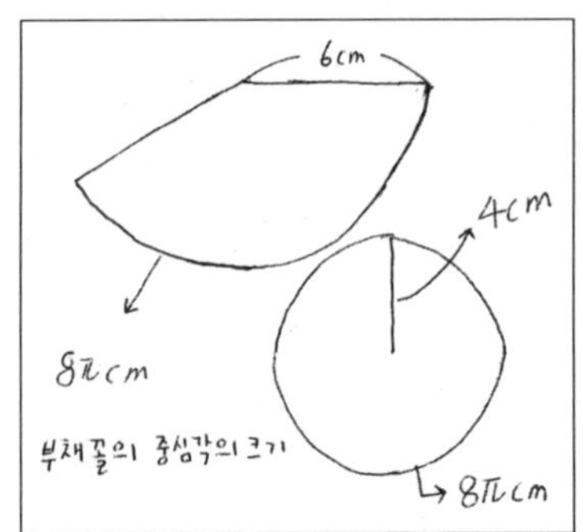

– 다음은 중심각의 크기는 모자 A는 240°, 모자 B는 180°로 옳게 구했지만, 그림을 아래와 같이 잘못 그린 예다.

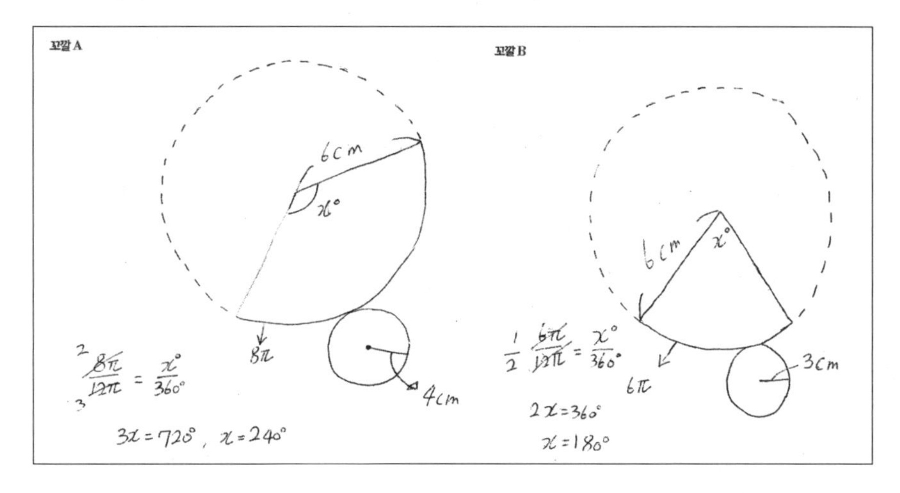

– 다음은 원뿔의 옆면을 이루는 부채꼴의 중심각의 크기를 옳게 구하여 그린 예다.

- 중심각을 알아야 한다.
- 모선의 길이를 알아야 한다.
- 밑면의 반지름도 알아야 한다.

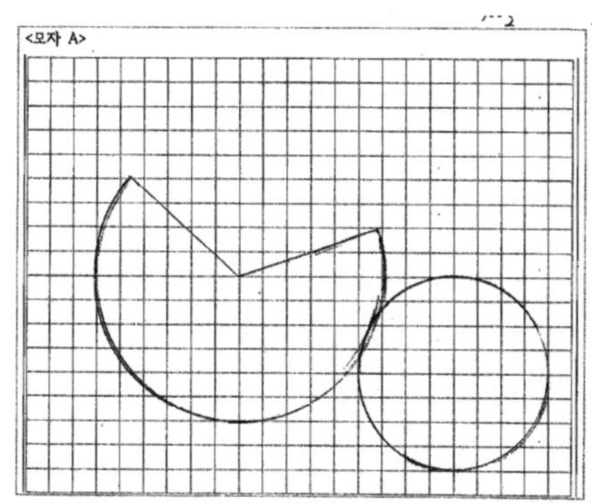

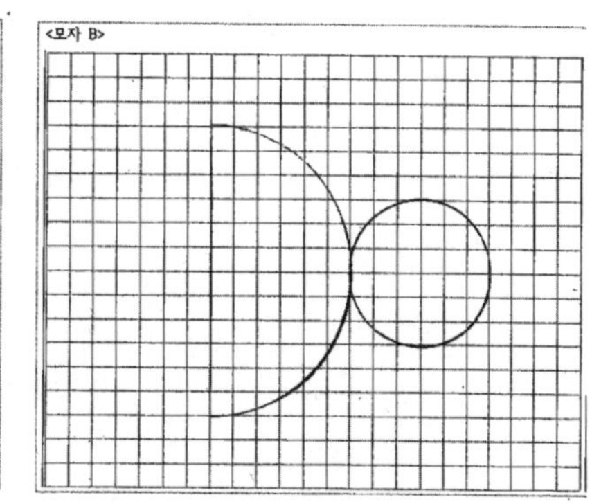

2

내가 그린 이유	모둠에서 생각한 중요한 요소
• 옆면은 부채꼴 모양이어야 한다. • 모선의 길이가 옆면의 부채꼴의 반지름의 길이와 같다. • 밑면의 원주를 이용하여 부채꼴의 중심각의 크기를 구할 수 있다.	• 원뿔을 만들기 위해서는 옆면이 삼각형이나 직사각형이 아닌 부채꼴이어야 하며 또한 부채꼴의 호의 길이와 밑면을 이루는 원의 둘레의 길이가 일치해야 한다. • 원뿔 A의 전개도는 옆면을 이루는 부채꼴의 중심각의 크기가 180°를 넘는다. 반면에 원뿔 B의 전개도는 옆면을 이루는 부채꼴의 중심각의 크기가 180°다.

개념과 원리 탐구하기 5 _ 원기둥의 겉넓이

교과서(하) 128쪽

탐구 활동 의도

- 겨냥도를 보고 전개도를 추측하는 활동이다. 겉넓이를 구하는데 필요한 정보를 파악하는 과정에서 전개도에 대한 그림을 그릴 수 있을 것이다.
- 전개도를 주고 원기둥의 겉넓이를 구하라는 전통적인 방식의 질문은 자기 주도성을 키울 수 없다. 겨냥도를 주지 않고 그려 보도록 하는 것은 각자가 지식의 생산자 역할을 하도록 한 것이다.
- 3 에서는 다른 사람이 정해준 수치로 원기둥을 수동적으로 학습하는 것을 넘어서 자기 주도적인 겉넓이 구하기 활동으로 만들었다.

예상 답안

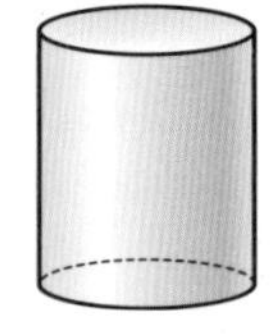

2 밑면인 원의 반지름의 길이(또는 지름의 길이), 원기둥의 높이
밑면인 원의 반지름 또는 지름의 길이로 밑면인 원의 넓이를 구할 수 있으며, 옆면인 직사각형의 가로의 길이를 구할 수 있다.

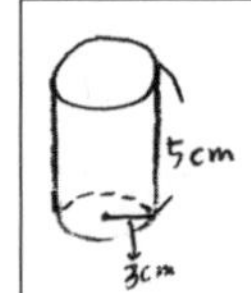

밑넓이, 옆면의 넓이 (밑면의 둘레, 높이)

밑넓이 X 2 + 밑면의 둘레 x 높이

3 각자 그린 그림의 정보에 맞게 겉넓이를 구했는지 확인한다.
다음과 같은 겨냥도에서 겉넓이를 구하기도 하였다.

예시 답안 1

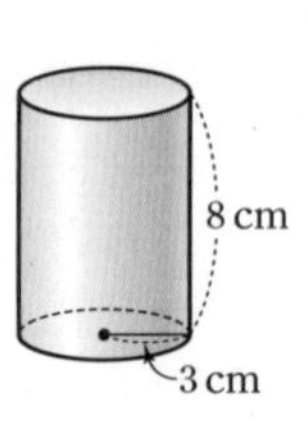

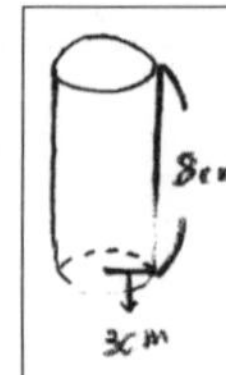

두 밑면 : $\pi r^2 \times 2 = 9\pi \times 2 = 18\pi$

옆면 : (둘레)X(높이)

$= 2\pi r \times 8 = 6\pi \times 8 = 48\pi$

$18\pi + 48\pi = 66\pi$

답 : $66\pi cm^2$

예시 답안 2

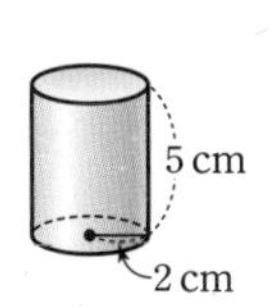

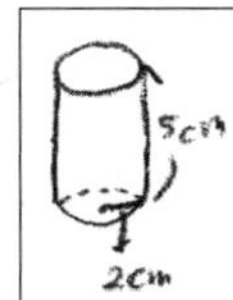

반지름 2cm 높이 5cm

$2 \times 2 \times \pi \times 2 = 8\pi$ ← 밑넓이 두개

$2 \times 2 \times \pi = 4\pi$

$4\pi \times 5 = 20\pi$ ← 옆넓이

$8\pi + 20\pi = 28\pi$

답: $28\pi cm^2$

수업 노하우

- 2에서 원의 반지름의 길이라고 하는 것은 직접 측정하기 어렵다. 차라리 지름의 길이를 측정하는 것이 쉽다. 반지름이라고 하는 것은 원의 넓이나 원주를 구할 때 공식에 사용되기 때문에 반지름을 생각하기 쉽지만 지름을 측정해서 반으로 나누는 값을 사용하도록 한다.
- 2에서 학생들이 생각나는 대로 말하도록 자유롭게 두자. 그런 후 나온 의견 중 없앨 수 있는 조건은 없는지 다시 물어볼 수도 있다. 예를 들어 원주가 필요하다고 주장하는 학생들이 있다. 그러나 원의 둘레는 곡선이므로 잴 수는 없다. 지름이나 반지름의 길이로 계산이 가능함을 의사소통하게 할 때 스스로 발견할 수 있다.
- 3은 각자 그린 그림대로 원기둥의 겉넓이가 나올 것이니 모두 다를 수 있으며 서로 맞게 구했는지 검토하게 할 수 있다.

수업 연구

학생들을 지식의 수용자의 위치에서 지식의 생산자 위치로 바꿔주어야 한다. 기존의 교육이 모든 정보와 지식을 일방적으로 제공하고 그것을 설명하는 데 많은 시간을 소비했다고 한다면, 새로운 교육은 교사의 안내된 과제를 통해 지식을 재발명하는 생산자의 역할을 할 수 있도록 해야 한다.
대부분의 개념 설명이 학생의 사고나 탐구 이전에 교과서나 교사로부터 명시적으로 제공되면 학생들은 탐구해야 할 동기기를 갖기 어렵다. 학습해야 할 필요성 역시 느끼기 어렵다. 우리나라 학생들이 수학에서 정의적 영역의 성취도가 낮은 이유는 수학을 학습할 동기가 부족하고 수학의 필요성을 느끼지 못하기 때문이다.

개념과 원리 탐구하기 6 _ 원뿔의 겉넓이

교과서(하) 129쪽

탐구 활동 의도

- 겨냥도를 보고 전개도를 추측하는 활동이다. 겉넓이를 구하는 데 필요한 정보를 파악하는 과정에서 전개도에 대한 그림을 그릴 수 있을 것이다.
- 원기둥과 마찬가지로 전개도를 주고 원뿔의 겉넓이를 구하라는 전통적인 방식의 질문은 자기 주도성을 키울 수 없다. 겨냥도를 주지 않고 그려 보도록 하는 것은 각자가 지식의 생산자 역할을 하도록 한 것이다.
- 3에서는 다른 사람이 그린 원뿔을 수동적으로 학습하는 것을 넘어서 자기 주도적인 겉넓이 구하기 활동으로 만들었다.

예상 답안

1

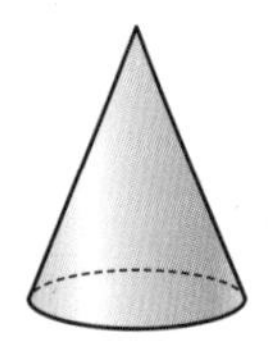

2 원의 반지름의 길이(또는 지름의 길이), 원뿔의 모선의 길이
원의 반지름 또는 지름의 길이로 밑면인 원의 넓이를 구할 수 있으며, 옆면인 부채꼴의 호의 길이를 구할 수 있다.

3 각자 그린 그림의 정보에 맞게 겉넓이를 구했는지 확인한다.

2. 1번에서 원뿔의 겉넓이를 구하기 위해 필요한 정보를 정리해 보자.

모선의 길이, 반지름, 중심각의 크기, 원의 둘레 …

3. 2번에서 정리한 정보대로 수치를 정하여, 원뿔의 겉넓이를 구해 보자.

모선의 길이 : 4cm

반지름 : 2cm

원의 둘레 : 4π

원의 넓이 : 4π

중심각 : $\frac{4\pi}{8\pi} = \frac{x°}{360°}$, $x° = 180°$

부채꼴의 넓이 : $16\pi \times \frac{180°}{360°} = 8\pi$

원뿔의 겉넓이 : $8\pi + 4\pi = 12\pi$

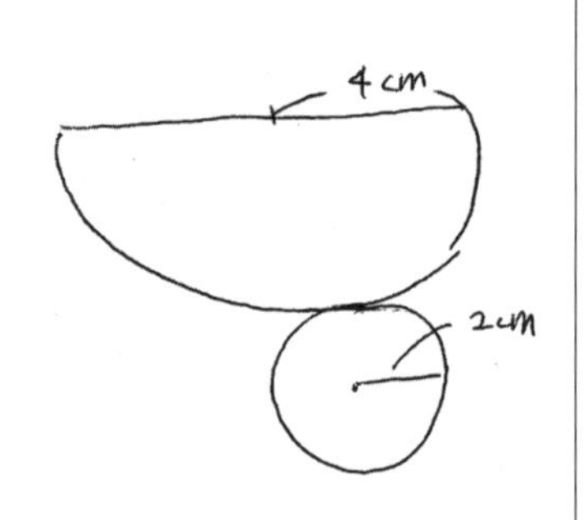

수업 노하우

- 2에서 원의 반지름의 길이라고 하는 것은 직접 측정하기 어렵다. 차라리 지름의 길이를 측정하는 것이 쉽다. 반지름이라고 하는 것은 원의 넓이나 원주를 구할 때 공식에 사용되기 때문에 반지름을 생각하기 쉽지만 지름을 측정해서 반으로 나누는 값을 사용하도록 한다.
- 원뿔의 전개도를 그리기 위해 다음과 같이 직접 만들어 보게 할 수도 있다.

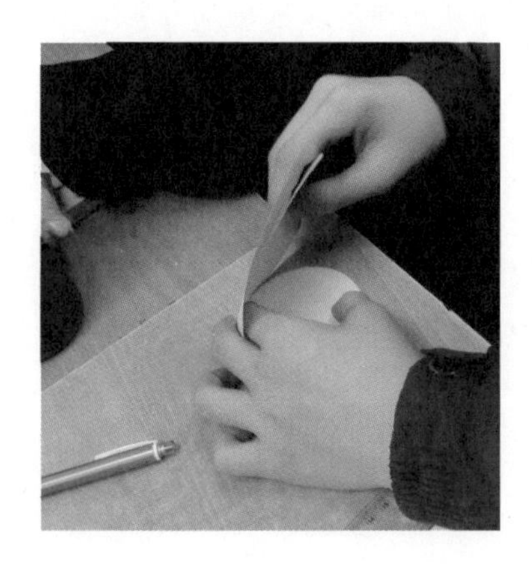

- 원의 둘레의 길이가 필요하다고 주장하는 학생들이 있다. 그러나 원의 둘레는 곡선이므로 그 길이를 잴 수는 없다. 지름이나 반지름의 길이로 계산이 가능함을 **탐구하기 5**와 **6**을 통해 이해할 수 있도록 하자.
- 3은 각자 그린 그림대로 원뿔의 겉넓이가 나올 것이니 모두 다를 것이다. 자기 주도적인 수치가 나올 것이다.
- 원뿔의 높이를 재는 것은 쉬운 일이 아니다. 그림과 같이 두 개의 자를 이용하는 것이 가능하다.

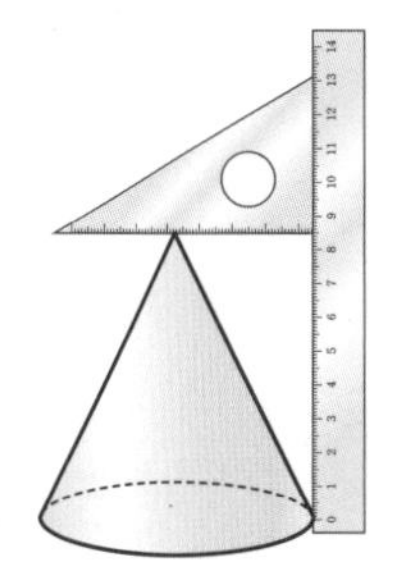

/ 2 / 기둥과 뿔의 부피

학습목표

1 기둥의 부피를 구하는 일반적인 방법을 발견하고 이를 설명할 수 있다.

2 관찰을 통해 뿔의 부피를 구하는 방법을 이해하고, 관련된 실생활 문제를 해결할 수 있다.

2015 개정 교육과정 성취기준

입체도형의 겉넓이와 부피를 구할 수 있다.

핵심발문

입체도형의 겉넓이와 부피를 구하는 데 필요한 최소한의 정보는 무엇일까?

개념과 원리 탐구하기 7 _ 기둥의 부피

교과서(하) 130쪽

탐구 활동 의도

- 부피를 구하는 최초의 활동은 직육면체다. 그래서 초등에서 학습한 내용을 준비학습으로 제시하였다.
- 2 는 밑넓이의 개념을 만들기 위한 것이다. 가로와 세로의 곱이 본래는 쌓기나무의 1층의 부피인데, 갑자기 이것이 밑넓이로 바뀐 경위가 애매하다.

예상 답안

1 (1) $3\times4\times5=60(\text{cm}^3)$ (2) $2\times5\times4=40(\text{cm}^3)$ (3) $3\times3\times5=45(\text{cm}^3)$

각 수가 의미하는 것은 각각 가로의 길이, 세로의 길이, 높이다.

이들의 곱은 직육면체 안에 들어 있는 부피가 $1\,\text{cm}^3$인 단위 정육면체의 개수를 의미한다.

2 본래 (가로)×(세로)는 직육면체의 밑면의 단위 정육면체의 개수를 뜻하므로 직육면체 1층의 부피를 의미한다. 즉 높이가 1인 직육면체의 부피기 때문에 그 값이 밑넓이와 같다. 그러므로 직육면체의 부피는 (밑넓이)×(높이)로 구할 수도 있다.

3 (1) 밑면인 삼각형의 넓이는 $10\times8.7\times\frac{1}{2}=43.5$이고 높이가 15이므로 삼각기둥의 부피는

$43.5\times15=652.5(\text{cm}^3)$

(2) 밑면인 정오각형을 쪼갠 한 삼각형의 넓이가 $4\times2.75\times\frac{1}{2}=5.5$이므로 정오각형의 넓이는

$5.5\times5=27.5$

오각기둥의 높이가 10이므로 오각기둥의 부피는 $27.5\times10=275(cm^3)$

(3) 원기둥의 밑면의 넓이가 9π이고 높이가 5이므로 원기둥의 부피는 $9\pi\times5=45\pi(cm^3)$

(4) 밑면의 넓이가 65이고 높이가 10이므로 기둥의 부피는 $65\times10=650(cm^3)$

수업 노하우

- 부피를 구하는 것이 그 물체가 차지하는 양을 재는 것인데 왜 갑자기 가로와 세로와 높이의 길이를 측정하여 곱하는 것인지를 이해하는 것이 핵심이다. 그런 이해는 단위 부피의 개수를 구하는 것으로 연결할 수 있다. 개수를 구하려다 보니 곱셈이 된 것이다.
- 직육면체의 부피를 구하는 공식이 (가로)×(세로)×(높이)였는데 어느 순간 갑자기 (밑넓이)×(높이)로 변신한다. 즉, (가로)×(세로)가 밑넓이와 같다는 것이다. 그러나 가로와 세로의 곱이 본래는 쌓기나무의 1층의 부피였다. 갑자기 이것이 밑넓이로 바뀐 경위가 어정쩡하다. 이 둘 사이는 계산의 결과가 같기 때문이라는 것을 인식시키도록 하자. 여기서 개념 연결이 되어야 다른 각기둥이나 원기둥으로 옮겨갈 수 있다. 왜냐하면 밑면이 직사각형이 아닌 각기둥이나 원기둥은 쌓기나무로 설명하기 쉽지 않기 때문이다.

개념과 원리 탐구하기 8 _ 각뿔의 부피

교과서(하) 132쪽

탐구 활동 의도

- [1]에서는 실험에 앞서 그림의 모양만으로 부피의 비율을 추측하도록 했다.
- [2]는 실험을 통해서 각뿔의 부피가 각기둥의 부피의 $\frac{1}{3}$임을 받아들이는 활동이다.
- [3]은 사각뿔을 여러 개 모아 정육면체를 만드는 활동이다. 물을 붓는 활동과 다른 각도에서 기둥과 뿔의 부피의 관계를 파악할 수 있다.
- [4]는 각뿔의 부피를 구하는 방법을 정리하도록 하는 활동이다.

예상 답안

[1] 2배 또는 3배 또는 2.5배 등 다양한 추측이 가능하다.
'사각뿔은 사각기둥과 밑면의 넓이가 같지만 꼭짓점으로 갈수록 좁아지는데 꼭짓점 양쪽 부분이 부피가 같으니까 약 3배 정도 될 것 같다.' 등의 이유가 가능하다.

[2] 3번 정도(그 이유는 [1]의 이유와 같다.)

[3] (1) 3개

(2) 사각뿔 3개가 모여 한 모서리의 길이가 6 cm인 정육면체가 만들어졌으므로 사각뿔 하나의 부피는 정육면체의 부피의 $\frac{1}{3}$이다.

정육면체의 부피는 $6\times6\times6=216$이므로 사각뿔 하나의 부피는 $\frac{216}{3}=72\,\text{cm}^3$이다.

4 각뿔의 부피는 각기둥의 부피의 $\frac{1}{3}$이다.

1조	3조	2조
가로×세로×높이×$\frac{1}{3}$	$\frac{\text{가로×세로×높이 (밑면)}}{3}$	$\frac{1}{3}$×(밑넓이)×(높이) =각뿔의 부피
4조	**5조**	**6조**
$\frac{\text{가로×세로×높이}}{3}$	-밑면의 넓이가 같고 합동인 경우의 부피 기둥 : 뿔 = 3 : 1 - $a\times b\times h\times\frac{1}{3}=V$ $V=\frac{abh}{3}$ ↳ 뿔의 부피	$V=\frac{1}{3}abh$

수업 노하우

- 1 에서 기둥의 부피가 뿔의 부피의 2배라고 추측하는 학생이 의외로 많다. 그것은 부피 개념이 눈으로 쉽게 파악되는 것이 아니라는 증거다. 어쩌면 정확히 3배라고 추측하는 자체가 불가능할지도 모른다.
- 두 가지 체험 활동을 통해서 뿔의 부피가 기둥의 부피의 $\frac{1}{3}$임을 깨닫도록 한다. 물을 붓는 활동이 가장 많이 할 수 있는 실험이지만 3 처럼 사각뿔을 접어 정육면체를 만드는 활동도 해볼만하다. 학생들은 사각뿔 세 개를 붙여서 정확하게 정육면체가 만들어지는 장면에서 감탄사가 나올 수 있다.
- 실험 기구가 없을 경우 방수 처리가 되어 있는 우유 상자를 이용하여 만들어 실험할 수도 있다

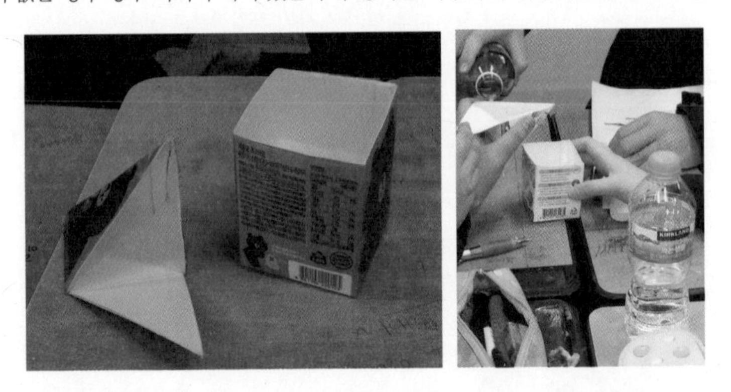

- 3 에서 사각뿔을 딱 3개만 만들게 하는 것은 정답을 알려주는 것과 마찬가지라서 여유있게 8개를 만들라고 제시했다.

/ 3 / 구의 겉넓이와 부피

학습목표

1 관찰을 통해 구의 겉넓이와 부피를 구하는 방법을 이해하고, 이를 활용하여 문제를 해결할 수 있다.

2015 개정 교육과정 성취기준

입체도형의 겉넓이와 부피를 구할 수 있다.

핵심발문

입체도형의 겉넓이와 부피를 구하는 데 필요한 최소한의 정보는 무엇일까?

개념과 원리 탐구하기 9 _ 구의 겉넓이

교과서(하) 134쪽

탐구 활동 의도

- 중1에게는 구의 겉넓이를 수학적으로 정확히 구하는 것이 불가능한 것이기 때문에 직관적인 실험을 통해서 학습하는 것이다.

예상 답안

[1] 실제로 채워 보면 4개의 원이 채워진다.

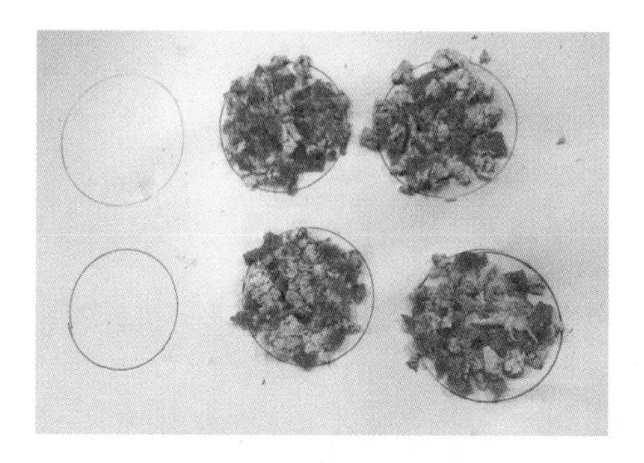

[2] 구의 겉넓이는 구의 지름을 지나는 단면인 원의 넓이의 4배다.
구의 반지름의 길이를 r이라고 하면 원의 넓이는 πr^2이므로 구의 겉넓이는 $4\pi r^2$으로 구할 수 있다.

수업 노하우

- [1]에서 오렌지의 단면과 크기가 같은 원을 그리는 과정에서 오렌지를 반으로 잘라 그것을 종이 위에 올려 놓으면 물이 흘러 종이가 젖을 우려가 있다. 오렌지를 자르지 않고 종이 위에 올려 놓아 대략적인 원을 그리는 것으로 진행할 수 있다.
- 오렌지 껍질이 아닌 연식 정구공을 자르면 겉넓이를 직관적으로 구할 수 있다.

개념과 원리 탐구하기 10 _ 원뿔과 구의 부피

교과서(하) 135쪽

탐구 활동 의도

- 구의 부피나 겉넓이는 중학교 1학년 학생들의 인지 수준에 맞춰 설명하기 어려운 부분이다. 따라서 이 부분은 수학적 사실을 실험을 통해 확인하는 정도가 적당한 학습이다.
- [1]에서는 구의 부피가 밑면의 지름의 길이와 높이가 모두 구의 지름의 길이와 같은 원기둥의 부피의 $\frac{2}{3}$가 된다는 사실을 확인하기 위한 실험이다. 교구를 이용하는 것이 가장 효과적이다.
- [2]에서는 실험 결과를 가지고 추측하는 과정이다.
- [3]에서는 문자를 사용한 식으로 나타내는 활동이다.

예상 답안

[1] (3)

(1)의 원뿔 2개의 부피는 (3)의 원기둥의 부피보다 작음을 알 수 있다.

(2)의 반구 2개는 원기둥과 높이는 같아도 옆부분에 비어 있는 부분이 있기 때문에 원기둥의 부피보다 작다.

[2] 실제 실험을 하면 원뿔에 있는 콩을 3번 부어야 원기둥에 가득 찬다는 것을 알 수 있다. 즉, 원뿔의 부피는 원기둥의 부피의 $\frac{1}{3}$임을 확인할 수 있다. 또한 원뿔에 있는 콩을 반구에 부으면 가득 차게 된다. 이로써 구는 원뿔 2개와 부피가 같다는 것을 추측할 수 있다.

위의 두 결과를 종합하면 구의 부피는 원기둥의 부피의 $\frac{2}{3}$가 되며 실제 물을 부어서 대략적으로 이 사실을 확인해 볼 수 있다.

[3] 원기둥의 밑면의 반지름의 길이를 r이라고 하면 높이는 구의 지름의 길이와 같으므로 $2r$이다. 따라서 원기둥의 부피는 $\pi r^2 \times 2r = 2\pi r^3$이다.

구의 부피는 원기둥의 부피의 $\frac{2}{3}$이므로 $\frac{4}{3}\pi r^3$이라는 계산식으로 구할 수 있다.

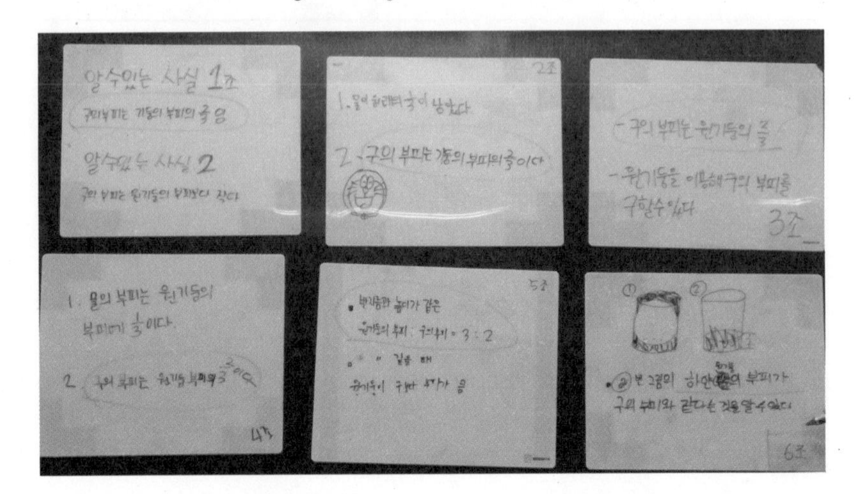

수업 노하우

- 교구가 없이는 추측하기 어려운 부분이므로 가급적 교구를 확보하여 실험을 통해서 정당화하는 과정을 경험하는 것이 학습에 필요하다.
- 실험 재료는 콩이 가장 적당했다. 필요에 따라서는 모래나 쌀, 초콜릿 등을 이용할 수 있다.
- 원기둥을 기준으로 원뿔과 구를 비교하면 결국 원뿔과 구 사이의 관계도 추론할 수 있다. 원기둥의 부피(1)을 기준으로 원뿔의 부피는 $\frac{1}{3}$, 구의 부피는 $\frac{2}{3}$이므로 구의 부피는 원뿔의 부피의 2배다.

탐구 되돌아보기 예상 답안

교과서(하) 136~141쪽

1 개념과 원리 탐구하기 3

(1) – 원의 넓이, 부채꼴의 넓이

– 원의 넓이를 구하려면 원의 반지름의 길이를 알아야 하고, 옆면의 넓이를 구하려면 부채꼴의 넓이를 구해야 하므로 부채꼴의 반지름의 길이와 중심각의 크기를 알아야 한다. 큰 부채꼴에서 작은 부채꼴의 넓이를 빼서 옆넓이를 구한다.

(2)

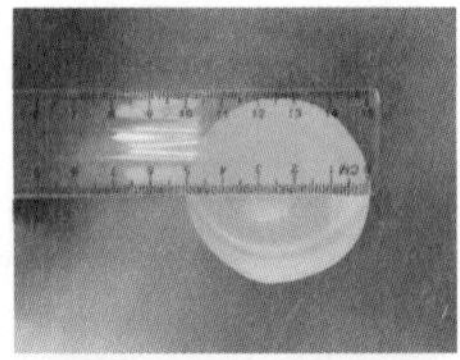
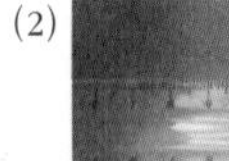

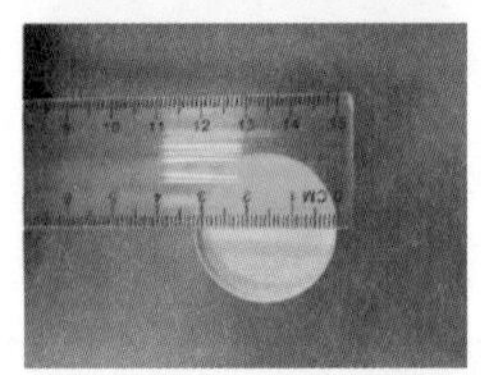

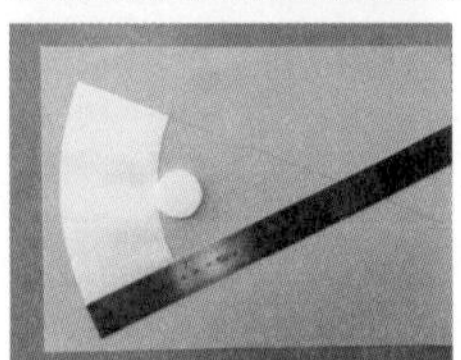

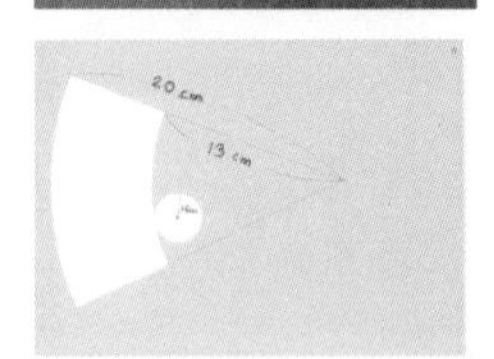

2 개념과 원리 탐구하기 3, 8

(1)

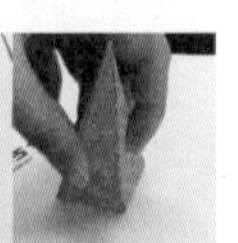

(2)

겉넓이는 정사각형의 넓이와 같고 정사각형의 한 변의 길이는 8 cm이므로 $8\times8=64\,(\text{cm}^2)$

(2)

밑넓이 : $4\times4\times\frac{1}{2}=8\,(\text{cm}^2)$

높이 : 8 cm

부피 : $8\times8\times\frac{1}{3}=\frac{64}{3}\,(\text{cm}^3)$

부피는 색종이의 크기에 따라 달라질 수 있다.

3 개념과 원리 탐구하기 10

(1)

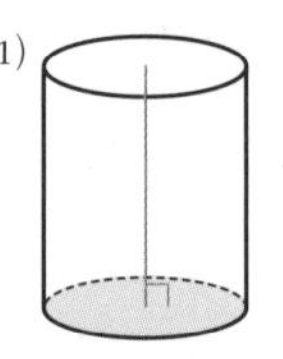
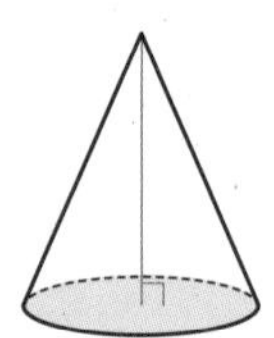

같아야 하는 조건: 밑넓이와 높이

밑면인 원의 반지름의 길이를 r, 높이를 h라고 할 때

$(\text{원기둥의 부피})=\pi r^2\times h=\pi r^2 h$

$(\text{원뿔의 부피})=\pi r^2\times h\times\frac{1}{3}=\frac{1}{3}\pi r^2 h$

부피의 비는

$(\text{원기둥}):(\text{원뿔})=\pi r^2 h:\frac{1}{3}\pi r^2 h=1:\frac{1}{3}=3:1$

(2)

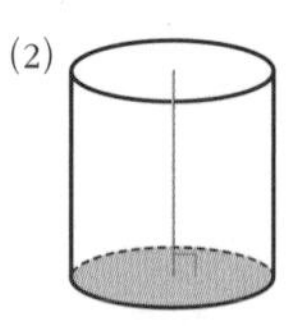
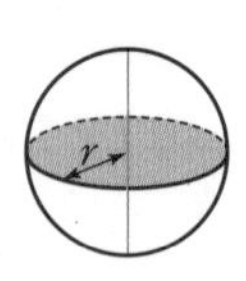

같아야 하는 조건: 원기둥의 밑넓이와 구의 중심을 지나는 단면인 원의 넓이, 원기둥의 높이와 구의 지름의 길이

반지름의 길이를 r, 높이를 h라고 할 때, $h=2r$이다.

$(\text{원기둥의 부피})=\pi r^2\times h=\pi r^2\times 2r=2\pi r^3$

$(\text{구의 부피})=\frac{4}{3}\pi r^3$

부피의 비는

$(\text{원기둥}):(\text{구})=2\pi r^3:\frac{4}{3}\pi r^3=2:\frac{4}{3}=6:4=3:2$

(3) 원기둥을 기준으로 원뿔, 구, 원기둥의 부피의 비를 구하면

(원뿔) : (구) : (원기둥) $=1:2:3$

4 개념과 원리 탐구하기 7

(1) 다양한 크기의 상자를 만들 수 있지만 다음 네 가지 경우를 조사해 보자.

	가로	세로	높이	부피	겉넓이
	1	6	6	36	96
	2	2	9	36	80
	2	3	6	36	72
	3	3	4	36	66

(2) (1)에서 겉넓이가 최소인 것은 $3\times3\times4$인 상자다.
이 모양의 특징은 정육면체에 가장 가까운 모양이다. 세 모서리의 길이가 차이가 클수록 겉넓이가 커지고, 세 모서리의 길이가 비슷할수록 점점 겉넓이가 작아진다.
이것은 안쪽에 가려진 캐러멜 면이 가장 많은 형태의 상자의 겉넓이가 가장 작다고 생각할 수 있다.

5 개념과 원리 탐구하기 8

정육면체 하나가 6개의 똑같은 사각뿔로 쪼개지므로 사각뿔 하나의 부피는 정육면체의 부피의 $\frac{1}{6}$이다. 그런데 그림의 사각뿔의 높이는 정육면체의 높이의 절반이므로 정육면체와 높이가 똑같은 사각뿔의 부피는 정육면체의 부피의 $\frac{1}{3}$이 되어야 한다.

즉, 밑넓이와 높이가 같은 정육면체와 사각뿔의 부피 사이에는 $3:1$인 관계가 있다. 즉, 밑넓이와 높이가 정육면체와 같은 사각뿔의 부피는 정육면체의 부피의 $\frac{1}{3}$임을 알 수 있다.

6 개념과 원리 탐구하기 8

직육면체의 세 모서리의 길이를 알면 물의 양을 구할 수 있다.

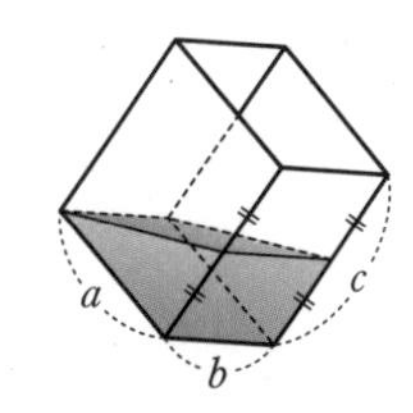

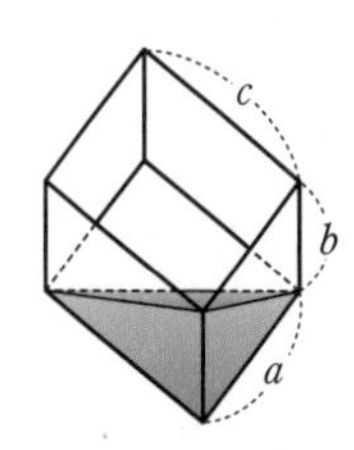

직육면체의 세 모서리의 길이를 각각 a, b, c라고 하자.
왼쪽 그릇의 물의 양은 삼각기둥의 부피와 같으므로

$\left(a\times\frac{1}{2}c\times\frac{1}{2}\right)\times b=\frac{1}{4}abc$

즉, 직육면체의 부피의 $\frac{1}{4}$이다.

오른쪽 그림의 물의 양은 삼각뿔의 부피와 같으므로

$\frac{1}{3}\times\left(a\times c\times\frac{1}{2}\right)\times b=\frac{1}{6}abc$

즉, 직육면체의 부피의 $\frac{1}{6}$이다.

7 개념과 원리 탐구하기 9

(1) ① 야구공이 둥글기 때문에 원을 여러 개 겹치면 빈틈없이 감쌀 수 있을 것 같다.

③ 6자 모양도 될 것 같다. 6자 모양 두 개를 뒤집어 붙이면 구가 될 것 같다.

④ 8자 모양을 서로 빈틈없이 붙이면 구가 될 것 같

다.

(2) 야구공은 8자 모양 두 개로 만들 수 있다.

구의 겉넓이는 $4\times\pi\times\left(\frac{7}{2}\right)^2=49\pi(\text{cm}^2)$이므로

한 조각의 넓이는 $\frac{49}{2}\pi\,\text{cm}^2$이다.

8 개념과 원리 탐구하기 10

반지름의 길이가 3 cm인 구 모양의 초콜릿의 부피는

$\frac{4}{3}\pi\times3^3=36\pi(\text{cm}^3)$

이고, 반지름의 길이가 1 cm인 구 모양의 초콜릿의 부피는

$\frac{4}{3}\pi\times1^3=\frac{4}{3}\pi(\text{cm}^3)$

이다. 따라서 반지름의 길이가 1 cm인 반구 모양의 초콜릿의 부피는

$\frac{4}{3}\pi\times\frac{1}{2}=\frac{2}{3}\pi(\text{cm}^3)$

이므로 구하는 개수는

$36\pi\div\frac{2}{3}\pi=36\pi\times\frac{3}{2}\pi=54$

이다.

9 내가 만드는 수학 이야기

학생 답안 1

제목

원뿔대 모양에서 안쪽만 판 회전체를 회전축으로 돌렸다고 한다. 그 건물은 천장을 뚫어 바로 하늘을 볼 수 있도록 하였다.

학생 답안 2

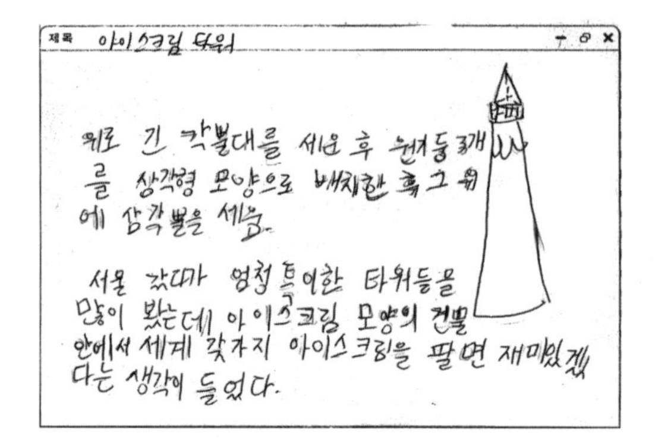

학생 답안 3

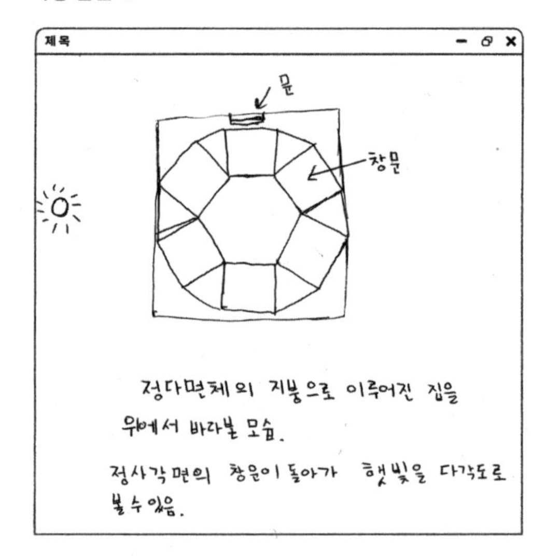

개념과 원리 연결하기 예상 답안

교과서(하) 142~143쪽

1

나의 첫 생각

만들면 있을 것 같다.
삼면체를 만들어 볼까?

다른 친구들의 생각

한 꼭짓점에 모인 면은 최소 3개가 되어야 한다. 면 2개로 한 꼭짓점을 만들면 두 면이 딱 달라붙게 되어 꼭짓점이 생기지 않는다. 그러므로 한 꼭짓점에 모인 면의 개수는 3 이상이다.
면 3개로 한 꼭짓점을 만들면 한쪽 면이 뚫려서 다면체가 아직 완성이 되었다고 볼 수 없다. 그러므로 최소한 1개의 면을 더 사용하여 뚫린 부분을 막아야 다면체가 완성이 되는데 이미 면의 개수는 4개가 되었다. 그러므로 다면체 중 최소인 것은 삼면체가 아니라 사면체다.

정리된 나의 생각

면이 3개인 다면체는 만들 수 없다. 왜냐하면 한 꼭짓점에 최소 3개의 면이 필요하며 다른 쪽을 적어도 한 면으로 둘러싸면 최소한의 다면체는 사면체가 된다.

학생 답안

나의 첫 생각

삼면체는 옆면과 밑면을 만들 수 없기 때문이다
삼면체=옆면 2, 밑면 1 = ???
옆면이 2개면 도형이 이루어질 수 없기 때문에 삼면체 X

삼면체는 3개의 면으로 이루어진 도형을 말하는 데
3개의 면을 가지고 입체도형을 만들 때
면을 어떠한 모양으로 하든
면과 면이 만나 교점이 생기지 않아
평면도형으로 만들어지므로 입체도형을 만들 수 없다.

입체도형은 면으로 만들어지는데 이 면의 모양 중 가장 변 수가 적은 삼각형을 이용해도 사면체가 나오고, 더 이상 변 수를 줄일 수 없기 때문에 (이각형은 존재X) 삼면체는 존재할 수 없다.

2 (1)

[정다면체의 뜻]

정다면체는 두 가지 조건을 갖춘 입체도형이다.
① 각 면이 합동인 정다각형이다.
② 각 꼭짓점에 모인 면의 개수가 같다.
정다면체는 5개뿐이다.

[정다면체의 성질]

면의 모양	각 꼭짓점에 모인 면의 개수	정다면체의 이름
정삼각형	3	정사면체
정삼각형	4	정팔면체
정삼각형	5	정이십면체
정사각형	3	정육면체
정오각형	3	정십이면체

학생 답안

정다면체의 뜻 : 다면체 중 각 면이 모두 합동인 정다각형 모양이고 각 꼭짓점에 모인 개수가 같은 다면체.
〃 성질 : 면이 모두 합동이다.
〃 종류 : 정사면체, 정육면체, 정팔면체, 정십이면체, 정이십면체
↳ 한 꼭짓점에 모인 각의 크기의 합이 360° 이상이면 평면이 돼서 다면체가 이뤄지지 않는다.

각 면이 서로 합동인 정다각형, 각 꼭짓점에 모여 있는 면의 개수가 같은 다면체
정다면체는 정사면체, 정육면체, 정팔면체, 정십이면체, 정이십면체 뿐이다
정육각형부터 이 이상으로 이루어진 정다면체가 없는 이유는 우선 한 꼭짓점에 3개 이상의 정다면체가 모여야 하는데 정육각형부터는 3개 이상이 모이면 평면, 또는 오목한 모양이 되므로 없다.

(2)

각 개념의 뜻과 정다면체의 연결성

- 정다각형은 모든 변의 길이가 같고, 모든 각의 크기가 같은 다각형이다. 정다면체는 모든 면이 합동인 정다각형이어야 하는 조건과 각 꼭짓점에 모인 면의 개수가 같다는 조건을 만족해야 한다.
- 정다각형의 개수는 무한하지만 정다면체는 5개밖에 없다.
- 다면체는 다각형인 면으로만 둘러싸인 입체도형을 말한다. 정다면체도 다면체의 일종이다.
- 위아래의 면이 평행이고, 합동인 입체도형을 각기둥, 밑면이 다각형이고, 옆면이 삼각형인 뿔 모양의 입체도형을 각뿔이라고 한다. 정다면체는 각기둥의 일종이다.

수학 학습원리 완성하기 예상 답안

교과서(하) 144~145쪽

학생 답안 1

내가 선택한 탐구 과제

탐구하기 3.

나의 깨달음

- n각기둥은 면이 하나로 모아지는 꼭짓점이 없는 기둥형태이며 옆면과 밑면, 윗면으로 이루어져 있다.
- n각뿔은 면이 하나로 모아지는 꼭짓점이 있는 뿔형태이며 옆면과 밑면으로 이루어져 있다.
- n각뿔대는 모아지는 꼭짓점이 없지만, 모아지는 형태의 기둥

수학 학습원리

관찰을 통해 도형 분리하며 특징 알아내기

학생 답안 2

나의 깨달음

나는 원뿔의 전개도가 단순히 부채꼴 그리고 밑면은 원으로 그리면 되는 줄 알았다. 그런데 부채꼴의 중심각, 모선의 길이, 밑면의 반지름이 희한하게 서로 관계가 있어서 아무렇게나 그리면 안된다는 것을 새롭게 알았다. 부채꼴의 중심각을 구하는 것은 쉽지는 않았다.
그리고 중심각의 크기가 180°를 넘어가는 원뿔이 훨씬 더 많다는 것도 알게 되었다. 우리가 보는 대부분의 원뿔 모양은 중심각이 180°를 넘는 부채꼴이라는 것을 처음에는 상상하지 못했다. 내가 평소에 전개도라고 대충 그리던 전개도는 월드콘 수준의 얇고 뾰족한 원뿔이 된다는 것을 알고는 신기했다.

수학 학습원리

관찰하는 습관을 통해 규칙성 표현하기

STAGE 11

세상을 한눈에 알아보자
– 자료의 정리와 해석

이 단원의 핵심 지도 방향

이 단원에서는 학생들의 일상이 드러난 여러 형태의 자료를 해석하는 활동을 통해 통계에 친숙해질 수 있습니다. 그리고 초등학교에서 배운 것에 이어 자료를 정리하는 몇 가지 방법을 추가적으로 안내합니다.
자료를 수집, 정리, 분석하는 방법을 배우고, 통계 프로젝트 활동에서 직접 주제를 선정하고 자료를 수집하여 의도에 맞게 정리해 봄으로써 일상 생활 속의 통계를 이해하고 접하게 되는 경험을 하게 될 것입니다.

1 한눈에 보이는 정보

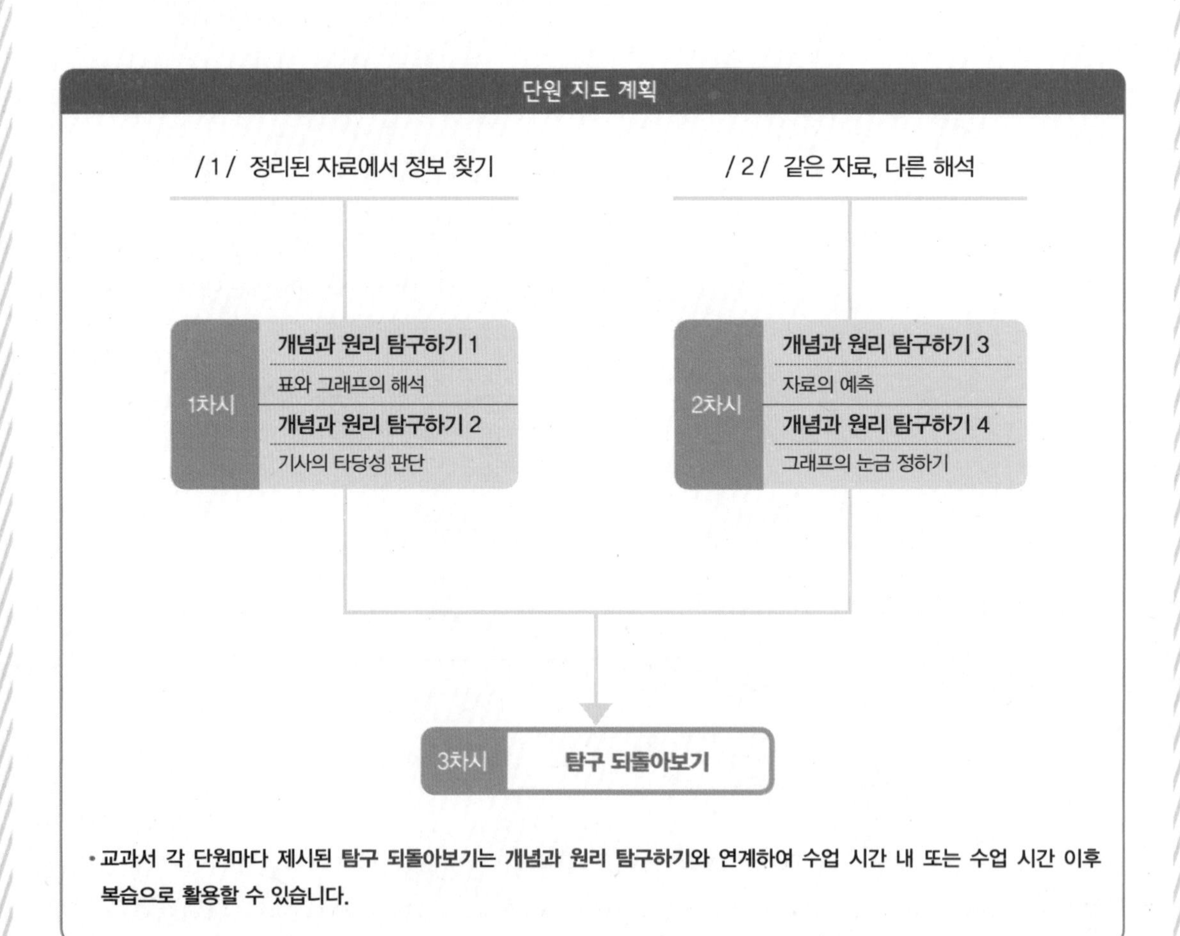

• 교과서 각 단원마다 제시된 탐구 되돌아보기는 개념과 원리 탐구하기와 연계하여 수업 시간 내 또는 수업 시간 이후 복습으로 활용할 수 있습니다.

/1/ 정리된 자료에서 정보 찾기

학습목표

1 제시된 통계 자료를 해석할 수 있다.

2 통계 자료를 근거로 작성된 글의 제목과 내용이 적절한지 판단할 수 있다.

2015 개정 교육과정 성취기준

실생활과 관련된 자료를 수집하고 표나 그래프로 정리하고 해석할 수 있다.

핵심발문

기사의 제목과 내용의 적절성을 판단한 근거는 무엇인가?

개념과 원리 탐구하기 1 _ 표와 그래프의 해석

교과서(하) 149쪽

탐구 활동 의도

- 표나 그래프 형태로 제시되는 통계 자료는 인터넷이나 신문, 광고 등을 통해 쉽게 접할 수 있다. 이렇듯 쉽게 접할 수 있는 자료를 통해 통계가 실생활과 밀접하고 친숙한 학습 소재임을 알게 한다.
- 통계청에서는 2002년 이후 매년 청소년의 모습을 다각적으로 조명하기 위해 청소년 통계를 작성해 오고 있다. 청소년과 관련된 통계 자료를 분석해 보는 활동은 학생들의 흥미 유도에 도움이 될 것이다.
- 초등 4학년 때 꺾은선그래프와 막대그래프를 학습하였다. 그래프 그리기, 그래프 해석하기 등을 이미 경험한 학생들이므로 초등학교에서 학습한 내용을 복습하는 과정으로 생각해도 좋다. 또한 한 걸음 더 나아가 탐구활동에 제시된 표, 막대그래프, 꺾은선그래프의 차이점을 살펴보게 하는 활동을 제시해준다면 이후의 활동에도 도움이 될 것이다.

예상 답안

1

- 남학생의 경우 초등학생과 중학생의 키는 점차 커지고 있지만 고등학생의 경우 큰 변화가 나타나지 않고 있다. 여학생의 경우는 초등학생의 키만 점차 커지고 중고등학생은 큰 변화가 나타나지 않고 있다.
- 키의 증가 폭보다 몸무게의 증가 폭이 더 크다.
- 초등학생의 경우에는 여학생의 키가 더 큰 편이다. 하지만 몸무게는 남학생이 더 무겁다.

2

- 야채나 우유를 섭취하는 학생의 비율보다 패스트푸드와 라면을 섭취하는 학생의 비율이 훨씬 높다.
- 라면 섭취율은 학년이 올라갈수록 증가하였으나, 고등학생은 오히려 감소하였다.
- 초등학생의 경우는 우유를 섭취하는 비율이 50 %에 가까우나 중·고생의 섭취율은 초등학생에 비해 급격히 감소하는 모습을 나타낸다.
- 아침 식사를 거르는 비율이 초 → 중 → 고로 올라갈수록 점차 증가하는 것을 알 수 있다.

- '우유· 유제품 매일 섭취율'과 '과일 매일 섭취율', '야채 매일 섭취율'은 학년이 올라 갈수록 감소하였다.
- 남학생보다는 여학생의 음료수 섭취율이 낮은 편이다.

참고 야채, 과일, 우유는 매일의 섭취율을 조사한 것이고, 패스트푸드와 라면은 주1회 이상의 섭취율을 조사한 것이다. 학생들은 표를 분석하면서 섭취 주기에 대한 기준이 다르기 때문에 당연히 결과적으로 패스트푸드와 라면의 섭취율이 높게 나타날 수 있지 않을까 하는 의심이 들 수 있다. 이런 의심을 품는 학생이 있다면 이 문제를 공론화하여 조사 내용의 타당성에 대해서도 함께 생각해 보는 시간을 갖는 것도 의미가 있을 것이다.

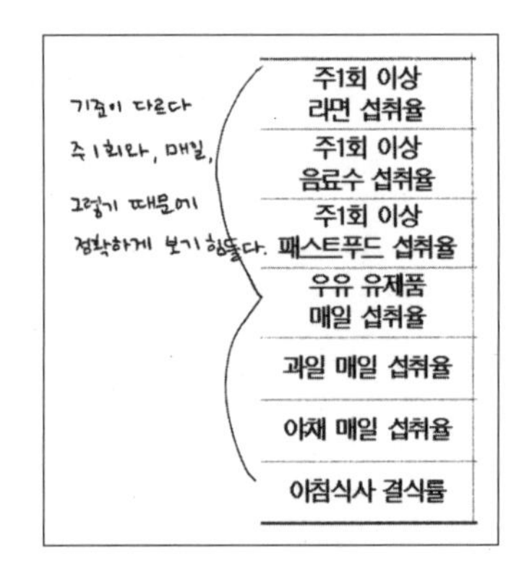

3
- 신체활동 실천율은 고학년으로 갈수록 감소하고 있다.
- 신체활동 실천율은 초등학교에서는 최근 5년간 지속 증가 추세이나, 중학교와 고등학교에서는 증감을 반복하고 있는 것으로 나타났다.

수업 노하우

- 표를 작성하고 그래프를 그리는 것도 중요하지만 주어진 표와 그래프를 해석하고 필요한 정보를 찾아내는 활동도 매우 중요하다. 표, 꺾은선그래프, 막대그래프는 초등학교에서 이미 학습한 자료 정리 방법이므로 이전의 학습내용을 되새기면서 주어진 자료를 해석하는 활동을 하도록 안내한다. 또한 각각의 해석을 마친 후에는 자료 정리 방법의 차이점을 살펴보게 하고 이외에도 더 많은 자료 정리 방법이 있음을 미리 귀띔해줄 수 있다.
- 표와 그래프에서 정보를 찾는 활동은 개별적으로 하게 한 후, 모둠별로 각자 찾은 정보를 모아 보게 하는 것이 좋다. 모둠활동을 통해 학생들은 여러 정보를 간단히 정리할 수 있을 뿐만 아니라 자신의 잘못된 해석에 대해 수정할 수 있는 기회도 갖게 된다.
- 학생들은 [1]에서 키와 몸무게를 구별하여 비교하기도 하고, 남학생과 여학생을 구별하여 비교하기도 한다. 다양한 방법으로 비교한 것을 발표하게 하여 같은 자료에 대해서도 다양한 시각으로 비교가 가능함을 알게 한다.
  – 키와 몸무게를 구별하여 비교한 경우

초6에는 남학생과 여학생이 차이가 나지 않지만 청소년기에는
약 10cm로 차이가 많이 난다.
시간이 지나도 차이는 별로 없다.
초6에는 남학생과 여학생이 차이가 나지 않지만 청소년기에는
약 10kg으로 차이가 많이 난다.
시간이 지날수록 1~2kg씩 늘어난다.

– 남학생과 여학생을 구별하여 비교한 경우

남학생 < • 초등학생, 중학생들은 평균키가 늘었지만 고등학생들은 평균키가 줄었다.
• 초등학생, 중학생, 고등학생 모두 평균몸무게가 늘었다.

여학생 < • 초등학생은 키가 늘고, 중학생, 고등학생은 키가 줄었다.
• 초등학생, 중학생, 고등학생 모두 몸무게가 늘었다.

개념과 원리 탐구하기 2 _ 기사의 타당성 판단

교과서(하) 151쪽

탐구 활동 의도

- **탐구하기1**에서 살펴본 통계 자료를 근거로 작성된 기사문의 제목과 내용이 적절한지를 생각해 본다.
- 우리는 정보를 좀 더 쉽고 빠르게 얻기 위해 직접 통계 자료를 살펴보기 보다는 통계 자료를 근거로 한 뉴스나 기사를 살펴보게 된다. 그런데 뉴스나 기사도 허위로 작성되거나 오류를 포함한 것이 많이 있음을 매체를 통해 확인할 수 있다. 따라서 학생들에게 뉴스와 기사를 통해 정보를 얻는 것도 중요하지만 그 정보가 타당한지를 살펴보는 것도 중요함을 알게 한다.

예상 답안

1 기사의 제목에는 청소년의 체격이 커졌다고 했으나, 기사 내용에는 체격에 관한 이야기가 전혀 언급되지 않았다. 이 기사만으로는 식습관이 불량인 것은 확인할 수 있지만, 체격이 정말 커졌는지는 알 수가 없다. 또한 체격은 키와 몸무게를 모두 포함하는 말인데, 앞의 탐구활동의 자료를 보면 모든 초·중·고 청소년의 몸무게는 실제로도 증가하는 모습을 보이지만 고등학생의 키는 오히려 감소하고 있나고 할 수 있으므로 체격이 커졌다는 것도 정확한 표현은 아니다.

- 청소년기의 균형 잡힌 영양 섭취를 위한 영양제, 그 효과는?
  - 영양제가 필요함을 강조하고 싶다면 아예 제목을 영양제에 초첨을 맞춰 제시하는 것이 좋을 것이다. 대신 영양제가 필요한 이유를 설명하기 위해 앞의 자료를 사용하면 효과적일 것이다.
- 식습관 불량으로 청소년 비만율 증가
  - 이 기사는 청소년의 잘못된 식습관을 지적하는 기사인 것 같다. 그러므로 청소년의 식습관 문제로 인해 어떤 현상이 일어났는지를 설명하는 내용이 덧붙여지는 것이 더 적절해 보인다. 키에 비해 몸무게는 꾸준히 증가하고 있으므로 식습관 문제로 비만인 학생들의 수가 늘었다는 것을 설명해 주면 더욱 논리적일 것이다.

수업 노하우

- 기사의 전문을 싣지는 않았지만 필요하다면 출처를 참고하여 기사의 전문을 살펴보고 문제를 해결하도록 안내해도 좋다. 또는 편의상 교사가 생략된 부분만을 교실 앞 화면에 띄워주고 활동을 시작하게 해도 된다.
- 이 기사 이외에도 2016학년도 학생 건강검사 표본분석 결과와 관련된 기사가 많이 있으므로, 학생들이 직접 다른 관련 기사를 찾아보고 각 기사의 제목과 내용의 적절성을 살펴보게 할 수 있다. 또는 통계 자료에 근거하여 가장 적절한 기사 제목과 내용을 포함한 기사문을 찾아보는 활동을 하게 할 수도 있다.

/2/ 같은 자료, 다른 해석

학습목표

1 통계 자료를 근거로 장래에 일어날 사건에 대해 예측을 할 수 있다.

2 표와 그래프에서 눈금의 크기의 변화에 따라 다양한 해석이 나올 수 있음을 이해한다.

2015 개정 교육과정 성취기준

실생활과 관련된 자료를 수집하고 표나 그래프로 정리하고 해석할 수 있다.

핵심발문

그래프를 해석할 때 어떤 점에 유의해야 할까?

개념과 원리 탐구하기 3 _ 자료의 예측

교과서(하) 152쪽

탐구 활동 의도

- 2015 개정 교육과정에서 통계 영역과 관련하여 제시된 교수· 학습 방법 및 유의 사항 중 하나는 '눈금 등을 부적절하게 사용하여 자료를 부정확하게 나타낸 표나 그래프에서 오류를 찾는 활동을 하게 한다.'이다.
- 표와 그래프를 해석하거나, 이를 근거로 하여 앞으로의 변화를 예측할 때 어떤 점에 유의해야 하는지를 생각해 보게 하는 활동이다.
- 통계 자료는 과거와 현재의 상태를 알려줄 뿐만 아니라 미래를 예측하는 데에도 많이 활용된다. 하지만 통계 자료를 잘못 해석하거나 자료에 오류가 포함되어 있다면 정확한 예측이 불가능함을 알 수 있다.

예상 답안

1 틀린 문장이다. 왜냐하면 일정하게 인구가 증가한다는 표현을 사용하려면 일정한 간격의 기간 동안 일정한 수의 인구가 증가해야 하는데, 이 문제에 제시된 표는 일정한 기간마다 조사한 인구의 수를 나타낸 것이 아니다. 표에 나타난 연도의 간격은 750, 50, 125, 35, 14, 13, 12, 11년으로 일정하지 않다.

2
- 표에 나타난 연도의 간격이 일정하지 않으므로 이 표를 통해서는 정확한 자료의 분포를 알 수 없고 정확한 예측도 어렵다.
- 1960년부터는 14, 13, 12, 11년이 지날 때마다 인구가 10억 명씩 증가하므로, 이런 변화 양상을 따르면 2020년에 80억 명, 2029년에 90억 명, 2037년에 100억 명이 될 것이다.

- 표를 근거로 세계 인구 변화를 살펴보면 1000년에 4억 명이었고 그 후 750년 동안 두 배가 증가하여 8억 명이 되었다. 1800년에 10억 명에 도달하고 난 후 125년 만에 20억 명이 되고 불과 74년 후인 1999년에 60억 명이 되었다는 것을 알 수 있다. 따라서 세계 인구가 점점 급격하게 증가할 것이라고 예측할 수 있다.

3 표의 세계인구 변화를 자세히 살펴보면 1960년 이후부터는 세계 인구가 10억 명 증가하는 기간이 1년씩 짧아진다는 것을 알 수 있다. 즉 60억 명에서 70억 명으로 증가하는 기간은 11년이므로 70억 명에서 80억 명으로 증가하는 기간은 대략 10년일 것이라고 예측할 수 있다.
따라서 80억 명이 되는 해는 2020년이 될 것이다.

수업 노하우

- 표를 유심히 살펴보지 않는다면 처음에는 1 을 해결하면서 주어진 문장이 옳다고 생각할 수도 있다. 하지만 2 를 해결하기 위해 연도의 간격을 살펴보게 될 것이다. 그러므로 학생들에게 표의 인구변화를 살펴볼 때 연도를 신경 써서 보라는 설명은 별도로 언급하지 않도록 한다.
- 표에 나타난 연도의 간격이 일정하지 않기 때문에 표에 나타난 숫자만으로 세계 인구의 변화를 예측하는 것이 어렵다고 생각하는 학생들이 있을 수도 있다. 하지만 주어진 조건들을 충분히 활용하여 예측해 보도록 안내한다.
- 표를 이용하여 그래프를 그려 본다면 인구 변화의 모습을 예측하는 데 도움이 될 수 있다. 그래프를 그려 보라고 사전에 안내할 필요는 없으나 예측할 수 있는 또 다른 방법이 무엇이 있을지 고민하는 학생이 있다면 다함께 그 방법에 대해 의견을 나누는 시간을 갖고 그래프를 그리는 방법도 있음을 학생들 스스로 찾을 수 있게 하는 것이 좋다.
- 제시된 그림을 보면 2017년 현재 세계 인구가 약 74억 명이므로 2010년에 비해 7년 동안 4억 명이 증가했다고 판단하면 80억 명이 되려면 7년의 2.5배인 약 17년 정도 걸릴 것으로 예측하여 2027년이라고 답할 수도 있다. 근거가 명확하면 인정해 주어야 한다.

개념과 원리 탐구하기 4 _ 그래프의 눈금 정하기

교과서(하) 153쪽

탐구 활동 의도

- 세로축의 눈금의 크기에 변화를 주어 동일한 상황을 두 개의 그래프로 나타낸 것이다. 오른쪽의 그래프는 늘린 것으로, 이렇게 눈금의 크기를 조절함으로써 변화의 정도가 너무나도 다르게 느껴질 수 있음을 알게 한다.
- 그래프가 어떻게 그려졌는지, 그래프의 눈금이 어떻게 표현되었는지에 따라 그 해석에 차이가 나타날 수 있음을 알게 한다.

예상 답안

1
- 가로축의 눈금의 간격은 서로 같지만 세로축의 눈금의 간격이 서로 다르다.
- 왼쪽의 그래프와 오른쪽 그래프는 세로축의 시작 눈금이 0으로 같지만, 끝 눈금은 20과 10으로 서로 다르다.

• 그래프 1은 차이가 크지 않은데 그래프 2는 높낮이 차이가 크게 나타난다.

같은점: 꺾은선 그래프이다 차이점: 첫번째 그래프는 %를 10 단위로 끊어서 변화를 눈에 띄게 못 보는데에 비해 두번째 그래프는 %를 1단위로 끊어서 변화를 눈에 띄게 보인다

2

• 같은 자료로 그래프를 그리더라도 눈금의 크기에 따라 변화의 정도가 다르게 느껴질 수 있다.
• 가로축의 간격이 일정한가의 여부에 따라 변화의 정도가 다르게 느껴질 수 있다.

점과 선을 잘 표시하고 세로축의 점과 점 단위를 선분으로 표현한다. 필요없는 부분을 생략하여 준다. 두 그래프를 비교할때 세로축에 단위가 같아야 한다.

·세로축의 눈금을 잘 봐야한다. (자료를 따라) ·정확히 표현한다. ·지나치게 범위를 넓히는것도, 좁히는것도 하지 말아야 한다.

◦ 세로축에 눈금을 큰 숫자로 시작하고 싶다면 0을 쓰고 위에 물결 표시를 해야한다. ◦ 점과 점 사이에 선분을 잘 그린다. ◦ 두 개의 그래프를 그릴 땐 단위를 같게 그려야 한다. ◦ 세로축의 단위로 무엇을 해야 하는지 목적에 따라 다르다.

그래프를 어떤것으로 할것인가 단위를 어떻게 할것인가. 간격은 어떻게 해야하는가. 가로,세로축의 수를 제대로 잡아야한다 자료의 특성을 찾아서 작성하기

기준을 똑같이 잡고 그려야 한다고 생각한다.
(이유: 기준이 다르면 나온 결과가 다르기 때문이다) (같은 값이지만 나타낸 게 다름)
· 세로축의 차이를 작게한다. (변화를 볼수 있게)

· 그래프의 종류를 정한다 (주제에 따라).
가로축, 세로축 단위를 정한다. (수를 정확하게 쓴다)
어떤 의도로 그릴지.
(기준을 어떤 것으로 잡을 것인지.)
(조사한 것(그래프를 그릴 것)을 나타내어 이야기하고 싶은 것.)

수업 노하우

- 같은 자료로 그래프를 그리더라도 눈금의 크기에 따라 변화의 정도가 다르게 느껴질 수 있으므로 학생들이 그래프를 직접 그릴 때에도 이 점에 유의해야 함을 알려준다.
- 두 그래프 중 어느 하나가 더 좋은 표현이라고는 할 수 없다. 얻고자 하는 정보에 따라 두 그래프가 모두 활용 가능하므로 표현의 좋고 나쁨을 강조하지는 않아야 한다. 다음과 같은 발문을 한다면 의도에 따라 그래프를 다르게 그릴 수 있음을 쉽게 이해할 것이다.

> 흡연율이 급격히 감소하고 있다는 내용으로 기사를 써야 한다면, 두 그래프 중에서 어떤 그래프를 사용하는 것이 더 효과적일까?

- 왼쪽의 그래프는 시간이 지날수록 흡연율이 조금씩 감소되는 것처럼 보이고, 오른쪽 그래프는 처음에는 조금씩 감소하던 흡연율이 시간이 지날수록 훨씬 급격하게 감소하는 것처럼 보인다. 왜냐하면 오른쪽 그래프는 흡연율을 나타내는 세로축의 간격을 더 넓게 잡아서 보는 사람에게 자기 주장을 받아들이게 하려는 의도가 보인다. 그래서 두 그래프를 비교해 보면 전혀 다른 그래프처럼 보인다. 이 두 그래프를 통해 세로축을 더 자세히 나누면 더 급한 경사가 생겨 얼핏 보기에 엄청나게 증가했다거나 감소했다고 판단할 수 있음을 알 수 있다. 따라서 우리 주변에서 흔히 접하는 그래프들을 보고 자료의 경향을 파악할 때는 눈금의 간격과 생략된 부분을 주의해서 살펴보아야 한다는 사실을 강조한다.

참고

2015 개정 교육과정

교육과정의 통계 영역을 살펴보면 그동안은 중학교 1학년에서 학습했던 학습 내용들이 하나하나 중영역에 제시되었던 반면, 2015 개정 교육과정에서는 '자료의 정리와 해석'으로 중영역을 나타내고 있다. 즉, 학습 요소보다는 자료의 정리와 해석과 같은 통계적 절차가 강조되고 있음을 알 수 있다.

그리고 그동안 중학교의 통계 영역은 함수와 기하 영역 사이에 위치해 있었다. 그런데 초등학교의 경우 '자료와 가능성' 영역이, 고등학교 〈수학〉의 경우 '확률과 통계' 영역이 마지막에 위치한다. 초등학교에서 고등학교까지가 공통 교육과정이므로 일관성을 가져야 한다는 관점에서 중학교 '확률과 통계' 영역도 마지막에 배치하는 것이 바람직하다는 의견이 제기되었고, 2015 개정 교육과정에서는 이러한 의견이 반영되어 '확률과 통계' 영역의 위치가 맨 뒤로 변경되었다.

탐구 되돌아보기 예상 답안

교과서(하) 154~155쪽

1 개념과 원리 탐구하기 1

1. (1) 스마트폰 과의존 실태를 연령별로 분류하여 각 세대별로 고위험, 잠재적 위험, 과의존의 비율을 막대그래프로 표현하였다.

(2) 부모별로 주중 대화 시간을 조사하여 비율(퍼센트)로 나타낸 후, 띠그래프(비율그래프)로 표현하였다.

(3) 학생이 참여한 활동을 5개 영역으로 구분하여 오각형의 중심을 기준으로 각각 나타내었다. 이 경우 년도 별로 어떤 활동에 치중했는지, 어떤 활동이 상대적으로 부족한지 알아보기 쉽다.

- 학생들이 그래프의 명칭을 알고 있지는 않을 것이다. 그러므로 다음과 같이 설명할 수 있다.
- 크기가 다른 여러 개의 오각형을 하나의 중심을 갖도록 서로 겹쳐 그리고 각 항목이 차지하는 비율을 선으로 나타낸 그래프다. 오각형의 중심에 가까울수록 비율이 낮은 항목을 나타내고, 오각형의 중심에서 멀어질수록 비율이 높은 항목을 나타낸다. 한 그래프에 여러 개의 자료를 동시에 나타냈다.

(4) 2016년 학생이 기대하는 교육 목적을 조사하여 각 목적이 전체에서 차지하는 비율을 원그래프로 표현하였다.

(5) 청소년의 연도별 주요 시간 활용을 4가지 역영별로 분 단위로 평균을 내서 꺾은선그래프로 표현하였다.

2 개념과 원리 탐구하기 2

선택한 조사 내용의 번호 (2)

작성할 기사의 내용

청소년이 부모와 대화를 나누는 시간이 다행히도 2011년에 비해 2014년에 다소 늘어나고 있다. 주중 어머니와 대화를 나누는 청소년이 아버지와 대화를 나누는 청소년보다 많다. 2014년도에 아버지와 대화를 나누는 시간이 주중 1시간도 채 되지 않는 청소년이 무려 63.2%나 된다. 또한 어머니와 대화를 나누는 시간이 주중 1시간 이상인 청소년은 53.1%에 이르는 것으로 나타났다.

기사의 내용과 어울리는 제목

아버지와 대화 나누기가 어려워요.

2 자료를 정리하는 방법 찾기

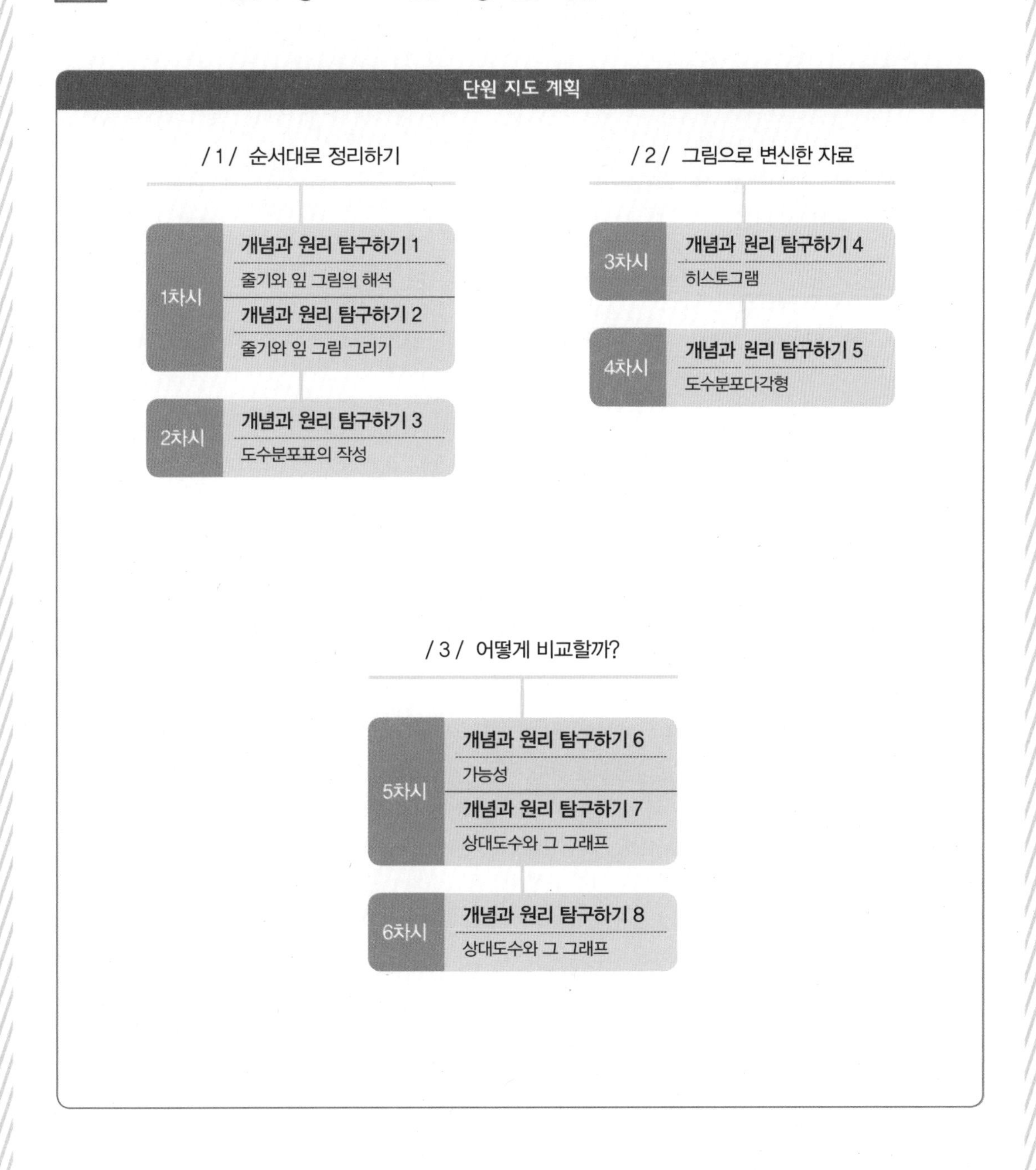

/1/ 순서대로 정리하기

학습목표

1 줄기와 잎 그림이나 도수분포표 등 자료를 정리하는 과정을 통해 통계적 사고의 힘과 정보를 활용하는 능력을 기를 수 있다.

2 통계 자료와 관련된 용어의 뜻을 이해하고, 제시된 통계 자료를 설명하는 데에 적절한 용어를 사용할 수 있다.

2015 개정 교육과정 성취기준

자료를 줄기와 잎 그림, 도수분포표, 히스토그램, 도수분포다각형으로 나타내고 해석할 수 있다.

핵심발문

자료를 정리한 방법은 무엇이며, 정리한 자료를 통해 알 수 있는 사실은 무엇일까?

개념과 원리 탐구하기 1 _ 줄기와 잎 그림의 해석

교과서(하) 158쪽

탐구 활동 의도

- 우리가 흔히 이용하는 교통수단의 하나인 지하철에서 쉽게 볼 수 있는 열차 운행 시간표를 통해 줄기와 잎 그림이 자료 정리의 한 방법임을 안다.
- 보통 교과서에 제시된 줄기와 잎 그림을 보면 학생들이 직접 자료를 정리하기 쉬울 만큼, 그리고 정리된 자료에서 필요한 값들을 쉽게 찾을 수 있을 만큼의 변량의 수가 주어진다. 하지만 지하철 시간표를 좀 더 확장시켜 생각해 보게 하고 직접 운행 시간을 조사하여 주어진 표처럼 정리한다고 가정해 보도록 하면, 자료의 개수가 너무 많을 때에는 줄기와 잎 그림을 그리는 것이 힘들다는 것을 알 수 있다.

예상 답안

1 (1) 7시 52분 열차를 타야 하므로 4분을 기다려야 한다.

(2) • 시간대별로 열차를 탈 수 있는 시각을 알 수 있다.
• 시간대별로 상행 열차와 하행 열차의 운행 횟수는 거의 비슷하나, 9시 이전에는 상행 열차의 운행 횟수가 더 많다.
• 오전 중 열차가 가장 많이 운행되는 시간대는 8시대이다.
• 오전 중 열차가 가장 적게 운행되는 시간대는 5시대로, 특히 하행 운행 열차는 1대뿐이다.
• 다대포해수욕장행 첫 차 시각은 5시 24분, 노포행 첫 차 시각은 5시 51분이다.

(3) • 동래역에서 탈 수 있는 각각의 지하철이 ㅁ시 ㅇ분에 출발한다는 것을 'ㅁ | ㅇ ㅇ ㅇ …'로 정리한 것이다. 그리고 두 방향의 지하철 운행 시간을 하나의 시간을 기준으로 양쪽에 분이 나타나게 정리했다.

• 세로에 큰 단위인 시간을 표시하고 각 시간의 가로에는 작은 단위인 분을 순서대로 나열한 것이다.

수업 노하우

• 우리 주위에서 지하철 운행 시간표와 같은 방법으로 자료를 표현한 것들이 있는지 더 생각해 보고 발표해 보도록 한다.
• 운행 시간이 6 : 29, 7 : 31, 7 : 47, 8 : 23, …등과 같이 일일이 나열되어 있더라도 지하철을 이용하는 승객은 자신이 지하철을 탈 수 있는 시각을 확인할 수는 있다. 하지만 제시된 그림처럼 시간대별로 운행 시간이 정리가 되어 있다면, 자신이 도착한 시간대의 열차만 확인하면 되므로 좀 더 편리하다. 그러므로 **탐구하기 1**을 마치면서 이렇게 정리한 시간표의 편리성에 대해서도 의견을 나누어 본다.

참고 줄기와 잎 그림(stem-and-leaf)은 미국 프린스톤 대학교의 튜키(Tukey) 교수에 의해 고안 되었으며, 1977년에 그의 저서 '탐색적 자료 분석법'에 소개 되었다. 줄기와 잎 그림은 본래의 자료 값이 그대로 나타나게 하면서 분포의 모양을 간단히 나타낼 수 있는 그래프다.
줄기와 잎 그림의 장점과 단점은 다음과 같다.
• **장점** ① 히스토그램의 일반적인 모양을 유지하면서 원 자료가 무엇인지 알 수 있다.
② 자료의 크기 순서로 나열하기 때문에 자료의 분포를 쉽게 추측할 수 있다.
(중앙값, 최빈값 등을 쉽게 알 수 있다.)
③ 막대그래프와 같이 두 집단의 크기 비교를 쉽게 할 수 있다.
• **단점** ① 자료의 자리 수가 많을 때에는 나타내기 쉽지 않다.
② 자료의 수가 많을 때에는 자료를 일일이 나열하는 것이 불편하다.
③ 자료의 폭이 클 때에는 줄기의 개수가 터무니없이 많아질 수가 있어서 줄기와 잎 그림으로 나타내기에 적절하지 않다.

개념과 원리 탐구하기 2 _ 줄기와 잎 그림 그리기

교과서(하) 159쪽

탐구 활동 의도

• 자료 정리의 한 방법으로 줄기와 잎 그림이라는 것이 있음을 알게 한다.
• 자료를 정리하는 방법을 교사가 설명하지 않더라도 **탐구하기 1**과 배드민턴부 학생들의 정리된 자료를 보고 학생들은 줄기와 잎 그림을 비교적 쉽게 그릴 수 있을 것이다.
• (2)의 표처럼 두 자료를 함께 나타낸 표를 '이중 줄기와 잎 그림(Back-to-Back stem-leaf plot)이라고 한다. 2개의 줄기와 잎 그림을 함께 나타내는 활동을 통해서는 줄기와 잎 그림이 서로 다른 두 집단의 분포 상태를 비교·분석하는 데에도 유용함을 알 수 있다.

예상 답안

1 (1) • 지윤이가 자료를 정리한 방법은 다음과 같다.
– 세로에 몸무게의 십의 자리수를 표시하고 각 십의 자리수의 가로에는 일의 자리수를 나열한 것이다.

- 배드민턴부원 중 몸무게가 가장 적게 나가는 학생의 몸무게는 47 kg, 가장 많이 나가는 학생의 몸무게는 80 kg이다. 그래서 십의 자리 칸에는 4부터 8까지를 적고 일의 자리 칸에는 각각의 십의 자리 옆에 배드민턴부원들의 몸무게에 해당하는 값의 일의 자리수를 적는다.
- 몸무게가 같은 학생이 2명이 있으면 십의 자리수는 한 번 적지만 일의 자리수는 2번 반복하여 적어준다.

• 지윤이와 같은 방법으로 씨름부 학생들의 몸무게를 정리하면 다음과 같다.

십의 자리	일의 자리
4	3
5	5
6	4 5
7	1 3 6 8
8	3 8 9 9

(2)

잎(배드민턴부)	줄기	잎(씨름부)
7	4	3
3 3 6 6 7 8	5	5
0 1	6	4 5
1 5	7	1 3 6 8
0	8	3 8 9 9

(3) • 배드민턴부에서는 몸무게가 50 kg대인 학생이 가장 많고, 씨름부에서는 몸무게가 70 kg대, 80 kg 대인 학생이 가장 많다.

• 배드민턴부에서는 몸무게가 70 kg 이상인 학생이 3명으로 전체의 25 %밖에 안 되지만, 씨름부에서는 몸무게가 70 kg 이상인 학생이 66 %가 넘는다.

• 배드민턴부원의 절반은 몸무게가 60 kg 미만이지만, 씨름부원의 절반은 몸무게가 70 kg 이상이다.

• 배드민턴부원과 씨름부원 사이에 같은 몸무게가 있는 경우는 71 kg 하나인데, 71 kg은 배드민턴부에서 3번째로 큰 값이지만, 씨름부에서는 8번째로 큰 값이다.

• 전체적으로 배드민턴부원들보다는 씨름부원들의 몸무게가 더 많이 나간다. 하지만 몸무게 중 가장 작은 값은 배드민턴부에서는 47 kg, 씨름부에서는 43 kg으로 씨름부원 중에 전체의 최솟값이 있다.

• 몸무게가 가장 적게 나가는 학생과 가장 많이 나가는 학생 모두 씨름부원이다.

수업 노하우

• 줄기와 잎 그림은 중앙값과 최빈값을 알아보기에 알맞은 자료 정리 방법이다. '최빈값과 중앙값'이라는 용어는 직접적으로 사용하지 않고 '가장 많은 나오는 값'과 '자료를 순서대로 제시하였을 때 중앙에 있는 값' 등으로 질문을 하여 수학적 사고를 자극하는 발문을 한다.

• 줄기와 마찬가지로 잎도 크기순으로 정렬하면 자료 파악이 좀 더 쉬워지는 장점이 있다.

• 두 자료를 함께 나타낸 줄기와 잎 그림에서 관찰되는 학생들의 답변은 직관적으로 씨름부의 잎들이 줄기 아래 부분에 모여 있으므로 몸무게가 더 많이 나갈 것이라는 답변이 많을 것이다. 그렇다면 평균을 구하여 확인하는 것도 좋다. 줄기와 잎 그림에서 좀 더 간편하게 평균 구하는 방법을 생각하게 함으로써 수학적 사고를 할 수 있는 기회를 제공할 수 있을 것이다.

예를 들어

(씨름부원 몸무게의 평균)

$=\{(40\times1)+(50\times1)+(60\times2)+(70\times4)+(80\times4)+(\text{모든 잎의 합})\}\div12$

를 찾게 한다.

• 이중 줄기와 잎 그림은 두 집단의 자료를 비교하기에 좋은 방법이므로 추가 질문을 제시하여 두 자료를 비교·분석하는 기회를 더 많이 제공한다.

 개념과 원리 탐구하기 3 _ 도수분포표의 작성

교과서(하) 160쪽

탐구 활동 의도

- 표로 제시된 자료를 도수분포표로 정리했을 때, 어떤 편리함을 얻을 수 있는지 알게 한다.
- 도수분포표를 작성할 때의 유의점을 생각해 보게 하고, 이러한 유의점에 주의하면서 직접 제시된 자료를 도수분포표로 정리해 보게 한다.
- 도수분포표와 관련된 용어들을 이해하고, 이 용어들을 사용하여 도수분포표를 설명하게 한다.

예상 답안

1 (1)

외국인 방문객 수(명)	나라 수(개국)	
5,000[이상] ~ 10,000[미만]	正	5
10,000 ~ 15,000	正	5
15,000 ~ 20,000	T	2
20,000 ~ 25,000	一	1
25,000 ~ 30,000	一	1
30,000 ~ 35,000	T	2
합 계		16

(2) • [표 1]을 통해서는 국적별 방문객 수를 구체적으로 알 수는 있지만, 자료가 전체적으로 어떻게 분포되어 있는지를 알기는 어렵다.

• [표 2]를 통해서는 어느 나라의 사람들이 가장 많이, 또는 가장 적게 우리나라를 방문했는지는 알 수 없다. 하지만 외국인 방문객 수의 분포를 한눈에 알아보기는 쉽다.

(3) • [표 2]처럼 외국인 방문객 수를 5,000명의 간격이 되도록 구간을 정하면, 3위인 대만을 포함시키기 위해서만도 표에 10개의 가로줄이 더 필요하고 1위인 중국을 포함시키려면 훨씬 더 많은 가로줄이 추가되어야 한다. 그런데 나라 수가 16개에서 19개로 3개만 늘어나는 데에 이렇게 많은 가로줄을 추가하는 것은 효율적이지 않으므로, 방문객 수의 간격을 더 넓혀서 표를 작성해야 한다.

• 3개국이 추가되면 방문객의 수가 가장 적은 경우는 5,000명이고 가장 많은 경우는 281,000명이다. 둘 사이의 차이는 약 280,000명이므로, 예를 들어 한 구간의 간격을 40,000명으로 하면 7개의 구간을 갖는 표를 만들 수 있다. 그러나 이 경우 첫번째 계급의 도수는 16이 되므로 (1)에서와 같은 분포를 알기는 어렵다.

2 (1)

지진의 강도(규모)	발생 횟수(회)
2.0이상 ~ 2.5미만	67
2.5 ~ 3.0	18
3.0 ~ 3.5	12
3.5 ~ 4.0	1
4.0 ~ 4.5	0
4.5 ~ 5.0	0
5.0 ~ 5.5	1
5.5 ~ 6.0	1
합 계	100

(2) (1)의 도수분포표는 지진의 강도를 변량으로 하는 자료를 총 8개의 계급으로 나누어 정리한 것이다. 각 계급의 크기는 규모 0.5이며, 계급의 도수가 가장 큰 계급은 규모 2.0 이상 2.5 미만으로 이 계급의 도수는 67이다.

수업 노하우

- 1 (2)는 [표 1]과 [표 2]의 비교를 통해 둘 사이의 차이점을 알게 하고, 도수분포표의 편리함을 알게 하는 것이 목적이다. 그러나 상황에 따라서는 도수분포표보다 자료의 구체적 수치를 나타낸 표가 필요할 때도 있으므로 둘 중 어느 하나의 편리함을 특별히 강조하지는 않아야 한다.
- 1 (2)에 대해서는 우선 개별적으로 답을 적어 보게 한 후, 모둠활동을 통해 여러 의견들을 모아서 정리하도록 안내한다. 모둠활동을 통해 다양한 의견을 나누면서 학생들 스스로 [표 1]과 [표 2]의 차이를 발견하게 해야 한다. 하지만 발견한 차이를 정확하게 표현하지 못하는 경우가 많다면, 모둠 발표를 마친 후에 다음과 같은 발문을 통해 [표 1]과 [표 2]의 차이를 구체적으로 확인하게 할 수도 있다.

> [표 1]에서 우리나라를 방문한 사람의 수가 10,000명 이상 25,000명 미만인 나라는 몇 개국일까? 이 질문에 답을 하기 위해 [표 2]를 이용하면 어떻게 될까?

- 1 (3)을 해결하면서 학생들은 도수분포표를 작성할 때 계급의 개수와 크기를 정하는 것이 우선시 되어야 하며, 이 과정이 중요하지만 쉽지 않은 과정임을 알게 된다. 계급의 개수가 너무 적거나 너무 많으면 자료의 분포 상태를 알아보기 어려우므로 적절한 개수를 정해야 하고, 주어진 자료의 특징을 고려하여 계급의 크기를 정해야 함을 인식하게 하는 것이 중요하다.
- 자료를 활용하는 목적에 따라서 계급의 개수를 5~15 정도가 되도록 정하고, 계급의 크기는 보통 모두 같게 한다.
- 학생들은 1 (3)에서 3개의 나라를 추가하기 위한 방법을 고민하면서 자연스럽게 주어진 자료의 최댓값과 최솟값을 살펴보고, 이들의 차이를 적절한 개수의 계급으로 나누어 나타내야 함을 깨닫게 된다. 몇 개의 계급으로 나누는 것이 적절한지를 결정하게 되면, 최댓값과 최솟값의 차이를 그 개수로 나누어 계급의 크기도 결정할 수 있다. 시간적 여유를 갖고 이러한 과정들이 학생들의 모둠활동을 통해 나타나도록 지도해야 한다.
- 누군가와 의사 소통을 하기 위해서는 정확한 용어를 사용해야 한다. 만약 같은 단어인데 그 뜻을 서로 다르게 알고 있다면 의사 소통에 문제가 생길 수 있다. 그러므로 2 는 반드시 모둠활동과 발표를 통해 정확한 용어 사용의 중요성을 알게 할 필요가 있다. 친구의 설명과 자신의 설명을 서로 비교하고 설명에 오류가 없는지 확인하는 과정을 거치는 것도 필요하다.

/2/ 그림으로 변신한 자료

학습목표

1 자료를 그림과 다각형으로 나타냄으로써 여러 가지 형태로 자료를 정리하는 능력을 기를 수 있다.

2 제시된 통계 자료를 분석하고 해석할 수 있다.

2015 개정 교육과정 성취기준

자료를 줄기와 잎 그림, 도수분포표, 히스토그램, 도수분포다각형으로 나타내고 해석할 수 있다.

핵심발문

히스토그램과 도수분포다각형을 통해 알 수 있는 사실은 무엇일까?

개념과 원리 탐구하기 4 _ 히스토그램

교과서(하) 162쪽

탐구 활동 의도

- 도수분포표를 시각화하는 방법을 익힌다.
- 어떤 자료를 표로 나타내는 것보다는 시각화된 그래프로 나타내면 변화의 정도나 분포를 한눈에 알아보기 쉽다는 것을 활동을 통해 학생들 스스로 인식할 수 있게 한다.
- 히스토그램과 도수분포다각형은 각각 초등학교에서 배운 막대그래프와 꺾은선그래프와 비슷하므로 이전의 학습 내용을 떠올릴 수 있는 기회를 제공하고 차이점을 생각해 보게 하는 것도 좋다.

예상 답안

1 (1)

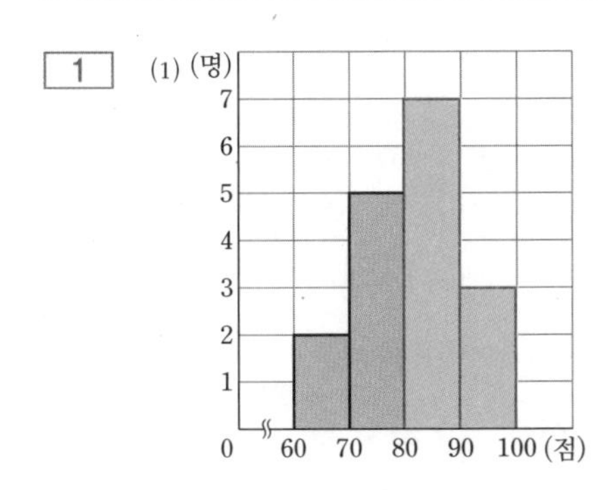

(2)

나의 생각	모둠의 생각
• 조사한 사람이 총 17명이다. • 이 그래프는 막대그래프다. 80~90점인 학생이 제일 많다. 세로축은 사람수, 가로축은 점수를 나타냈다. 도수 계급 계급의 크기가 10이다. 80이상 90 미만의 변량이 가장 크다 조사한 사람이 총 17명이다 이 그래프는 막대 그래프이다 60이상 70 미만의 변량이 가장 작다 계급의 차이가 10이다	• 직사각형의 막대의 가로는 계급의 크기를 나타내고, 세로는 도수분포표의 도수를 나타낸다. • 도수가 가장 큰 계급은 80점 이상 90점 미만의 계급이고, 도수가 가장 작은 계급은 60점 이상 70점 미만의 계급이다. • 이상~미만이라서 막대가 서로 붙어야 한다. · 이상 ~미만 이라서 막대가 붙어야 한다. · 80 이상~90미만 도수가 제일 높고(7명) 60이상 ~70미만 도수가 제일 낮다.(2명) 친구의견 · 각 계급의 해당되는 도수를 알수있다. · 60점 미만인 학생은 없다

2

(1)

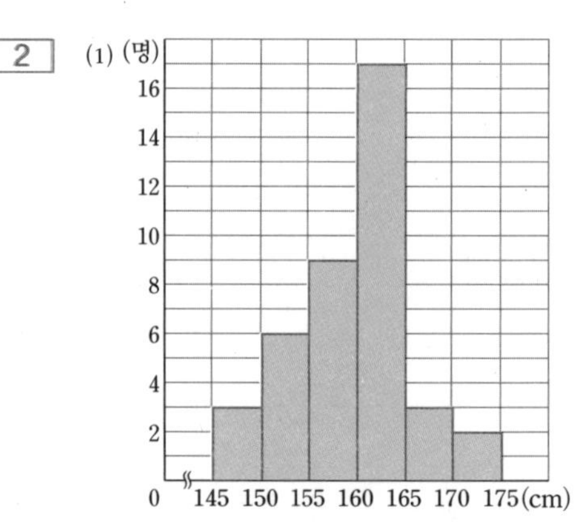

(2) 나의 생각

- 160 cm 이상 165 cm 미만인 계급의 도수가 17로 가장 크며, 170 cm 이상 175 cm 미만인 계급의 도수가 2로 가장 작다.

모둠의 생각

- 계급의 크기는 5 cm이고, 계급은 총 6개다.
- 도수분포표보다는 그래프로 나타냈을 때 그 분포를 한눈에 알아보기 쉽다.
- 직사각형의 막대의 높이만 보면 어느 계급의 도수가 가장 크고 작은지를 쉽게 알 수 있다.

(2) 도수분포표와 그래프에서 알 수 있는 것을 써 보고, 모둠에서 의견을 모아 보자.

- 160이상 165미만 도수가 제일 높다. (17명)
- 170이상 175미만의 도수가 제일 낮다. (2명)
- 160 이상 ~165미만 과 165이상~170미만 변화가 제일 높다
- 조사한 학생은 모두 40명이다.

친구의견

- 145cm 미만 학생은 없다

3 나의 생각

16초 이상 17초 미만의 계급의 도수가 11명으로 가장 높다.

모둠의 생각

100 m 달리기 기록이 변량인 자료를 조사하여 나타낸 히스토그램이다. 이 히스토그램의 계급은 총 6개로, 각 계급의 크기는 1초이며 14초부터 20초까지의 38명에 대한 기록의 분포를 알 수 있다. 100 m 달리기 기록이 16초 이상 17초 미만인 계급의 도수가 11로 가장 크며, 19초 이상 20초 미만인 계급의 도수가 3으로 가장 작다.

- 변량을 정리해서 히스토그램으로 나타냈다.
- 계급의 개수가 6개이다.
- 계급의 도수가 가장 높은 계급은 16 이상 17 미만으로 11명이다.
- 도수의 합은 38이다.
- 계급의 크기는 1이다.
- 계급의 도수가 가장 낮은 계급은 19 이상 20 미만으로
- 3명이다.

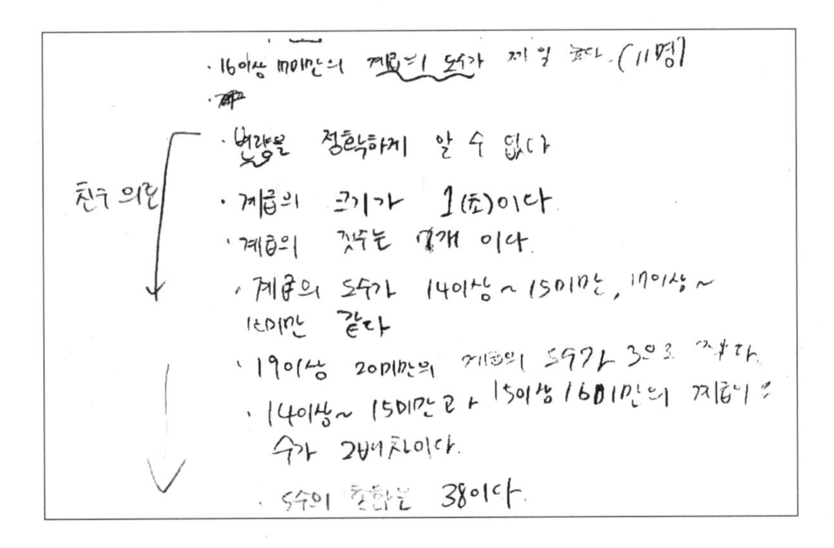

수업 노하우

- 히스토그램은 초등학교에서 배운 막대그래프와 비슷하기 때문에 학생들은 히스토그램을 완성하거나 그리는 데에 있어서 큰 어려움을 겪지 않을 것이다. 하지만 막대그래프를 그릴 때에는 막대의 밑변의 중점에 수의 값이나 특정한 항목 등을 적었기 때문에, 히스토그램의 직사각형을 그릴 때 직사각형의 가로를 표시하는 것을 헷갈려 할 수 있다. 따라서 1을 해결한 후 학생들이 이 차이점에 대해 생각해 보게 하거나 교사가 직접 언급을 해주는 것이 필요하다.

참고

막대그래프와 히스토그램의 비교

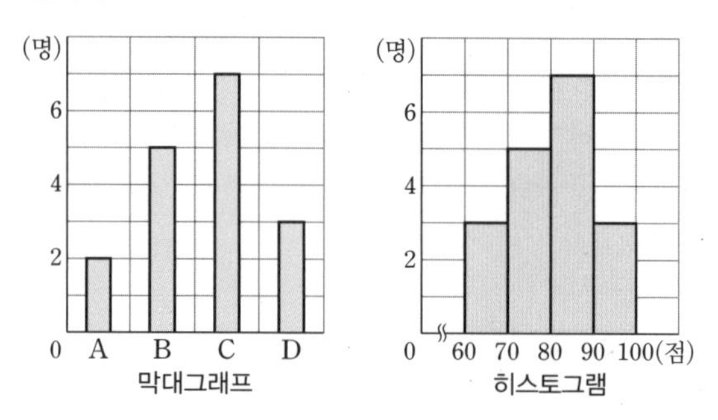

- 막대그래프는 이산적인 자료를 나타내므로 막대의 위치를 바꿀 수 있지만, 히스토그램은 연속적인 자료를 나타내므로 막대의 순서를 임의로 바꿀 수 없다.
- 막대그래프는 막대와 막대 사이에 일정한 간격을 두지만, 히스토그램은 막대와 막대 사이가 떨어지지 않고 붙어 있다.
- 히스토그램의 직사각형의 가로의 길이는 계급의 크기와 같으므로, 보통 모든 직사각형의 가로의 길이는 같다.
- 막대그래프는 가로축에 수의 값이나 이름 등을 적지만, 히스토그램은 계급의 끝 값을 적는다.

• 다음 그림과 같이 막대그래프는 필요에 따라 두 개 이상의 집단을 비교해서 표현할 수 있다.

주 3일 이상 격렬한 신체활동* 실천율(%)

52.0 31.7 22.1
54.1 31.4 22.0
55.6 35.1 23.6
57.0 36.5 25.6
57.7 35.8 24.4
2012 2013 2014 2015 2016
■초 ■중 ■고

하지만 히스토그램은 두 개 이상의 집단을 동시에 표현하는 것이 불가능하다. 이러한 히스토그램과 막대그래프 사이의 차이점을 학생들이 직접 찾아내게 한다면, 도수분포다각형의 필요성도 쉽게 설명이 가능하다.

• [2] (2)는 도수분포표와 히스토그램을 해석하는 문제이다. 찾은 정보에 대해 모둠별 발표를 할 때에는 각각의 정보를 무엇을 통해 얻었는지 설명하도록 지도하고, 만약 도수분포표와 히스토그램을 통해 동시에 얻을 수 있는 정보라면 어느 것을 통해 더 쉽게 파악이 가능한지를 묻는다. 이러한 교사의 질문은 학생들로 하여금 도수분포표와 히스토그램의 차이를 정확하게 이해하게 할 수 있다.

개념과 원리 탐구하기 5 _ 도수분포다각형

교과서(하) 164쪽

탐구 활동 의도

- 도수분포표를 시각화하는 방법의 하나인 도수분포다각형에 대해 알게 한다.
- 앞의 탐구활동을 통해 히스토그램으로는 두 개 이상의 집단을 동시에 표현하는 것이 불가능함을 알게 되었다면 그것의 대안으로 도수분포다각형을 도입하는 것도 좋은 방법이다.
- 앞의 다른 자료 정리 방법과는 다르게 도수분포다각형에 대해서는 그리는 방법을 직접 제시하였다. 꺾은선그래프와는 개념이나 그리는 방법이 비슷하지만, 양 끝에 도수가 0인 계급을 하나씩 추가하는 과정에 대한 설명을 좀 더 쉽게 하기 위해 직접 제시하였다.

예상 답안

(1)

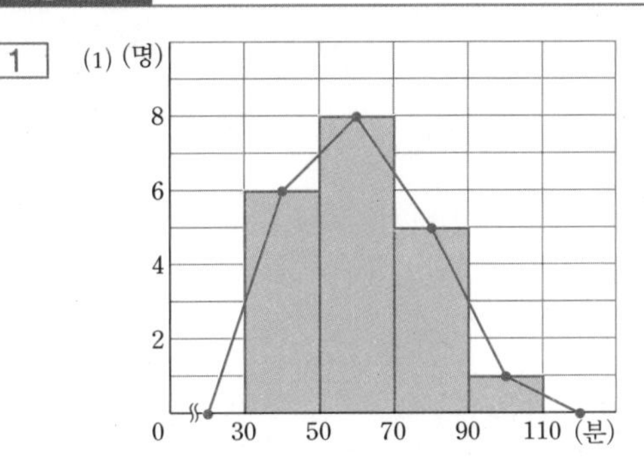

(2)

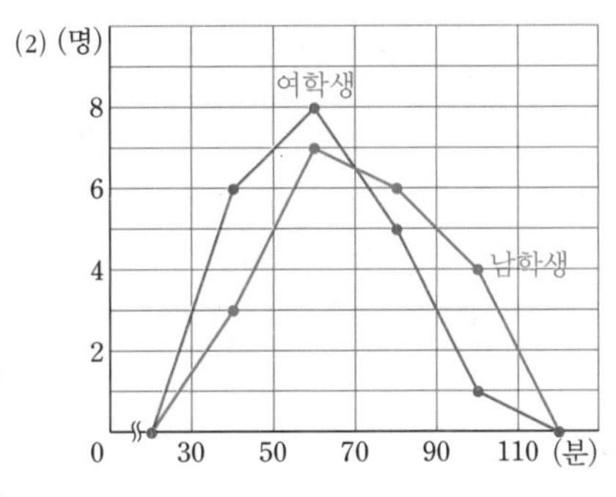

- 남학생의 그래프가 여학생의 그래프보다 더 오른쪽으로 치우쳐 있음을 알 수 있다. 즉, 컴퓨터를 많은 시간 사용하는 학생의 수가 여학생보다는 남학생이 더 많다.
- 남학생과 여학생 모두 컴퓨터를 사용하는 시간에 대한 도수가 가장 많은 계급은 50분 이상 70분 미만으로 같다.
- 컴퓨터 사용 시간이 70분 미만인 경우에는 여학생의 수가 더 많지만, 70분 이상인 경우에는 남학생의 수가 더 많다.

여학생들은 도수가제일높은것은 50~70분이다 8명
남학생들은 도수가제일높은것은 똑같이 50~70분이다 6명

여// 도수가 제일낮은것은 90~110분 1명이다

남// 도수가 제일낮은것은 30~50분 3명이다

70~90 = 틀림 70부터 확떨어진다

여학생은 30~50, 50~70 까지는 높았지만 90~110은 확~

남학생은 70~90, 90~110이 더 높다 그러니 남자의 컴퓨터 사용시간이 더 높다

여학생은 30이상~70미만의 컴퓨터사용시간이많다

50~70 미만은 여·남학생은 시간대에 제일높다

요약: 70 기준으로 여학생은 70미만이 높고 70이상이 높다.

그러니 여학생이 남학생보다 컴퓨터를 적게 사용한다

수업 노하우

- 히스토그램으로는 두 개의 그래프를 서로 겹쳐 그릴 수 없으나, 도수분포다각형은 색깔을 달리 하면 두 개 이상의 그래프를 서로 겹쳐 그릴 수 있다. 따라서 히스토그램과 도수분포다각형의 차이점을 생각해 보게 함으로써 도수분포 다각형은 두 개 이상의 자료의 분포를 동시에 비교할 수 있는 장점이 있음을 학생들이 찾아내게 한다.
- 도수분포다각형을 그리기 위해 반드시 히스토그램을 그려야 하는 것은 아니다. 히스토그램을 그리지 않고 바로 도수분포다각형을 그릴 수 있음을 안내해 준다. 즉, 각 계급의 중앙값에 대응하는 도수에 찍은 점들을 차례로 선분으로 연결하고 양 끝에는 도수가 0인 계급이 있는 것으로 생각하고 그 가운데 점을 찍어 선분으로 연결하면 됨을 설명한다.

/3/ 어떻게 비교할까?

학습목표

각 자료가 전체에서 차지하는 비율인 상대도수를 구할 수 있고, 그 장점을 이용하여 도수의 총합이 다른 두 집단의 분포를 비교하는 등 다양한 문제를 해결할 수 있다.

2015 개정 교육과정 성취기준

상대도수를 구하며, 이를 그래프로 나타내고, 상대도수의 분포를 이해한다.

핵심발문

상대도수의 분포를 나타내는 표와 그래프가 도수분포표나 히스토그램보다 편리한 점은 무엇인가?

개념과 원리 탐구하기 6 _ 가능성

교과서(하) 166쪽

탐구 활동 의도

- 총합이 서로 다른 자료들을 비교하기 위해 어떤 방법을 사용할 수 있는지 학생들 스스로 생각해 보게 함으로써 상대도수의 필요성을 인식하게 한다.
- 학생들은 초등학교 5학년 때 '가능성'을 배웠다. 사실 가능성은 중2에서 학습하는 확률과 직접 연결되지만 상대도수를 좀 더 쉽게 도입하기 위해 가능성과 연결된 성공률을 구해 보는 활동을 먼저 제시하였다.
- 성공률을 구해야 하는 필요성을 느끼고 그것을 직접 구해 보는 과정은 학생들이 **탐구하기 7**에서 처음 등장하는 상대도수의 개념을 좀 더 쉽게 받아들이는 데에 도움이 될 것이다.

예상 답안

1 (1) 옳지 않다.

성용은 승부차기를 성공한 횟수가 가장 많은 선수이다. 그러나 모든 선수가 똑같은 횟수만큼 승부차기를 시도한 것이 아니므로 다른 방법으로 선수들의 기록을 비교해야 한다. 예를 들어 명보와 성용을 비교해 보자. 만약 명보가 32번의 승부차기를 시도한다면 12번 실패할 가능성이 있다. 그러므로 32번의 시도 중 12번 실패할 가능성이 있는 명보가 30번의 시도 중 12번의 실패를 한 성용보다 기록이 좋다고 할 수 있다. 성용보다 기록이 더 좋은 선수가 있으므로 이 문장은 옳지 않다.

(2) 옳지 않다.

홍민은 승부차기 실패 횟수가 많은 것이지 시도한 횟수에 비해 실수가 가장 많은 것은 아니다. 실수가 가장 많은 선수를 찾는 것은 승부차기 성공 확률이 가장 낮은 선수를 찾는 것과 같으므로 성공보다는 실패 횟수가 많은 선수를 살펴보아야 한다. 이런 선수는 지성과 기현인데, 만약 두 선수가 100번의 승부차기 시도를 했다고 가정하면 지성은 45번의 성공을, 기현은 40번의 성공을 했을 것이므로 승부차기 기록이 가장 저조한 선수는 홍민이 아니라 기현이다.

2 선수들의 승부차기 기록을 보면 모든 선수의 승부차기 시도 횟수가 다름을 알 수 있다. 따라서 단순히 성공한 횟수와 실패한 횟수를 근거로 해서는 승부차기 선수를 선정할 수 없다. 방법은 각 선수들이 승부차기를 성공할 확률을 구하는 것이다. 그리고 성공 확률이 높은 순서대로 5명을 선정하면 된다.

우선은 실패 횟수보다는 성공 횟수가 많은 선수를 살펴보아야 하는데, 이런 선수들은 명보, 성용, 청용, 범근, 두리, 주영으로 모두 6명이다. 이들의 총 시도 횟수가 같지 않으므로 승부차기 성공률을 비교할 수 있는 방법을 생각해야 한다. 명보, 성용, 청용, 범근, 두리, 주영이 승부차기를 성공할 확률은 각각 $\frac{10}{16}$, $\frac{18}{30}$, $\frac{13}{22}$, $\frac{7}{12}$, $\frac{16}{28}$, $\frac{14}{26}$이고, 이 분수들을 소수로 고치면 0.625, 0.6, 0.59, 0.583, 0.571, 0.538이다. 따라서 성공 확률이 높은 순서대로 5명의 승부차기 선수를 정하면, 명보, 성용, 청용, 범근, 두리다.

수업 노하우

- 1을 해결하는 데에 어려움을 겪는 학생들이 많다면, 교사는 '만약 승부차기 기록이 가장 좋은 선수가 성용이 아니라면 더 기록이 좋은 선수를 찾아내면 되고, 마찬가지로 실수가 가장 많은 선수가 홍민이 아니라면 더 많은 실수를 하는 선수를 찾아내면 된다.'와 같은 힌트를 제공할 수도 있다.
- 2는 모둠활동을 통해 해결하는 것을 권장한다. 이때 교사는 학생들 스스로 문제 해결을 위해 '성공률'이라는 아이디어를 떠올릴 수 있을 만큼의 충분한 시간을 제공해야 한다. 하지만 성공률이라는 아이디어를 떠올리기까지 너무 많은 시간이 소요된다면 초등학교 때 배운 '가능성'을 힌트로 언급하거나, 아니면 먼저 아이디어를 떠올린 모둠의 의견을 공론화하여 비교 방법을 공유할 수 있다. 분수를 소수로 바꾸는 과정에서 계산기가 필요하다는 학생이 있으면 계산기를 제공해줄 수 있도록 미리 준비해 두면 좋다.

참고

가능성(초등 5학년)

- '가능성'은 어떠한 상황에서 특정한 사건이 일어나길 기대할 수 있는 정도를 말한다.
- 사건이 일어날 가능성은 0, $\frac{1}{4}$, $\frac{1}{2}$, $\frac{3}{4}$, 1과 같은 수로 표현할 수 있으며, 이 수들 각각은 '절대로 일어날 수 없다', '일어나지 않을 것 같다', '가능성이 반반이다', '일어날 것 같다', '반드시 일어날 것이다.'의 문장에 해당하는 경우를 나타낸다.

개념과 원리 탐구하기 7 _ 상대도수와 그 그래프

교과서(하) 167쪽

탐구 활동 의도

- 그동안 앞에서 다루었던 자료 정리 방법만으로는 도수의 총합이 서로 다른 자료의 분포를 비교할 수 없음을 알고, 이러한 문제점을 해결하기 위한 방법으로 상대도수가 필요함을 인식하게 하는 활동이다.
- **탐구하기 6**에서 다루었던 (성공률) = (성공 횟수) ÷ (전체 시도 횟수)를 생각한다면, 학생들은 상대도수의 개념과 구하는 방법도 쉽게 받아들일 수 있다.
- 상대도수 또한 그 분포를 도수분포다각형 모양의 그래프로 나타낼 수 있고, 이는 두 개 이상의 집단을 비교하는 데에 매우 편리한 방법임을 알게 한다.

예상 답안

1 (1)

수학 점수(점)	A중학교 1학년 1반		B중학교 1학년 1반	
	도수(명)	상대도수	도수(명)	상대도수
50이상 ~ 60미만	3	$\frac{3}{30}=0.1$	1	$\frac{1}{20}=0.05$
60 ~ 70	3	$\frac{3}{30}=0.1$	4	$\frac{4}{20}=0.2$
70 ~ 80	12	$\frac{12}{30}=0.4$	7	$\frac{7}{20}=0.35$
80 ~ 90	9	$\frac{9}{30}=0.3$	6	$\frac{6}{20}=0.3$
90 ~ 100	3	$\frac{3}{30}=0.1$	2	$\frac{2}{20}=0.1$
합 계	30	1	20	1

(2)

나의 생각	모둠의 생각
• 상대도수의 합은 항상 1이다.	• 전체도수가 서로 다른 도수분포표에서는 계급의 도수가 다르더라도 상대도수가 같을 수 있다. 예를 들어, A, B 두 중학교 모두 80점 이상 90점 미만인 계급의 상대도수는 0.3으로 같지만, 계급의 도수는 A, B 중학교가 각각 9와 6으로 서로 다르다. • 만약 80점 이상을 상위권이라고 한다면 A, B 두 중학교의 수학 점수에 대한 상위권의 비율은 같다고 할 수 있다.

· 상대도수 구하는 식: $\frac{\text{도수}}{\text{합계}}$
· 상대도수 합계는 언제나 1이다.
· A중, B중 합계 차이가 10이다.
· A중학교는 B중학교 보다 도수가 많은 부분이 2개있다.
↳ 50이상 ~ 60미만, 90이상 ~ 100미만

(3) 50점 이상 60점 미만을 받은 A, B 중학교의 학생 수는 각각 3, 1이므로 수만 비교하면 A 중학교가 B 중학교보다 3배 많다고 할 수 있다. 하지만 두 학교의 전체 학생 수가 다르므로 상대도수를 비교하는 것이 더 타당하다고 할 수 있다. 상대도수는 0.1과 0.05이므로 A 중학교가 B 중학교보다 2배 많다고 할 수 있다.

주의 상대도수의 합계도 빈칸으로 두었으나 각 계급의 상대도수만을 구하고 이 칸을 채우지 않는 학생이 있을 수도 있으므로, 어느 정도 상대도수의 빈칸을 채우면 합계 부분도 채울 것을 안내해 준다.

2

(1)

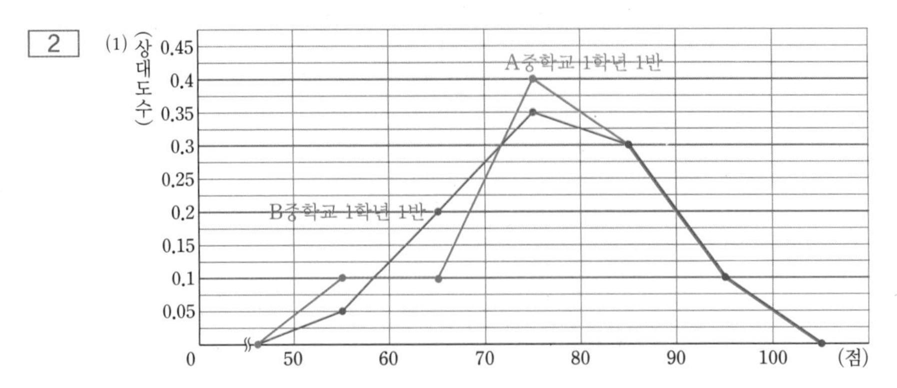

(2) • 두 학교의 분포가 서로 비슷하다.
• 80점 이상을 받은 학생들의 비율은 두 학교가 같다.
• 상대도수의 차가 가장 큰 계급은 60점 이상 70점 미만인 계급이다.
• 60점 이상 70점 미만인 계급을 제외한 모든 계급에서 A중학교의 상대도수가 B중학교의 상대도수보다 더 크거나 같게 나타났다.

수업 노하우

- 1 (3)에서 학생의 수로만 비교하면 3배가 맞지만 도수의 총합이 서로 다르기 때문에 3배나 많다고 주장하는 것이 옳은지를 고민하게 만들 수 있다. 학생들이 함께 이 질문의 답을 생각하고 발표하게 해 봄으로써 상대도수의 필요성을 인식하게 할 수 있다.
- 두 학교의 상대도수의 합은 1로 같다. 그렇다면 어떤 자료이던 간에 상대도수의 합은 항상 1일지를 생각해 보게 하고, 그 이유와 함께 발표해 보도록 지도한다. 참고로 반올림하여 상대도수를 구한 경우에는 그 합계가 1이 되지 않는 경우도 생길 수 있다.
- 2 (2)를 해결하는 과정에서 '50점 이상 60점 미만을 받은 학생의 수는 A 중학교가 B 중학교보다 3배나 많은가?'를 다시 상기시킬 수 있다. 그래프를 보면 두 학교의 상대도수를 나타내는 점의 높이가 3배가 아님을 확인할 수 있으므로, 학생 수의 차이는 3배가 맞지만 비율로 비교했을 때에는 3배라고 할 수 없음을 시각적으로 알 수 있다.

개념과 원리 탐구하기 8 _ 상대도수와 그 그래프

교과서(하) 169쪽

탐구 활동 의도

- 자신의 주장을 뒷받침할 수 있는 근거로 통계 자료를 이용할 수 있음을 알게 하는 활동이다. 통계 자료를 근거로 주장을 하면 좀 더 구체적이고 논리적인 설명이 가능함을 학생들 스스로 인식하게 하는 것이 매우 중요하다.
- 개인별로 또는 모둠별로 탐구활동을 해결한 다음에는 반드시 서로의 의견을 공유하는 시간을 가져야 한다. 학생들은 이 시간을 통해 같은 자료를 통해서도 다양한 분석이 있을 수 있으며 어디에 초점을 두느냐에 따라 서로 다른 의견을 제시할 수 있음을 배우게 된다.

예상 답안

1

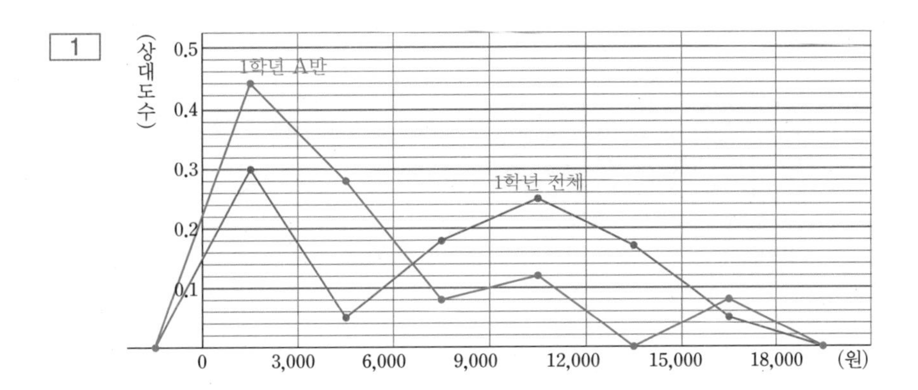

2

- 10,000원 : 3,000원 미만의 용돈을 받는 학생이 많기는 하지만, 1학년 전체의 분포를 보면 9,000원 이상 12,000원 미만의 용돈을 받는 학생들이 두 번째로 많기 때문에 10,000원으로 올려 달라고 제안한다.
- 10,500원 : 1학년 중에서 3,000원 정도씩 받는 친구들이 많은 편이나 3,000원은 너무 적은 것 같고 9,000원과 12,000원 사이의 용돈을 받는 애들이 전체의 25 %나 되므로, 그 중앙값인 10,500원으로 올려달라고 제안한다.
- 5,000원 : 1학년 전체의 65 % 이상이 6,000원 이상 받는다. 그러나 한꺼번에 너무 많이 올릴 수는 없으므로 양심상 5,000원만 받는다.
- 4,500원 : 2,500원이 속한 계급의 도수가 가장 많기는 하지만 그것으로는 조금 부족하고, 그래서 두 번째로 도수가 많은 계급인 3,000원 이상 6,000원 미만 사이의 용돈을 받아야 한다고 생각한다. 그래서 3,000원과 6,000원의 중간인 4,500원을 받고 싶다.

엄마! 저……. 용돈을 2500원에서 (13500)원으로 올려주세요.
왜냐하면 (저희반에 12000 이상 15000원미만으로 받는 아이가 한 명도 없고 전체에서).
0.17% 의 비율을 차지해 제가 우리반의 0.1%라도 되야 한다고 생각하기 때문입니다.

엄마! 저……. 용돈을 2500원에서 (7500)원으로 올려주세요.
왜냐하면 (1학년 A반은 3000원 이상 6000원 미만이 제일 높았고
1학년 전체는 9000원 이상 12000원 미만이 높아
그러니 중간으로 7500원으로 올려주세요.

• 계급의 백분율을 이용한 주장

6모둠

10000원

이유: 1학년들이 3000원 정도씩 받는데 저한테 3000원은 너무 적은거 같고 9000원에서 12000원씩 받는 애들이 전체에서 25%로 4명중에 1명이 10000원씩 받아요.

• 평균을 이용한 주장

엄마! 용돈을 2500원에서 (7800)원으로 올려주세요. 왜냐하면 (영림중학교) 1학년 전체 학생들의 일주일 용돈 평균이 7800원 이기 때문이에요.

• 새로운 해석

2500원 → 5000원

이유:

1학년 전체의 65% 이상이 6000원 이상 받아요. 하지만, 저는 양심상 딱 5000원만 받겠습니다.

수업 노하우

- 2 는 정답이 없는 문제다. 그러므로 다양한 답이 나올 수 있다. 학생들의 다양한 답을 서로 공유하고, 각자 얼마나 논리적인 근거를 제시했는지 살펴보는 과정이 반드시 필요하다.
- 이유를 살펴볼 때에는 근거를 제시하기 위해 어떤 그래프를 선택했는지, 그리고 그 그래프를 선택한 이유는 무엇인지도 함께 설명하도록 안내한다.
- 만약 A반의 그래프와 표에만 집중해서 용돈의 액수와 이유를 고민하는 학생이나 모둠이 있다면 어떤 그래프를 선택하는 것이 더 많은 액수의 용돈을 제시하는 데에 도움이 될지 생각해 보라는 조언을 해줄 수 있다.
- 2 에도 직접 제시되어 있지만 이유를 적을 때 반드시 표와 그래프를 참고할 것을 안내해 줄 필요가 있다. 문제를 잘 읽지 않는 학생이 있을 수도 있고, 교사가 다시 한번 안내해 주면 학생들은 표와 그래프에서 주장의 근거를 찾기 위해 더 적극적으로 노력할 것이다.

3 실생활 자료의 정리와 해석

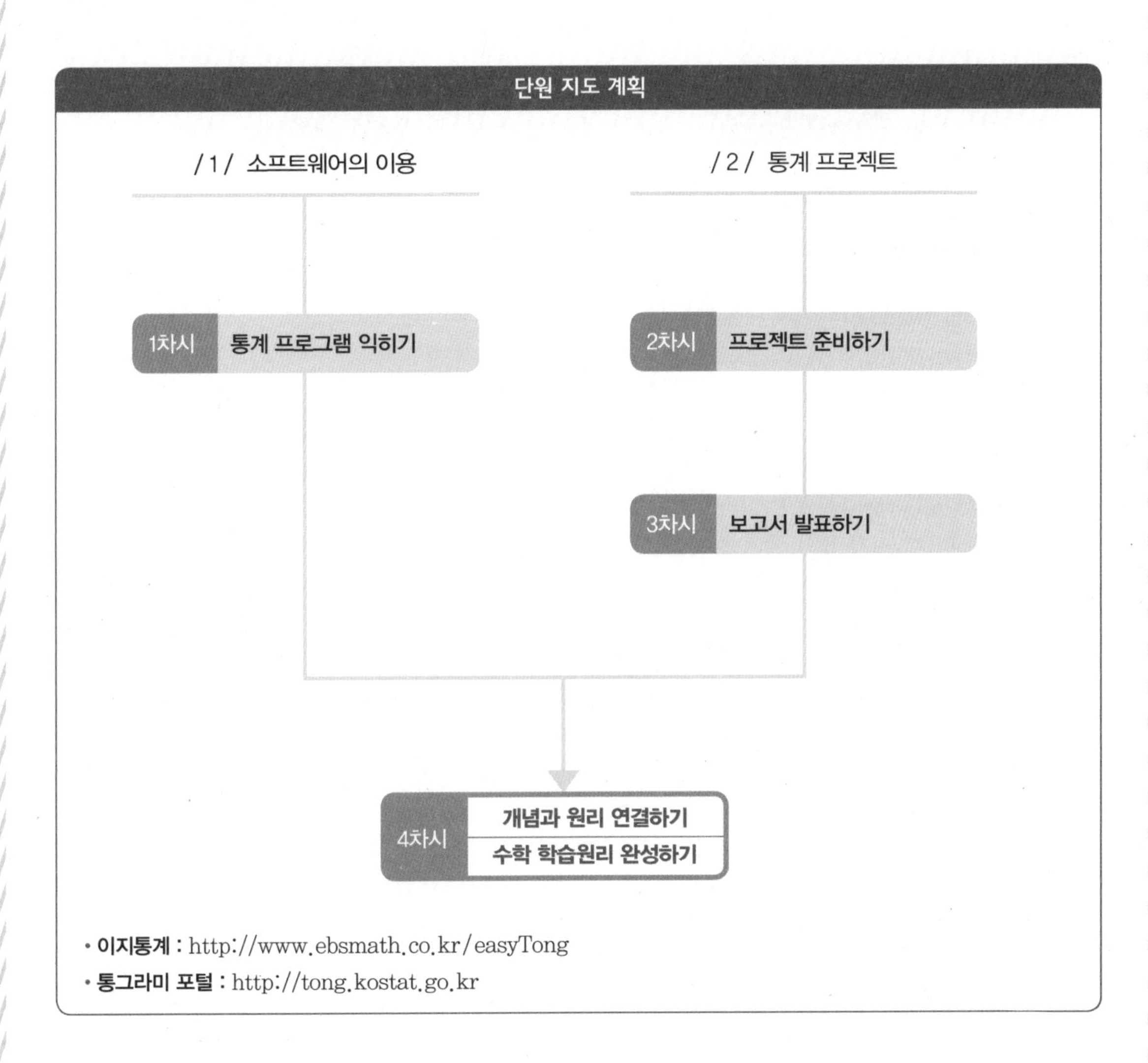

- **이지통계 :** http://www.ebsmath.co.kr/easyTong
- **통그라미 포털 :** http://tong.kostat.go.kr

/1/ 소프트웨어의 이용

학습목표

통계 프로그램을 사용하여 다양한 자료를 표나 그래프로 정리할 수 있다.

수업 노하우

- 2015 개정 교육과정에서 새롭게 추가된 성취기준 중의 하나가 바로 확률과 통계 영역의 '소프트웨어를 이용하여 실생활과 관련된 자료를 수집하고 표나 그래프로 정리하고 해석할 수 있다.'다. 이전 교육과정에서도 소프트웨어를 활용하는 것을 권장하기는 했었으나 성취기준으로 제시되지는 않았었다.
- 소프트웨어를 이용하는 방법을 반드시 이 단원의 후반부에 안내할 필요는 없다. 전반부에 이에 대해 설명하고 다양하게 활용할 수 있도록 한다면 통계에 대한 학생들의 이해도를 높이는 데에 도움이 될 수 있다.
- 앞 단원에서는 줄기와 잎 그림, 도수분포표, 히스토그램, 도수분포다각형, 상대도수의 그래프 등을 각각 따로 배웠다. 여기서는 컴퓨터 프로그램을 이용하여 실생활과 관련된 자료를 여러 가지 방법으로 정리하는 방법을 안내한다. 소프트웨어를 이용하는 방법을 반드시 이 단원의 후반부에 안내할 필요는 없다. 전반부에 이에 대해 설명하고 다양하게 활용할 수 있도록 한다면 통계에 대한 학생들의 이해도를 높이는 데에 도움이 될 수 있다.
- 자료를 수집하고 정리하는 데에 활용할 수 있는 소프트웨어는 많으나, 여기에서는 학생들이 비교적 쉽게 이용할 수 있는 '이지통계'와 '통그라미'의 사용법을 소개한다.
  - '이지통계'는 EBS 통계교육 소프트웨어로 사이트에 접속하여 이용할 수 있다. PC 웹 뿐만 아니라 모바일로도 사용 가능하다. 이지통계(http://www.ebsmath.co.kr/easyTong)
  - 이 프로그램은 특별하게 사용법을 배우지 않아도 직관적으로 사용하기 편하도록 고안되었으며, 교과서와 동일한 용어를 사용하여 중학교 수준에서 자료를 배운 대로 쉽게 정리할 수 있다.

  통계청에서는 초·중학교의 통계 수업을 개선하기 위하여 통계 프로그램 '통그라미'를 개발하였고 사이트에 접속하여 이용할 수 있다. 통그라미 포털(http://tong.kostat.go.kr)

  통그라미의 경우 다음과 같은 변수의 종류를 알면 사용하기 편리하다.

> (1) 범주형 변수: 이산 자료로서 연속적이지 않은 숫자로 나타낼 수 있는 경우
> (예) 성별, 혈액형 등
> (2) 연속형 변수: 연속 자료로서 연속적인 숫자로 나타낼 수 있는 경우
> (예) 키, 몸무게, 시간, 열량 등
> (3) 문자형 변수: 한글이나 영문자 변숫값을 갖는 경우
> [출처: 와쿠이 요시유키·와쿠이 사다미, 그림으로 설명하는 개념 쏙쏙 통계학]

많거나 복잡한 자료를 위와 같은 프로그램을 이용하여 정리하면 표나 그래프를 그리기 쉬우며, 그 해석에 집중할 수 있다. 이외에도 다른 프로그램을 사용할 수도 있으며 학생들이 자료를 정리하는 것에 그치는 것이 아니라 정리한 자료를 근거로 해석해 볼 수 있는 기회를 갖도록 지도한다.

/2/ 통계 프로젝트

학습목표
실생활과 관련된 자료를 수집하고 정리 · 분석하여 보고서를 작성할 수 있다.

2015 개정 교육과정 성취기준
공학적 도구를 이용하여 실생활과 관련된 자료를 수집하고 표나 그래프로 정리하고 해석할 수 있다.

수업 노하우

- 이전 교육과정이 '도수분포표'나 '히스토그램'과 같은 학습 요소를 강조하고 있었다면, 이에 비해 2015 개정 교육과정은 통계적 절차, 즉 자료의 정리와 해석을 강조하고 있다. 앞에서 다양한 활동을 통해 학생들은 자료를 정리하고 해석하는 경험을 하였다. 이러한 경험을 바탕으로 이번 단원에서는 직접 주제를 선정하고 자료를 수집하여 의도에 맞게 정리해 보는 경험을 하게 될 것이다. 그리고 정리와 해석에는 소프트웨어를 활용하도록 안내한다.
- 통계 프로젝트에 대해 2차시만을 계획하였으나 실제적 준비와 과정을 위해서는 더 많은 시간이 필요할 수도 있다. 학생들에게 프로젝트의 유의사항과 제작 방법에 대해 충분히 사전 안내를 하고, 부족한 시간에 대해서는 수업 이외의 시간을 활용하도록 안내해야 한다.
- 주의할 점은 결과 해석을 할 때 학생들이 결과만을 기술하거나 요약할 것이 아니라 종합적으로 결론을 내릴 수 있도록 하는 것이다. 보고서, 포스터, 신문 등의 자료에는 학생들이 직접 정한 주제를 토대로 기획하고 연구하며 만들어낸 결과가 제대로 담겨 있어야 하므로 초기에는 교사가 점검해 주어도 좋다. 결과물을 보는 사람이 다른 부연 설명 없이 이것만으로 내용을 이해할 수 있게 만들도록 지도한다.
- 통계청은 전국학생통계활용대회를 매년 개최하며 아래 사이트에 가면 심사 기준 등이 제시되어 있어서 포스터를 어떻게 만들면 좋은지 설명하기에 좋으며, 수상작품이 업로드되어 있으므로 프로젝트 전에 이를 이용하여 학생들이 자신의 프로젝트를 기획하는 데 도움을 줄 수도 있다.
  http://www.통계활용대회.kr/report/main.do

개념과 원리 연결하기 예상 답안

교과서(하) 184~185쪽

1

나의 첫 생각

나도 동의한다.
실제로 상대도수의 분포를 나타내는 그래프를 그려 봐도 히스토그램과 세로축의 눈금 표시만 다를 뿐 높이가 모두 똑같아서 괜히 그리는 느낌이었다.

다른 친구들의 생각

한 가지 자료만 그래프로 나타낼 때는 그런 생각을 할 수 있다.
그러나 상대도수의 분포는 수업 시간에 토론했듯이 총원이 다른 두 집단을 비교할 때 아주 유용하다.
히스토그램은 한 그래프에 두 집단을 나타내 비교하는 것이 어렵지만, 상대도수의 그래프는 그것이 가능하기 때문에 쓸모가 따로 있는 것이다.

정리된 나의 생각

상대적 비율 등을 통해 두 집단을 비교하는 경우에는 상대도수의 그래프가 가장 적합하다.

학생 답안

나의 첫 생각

상대 도수는 서로 총 도수가 다른 두 집단의 분포 상태를 비교할 때 편리하는 등 중요한 개념이라 생각하므로 동의하지 않는다.

상대도수가 나타내는 그래프가 히스토그램과 모양이 같은 것과 상대도수가 중요한 개념이 아니라고 얘기하는 것은 관련이 없다고 생각한다. 그리고 상대도수는 도수의 비율을 나타내는 것으로 중요하다고 생각함.

2 (1)

[히스토그램의 뜻과 성질] 히스토그램은 도수분포표로 나타낸 자료의 분포 상태를 보기 쉽게 직사각형으로 나타낸 그래프를 말하며, 도수분포표의 각 계급의 크기를 가로로 하고 도수를 세로로 한다.
일반적으로 히스토그램은 다음과 같은 순서로 그린다.
① 가로축에는 계급의 양 끝값을 차례대로 표시한다.
② 세로축에는 도수를 표시한다.
③ 계급의 크기를 가로로 하고 각 계급의 도수를 세로로 하는 직사각형을 그린다.
히스토그램은 각 계급에 속하는 자료의 수가 많고 적음을 한눈에 알 수 있는 장점이 있다. 또, 히스토그램의 각 직사각형에서 가로의 길이인 계급의 크기는 일정하므로 직사각형의 넓이는 각 계급의 도수에 정비례한다.

(2)

각 개념의 뜻과 히스토그램의 연결성

- 히스토그램은 초등학교에서 배운 막대그래프와 비슷하다. 하지만 막대그래프를 그릴 때에는 막대의 밑변의 중점에 수의 값이나 특정한 항목 등을 적지만, 히스토그램은 계급의 끝 값을 적는다.

[막대그래프와 히스토그램의 비교]

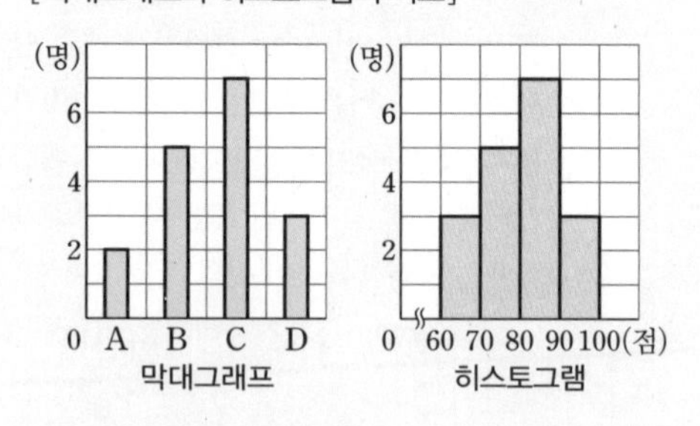

- 막대그래프는 연속적이지 않은 자료를 나타내므로 막대의 위치를 바꿀 수 있지만, 히스토그램은 연속적인 자료를 나타내므로 막대의 순서를 임의로 바꿀 수 없다.
- 막대그래프는 막대와 막대의 사이에 일정한 간격을 두지만, 히스토그램은 막대와 막대의 사이가 떨어지지 않고 붙어 있다.
- 히스토그램의 직사각형의 가로의 길이는 계급의 크기와 같으므로, 보통 모든 직사각형의 가로의 길이는 같다.

학생 답안

각 개념의 뜻과 히스토그램의 연결성

히스토그램의 뜻: 각 계급을 가로로 하고, 도수를 세로로 하는 직사각형을 차례대로 그려 나타낸 그래프.

히스토그램의 특징: 도수의 분포 상태를 한 눈에 알아보기 쉽다.
히스토그램의 법칙: 각 직사각형에서 가로의 길이인 계급의 크기가 일정하므로 직사각형 넓이는 세로의 길이인 각 계급의 도수에 정비례한다.

히스토그램은 도수분포표를 막대그래프로 나타낸 표다.

히스토그램을 통해서 도수분포다각형을 그릴 수도 있다.

도수분포표는 한눈에 알아보기 어렵지만 히스토그램은 한눈에 알아보기 쉽다.

학생 답안

각 개념의 뜻과 히스토그램의 연결성

히스토그램과 막대 그래프

공통점: 세로축에는 도수를 가로축에는 각 계급을 나타낸다.
직사각형으로 나타낸다

차이점:
막대그래프는 각 계급의 도수를 따로 나타내지만,
히스토그램은 변량이 연속적이기 때문에 직사각형을 붙여 그린다

히스토그램은 막대그래프를 이용하여 나타낸 표인 것 같다.

둘 다 한눈에 알아보기 쉽게 나타낸 특징이 있고 직사각형으로 그린다.

수학 학습원리 완성하기 예상 답안

교과서(하) 186~187쪽

학생 답안 1

내가 선택한 탐구 과제

25쪽 탐구활동1 (축구단) 2번

2. 축구 결승전에 진출한 축구단은 연장전 끝에 동점으로 시합을 마치고 5번의 승부차기를 기다리는 중 입니다. 승부차기 선수 5명을 선정하는 방법을 서로 이야기 해보고 가장 좋은 방법이 무엇인지 결정해보시오. 그렇게 결정한 이유도 적어보시오.

선수	영보	지성	영표	흥민	성용	청욕	범근	두리	기현	주영
					6	4		4		2
성공	10	9	12	16	18	13	7	16	10	14
실패	6	11	12	16	12	9	5	12	15	12
합계	16	20	24	32	30	22	12	28	25	26

나의 깨달음

우리 모둠은 선정하는 방법을 성공횟수에서 실패횟수를 뺐을때 그 차가 큰 사람들을 기준으로 하였다. 그래서 우리는 성용, 청용, 두리, 영보, 주영으로 결정하였다 성용은 (18－12＝6), 청용 (13－9＝4), 두리는 (16－12＝4), 영보 (10－6＝4) 주영은 (14－12＝2) 이었다. 하지만 다른 모둠에서는 주영을 범근으로 바꿨다. 사실 기억이 잘 나지는 않지만 어떠한 이유때문에 주영보다는 범근이 승부차기 선수로 적합하다고 했다. 나는 주영과 두리중에 고민해서 주영을 찍었지만 다른모둠은 되게 논리적이게 계산해서 풀었다

수학 학습원리

관찰하는 습관을 통해 규칙성을 찾아 표현하기

학생 답안 2

내가 선택한 탐구 과제

위의 표를 보고 승부차기를 할 5명의 선수를 정하고, 그 이유를 말하시오.

나의 깨달음

처음 표를 보자마자 합계는 생각도 하지 않고 성공 횟수와 실패 횟수만 따졌다. 그런데 합계는 제쳐두고 성공 / 실패 횟수만 따지다 보니 선수들을 비교할 수가 없게 되었다. 그랬더니 선수들 중에서 누가 승부차기를 하는지 알 수 없게 되어 선수를 선발할 수 없었다. 처음에는 (성공)-(실패)를 기준으로 하여 구했는데 친구가 횟수가 아니라 확률로 따져서 선수를 선발한 것을 보고 그 친구의 이야기가 훨씬 설득력 있게 들렸다. 이 문제를 다시 보면서 앞으로는 문제를 풀 때 조금 더 많은 사실들을 찾아내야겠다고 생각했다.

수학 학습원리

2.관찰하는 습관을 통해 규칙성을 찾아 표현하기

3. 수학적 추론을 통해 자신의 생각을 정리하기

학생 답안 3

내가 선택한 탐구 과제

3. 오른쪽 히스토그램은 주현이네 반 학생들의 수학 성적을 조사하여 나타낸 것입니다 수학 성적이 반에서 상위 10% 이내인 학생들에게 교내 수학 경시대회 참가 자격이 주어진다고 합니다. 89점인 주현이가 교내 경시대회에 참가할 수 있나요? 그렇게 생각한 이유는 무엇인가요?

8
6
4
2
40 50 60 70 80 90 100 (점

나의 깨달음

일단 상위 10%가 몇명인지 구하기 위하여 주현이네 반 아이들의 총수를 구해보니까 총 3+6+9+7+5+3 = 33명이었다. 그래서 그 중 33의 10%니까 3.3명이었다 그래서 나는 90이상 100미만의 아이들이 3명이니까 나머지 0.3명을 한 명으로 쳐서 나는 참가할 수 있다고 썼다.
하지만 똑같이 상위 10%가 3.3명이라고 구한 아이들의 생각은 달랐습니다
그 아이들은 0.3명을 1명으로 치지 않았습니다. 그래서 그 아이들은 주현이가 참가하지 못한다고 하였습니다.
나는 그아이들의 의견을 듣고 묘하게 설득이 되었습니다 사람을 10개로 나눈뒤 그 중 0.3 만 포함할 순 없기 때문에 무조건 나의 의견만 맞다고 주장하기 보단 친구들의 의견이 중요하다고 생각했습니다

수학 학습원리

수학적 추론을 통해 자신의 생각 설명하기

학생 답안 4

내가 선택한 탐구 과제

탐구활동 1 (P20)

나의 깨달음

나는 처음에 히스토그램을 보았을 때 그저 막대그래프로만 생각했는데 보다보니 무언가 다른 느낌이었다

그것은 바로 막대그래프의 막대는 떨어져 있는데, 히스토그램은

막대가 붙어있는것이 있다. 그 이유는 바로 히스토그램은

이상。미만으로 이루어져 있기 때문이란것을 알게되었다

수학 학습원리

학습원리 2 관찰하는 습관을 통해 규칙성을 찾아 표현해

학생 답안 5

내가 선택한 탐구 과제

11쪽 탐구하는 그래프 활동

같은 표를 보고 세로축의 간격을 다르게하여 차이점을 찾는 문제.

나의 깨달음

나는 표를 그릴때 내 마음대로 세로축, 가로축의 간격을 정해 막 그렸었는데 간격의 차이도 사람들이 바라보는 생각이 다를 수 있다는것을 느껴 그래프를 그릴때 객관적인 나의 의견은 들어가지 않아야 더 좋은 통계자료가 나온다는것을 알게되었다.

수학 학습원리

수학적 추론을 통해 자신의 생각을 설명하기.

여러가지 수학개념 연결하기

MEMO

MEMO

MEMO

MEMO